Comentário Bíblico
BEACON

COMENTÁRIO BÍBLICO BEACON

Oséias a Malaquias

5

8ª impressão

CPAD

Rio de Janeiro
2024

Todos os direitos reservados. Copyright © 2005 para a língua portuguesa da Casa Publicadora das Assembleias de Deus. Aprovado pelo Conselho de Doutrina.

É proibida a duplicação ou reprodução deste volume, no todo ou em parte, sob quaisquer formas ou meios (eletrônico, mecânico, gravação, fotocópia, distribuição na web e outros), sem permissão expressa da Editora.

Beacon Bible Commentary 10 Volume Set
Copyright © 1969. Publicado pela Beacon Hill Press of Kansas City, uma divisão da Nazarene Publishing House, Kansas City, Missouri 64109, EUA.

Edição brasileira publicada sob acordo com a Nazarene Publishing House.

Tradução deste volume: Luís Aron de Macedo
Preparação de originais: Antônio Mardônio Nogueira
Revisão: Miriam Anna Libório
Capa e projeto gráfico: Rafael Paixão
Editoração: Joede Bezerra

CDD: 220 - Bíblia
ISBN: 978-85-263-1144-2 (Brochura)
ISBN: 978-85-263-1490-0 (Capa Dura)

Para maiores informações sobre livros, revistas, periódicos e os últimos lançamentos da CPAD, visite nosso site: https://www.cpad.com.br

Casa Publicadora das Assembleias de Deus
Av. Brasil, 34.401, Bangu, Rio de Janeiro – RJ
CEP 21.852-002

8ª impressão - 2024- Tiragem: 2.000 (Brochura)
8ª impressão: 2022 - Tiragem: 1.000 (Capa Dura)
Impresso no Brasil

BEACON HILL PRESS

COMISSÃO EDITORIAL

A. F. Harper, Ph.D., D.D.
Presidente

W. M. Greathouse, M.A., D.D.
Secretário

W. T. Purkiser, Ph.D., D.D.
Editor do Antigo Testamento

Ralph Earle, B.D., M.A., Th.D.
Editor do Novo Testamento

CORPO CONSULTIVO

G. B. Williamson
Superintendente Geral

E. S. Phillips
Presidente

J. Fred Parker
Secretário

A. F. Harper
Norman R. Oke
M. A. Lunn

EDIÇÃO BRASILEIRA

DIREÇÃO-GERAL
Ronaldo Rodrigues de Souza
Diretor-Executivo da CPAD

SUPERVISÃO EDITORIAL
Claudionor de Andrade
Gerente de Publicações

COORDENAÇÃO EDITORIAL
Isael de Araujo
*Chefe do Setor de Bíblias
e Obras Especiais*

Prefácio

"Toda Escritura divinamente inspirada é proveitosa para ensinar, para redargüir, para corrigir, para instruir em justiça, para que o homem de Deus seja perfeito e perfeitamente instruído para toda boa obra" (2 Tm 3.16,17).

Cremos na inspiração plenária da Bíblia. Deus fala com os homens pela Palavra. Ele fala conosco pelo Filho. Mas sem a palavra escrita como saberíamos que o Verbo (ou Palavra) se fez carne? Ele fala conosco pelo Espírito, mas o Espírito usa a Palavra escrita como veículo de revelação, pois Ele é o verdadeiro Autor das Santas Escrituras. O que o Espírito revela está de acordo com a Palavra.

A fé cristã deriva da Bíblia. Esta é o fundamento da fé, da salvação e da santificação. É o guia do caráter e conduta cristãos. "Lâmpada para os meus pés é tua palavra e luz, para o meu caminho" (Sl 119.105).

A revelação de Deus e sua vontade para os homens são adequadas e completas na Bíblia. A grande tarefa da igreja é comunicar o conhecimento da Palavra, iluminar os olhos do entendimento e despertar e aclarar a consciência para que os homens aprendam a viver "neste presente século sóbria, justa e piamente". Este processo conduz à posse da "herança [que é] incorruptível, incontaminável e que se não pode murchar, guardada nos céus" (Tt 2.12; 1 Pe 1.4).

Quando consideramos a tradução e a interpretação da Bíblia, admitimos que somos guiados por homens que não são inspirados. A limitação humana, como também o fato inconteste de que nenhuma escritura é de particular interpretação, ou seja, não tem uma única interpretação, permite variação na exegese e exposição da Bíblia.

O *Comentário Bíblico Beacon* (CBB) é oferecido em dez volumes com a apropriada modéstia. Não suplanta outros. Nem pretende ser exaustivo ou conclusivo. O empreendimento é colossal. Quarenta dos escritores mais capazes foram incumbidos dessa tarefa. São pessoas treinadas com propósito sério, dedicação sincera e devoção suprema. Os patrocinadores e editores, bem como todos os colaboradores, oram com fervor para que esta nova contribuição entre os comentários da Bíblia seja útil a pregadores, professores e leigos na descoberta do significado mais profundo da Palavra de Deus e na revelação de sua mensagem a todos que a ouvirem.

— G. B. Williamson

Agradecimentos

Agradecemos a permissão recebida para citar este material protegido por direitos autorais:
- Abingdon Press: Albert C. Knudson, *Beacon Lights of Prophecy*.
- Doubleday and Company: George L. Robinson, *The Twelve Minor Prophets*.
- Macmillan Company: Martin Buber, *The Prophetic Faith*.
- Thomas Nelson & Sons: Stuart E. Rosenberg, *More Loves than One: The Bible Confronts Psychiatry*.

As citações bíblicas deste volume do *Comentário Bíblico de Beacon* (CBB) foram extraídas das seguintes versões bíblicas em inglês e em português, protegidas por direitos autorais:

Versões bíblicas em inglês
- *The Amplified Old Testament*. Copyright 1964, de Zonderyan Publishing House.
- *The Berkeley Version in Modern English*. Copyright 1958, 1959, de Zondervan Publishing House.
- *The Bible: A New Translation*, James Moffatt. Copyright 1950, 1952, 1953, 1954, de James A. R. Moffatt. Usado com permissão de Harper & Row.
- *The Bible: An American Translation*, J. M. Powis Smith, Edgar J. Goodspeed. Copyright 1923, 1927, 1948, de The University of Chicago Press.
- *Four Prophets: A Modern Translation from the Hebrew*, John B. Phillips. Copyright 1963, de The Macmillan Company.
- *Living Prophecies: The Minor Prophets Paraphrased*, Kenneth N. Taylor. Copyright 1965, de Tyndale House, Publishers, Wheaton, Illinois.
- *Revised Standard Version of the Holy Bible*. Copyright 1946 e 1952, de Division of Christian Education of the National Council of Churches.

Versões bíblicas em português
- *A Bíblia Viva* (BV). São Paulo: Mundo Cristão, 1981.
- *Almeida Revista e Atualizada* (ARA). Barueri: Sociedade Bíblica do Brasil, 2002.
- *Almeida Revista e Corrigida, Edição de 1995* (RC). Barueri: Sociedade Bíblica do Brasil, 1995.
- *Edição Contemporânea de Almeida* (ECA). São Paulo: SBB/Vida, 1990.
- *Nova Tradução na Linguagem de Hoje* (NTLH). Barueri: Sociedade Bíblica do Brasil, 2000.
- *Nova Versão Internacional* (NVI). São Paulo: Vida, 2001.

Sempre que o texto bíblico de versão bíblica em inglês combina adequadamente com uma das versões bíblicas em português, esta foi preferencialmente citada. Caso contrário, as versões bíblicas em inglês foram livremente traduzidas para cumprir os propósitos de cada um dos comentaristas deste volume. A única exceção à regra é a *Living Prophecies*, de Kenneth N. Taylor, que sempre foi substituída por *A Bíblia Viva*.

Citações e Referências

O tipo negrito na exposição de todo este comentário indica a citação bíblica extraída da versão feita por João Ferreira de Almeida, edição de 1995, Revista e Corrigida (RC). Referências a outras versões bíblicas são colocadas entre aspas seguidas pela indicação da versão.

Nas referências bíblicas, uma letra (a, b, c, etc.) designa parte de frase dentro do versículo. Quando nenhum livro é citado, compreende-se que se refere ao livro sob análise.

Dados bibliográficos sobre uma obra citada por um escritor podem ser encontrados consultando-se a primeira referência que o autor fez à obra ou reportando-se à bibliografia.

As bibliografias não têm a pretensão de ser exaustivas, mas são incluídas para fornecer dados de publicação completos para os volumes citados no texto.

Referências a autores no texto, ou a inclusão de seus livros na bibliografia, não constituem endosso de suas opiniões. Toda leitura no campo da interpretação bíblica deve ter característica discriminadora e ser feita de modo reflexivo.

Como Usar o Comentário Bíblico Beacon

A Bíblia é um livro para ser lido, entendido, obedecido e compartilhado com as pessoas. O *Comentário Bíblico Beacon* (CBB) foi planejado para auxiliar dois destes quatro itens: o entendimento e o compartilhamento.

Na maioria dos casos, a Bíblia é sua melhor intérprete. Quem a lê com a mente aberta e espírito receptivo se conscientiza de que, por suas páginas, Deus está falando com *o indivíduo* que a lê. Um comentário serve como valioso recurso quando o significado de uma passagem não está claro sequer para o leitor atento. Mesmo depois de a pessoa ter visto seu particular significado em determinada passagem da Bíblia, é recompensador descobrir que outros estudiosos chegaram a interpretações diferentes no mesmo texto. Por vezes, esta prática corrige possíveis concepções errôneas que o leitor tenha formado.

O *Comentário Bíblico Beacon* (CBB) foi escrito para ser usado com a Bíblia em mãos. Muitos comentários importantes imprimem o texto bíblico ao longo das suas páginas. Os editores se posicionaram contra esta prática, acreditando que o usuário comum tem sua compreensão pessoal da Bíblia e, por conseguinte, traz em mente a passagem na qual está interessado. Outrossim, ele tem a Bíblia ao alcance para checar qualquer referência citada nos comentários. Imprimir o texto integral da Bíblia em uma obra deste porte teria ocupado aproximadamente um terço do espaço. Os editores resolveram dedicar este espaço a recursos adicionais para o leitor. Ao mesmo tempo, os escritores enriqueceram seus comentários com tantas citações das passagens em debate que o leitor mantém contato mental fácil e constante com as palavras da Bíblia. Estas palavras citadas estão impressas em tipo negrito para pronta identificação.

Esclarecimento de Passagens Relacionadas

A Bíblia é sua melhor intérprete quando determinado capítulo ou trecho mais longo é lido para descobrir-se o seu significado. Este livro também é seu melhor intérprete quando o leitor souber o que a Bíblia diz em outros lugares sobre o assunto em consideração. Os escritores e editores do *Comentário Bíblico Beacon* (CBB) se esforçaram continuamente para proporcionar o máximo de ajuda neste campo. Referências cruzadas, relacionadas e cuidadosamente selecionadas, foram incluídas para que o leitor encontre a Bíblia interpretada e ilustrada pela própria Bíblia.

Tratamento dos Parágrafos

A verdade da Bíblia é melhor compreendida quando seguimos o pensamento do escritor em sua seqüência e conexões. As divisões em versículos com que estamos familiarizados foram introduzidas tardiamente na Bíblia (no século XVI, para o Novo Testamento, e no século XVII, para o Antigo Testamento). As divisões foram feitas às pressas e, por vezes, não acompanham o padrão de pensamento dos escritores inspirados. O mesmo é verdadeiro acerca das divisões em capítulos. A maioria das traduções de hoje organiza as palavras dos escritores bíblicos de acordo com a estrutura de parágrafo conhecida pelos usuários da língua portuguesa.

Os escritores deste comentário consideraram a tarefa de comentar de acordo com este arranjo de parágrafo. Sempre tentaram responder a pergunta: O que o escritor inspirado estava dizendo nesta passagem? Os números dos versículos foram mantidos para facilitar a identificação, mas os significados básicos foram esboçados e interpretados nas formas mais amplas e mais completas de pensamento.

Introdução dos Livros da Bíblia

A Bíblia é um livro aberto para quem a lê refletidamente. Mas é entendida com mais facilidade quando obtemos um maior entendimento de suas origens humanas. Quem escreveu este livro? Onde foi escrito? Quando viveu o escritor? Quais foram as circunstâncias que o levaram a escrever? Respostas a estas perguntas sempre acrescentam mais compreensão às palavras das Escrituras.

Estas respostas são encontradas nas introduções. Nesta parte há um esboço de cada livro. A Introdução foi escrita para dar-lhe uma visão geral do livro em estudo, fornecer-lhe um roteiro seguro antes de você enfronhar-se no texto comentado e proporcionar-lhe um ponto de referência quando você estiver indeciso quanto a que caminho tomar. Não ignore o sinal de advertência: "Ver Introdução". Ao final do comentário de cada livro há uma bibliografia para aprofundamento do estudo.

Mapas, Diagramas e Ilustrações

A Bíblia trata de pessoas que viveram em terras distantes e estranhas para a maioria dos leitores dos dias atuais. Entender melhor a Bíblia depende, muitas vezes, de conhecer melhor a geografia bíblica. Quando aparecer o sinal: "Ver Mapa", você deve consultar o mapa indicado para entender melhor os locais, as distâncias e a coordenação de tempo relacionados com a época das experiências das pessoas com quem Deus estava lidando.

Este conhecimento da geografia bíblica o ajudará a ser um melhor pregador e professor da Bíblia. Até na apresentação mais formal de um sermão é importante a congregação saber que a fuga para o Egito era "uma viagem a pé, de uns 320 quilômetros, em direção sudoeste". Nos grupos informais e menores, como classes de escola dominical e estudos bíblicos em reuniões de oração, um grande mapa em sala de aula permite o grupo ver os lugares tanto quanto ouvi-los ser mencionados. Quando vir estes lugares nos mapas deste comentário, você estará mais bem preparado para compartilhar a informação com os integrantes da sua classe de estudo bíblico.

Diagramas que listam fatos bíblicos em forma de tabela e ilustrações lançam luz sobre as relações históricas da mesma forma que os mapas ajudam com o entendimento geográfico. Ver uma lista ordenada dos reis de Judá ou das aparições pós-ressurreição de Jesus proporciona maior entendimento de um item em particular dentro de uma série. Estes diagramas fazem parte dos recursos oferecidos nesta coleção de comentários.

O *Comentário Bíblico Beacon* (CBB) foi escrito tanto para o recém-chegado ao estudo da Bíblia como para quem há muito está familiarizado com a Palavra escrita. Os escritores e editores examinaram cada um dos capítulos, versículos, frases, parágrafos e palavras da Bíblia. O exame foi feito com a pergunta em mente: O que significam estas palavras? Se a resposta não é evidente por si mesma, incumbimo-nos de dar a melhor explicação conhecida por nós. Como nos saímos o leitor julgará, mas o convidamos a ler a explanação dessas palavras ou passagens que podem confundi-lo em sua leitura da Palavra escrita de Deus.

EXEGESE E EXPOSIÇÃO

Os comentaristas bíblicos usam estas palavras para descrever dois modos de elucidar o significado de uma passagem da Bíblia. *Exegese* é o estudo do original hebraico ou grego para entender que significados tinham as palavras quando foram usadas pelos homens e mulheres dos tempos bíblicos. Saber o significado das palavras isoladas, como também a relação gramatical que mantinham umas com as outras, serve para compreender melhor o que o escritor inspirado quis dizer. Você encontrará neste comentário esse tipo de ajuda enriquecedora. Mas só o estudo da palavra nem sempre revela o verdadeiro significado do texto bíblico.

Exposição é o esforço do comentarista em mostrar o significado de uma passagem na medida em que é afetado por qualquer um dos diversos fatos familiares ao escritor, mas, talvez, pouco conhecidos pelo leitor. Estes fatos podem ser: 1) O contexto (os versículos ou capítulos adjacentes), 2) o pano de fundo histórico, 3) o ensino relacionado com outras partes da Bíblia, 4) a significação destas mensagens de Deus conforme se relacionam com os fatos universais da vida humana, 5) a relevância destas verdades para as situações humanas exclusivas à nossa contemporaneidade. O comentarista busca explicar o significado pleno da passagem bíblica sob a luz do que melhor compreende a respeito de Deus, do homem e do mundo atual.

Certos comentários separam a exegese desta base mais ampla de explicação. No *Comentário Bíblico Beacon* (CBB) os escritores combinaram a exegese e a exposição. Estudos cuidadosos das palavras são indispensáveis para uma compreensão correta da Bíblia. Mas hoje, tais estudos minuciosos estão tão completamente refletidos em várias traduções atuais que, muitas vezes, não são necessários, exceto para aumentar o entendimento do significado teológico de certa passagem. Os escritores e editores desta obra procuraram espelhar uma exegese verdadeira e precisa em cada ponto, mas discussões exegéticas específicas são introduzidas primariamente para proporcionar maior esclarecimento no significado de determinada passagem, em vez de servir para engajar-se em discussão erudita.

A Bíblia é um livro prático. Cremos que Deus inspirou os homens santos de antigamente a declarar estas verdades, para que os leitores melhor entendessem e fizessem a vontade de Deus. O *Comentário Bíblico Beacon* (CBB) tem a incumbência primordial de ajudar as pessoas a serem mais bem-sucedidas em encontrar a vontade de Deus conforme revelada nas Escrituras — descobrir esta vontade e agir de acordo com este conhecimento.

AJUDAS PARA A PREGAÇÃO E O ENSINO DA BÍBLIA

Já dissemos que a Bíblia é um livro para ser compartilhado. Desde o século I, os pregadores e professores cristãos buscam transmitir a mensagem do evangelho lendo e explicando passagens seletas da Bíblia. O *Comentário Bíblico Beacon* (CBB) procura incentivar este tipo de pregação e ensino expositivos. Esta coleção de comentários contém mais de mil sumários de esboços expositivos que foram usados por excelentes pregadores e mestres da Bíblia. Escritores e editores contribuíram ou selecionaram estas sugestões homiléticas. Esperamos que os esboços indiquem modos nos quais o leitor deseje expor a Palavra de Deus à classe bíblica ou à congregação. Algumas destas análises de passagens para pregação são contribuições de nossos contemporâneos. Quando há esboços em forma impressa, dão-se os autores e referências para que o leitor vá à fonte original em busca de mais ajuda.

Na Bíblia encontramos a verdade absoluta. Ela nos apresenta, por inspiração divina, a vontade de Deus para nossa vida. Oferece-nos orientação segura em todas as coisas necessárias para nossa relação com Deus e, segundo sua orientação, para com nosso semelhante. Pelo fato de estas verdades eternas nos terem chegado em língua humana e por mentes humanas, elas precisam ser colocadas em palavras atuais de acordo com a mudança da língua e segundo a modificação dos padrões de pensamento. No *Comentário Bíblico Beacon* (CBB) nos empenhamos em tornar a Bíblia uma lâmpada mais eficiente para os caminhos das pessoas que vivem no presente século.

A. F. HARPER

Abreviações Usadas Neste Comentário

ARA — Almeida, Revista e Atualizada
ASV — American Standard Revised Version*
ATA — Antigo Testamento Amplificado*
BA — Bíblia Amplificada*
BBE — The Basic Bible Containing the Old and New Testaments in Basic English*
BV — A Bíblia Viva
CBB — Comentário Bíblico Beacon
CWB — Commentary on the Whole Bible*
DB — Dictionary of the Bible*
ECA — Edição Contemporânea de Almeida
ERV — English Revised Version*
IB — Interpreter's Bible*
ICC — The International Critical Commentary*
IDB — The Interpreter's Dictionary of the Bible*
LXX — Septuaginta
NBC — The New Bible Commentary*
NBD — The New Bible Dictionary*
NTLH — Nova Tradução na Linguagem de Hoje
NVI — Nova Versão Internacional
PC — The Pulpit Commentary*
Phillips — John B. Phillips, *Four Prophets**
RSV — Revised Standard Version*
TDNT — Theological Dictionary of the New Testament*
VBB — Versão Bíblica de Berkeley*
Vulgata — Vulgata Latina

> * Neste caso, a tradução do conteúdo destas obras foi feita pelo tradutor desde comentário. (N. do T.)

a.C. — antes de Cristo
cap. — capítulo
caps. — capítulos
cf. — confira, compare
d.C. — depois de Cristo
e.g. — por exemplo
ed. cit. — edição citada
esp. — especialmente, sobretudo
et al. — e outros
gr. — grego
hb. — hebraico
i.e. — isto é
ib. — na mesma obra, capítulo ou página

lit. — literalmente
N. do E. — Nota do Editor
N. do T. — Nota do Tradutor
op. cit. — obra citada
p. — página
pp. — páginas
s. — e o seguinte (versículo ou página)
ss. — e os seguintes (versículos ou páginas)
tb. — também
v. — versículo
ver — veja
vv. — versículos

Sumário

VOLUME 5

OSÉIAS	19
Introdução	21
Comentário	28
Notas	64
JOEL	71
Introdução	73
Comentário	76
Notas	90
AMÓS	93
Introdução	95
Comentário	99
Notas	122
OBADIAS	127
Introdução	129
Comentário	131
Notas	138
JONAS	139
Introdução	141
Comentário	144
Notas	163
MIQUÉIAS	165
Introdução	167
Comentário	170
Notas	199
NAUM	201
Introdução	203
Comentário	207
Notas	221

HABACUQUE — 223
- Introdução — 225
- Comentário — 228
- Notas — 247

SOFONIAS — 249
- Introdução — 251
- Comentário — 255
- Notas — 270

AGEU — 272
- Introdução — 275
- Comentário — 278
- Notas — 288

ZACARIAS — 289
- Introdução — 291
- Comentário — 296
- Notas — 337

MALAQUIAS — 343
- Introdução — 345
- Comentário — 348
- Notas — 373

BIBLIOGRAFIA — 376
MAPAS, DIAGRAMAS E ILUSTRAÇÕES — 383

Autores deste volume — 389

O Livro de
OSÉIAS

Oscar F. Reed

Introdução

Os estudiosos consideram Amós o líder dos que libertariam a religião de sua relação antinatural com a tirania, o egoísmo, o cerimonialismo e a superstição. Em comparação com ele, Oséias é considerado o profeta mais antigo que interpretou a vontade de Jeová relacionada ao amor. Conforme observou George Adam Smith: "Não há verdade dita pelos antigos profetas sobre a graça divina que não encontremos embrionariamente neste profeta. [...] Ele é o primeiro profeta da graça, o primeiro evangelista de Israel".[1]

O teor da profecia é um testemunho dinâmico e severo contra o Reino do Norte por ter se apostatado do concerto. Todos conheciam bem a corrupção que campeava pela nação no âmbito das questões públicas e particulares.

O propósito de Oséias era o de convencer seus compatriotas sobre a necessidade de se arrependerem, restabelecerem a relação de concerto e dependerem do Deus paciente, compassivo e perdoador. "Oséias apresenta a ameaça e a promessa do ponto de vista do amor de *Yahweh* (Jeová) por Israel como seus filhos queridos e como a sua esposa do concerto".[2]

A doutrina do amor de Deus apresentada por Oséias não era inédita; contudo, foi expressa com clareza e propósito. Ainda que sua mensagem não esteja na lista dos principais profetas por causa da brevidade de suas declarações, deve constar entre as mais importantes em termos de compreensão das Escrituras. Oséias era mais poeta que teólogo – o apóstolo João do Antigo Testamento.[3]

A. Autoria e Data

O nome "Oséias", como "Josué" e "Jesus", é derivado do radical hebraico que significa "salvação". É idêntico ao nome do último rei de Israel.

A erudição bíblica reconhece amplamente que Oséias era nativo do Reino do Norte, pois ele conhecia profundamente todos os aspectos da vida de Efraim. Escreve na qualidade de testemunha ocular. Exceto o nome de seu pai e o casamento com Gômer, há poucos detalhes sobre sua vida. Supõe-se que era sacerdote, apesar de não haver indicativo a esse respeito. Tinha em alto conceito o dever sacerdotal e faz numerosas referências aos sacerdotes (4.6-9; 5.1; 6.9), à Torá ou lei de Deus (4.6; 8.12), às coisas impuras (9.3), às abominações e à opressão da "casa de Deus".[4] Entendia bem a lei escrita e conhecia Israel pessoalmente. Sabemos pouco acerca de seu ministério efetivo, a não ser que foi perseguido muito provavelmente por causa de seu trabalho profético (9.7,8).

Oséias concede-nos a data de sua profecia no título do livro: "Palavra do SENHOR que foi dita a Oséias, filho de Beeri, nos dias de Uzias, Jotão, Acaz, Ezequias, reis de Judá, e nos dias de Jeroboão, filho de Joás, rei de Israel" (1.1).

Há notável diferença de julgamento quanto à duração do ministério de Oséias. O caráter fragmentário das profecias sugere que nem todas foram entregues no mesmo período da vida do profeta. Archer deduz que parte da escrita deve ser datada antes da morte de Jeroboão II (753 a.C.), "visto que o capítulo 1 interpreta o significado simbólico de Jezreel com o sentido de que a dinastia de Jeú deve ser exterminada com violência".[5]

Quando Salum assassinou Zacarias, filho de Jeroboão, a profecia se cumpriu. Por outro lado, parece que o capítulo 5 é dirigido ao rei Menaém (752-742 a.C.). Levando em conta que o capítulo 7 trata da "dupla-diplomacia" de lançar a Assíria contra o Egito (fato não conhecido antes do reinado do rei Oséias, 732-723 a.C.), temos de admitir que este capítulo vem de 10 a 20 anos depois do capítulo 5. É lógico que o livro apresenta trechos selecionados de sermões entregues durante certo período de tempo. Archer conclui que o ministério de Oséias abrangia um período de pelo menos 25 anos, sendo que a compilação final foi concluída e publicada em 725 a.C., uns 30 anos depois do início do ministério deste profeta.[6]

Por outro lado, Carl Keil, estudioso alemão, acredita que Oséias manteve seu ofício profético entre 60 e 65 anos. (A discrepância está entre a duração do "ofício" em oposição ao tempo efetivo das declarações proféticas.) Este cálculo é 27 a 30 anos sob o reinado de Uzias, 31 anos sob o reinado de Jotão e Acaz, e de 01 a 03 anos sob o reinado de Ezequias.[7] Ainda que tenhamos justificativa em presumir que o ministério de Oséias durou o tempo indicado em 1.1, as evidências internas do livro apontam épocas extensamente divergentes das efetivas declarações proféticas – um período de tempo que pode ter sido consideravelmente mais curto que o indicado pelo título.

Mesmo que a verdadeira extensão do ministério de Oséias possa permanecer em dúvida, sabemos que Amós foi seu contemporâneo nos primeiros anos de seu ministério, e que Isaías, Miquéias e Obadias conviveram com ele durante os seus últimos anos.

B. Pano de Fundo Histórico

Para entendermos os escritos de Oséias em relação ao conceito do amor divino, que é o tema central do livro, é necessário examinarmos brevemente as circunstâncias sob as quais ele exerceu seu ministério. Como acontece com todos nós, não podemos entender a pessoa ou sua mensagem independentemente de seu ambiente peculiar. O profeta é influenciado pela cultura na qual vive e a influencia.

O reinado de Jeroboão II em Israel foi uma época de paz, prosperidade e luxo. Contudo, após a morte deste monarca sobrevieram anarquia, disputa e concerto quebrado. Knudson, ao resumir a situação, escreve:

Jeroboão [...] foi sucedido por seu filho Zacarias, que depois de um breve reinado de seis meses foi assassinado por Salum. Este subiu ao trono e, após reinar por um mês, foi morto por Menaém, o qual reinou por dois ou três anos, e foi sucedido por seu filho, Pecaías, que, depois de um reinado de dois anos, foi assassinado por Peca. Este reinou por um ano ou dois, e depois foi morto por Oséias, que subiu ao trono como vassalo assírio e foi o último dos reis de Israel. Assim, em um período de oito ou nove anos, de 740 a.C. a 732 a.C., houve não menos de sete reis de Israel, e destes, quatro foram assassinados por seus respectivos sucessores.

O período após a morte de Jeroboão II caracterizou-se pela ausência de um governo capaz de equilibrar a estrutura religiosa, política, social e econômica. O reino estava a caminho da ruína. Esta situação é vista com clareza nos últimos 11 capítulos do livro de Oséias.[8]

Depois da morte de Jeroboão, Israel encontrava-se politicamente fracassado. Estava minado por tramas, fraudes e intrigas. A nação estava madura para a conquista. Em acréscimo ao quadro decadente, Yates observa que "príncipes tolos, que levaram o povo a confiar no Egito, apressaram o fim. Os egípcios prometiam muito, mas nunca puderam cumprir o que prometeram. Israel estava totalmente desprovido de aliados".[9] O resultado era inevitável e a primeira investida ocorreu em 733 a.C., quando Tiglate-Pileser invadiu Damasco, saqueou o território de Israel e levou a maioria dos líderes para o exílio. Em 722-721 a.C., Sargão tomou a capital Samaria. Oséias não tinha ilusão acerca deste trágico desastre. O castigo dos pecados de Israel era iminente, mas ainda estava no futuro.

A desintegração política em Israel nos dias de Oséias foi, possivelmente, indicação de uma moléstia social muito grave. Foi um tempo de crime, corrupção e imoralidade. A degradação do sacerdócio, a impotência dos governantes, o desatino do pecado e a injustiça contribuíram para o declínio e queda do Reino do Norte. Havia relaxamento na conduta individual. O caráter era negligenciado. A dignidade do indivíduo era sacrificada em função da indisciplina pessoal, e a incerteza dominou a nação.

A presença disseminada de cultos à fertilidade causou seu efeito na desintegração da vida familiar. O lar já não era sagrado e os votos matrimoniais quase nada significavam. As orgias relacionadas aos cultos sobre a fertilidade transformaram muitos israelitas em bêbedos, e havia suspeita de que muitas das mulheres tornaram-se prostitutas cultuais.

Entre todas as classes sociais havia ódio. Os ricos ficavam cada vez mais ricos e os pobres, mais pobres. Os ricos oprimiam os pobres e até os escravizavam.[10] A situação estava no ponto certo para Oséias cumprir o papel tradicional de profeta, ou seja, ser paladino dos pobres e defensor das reformas sociais.

É claro que o profeta logo identificou o cerne da degradação política e social: falhas religiosas e morais – o pecado. A idolatria era a causa da doença de Israel. Oséias a rotula de "prostituição" (1.2; 6.10), "luxúria" (4.10), "incontinência" (4.11; cf. "se prostituem", 4.13,14; "corrompem-se", 4.18; "te tens prostituído", 5.3). Eiselen escreve acerca da situação: "Israel, a esposa de Jeová, mostrou-se infiel ao marido. As provas da infidelidade evidenciavam-se no âmbito da religião, da ética e da política, e os pecados que provocaram a ira de Jeová e de seu profeta concentravam-se em torno destas três esferas".[11] Há somente uma consideração nominal a Jeová (8.2). O povo se entregou à superstição e licenciosidade.

Os sacerdotes fracassaram em seu dever para com Deus e o povo. Alegravam-se com os pecados do povo, porque isso lhes aumentava a renda. Tornaram-se bandoleiros (6.9). A própria nação se tornou "prostituta". O estado de Israel foi de uma apostasia religiosa tal que resultou em degradação moral, social e política.

C. A Teologia de Oséias

Oséias concentra sua atenção na relação de Deus com Israel. Enquanto Amós está preocupado com a soberania divina e com o interesse de Jeová por outras nações, a abordagem de Oséias é uma preocupação exclusiva com a relação de Israel com Deus pertinente ao concerto. "A nação abandonou seu marido *Yahweh*, e desempenhou o papel de meretriz quando colocou sua confiança nos baalins. [...] O pecado não é definido de forma legalista; [...] para ele, a essência do pecado de Israel é confiar em qualquer ser ou coisa que exclua Deus na busca de direção e sustento de vida." [12] Por isso, o profeta censura severamente toda forma de idolatria.

A interpretação que Oséias faz da história de Israel prende-se em torno da idéia do amor divino e do conhecimento de Deus. Por trás da figura da paternidade e do casamento estão duas palavras hebraicas usadas por Oséias: 'ahab e chesed. A primeira é o equivalente hebraico do termo *amor*, usado para referir-se ao amor humano, quer puro ou impuro. A segunda (*chesed*) é a palavra traduzida em 2.19 por "benignidade" (RC; ECA; ARA), "amor" (BV; NTLH; NVI) e "amor firme" (RSV). Também significa "amor de concerto", "amor-concerto", ou seja, o amor ligado ao concerto. Quando usada em relação a Deus é o equivalente hebraico de "fidelidade" e quando usada em relação ao homem desdobra-se no sentido de "devoção, religiosidade, lealdade". A palavra 'ahab é considerada a mais restrita das duas, ao passo que *chesed* é a mais nobre. Entretanto, há ocasiões em que 'ahab tem seus termos de elevada nobreza e dignidade. A palavra 'ahab é empregada para denotar o "amor-eleição" de Deus e forma a base do concerto. Indica a ação redentora do Senhor na história e na escolha de Israel como seu povo.

Havia duas questões que a lei não podia responder acerca de si mesma. A primeira dizia respeito à razão para seu próprio estabelecimento. A única resposta achava-se no amor ('ahab) de Deus. O "amor-eleição" de Jeová por Israel era a base e a causa única da existência do concerto entre Deus e Israel. De fato, se não fosse pelo "amor-eleição" de Jeová nunca teria havido concerto e, por conseguinte, Israel. Também de acordo com o concerto, era a contínua obediência de Israel a Deus que tornava possível sua existência.

Mas, e se Israel fosse desobediente? A lei não tinha resposta! Só o amor fiel de Deus poderia oferecer uma solução. Isto nos proporciona a segunda síntese entre a lei e o amor no livro de Oséias. Esta vinculação está ilustrada graficamente pela relação dele com sua esposa adúltera. O amor de Deus atinge o ápice da expressão quando Jeová brada: "Como te deixaria, ó Efraim? Como te entregaria, ó Israel?" (11.8). Oséias usa constantemente a palavra *chesed* (amor) para denotar a atitude de Jeová pertinente ao concerto. Portanto, 'ahab é a causa do concerto e *chesed* é o meio de sua continuação. Assim, *chesed* seria a atitude expressa para com o concerto da parte de Deus e de Israel.[13]

Na progressão da idéia de amor em Oséias há três pontos importantes a destacar. Primeiro, o amor é a base do concerto. Segundo, ele é a resposta ao concerto quebrado e à existência continuada de Israel. Terceiro, a "firmeza" ou a "fidelidade" é o elemento central no amor. Portanto, a base do concerto é o amor e não a lei. Mas a santidade de Deus ainda exige que a lei – a essência do seu amor e concerto – seja guardada e que o transgressor seja excluído da comunhão divina.

Mesmo que haja o amor (*chesed*) de Deus por Israel, tem de haver um *chesed* ao Senhor proveniente de Israel. É uma relação recíproca. Deus inicia esse amor e Israel, agradecidamente, retribui. Este é o sentido no qual o amor ('ahab) é usado de uma forma inferior para uma superior, o sentido de amor humilde e obediente. O amor do homem por Deus no Antigo Testamento está baseado no amor do Senhor pelo homem.

A relação não está elaborada de forma sistematizada, mas ela existe. Se Israel precisava ser grato a Deus por sua eleição, muito mais agradecido precisava ser pelo amor firme e pela fidelidade do Senhor depois de ter quebrado o concerto com Ele.

Assim, vemos que o pano de fundo do concerto entre Jeová e Israel é a graça, não a lei. Poderíamos dizer que a lei, como expressão da santidade de Deus, forneceu a essência do seu amor (*chesed*) e, portanto, do concerto com seu povo.

O problema do *chesed* de Deus e do concerto quebrado concentra-se na tensão entre a santidade e o amor divinos. Qual é o equilíbrio entre a misericórdia e a justiça? O livro de Oséias é excelente exemplo desta tensão entre a mensagem de destruição proclamada por Deus e sua misericórdia. Jeová foi constantemente fiel na sua parte do concerto, e é este elemento do amor de Deus que, no final das contas, ocasiona a solução da tensão entre seu amor e sua santidade. Deus mesmo ocasionaria esse arrependimento requerido por ele (12.6) e forneceria a expiação que sua santidade e justiça exigiam (Is 53). É a idéia de amor (*chesed*) na relação de concerto, ainda que quebrado, que se desdobra no propósito da graça no Novo Testamento. É também este elemento que proporciona o pano de fundo para a profecia do novo concerto em Jeremias e o fundamento da esperança messiânica.

O segundo elemento no livro de Oséias é o conhecimento de Deus. Esta característica surge da "comunhão" que é o resultado do "amor de concerto". Esta comunhão no pensamento hebraico torna-se o método de conhecer Deus. Vriezen comenta: "Este conhecimento de Deus é essencialmente uma comunhão com Deus, e é também fé religiosa. É algo completamente diferente de conhecimento intelectual: trata-se de conhecimento do coração e demanda o amor do homem (Dt 6); sua demanda vital é andar humildemente nos caminhos do Senhor (Mq 6.8); é o reconhecimento de Deus como Deus, a rendição total a Deus como Senhor".[14]

Com isto em mente, podemos entender por que era tão sério o clamor de Oséias de que não havia "conhecimento" de Deus em Israel. Indica que não havia fidelidade a Deus, amor a Ele e comunhão com Ele. O profeta não se refere a um conhecimento intelectual, mas a uma relação espiritual. Vriezen demonstra esta dedução quando escreve que, no Antigo Testamento, "o conhecimento de Deus não implica numa teoria sobre a natureza de Deus; não é ontológica, mas existencial: é uma vida na verdadeira relação com Deus".[15]

A análise descrita acima destaca dois fatores sobre o "conhecimento" no Antigo Testamento. Primeiramente, é espiritual e relacional e não intelectual. Em segundo lugar, tem implicações éticas. Snaith ilustra este segundo ponto quando, ao comentar sobre 4.2, diz que "o verdadeiro *chesed* (amor) de Israel por Jeová implica [...] fundamentalmente em conhecimento de Deus e, resultante disso, lealdade na adoração verdadeira e apropriada, junto com o procedimento adequado a respeito das virtudes humanitárias".[16] O fato que conhecimento é essencialmente comunhão, e que isto está baseado necessariamente na relação de concerto com Jeová, acarreta implicações éticas. Pois se o amor é o elemento básico no concerto, não pode estar separado da lei que fornece sua essência. Portanto, o conhecimento de Deus proporciona a transição entre a religião e a ética; assim se justifica o clamor profético pela justiça social e a insistência que a verdadeira religião é muito mais que a observância ritual.

É evidente que a "ética" de Israel era profundamente pessoal e estava baseada na idéia-concerto de *chesed* (amor), o qual está muito bem apresentado nos escritos de Oséias. Visto que seu tema principal é as relações entre pessoas e seu alvo é a união ou conhecimento no mais pleno sentido da palavra hebraica, *chesed* é o meio de vencer o afastamento e a desavença. Isto ocorre porque a mente hebraica via o homem, em si, como algo incompleto, alguma coisa menos que ser humano, quando fica separado da relação de concerto. Torna-se verdadeiramente autêntico apenas quando descobre sua relação com Deus e com o homem.

A reconciliação ocorre pelo amor de Jeová ao homem e pela resposta humilde do ser humano em amor. É pelo amor que o homem percebe a verdadeira essência do seu ser. Rosenberg escreve:

> O amor é a exigência racional para a completude, a integridade humana e a relação mútua; é a busca de uma união de nossos meio-mundos com o que nos completa como pessoas. [...] Amar é reconciliar-se com o que sentimos que estamos separados; é empreendimento racional, que brota de nossa vontade para ver a justiça que nos é feita através de nosso relacionamento com as pessoas. O "mandamento de amar" não é um imperativo impossível que exige uma resposta emocional e antinatural, mas é uma expressão da necessidade humana fundamental e insubstituível de integridade pessoal. "Conhecer o próximo como a ti mesmo" é o que o Antigo Testamento quer dizer quando ordena que amemos o próximo. Conheça-o como alguém relacionado e ligado a você – como uma expressão de você mesmo que ajuda a restabelecer sua integridade como pessoa completa.[17]

Oséias com sua teologia de amor prepara o pano de fundo para a idéia do Novo Testamento de que a existência só é percebida num relacionamento com Deus, e a vida mais completa é percebida na *koinonia* (comunhão de amor). O ápice é atingido nos escritos de João e, sobretudo, em 1 João 4.16,17: "Deus é amor, e aquele que permanece no amor permanece em Deus, e Deus, nele. Nisto é em nós aperfeiçoado o amor" (ARA).

Nos dias de Oséias, Israel parecia incapaz de arrepender-se e a santidade do Senhor não podia tolerar o pecado. De alguma forma, o amor firme de Deus acharia um meio de trazer as pessoas de volta para Ele. Embora o Senhor tivesse pronunciado certa destruição sobre o pecador, prometeu que nunca abandonaria Israel. O povo israelita tem de ser julgado, mas Deus, em seu amor (*chesed*), não pode destruí-lo. Esta tensão criativa alcança sua maior expressão em 11.8,9 (ARA), onde, depois de predizer o exílio na Assíria, Jeová brada:

> *Como te deixaria, ó Efraim?*
>   *Como te entregaria, ó Israel?*
>   *Como te faria como a Admá?*
>   *Como te fazer um Zeboim?*
>   *Meu coração está comovido dentro de mim,*
>   *As minhas compaixões, à uma, se acendem.*
>   *Não executarei o furor da minha ira;*
>   *Não tornarei para destruir a Efraim,*
>   *Porque eu sou Deus e não homem,*
>   *O Santo no meio de ti;*
>   *Não voltarei em ira.*

*Esboço**

* O autor deste comentário está em dívida com seu aluno, Otho Adkins, pela pesquisa que fez nos livros de Oséias e Joel quando, em 1963 e 1964, estudava na Faculdade de Pasadena.

I. EXPERIÊNCIA E ENTENDIMENTO, 1.1—3.5

    A. A Vida Pessoal de Oséias, 1.1—2.1
    B. A Tragédia Pessoal e o Amor Redentor de Oséias, 2.2-23
    C. Os Procedimentos de Oséias com Gômer, 3.1-5

II. O PECADO DE ISRAEL, 4.1–13.16

    A. A Infidelidade de Israel e sua Causa, 4.1—6.3
    B. A Infidelidade de Israel e seu Castigo, 6.4—10.15
    C. O Amor de Jeová, 11.1—13.16

III. ARREPENDIMENTO E RESTAURAÇÃO, 14.1-9

    A. A Súplica Final ao Arrependimento, 14.1-3
    B. A Promessa de Bênção Última, 14.4-8
    C. Epílogo, 14.9

Seção I

EXPERIÊNCIA E ENTENDIMENTO

Oséias 1.1—3.5

A. A Vida Pessoal de Oséias, 1.1—2.1

Deus usa as experiências de seu povo para revelar-se progressivamente no Antigo Testamento, com vista de sua revelação plena em seu Filho, Jesus Cristo. Foi o que sucedeu com Oséias, por quem começamos a entender a manifestação do amor de Deus ao homem.

1. *Título* (1.1)
A profecia começa com uma frase muito importante: **Palavra do SENHOR que foi dita a Oséias** (1). Esta expressão pode ser traduzida assim: "O começo do que Jeová falou por Oséias". Deus não só falava com o profeta, mas, por intermédio dele, comunicava-se com outras pessoas.

A convicção de que a **Palavra do SENHOR** vem ao profeta (cf. Jr 1.2; Jl 1.1; Mq 1.1; Sf 1.1; Ag 1.1; Zc 1.1) é fundamental para a profecia hebraica. A inspiração do profeta não é dele, mas de Deus, que está disposto a revelar sua pessoa e sua vontade ao povo através de seu mensageiro.[1]

Oséias era **filho de Beeri**. Nada sabemos sobre seu pai, mas o nome significa "meu poço" ou "o poço de Jeová". O fato de o profeta estar a par das questões santas indica, talvez, que seu pai era sacerdote.

Conforme indicação, as profecias ocorreram durante os reinados de **Uzias, Jotão, Acaz, Ezequias, reis de Judá, e nos dias de Jeroboão, filho de Joás, rei de Israel** (ver Introdução para inteirar-se de explanações sobre a duração do ministério de Oséias).

2. O Casamento de Oséias (1.2,3)

Disse, pois, o SENHOR a Oséias: Vai, toma uma mulher de prostituições (2). Os intérpretes não concordam que esta passagem inicia uma narração alegórica ampliada ou se deve ser considerada literalmente. "Jeová teria ordenado que um homem santo fizesse o que era expressamente proibido aos sacerdotes para, depois, desaprovar Israel como um todo?"² Agostinho proibiu a interpretação literal, ao basear-se no princípio hermenêutico de que a interpretação literal, a qual aqui era incongruente e moralmente imprópria, seria considerada inferior ao sentido figurado. A experiência não era obviamente uma visão. Muitos estudiosos, inclusive Keil, a consideram "intuição interior e espiritual na qual a palavra de Deus foi dirigida ao profeta".³ Em outras palavras, ela era uma representação alegórica.

Talvez a objeção mais séria a uma interpretação alegórica seja a narrativa em discurso direto dada por Oséias. Não há indicação de que seria entendida de outro modo. O texto fornece o nome do pai de Gômer, **Diblaim** (3), embora nada mais se saiba sobre ele. Um princípio hermenêutico mais forte que o citado por Agostinho é que, a não ser indicação em contrário, a Bíblia deve ser considerada em seu sentido claro e óbvio.

O autor deste comentário acredita que a melhor solução está na conjectura de que Gômer, quando se casou, não era mulher de costumes dissolutos. Archer conclui sua análise: "Se Oséias entregou sua mensagem quando era mais velho, ele pode ter rememorado sua tragédia doméstica e visto nela a mão orientadora de Deus. Desta forma, o incentivo do Senhor para ele se casar, ainda que a infidelidade futura de Gômer fosse prevista por Deus, teria sido equivalente a uma ordem: 'Case-se com uma mulher adúltera', mesmo que o profeta não tivesse recebido esta ordem precisamente nestes termos".⁴ O Senhor usou a dramática experiência pessoal de Oséias para revelar o pecado de seu povo escolhido e o caráter de sua vontade, a fim de atrair Israel de volta para Ele.

3. Os Filhos de Oséias (1.4-9)

Gômer era provavelmente uma pessoa comum, conforme indica o fato de o nome de Deus (*El* ou *Jah*) não estar incluído em seu nome. A maioria dos nomes das pessoas de classe alta continha o nome divino.

O primeiro filho de Oséias e Gômer foi **Jezreel** (4). O Senhor ordenou que Oséias desse à criança este nome, que significa "Deus semeia" ou "Deus espalha". Assim, simbolicamente, a referência era um ato de julgamento que se daria na destruição de Israel.

O **sangue de Jezreel** refere-se à cidade de Acabe e Jezabel. Foi nesta localidade que ocorreu o massacre da casa de Acabe (2 Rs 9.21-37). Pela razão de **Jeú** ter agido com crueldade, o julgamento visitaria sua própria casa. A profecia de Oséias falou do início do fim de Israel, embora tenha sido proferida 40 a 60 anos antes da queda de Samaria (ver Diagrama A).

O **arco de Israel** (5) que seria quebrado **no vale de Jezreel** representa o poder desta nação. Não se imaginava algo mais indefeso que um israelita guerreiro com um arco quebrado. O **vale de Jezreel**, que mais tarde seria conhecido por "vale de Esdraelom", tem sido, desde Débora a Allenby, o campo de batalha do Oriente Próximo. "Onde Jeú tinha pecado, no mesmo lugar, em sua posteridade, o pecado seria punido".⁵

Ao dar o nome de **Jezreel** a seu filho, o profeta simbolizava o derramamento de sangue em Jezreel, quando Jeú ascendeu ao trono. Representava também o esperado julgamento de Deus sobre esta dinastia, por causa do massacre deste rei.

O segundo filho era uma menina, acerca de quem Deus mandou a Oséias: **Põe-lhe o nome de Lo-Ruama** (6). O nome, em hebraico, significa "não é favorecida" ou "aquela que não é compadecida". Indica que a criança era ilegítima, gerada sem o amor de pai. Simbolicamente, a menina recebeu este nome para ressaltar que o Senhor não mostraria mais compaixão a uma nação que lhe era rebelde. A misericórdia de Deus com Israel se esgotara. Ele não pouparia mais. Há uma determinação nas palavras finais: **Mas tudo lhe tirarei**. Assim que Israel fosse levado ao exílio, não haveria volta como sucederia com o Reino do Sul no tempo da restauração. Israel tinha de se conscientizar de que o concerto fora rescindido – que Jeová não era mais seu Deus, que Ele a considerava nação idólatra.

Por outro lado, Deus declarou: **Mas da casa de Judá me compadecerei e os salvarei pelo SENHOR, seu Deus** (7). Observe que o pronome *eu* (oculto) foi substituído pelo nome próprio o **SENHOR, seu Deus**. Embora **Judá** não estivesse isento da desgraça do exílio, ele foi salvo da apostasia final pelo favor de Deus. Ainda que Oséias não ignore o estado religioso e moral de **Judá**, ele promete libertação.

A profecia se encerra mostrando que Judá não será salvo pela força de exércitos, mas **pelo SENHOR, seu Deus**. Israel confiara em recursos terrenos (10.13), mas só quem decisivamente confiara no Senhor e o adorara poderia contar com a absoluta certeza da libertação.

A ameaça para Israel diz respeito ao castigo imediatamente no futuro (2.1-3), quando o julgamento finalizaria a história das dez tribos. Não obstante, como ressalta Keil, "também tem um significado que se aplica a todas as eras, qual seja, quem abandona o Deus vivo cairá em destruição e não pode contar com a misericórdia de Deus nos tempos da necessidade".[6]

O terceiro filho nascido de Gômer, um menino, foi chamado **Lo-Ami, porque vós não sois meu povo, nem eu serei vosso Deus** (9). O ciclo se fecha. O terceiro filho também é ilegítimo e Oséias reconhece que Gômer foi adúltera. O nome sugere a sucessão ininterrupta de desgraças a ocorrer em Israel. **Não é meu povo** – assim Israel seria chamado. O concerto foi totalmente rescindido. Na última frase, as palavras passam com grande ênfase para a segunda pessoa: "Eu não serei para vós", ou: "Eu já não pertencerei a vós" (cf. Êx 19.5; Sl 118.6; Ez 16.8). O cumprimento da profecia encontra-se na história trágica de 2 Reis 17.18.

4. *Restauração e Renovação* (1.10—2.1)

De modo repentino, Oséias passa da tragédia para a promessa. No meio do julgamento, o Senhor se lembrou da misericórdia. Este apêndice ao capítulo 1 é o anúncio salvífico da restauração final para aqueles que se voltam para o Senhor. O número da posteridade de Israel será **como a areia do mar, que não pode medir-se nem contar-se** (10). A predição do castigo final tem de ser modificada por Deus devido às promessas feitas a Abraão em Gênesis 22.17 e 32.12. Oséias não pôde apagar a possibilidade da salvação originalmente prometida pelo Senhor. "Quando Deus faz as mais terríveis ameaças, ele concomitantemente faz as mais graciosas promessas".[7]

A profecia expressa a promessa graficamente quando diz que os homens chamados **Lo-Ami** (**não é meu povo**) serão chamados **filhos do Deus vivo** (10). Esta mudança ocorrerá na terra do exílio, tanto para Israel como para Judá (11). Aqui, Jeová é chamado

El chai, o **Deus vivo**, em oposição aos ídolos que Israel criara ou copiara das nações vizinhas. Esta talvez seja a primeira vez que Deus prediz que adotará os gentios. Paulo se refere a esta predição em Romanos 9.24-26.

A magnífica promessa messiânica do **Deus vivo** fala do restabelecimento das relações entre Israel e Judá: **E os filhos de Judá e os filhos de Israel juntos se congregarão** (11). Estas palavras proféticas denotam mais que apenas a volta do cativeiro. O versículo 11 fala do **dia de Jezreel**, quando, sob **uma única cabeça**, o Rei-Messias, eles irão à terra que lhes pertence. Se o cumprimento inicial da profecia era a volta de Judá da terra da Babilônia acompanhado de muitos israelitas, o cumprimento final seria a "restauração dos judeus, convertidos e crentes no Messias, sob as ordens divinas, de volta à sua própria terra".[8]

Embora os nomes dos filhos do profeta fossem presságios de tragédia iminente, o quadro de repente muda. A maldição agora é bênção. O **dia de Jezreel** não é um "espalhamento", mas uma "reunião" na consumação espiritual final. O **Não... meu povo** se torna "meu povo" e "aquela que não é compadecida" se torna compadecida ou amada com compaixão (2.1). "Grande será o dia tão destacado pela bondade divina; tão glorioso em graça divina; e tão distinto pelas maravilhosas obras do Senhor que cumpre o concerto".[9]

Para confirmar este acontecimento festivo, em 2.1 a promessa messiânica se encerra com uma convocação: "Falai com vossos irmãos e agora os chamai: Meu povo, e chamai vossas irmãs: Amadas" (Phillips). Visto que Deus ampliou sua misericórdia, os indivíduos espiritualmente relacionados são exortados a tratar alegremente uns aos outros, com o "novo nome" que receberam do próprio Senhor.

Sugerimos esta exposição do capitulo 1: 1) A revelação de Deus diante da experiência humana, 1a, 2a; 2) A obediência do homem diante de questões óbvias, 3a, 4a, 6a, 9a; 3) A promessa de Deus diante de obstáculos insuperáveis, 10.

B. A Tragédia Pessoal e o Amor Redentor de Oséias, 2.2-23

No capítulo 2, a narrativa é recontada em estilo poético (cf. Moffatt; ECA; NVI), embora no drama os personagens sejam outros. O próprio Jeová aparece como o marido ofendido que acusa Israel como sua esposa adúltera. Deus é quem fala, ao passo que os poucos israelitas fiéis são as pessoas com quem Ele se comunica.

1 *Vergonha de Israel* (2.2-13)

Contendei com vossa mãe, contendei, porque ela não é minha mulher, e eu não sou seu marido (2). Deus conclama o remanescente fiel (1 Rs 19.18) a instaurar o processo divino contra a idolatria e a iniqüidade da terra. Trata-se de um chamamento urgente e extremamente emotivo à conversão. Deste modo, o "casal significante dá lugar à coisa significada: O próprio Israel é a mulher adúltera".[10]

É importante o fato de o discurso ser dirigido aos filhos e não à esposa. Ainda que Jeová se dirija à nação idólatra, Ele reconhece que as pessoas não estavam individualmente envolvidas da mesma forma nem eram igualmente culpadas de transgressão. A observação destaca o ensino dos profetas que tinha prevalência durante o exílio e após sua vigência: Embora Israel fora santificado como nação escolhida, cada indivíduo era responsável por sua própria integridade espiritual. O Senhor tinha os 7.000 durante o tempo de Elias (1 Rs 19.18), e em cada geração havia os que eram fiéis ao concerto mesmo em meio a uma nação pecadora.

Os **filhos** (4), ou os fiéis entre os **filhos**, tinham causa urgente a contender (2, questionar), pois Deus rescindira o concerto. **Ela não é minha mulher, e eu não sou seu marido**. O Senhor, como marido, rompeu suas relações matrimoniais com Israel, por causa do hábito adúltero de idolatria vulgar.

Pusey apresenta exposição intrigante da passagem em analogia quando observa que: 1) Os profetas sempre encerram a ameaça de julgamento iminente com o subseqüente amanhecer da esperança; 2) A mãe é a igreja ou a nação; 3) Os filhos são seus membros; 4) Os filhos têm de "contender" com a mãe em vez de acusar Deus; 5) O apelo final de Deus era de caráter mais gracioso que legal.[11]

O versículo 2 retrata o modo desavergonhado no qual Israel praticava a idolatria: **Desvie ela as suas prostituições da sua face e os seus adultérios de entre os seus peitos**. O texto fala que a conduta era **prostituições**, mas para a esposa a conduta era **adultérios**. As **prostituições** (idolatria) de Israel eram descaradas e notórias. A Bíblia é imparcial, perfeitamente de acordo com a franqueza oriental. Schmoller escreve acerca do versículo 2: "Israel age como prostituta impudente e pública, que mostra sua profissão no rosto e nos seios [expostos]".[12]

O chamado ao arrependimento é comoventemente enfatizado pela referência ao castigo: **Para que eu não a deixe despida, e a ponha como no dia em que nasceu, e a faça como um deserto, e a ponha como uma terra seca, e a mate à sede** (3). A passagem de Ezequiel 16.4-14 descreve a nação como criança imunda e nua, que o Senhor tomou e cobriu com roupas e adornos caros e com quem fez um concerto. De certa forma, Oséias alude a esse amor de concerto pelo qual o Senhor adornou sua esposa (Israel) durante o casamento. Por causa dos adultérios cometidos por ela, ele a deixará **despida**, ou seja, pobre e nua. O **dia em que nasceu** simboliza o nascimento da nação no momento da saída do Egito. O **deserto** não se refere à terra, mas ao próprio Israel, que era tão estéril quanto o deserto, sem os recursos de manutenção mínima. A **terra seca** indica o estado de "desidratação" espiritual que viria por Israel ter se separado da fonte das "águas vivas" – o próprio Senhor.

E não me compadeça de seus filhos, porque são filhos de prostituições (4). Este é reconhecidamente um versículo difícil se o significado for tirado do contexto e tratado isoladamente. A oração, embora independente na forma, é dependente de **para que... não** (3, *pen*), a fim de ganhar significado. Então, fica assim: "Contendei, para que eu não venha a ter misericórdia de seus filhos". Os filhos são idênticos à mãe.[13] São chamados "filhos de prostituições", não apenas como membros da nação, mas porque sua herança induziu a mesma conduta. Eles também estão pessoalmente contaminados. Eles endossam o pecado de sua mãe. Aprovam a idolatria cometida no santuário e no palácio. Keil observa: "O fato de os filhos serem especialmente mencionadas depois e junto com a mãe, quando na realidade ela e eles são uma coisa só, serve para dar maior veemência à ameaça e evita a segurança carnal na qual os indivíduos imaginam que, já que estão livres do pecado e da culpa da nação como um todo, também serão isentos do castigo ameaçador".[14]

A acusação de idolatria é repetida: **Porque sua mãe se prostituiu** (5). Esta frase serve para confirmar a última parte do versículo 4.[15] A nova ênfase reafirma o pensamento de que os **filhos de prostituições** não acharão misericórdia.

Houve-se torpemente (5) é, literalmente, "praticou a vergonha" ou "fez coisas vergonhosas" (cf. "está coberta de vergonha", NVI; "o que ela fez foi uma vergonha", BV). Em seguida, o texto anuncia com todas as letras a natureza da conduta vergonhosa. **Porque diz: Irei atrás de meus namorados, que me dão o meu pão e a minha água, a minha lã e o meu linho, o meu óleo e as minhas bebidas.** Estes **namorados** ("amantes", ARA) são os muitos baalins, atrás dos quais as pessoas, cegas de paixão, corriam e aos quais atribuíram os benefícios materiais, que, na realidade, eram dados por Jeová. Reynolds observa que a contraparte atual deste pecado de Israel é o discurso da prosperidade, da natureza, do destino ou do reconhecimento de que a lei dá coisas boas, "como se fosse superstição ou heresia afirmar que foi Deus quem as concedeu".[16]

A ilusão de que foram os **namorados** (ídolos) que deram comida, roupas e os regalos da vida foi copiada dos assírios e egípcios, com cujos ídolos Israel cometeu fornicação espiritual. Os israelitas olhavam para a riqueza dos vizinhos e a atribuíam aos deuses dessas nações. O fato de a maioria ter aceitado a perversão espiritual prova a que ponto extremo eles estavam longe de Deus e de sua vontade. "Pois, contanto que o homem continue em comunhão vital e impassível com Deus, 'ele vê com os olhos da fé a mão nas nuvens', das quais recebe tudo que precisa para sua orientação, e das quais tudo depende inteiramente, mesmo aquilo em que é visivelmente independente e forte" (Hengstenberg).[17]

O compromisso com a idolatria, que se encontra no termo **irei** (5), a despeito de tudo que Jeová fizera por Israel, indica a extensão da apostasia deste povo. Seu engano, carnalmente influenciado, foi identificar os recursos da vida com os ídolos inanimados em vez de relacioná-los ao Deus vivo. "Procurarei essas alianças e dependerei delas", disse Israel. Mas Jeová replicou: Por causa da tua persistência, **cercarei o teu caminho com espinhos; e levantarei uma parede de sebe, para que ela não ache as suas veredas** (6). As figuras da cerca de espinhos (cf. NTLH) e da parede (ou "muro", NTLH) denotam o propósito de Deus em separar os filhos de Israel de suas idolatrias, mesmo que eles estejam no meio de uma nação idólatra em pleno exílio. Repare como Phillips expressa o pensamento: "Por isso, vou bloquear todos os seus caminhos com espinhos, vou encerrá-la entre paredes de forma que ela não possa achar uma saída". Jeová concluiu que o tratamento mais cruel era o único meio de fazer seu povo se voltar para Ele, o Deus que fere e cura (6.1).

A acusação do versículo 6 é confirmada e reiterada no versículo 7 em forma de paralelismo, seqüência de frases bastante comum na estrutura poética hebraica. **E irá em seguimento de seus amantes, mas não os alcançará; e buscá-los-á, mas não os achará; então, dirá: Ir-me-ei e tornar-me-ei a meu primeiro marido, porque melhor me ia, então, do que agora** (7). Os **amantes** representam as nações idólatras, de onde Israel buscou apoio, e seus ídolos que estavam envolvidos nos ritos de fertilidade imorais da religião cananéia. Desta feita, Israel ficará desapontado, porque não lhe prestarão qualquer serviço. **Buscá-los-á, mas não os achará.** A satisfação que Israel esperava lhe escapará. Os deuses com os quais os israelitas contavam nada podem fazer por eles. Matthew Henry observa: 1) "Aquele que está muito firme em seus julgamentos pecaminosos é quem, na maioria das vezes, está mais envolvido com eles" (Pv 22.5); e, 2) "Deus anda contrário àqueles que afastados dele" (Sl 18.26; Lv 26.23,24; Lm 3.7-9).[18]

Estas dificuldades (cercas e paredes) que Deus levantou inevitavelmente estimulariam os pensamentos de voltar. "E então ela dirá: Vou voltar para o meu primeiro marido. Era melhor para mim do que agora" (Phillips; cf. BV). Os filhos de Israel aumentariam seu afeto pelos ídolos, para então, subitamente, perceber que não lhes serviram de nada. Esperavam que os ídolos os libertassem, mas eles só encontraram calamidade em sua busca impetuosa. **Em seguimento** (hb., *riddeph, piel*) indica uma procura intensa – "procurar com avidez".

No versículo 7, há uma confissão justa: **Porque melhor me ia, então, do que agora**, e um propósito bom: **Ir-me-ei**. Não havia dúvida por parte dos israelitas de que Deus os receberia novamente na relação de concerto se eles voltassem com humildade e arrependimento.

O versículo 8 amplia o pensamento concernente à futilidade da idolatria: **Ela, pois, não reconhece que eu lhe dei o grão, e o mosto, e o óleo e lhe multipliquei a prata e o ouro, que eles usaram para Baal**. A ironia estava em dar a própria base da riqueza da nação (trigo, vinho e óleo [cf. ARA] em troca por prata e ouro) para os baalins. As pessoas usavam as riquezas pessoais na fabricação do ídolo e na manutenção da adoração a Baal. O pecado de ignorar o autor das bênçãos de Israel ficava mais sério ao desperdiçar os próprios recursos dados por Deus. **Baal** não quer dizer uma divindade específica, mas é uma expressão geral para referir-se a todos os ídolos (cf. 1 Rs 14.9: "outros deuses").

Por causa da perfídia de Israel, Oséias descreve que Jeová toma de volta os recursos que Ele dera. **Portanto, tornar-me-ei e, a seu tempo, tirarei**[19] **o meu grão e o meu mosto, no seu determinado tempo; e arrebatarei**[20] **a minha lã e o meu linho, com que cobriam a sua nudez** (9).

Deus justifica as punições pelo tratamento injusto por que passou (6-8) e avisa que Israel perderá as bênçãos que Ele concedeu. A comida seria arrebatada da boca dos israelitas e o copo dos seus lábios. Também seriam tomados a **lã** e o **linho**, a matéria-prima para a confecção de roupas, a fim de deixar Israel na **nudez**, ou seja, na pobreza abjeta. A profecia não declara se a tragédia ocorreria na forma de invasão ou seria proveniente de causas naturais, mas em todo caso seria súbita. O julgamento se daria na condição de calamidade inesperada **no seu determinado tempo**.

Nos versículos 10 a 13, Oséias faz uma lista dos castigos que se abateriam sobre Israel por causa de suas idolatrias. No versículo 10, há a vergonha da exposição **diante dos olhos dos seus namorados**, e a incapacidade de estes salvarem Israel. "E nenhum homem a salvará da minha mão" (Phillips; cf. NVI). **Vileza** (hb., *navluth*) significa "negligência", "relaxação" ou "estado sem viço". Nem seus ídolos, nem os assírios ou os egípcios livram os israelitas. Ninguém é capaz de salvá-los da ira de Jeová, o "marido" contra quem pecaram.

O **gozo** de Israel cessará junto com as **festas** e os **sábados** (11). As festividades hebraicas eram ocasiões em que as famílias se uniam em peregrinação aos santuários sagrados. Mas eram mais que ocasiões religiosas; eram tempos de prazer e alegria ruidosa. [21] Israel também perderia o produto da terra e enfrentaria a fome. A terra ficaria desolada como um **bosque** (12) e infestada de **bestas-feras**, para indicar o despovoamento e o exílio. Desta forma, Israel seria violentamente separado dos objetos sobre os quais disse: **É esta a paga que me deram os meus amantes**.

Os **dias de Baal**[22] (13; ou "baalins", NVI) eram as datas sagradas que Deus mandou que mantivessem santificadas perante Ele, mas que as transformaram em celebrações aos ídolos. Não há base para crer que havia ocasiões especiais de festa peculiares à adoração de Baal. A segunda frase: Israel **se adornou dos seus pendentes e das suas gargantilhas**, lida com os modos afetados de uma mulher pelos quais ela incitava a admiração de seus amantes (cf. Jr 4.30; Ez 23.40). Phillips expressa o significado do versículo 13 graficamente: "E farei com que ela pague pelos dias de festa aos baalins, quando ela queimou incenso em honra a eles, e se enfeitou com seu anel e com todas aquelas jóias, e procurou seus amantes e se esqueceu de mim, diz o Senhor". Mas mesmo no julgamento de Deus há uma ternura. Percebemos o "mas" da compaixão. O pecado de Israel dizia respeito a esquecer o Senhor, a verdadeira fonte de sua salvação.

2. *O Amor Redentor de Deus* (2.14-23)

Alguns profetas consideram que o período do deserto é tempo de união feliz entre Israel e seu esposo, Jeová. Embora Deus esteja disposto a permitir que o julgamento entre em ação, Ele não está propenso a abandonar Israel. Este é o verdadeiro amor! **Portanto, eis que eu a atrairei** (14, irei e a seduzirei; cf. NTLH), **e lhe falarei ao coração**. Deus demonstrará seu amor de esposo novamente a Israel e a levará **para o deserto** para uma segunda "lua-de-mel".[23] Portanto, da linguagem da severidade, surge uma nota de estranha ternura.

E lhe darei as suas vinhas dali (15). As vinhas pertenciam legalmente à esposa fiel, Israel. Elas tinham sido tomadas (12), mas seriam devolvidas. O **vale de Acor** situava-se ao norte de Gilgal e Jericó (Js 7.26; ver mapa 2). As vinhas e os vales férteis foram as primeiras porções da promessa de restauração de Deus. Desta forma, o **vale de Acor** se tornará **porta de esperança**. Aqui estão duas idéias colocadas em combinação uma com a outra: adversidade e esperança. Ao entrar na Terra Prometida, Israel pecou em Acor (cf. Js 7.20-26; Is 65.10). O lugar da adversidade agora seria ocasião de esperança.

Morgan observa que "é esta conexão entre adversidade e esperança que revela Deus. É a relação entre a lei e a graça. A lei gera adversidade em resultado do pecado. A graça gera esperança através da adversidade".[24]

E, naquele dia, farei por eles aliança (18). Temos agora um nítido tom escatológico. Claro que Oséias estava familiarizado com o texto de Gênesis 3 e a maldição do Senhor sobre a serpente e a terra. Também estava ciente de que o julgamento de Deus ainda jazia sobre a sua criação (cf. Rm 8.19-21).

E, naquele dia, o concerto de Deus com os animais imporá a obrigação de não ferir mais o homem. A profecia alista as três classes da vida animal que oferecem perigo aos homens (cf. Gn 9.2): as **bestas-feras do campo** (18) em oposição aos animais domesticados; as **aves do céu** (aves de rapina); e os **répteis** (hb., *remes*) **da terra**. (*Remes* não quer dizer "répteis", mas pequenos animais que se movem rapidamente.)

Jeová acabará com os perigos da guerra: os instrumentos bélicos, o **arco** e a **espada**, e a própria **guerra**. A promessa também é dada em Levítico 26.3-8 e ampliada em Ezequiel 34.25-28 (cf. Is 2.4; 35.9; e Zc 9.10).

Oséias é o primeiro dos profetas a prever que a conseqüência do plano de Deus é um casamento com Israel. Aqui, antecipa aquele dia da consumação gloriosa. **E desposar-**

te-ei comigo para sempre; desposar-te-ei comigo em justiça, e em juízo, e em benignidade, e em misericórdias. E desposar-te-ei comigo em fidelidade, e conhecerás o SENHOR (19,20). A palavra hebraica traduzida por em representa a idéia de trazer um dote. Neste casamento, a noiva não traz qualquer objeto. Jeová é a fonte de tudo. É Ele que oferece justiça e juízo ("retidão", BV; NVI), os quais são elementos nobres de um verdadeiro casamento. Deus também oferece a Israel sua benignidade e misericórdias. Ainda que benignidade não abranja todo o significado da palavra *amor* (*chesed*; ver Introdução), é certo que neste contexto signifique "gratidão", "lealdade" ou dependência humilde da parte de Israel. Do lado de Deus, *chesed* implica em lealdade, característica sugerida por suas misericórdias, benignidade e, acima de tudo, por sua fidelidade (20).

Com a união proposta, a qual durará para sempre, Israel virá a conhecer o SENHOR (20; ver Introdução). Este conhecimento não é meramente cognitivo. Trata-se de uma relação pessoal e viva – uma comunhão de Jeová com seu povo (como o marido com a esposa). Martin Buber observa: "No livro de Oséias, esta última palavra 'conhecer' é o exato conceito de reciprocidade na relação entre Deus e o povo. Aqui, *conhecer* não significa a percepção de um objeto por um sujeito, mas o contato último dos dois parceiros numa ocorrência de dois lados".[25]

Os últimos três versículos do capítulo 2 lidam com a consumação do casamento entre Jeová e Israel. Tudo depende de Deus. No dia do noivado, Deus responderá aos céus (21) com suas bênçãos. "Os céus responderão à terra que pergunta; a terra que recebe a chuva responderá ao campo, à videira e à oliveira que pedem umidade; e todos estes responderão a Jezreel ('Deus semeia'), ao pedir seus produtos como meio de subsistência e vida".[26]

Embora os céus fossem como "bronze" e a terra como "pó", agora eles produzirão e a terra responderá. Outrora Deus ameaçara tomar o grão (8; "trigo", ARA) e o óleo; agora ele os dará livremente. Por conseguinte, Israel passa a ser o povo que "Deus semeia" e não o que ele espalha, como em 1.4. O paralelo tem prosseguimento no versículo 23. A semeadura continua, e Lo-Ami ("não meu povo") se torna meu povo a quem Deus abençoará, protegerá e sustentará. Em reação a estas bênçãos, o povo responderá segundo a relação de concerto renovado: Tu és o meu Deus!

O divórcio é revertido. O povo tem de se conscientizar novamente do amor do concerto (*chesed*) e desfrutar a comunhão originalmente esperada por Jeová no Egito. A iniciativa desta obra salvadora e redentora é inteiramente de Deus, mas a resposta deve ser do homem em desejosa obediência ao chamado divino. "O Senhor pode atrair o homem com cordas de amor, mas, no fim, estas se romperão se o homem não obedecer ao puxamento e aproximação de Deus".[27]

O capítulo 2 é um simbolismo satisfatório acerca da relação de concerto que o homem tem com Deus. Observe: 1) A natureza do concerto: uma relação matrimonial, 19a; 2) A duração do concerto: para sempre, 19b; 3) A maneira do concerto: em justiça e juízo, 19c; 4) A finalidade do concerto: conhecimento e comunhão, 20.

No capítulo 3, Oséias volta a referir-se à sua tragédia pessoal e doméstica. Gômer abandonara o marido em busca de seus amantes. Este breve *ensaio* autobiográfico torna-se a chave para o profeta entender a compaixão de Jeová. Por seu procedimento, foi-lhe mostrado como Deus cumpriria sua promessa. Se no coração e na alma de Oséias há a disposição de amar uma mulher indigna de seu amor, então há disposição semelhante no Criador do profeta de amar uma nação que não é digna do amor divino.

C. Os Procedimentos de Oséias com Gômer, 3.1-5

1. A Experiência do Profeta (3.1-3)

E o SENHOR me disse: Vai outra vez, ama uma mulher, amada de seu amigo e adúltera, como o SENHOR ama os filhos de Israel, embora eles olhem para outros deuses... E a comprei para mim (1,2). O texto não sugere que Oséias procurasse uma segunda esposa. Mas ao perceber o amor sofredor de Deus, ele tinha de sair em busca de Gômer, que agora era adúltera **amada de seu amigo** ("uma amante", NTLH). **Bolos de uvas** (1) – "bolos de passas" (ARA; NTLH; ECA), ofertas feitas aos baalins nas festas da vindima (cf. Jr 7.18).

Há um paradoxo no versículo 1 no fato de Israel, embora adúltero, ser o amado de Jeová (1). O amor divino se desgastara, ainda que não tivesse acabado. Foi esse amor exaurido que tornou possível a reconciliação.

De quem Oséias comprou Gômer? Ele a comprou de um bordel, ou do homem com quem ela vivia, ou do senhor do mercado de escravos, o supervisor desse tipo de prostitutas [28] que participava de cultos a Baal?[29] A última opção é a resposta mais convincente.

Ainda que a Bíblia não declare explicitamente, sabemos que Oséias comprou Gômer pelo preço de escravo. Um **ômer** e **meio** de **cevada** (cerca de 436 litros) valia aproximadamente 15 peças de prata. O valor deste produto da terra mais as **quinze peças de prata** em espécie davam o preço de um escravo, ou seja, 30 peças de prata.

Tu ficarás comigo muitos dias; não te prostituirás, nem serás de outro homem; assim quero eu ser também para ti (3). Gômer estava física e espiritualmente impura quando foi levada para casa pelo marido. Por isso, por certo tempo, foi privada da plena associação conjugal e excluída das relações sexuais. "**Ficarás**" é o equivalente de permanecer quieto: uma disciplina imposta pelo afeto de Oséias por ela com a finalidade de prepará-la para ele. A expressão: **assim quero eu ser também para ti** só pode significar que ela seria restabelecida completamente ao seu lugar na casa.

2. A Mensagem de Deus para Israel (3.4,5)

Nos versículos 4 e 5, encontramos um paralelismo entre Jeová e Israel. **Porque os filhos de Israel ficarão por muitos dias sem... Depois, tornarão os filhos de Israel** (4). Os objetos tomados de Israel são apresentados no formato de três pares: **rei** e **príncipe**, **sacrifício** e **estátua** (monumento) e **éfode** e **terafins** (meio de conhecer o futuro).[30] Estes são elementos de governo civil, adoração religiosa e profecia.

Os versículos 3 e 4 ressaltam novamente a grande analogia de Oséias. Estar sem **rei** ou sacerdote ("qualquer outro chefe", NTLH; "líder", NIV) era estar sem o representante de Deus diante do povo (o sacerdócio sempre representava autoridade delegada sob as ordens do "direito divino" dos reis). "Estar sem rei era estar fora de contato com o deus que a pessoa servia, como uma mulher fechada sozinha num quarto não podia ter contato físico com seu marido".[31]

O **sacrifício** era "meio de graça". Nos dias de Oséias, a **estátua** (ou "coluna", ARA; cf. NTLH) ainda era aceita (contudo, ver Dt 16.22). É óbvio que os **terafins** também eram aceitos, embora, em uma geração mais tarde, fossem proibidos na reforma de Josias (2 Rs 23.24).

As últimas palavras do capítulo 3 retratam o Senhor a esperar o retorno humilde dos israelitas depois do julgamento e castigo. Ele está certo de que as "adversidades" os farão voltar, arrependidos, dos ídolos ao Deus vivo (2.15).

A predição do versículo 4 se cumpriu quando Israel foi levado pelos assírios (722-721 a.C.). No versículo 5, Oséias prediz que, **depois, tornarão os filhos de Israel e buscarão o SENHOR, seu Deus, e Davi, seu rei; e temerão o SENHOR e a sua bondade, no fim dos dias.**

Esta seção, como o capítulo 1, encerra-se com uma promessa messiânica adicionada ao tema autobiográfico (depois do capítulo 3, Oséias não menciona mais sua família). Na interpretação de Keil, esta passagem sugere que a volta de Israel ao Senhor não pode ocorrer sem a volta a **Davi, seu rei**, ou à reunião com Judá, visto que Davi é o único verdadeiro rei de Israel. O Messias tem de ser como Davi é para o "Israel de Deus". A volta aconteceria somente **no fim dos dias** (*acharith hayyamim*), o futuro final do Reino de Deus, que começa com a vinda do Messias (cf. Gn 49.1,10; Is 2.2).[32]

Oséias prevê que os filhos de Israel **temerão o SENHOR** (*pachadel Yahweh*, i.e., tremerão ou estremecerão diante do Senhor). O povo voltaria e se achegaria com reverência respeitosa diante da santidade de Deus na consciência da própria pecaminosidade. Assim, a aflição tinha o propósito de dirigir os israelitas ao Senhor, e com penitência tinham de esperar por **sua bondade**.

O capítulo 3 é muito expressivo acerca do imponente amor de Deus. Esta exposição lidaria com o tema assim: 1) A extensão do amor de Deus, 1; 2) A disciplina do amor de Deus, 3; 3) Os resultados do amor de Deus, 5. Ou, talvez, desta forma: 1) O amor é profanado, 1; 2) O amor é ampliado, 3; 3) O amor é aceito, 4; 4) O amor é cumprido, 5.

Seção II

O PECADO DE ISRAEL

Oséias 4.1—13.16

A. A Infidelidade de Israel e sua Causa, 4.1—6.3

No esforço de equilibrar a profecia, Oséias abandona a interpretação de sua tragédia pessoal no capítulo 3, a fim de tratar das implicações para Israel. Seus *insights* revelaram um Deus que amava Israel intensa e fortemente, embora visse a natureza fatal da corrupção de seu país. Por isso, empregou os mais prementes argumentos convincentes para Israel voltar, a fim de ser salvo, ao mesmo tempo em que lhe anunciava sua destruição inevitável.

1. *A Controvérsia do Senhor* (4.1-19)
Como em 2.2, os israelitas são conclamados a participar de uma contenda com o Senhor (cf. Is 3.13; Jr 2.9; 25.31). **Ouvi a palavra do SENHOR, vós, filhos de Israel, porque o SENHOR tem uma contenda com os habitantes da terra, porque não há verdade, nem benignidade, nem conhecimento de Deus na terra** (1).

Três palavras-chave analisam a natureza da condenação de Israel. **Não há verdade** (*emeth*). Visto que não é suficiente saber o que é certo, mas entregar-se ao que é autêntico, o termo "fidelidade" é melhor (BV; NIV). Esta virtude está freqüentemente associada à **benignidade** (*chesed*), a qual, em vários contextos, tem o sentido de amor (cf. ARA; ECA; BV), bondade (cf. NTLH) ou amor de concerto. Ambos os termos estão relacionados com o **conhecimento**, já que são o fruto do **conhecimento de Deus** (cf. Is 9.9; Jr 22.16). Novamente, o **conhecimento de Deus** acha-se na comunhão e não na cognição intelectual. É pela **verdade** e pela **benignidade** (misericórdia) que é possibilitado o **conhecimento de Deus**. A ausência de tal conhecimento na terra também indicava ignorância e negligência com a lei. Estas três palavras importantes vão direto ao cerne da mensagem de Oséias. Fidelidade, amor e conhecimento estão no centro da análise da situação difícil de Israel e do ideal de comunhão desejado por Deus (cf. 2.19,20; 4.6; 5.4-7; 6.3,6; 10.12; 11.3,4,12b; 12.6).[1]

As acusações de Deus contra o **perjurar** e o **mentir** (2) mostram a decadência do ambiente religioso e social de Israel. (O verbo hebraico *alah*, "jurar", quando em combinação com o termo *kichesh*, fala de falso juramento; cf. BV.) Além destas acusações, havia o **matar**, o **furtar** e o **adulterar**. "Há arrombamentos" (ARA), ou seja, os israelitas traspassam todos os limites do pecado (cf. NVI). **Homicídios** (*damin*) indicam sangue derramado com violência, um crime capital.[2] **Homicídios sobre homicídios** – para significar que um assassinato ocasionava a represália (cf. NVI) até que se transformava em uma doença contagiosa entre o povo de Israel. Pecado gera pecado. Cinco dos Dez Mandamentos foram quebrados na depravação de Israel, isto é (pela ordem de citação), o terceiro, o nono, o sexto, o oitavo e o sétimo.

Por isso, a terra se lamentará (3); uma vez mais o sofrimento da natureza está relacionado com o pecado do homem. Até a criação inanimada sofreu com a depravação moral dos israelitas. O lamento da terra, a fraqueza dos **animais**, **aves** e **peixes** eram o resultado natural da seca no reinado do rei Acabe (1 Rs 17.1-7). A sequidão pode ter continuado por muito mais tempo durante a idolatria ininterrupta do povo (Am 1.2; 8.8). A Natureza sofreu porque Israel pecou.

a) *A responsabilidade dos sacerdotes* (4.4-11). **Todavia, ninguém contenda, nem qualquer repreenda; porque o teu povo é como os que contendem com o sacerdote** (4). Este versículo, uma cláusula interposta, indica que argumento e reprovação são inúteis por causa da obstinação e pertinácia irremediável das pessoas. Pode ser que um teria gostado de culpar o outro; contudo, o direito de repreensão pertencia ao sacerdote e até a liderança religiosa era má em suas ações. Outra interpretação[3] dá um sentido diferente: Não cabe aos seres humanos contender, visto que se trata da controvérsia de Deus. O Senhor proibiu o homem de falar em seu nome. Ele sozinho pleiteará sua causa. "Não desperdices teu tempo em recriminações mútuas, pois minha contenção é contigo, ó sacerdote" (ATA).

Os que contendem com o sacerdote (4) – para denotar, talvez, que o povo perdera a confiança na liderança religiosa a ponto de discutir com os sacerdotes.

O quadro nos versículos 4 a 10 é uma descrição vívida de um sacerdócio degenerado, que desencadeará julgamento da mão de Deus. **Dia** e **noite** (5) não indica julgamentos separados ou especiais, mas que, a qualquer momento, o sacerdote e o profeta cairiam sob as garras do julgamento. A frase final: **E destruirei a tua mãe**, anuncia a destruição da nação inteira (cf. 2.2). O **sacerdote** e o **profeta** estão sob condenação especial por não terem compartilhado o conhecimento de Deus com o povo. Na realidade, longe de compartilharem, eles tinham rejeitado tal **conhecimento** e Deus lhes rejeitaria o ofício. "Eu vos rejeito de me serem sacerdotes" (6, Phillips; cf. NVI).

A acusação terrível contra o sacerdócio continua. Os sacerdotes não são dignos do ofício, e sua **honra** ("glória", BV; NTLH) será mudada em **vergonha** (7). O **pecado do meu povo** (8) se refere à oferta pela transgressão: a carne do animal sacrificado, oferecido para tirar o pecado. Embora fosse legítimo comer a oferta sacrifical, a transgressão dos sacerdotes foi desejar o aumento dos pecados do povo para que tivessem abundância na provisão de carne. "Eles se alimentam dos pecados do meu povo e lambem os lábios com a culpa vindoura" (Phillips).

Há pouco a escolher entre o sacerdote e o povo. **Como é o povo, assim será o sacerdote** (9). O sacerdócio sofrerá como o povo (cf. 3,5). Deus castigará os sacerdotes da mesma forma que o povo comum é castigado, e lhes dará a **recompensa das suas obras**. O castigo está simbolizado no versículo 10. Os sacerdotes continuarão nos seus deleites e prostituições com o culto de Baal, mas não ficarão satisfeitos nem desfrutarão a bênção de ter filhos, pois cometem práticas imorais com as prostitutas cultuais. Será assim **porque deixaram de olhar para o SENHOR** (10). Eles se esqueceram de Deus. É como se o Senhor não entendesse a infidelidade deles, ou talvez compreendesse tudo muito bem: "[A prostituição], o vinho velho e o vinho novo acabam com o coração e a mente e o entendimento *espiritual*" (11, ATA; cf. ARA; NVI). Libertinagem e álcool lhes enfraqueceram a sensibilidade.

b) *A responsabilidade do povo* (4.12-14). Agora o profeta passa a tratar do povo:[4] **O meu povo consulta a sua madeira** (12). O povo escolhido de Deus pedia conselho a um pedaço de madeira (prática chamada *rabdomancia*) e buscava predizer o futuro com uma **vara**. Esta era conseqüência da falsa adoração que faziam – a idolatria. Também tinham voltado a sacrificar nos **cumes dos montes** e a queimar **incenso** debaixo de árvores. Nesta forma de idolatria, suas **filhas** se prostituíam e até as **noras** eram culpadas de adultério.

Eu não castigarei vossas filhas (14) não sugere que elas ficarão impunes mesmo após se prostituírem e adulterarem. Significa que, em vez da ação direta de Deus, o pecado será punido com mais pecado. "O adultério espiritual de pais e maridos seria punido pelo adultério carnal de filhas e esposas".[5] Keil tem opinião diferente, ao sugerir que Deus não puniria as filhas e as noras, porque seus pais "fizeram ainda pior. 'Era tão grande o número de prostituições que toda a punição cessou na desesperança de qualquer correção' (Jerônimo)".[6] **Pois o povo que não tem entendimento será transtornado**. A nação afundara tanto no pecado que não havia esperança e tinha de perecer. **Será transtornado** quer dizer será lançado impetuosamente na destruição; "cairá em ruínas" (cf. NVI; ARA; Pv 10.8,10).[7]

c) *Aviso para Judá* (4.15-19). Estes versículos são uma advertência para Judá não seguir Israel. **Se tu, ó Israel, queres corromper-te, não se faça culpado Judá** (15). **Gilgal** e **Bete-Áven** (Betel) eram os dois principais santuários que ficavam no sul de Efraim; portanto, de fácil alcance para os filhos de Judá. Oséias ironicamente substituiu Betel (casa de Deus) por **Bete-Áven** (casa de iniqüidade). Judá ficaria escandalizado em fazer peregrinações aos centros de adoração idólatra. Não era compatível ir ao local de idolatria, **Gilgal**, e jurar: **Vive o SENHOR**. Embora o juramento deste tipo fosse ordenado em Deuteronômio 6.13 e 10.20, contudo esta contrição tinha sua base no "temor do Senhor" e não na prática de idolatria. Oséias adverte contra a hipocrisia e a pseudodevoção.

A razão para avisar Judá é apresentada em outra descrição de Israel (16-19). O povo é tão intratável quanto **uma vaca rebelde** (16; "vaca brava", NTLH). Algumas versões bíblicas colocam corretamente a última metade do versículo 16 na forma de pergunta:

"Será que o SENHOR o apascenta como a um cordeiro em vasta campina?" (ARA; cf. NVI). Não! **Efraim está entregue aos ídolos; deixa-o** (17). Israel está tão ligado aos ídolos que não há esperança. O longo apego ao pecado tornou a reconciliação impossível. Porém, interpretar esta passagem como se Deus fosse abandonar totalmente Israel não é consistente com o último ensino do profeta. Em outras partes de seu livro, Oséias fala sobre "o vale de Acor, por porta de esperança" (2.15), e o grande brado de Deus: "Como te deixaria, ó Efraim?" (11.8; cf. NTLH; NVI; ver tb. 14.4,8). G. Campbell Morgan acredita que o versículo 17 era "a palavra do profeta para os leais não terem cumplicidade com os desleais. Era a palavra de advertência àqueles que em maior proporção ainda mantinham uma certa comunhão com Deus, a fim de não porem em perigo a própria segurança, ao entrarem em contato com Efraim"[8] **Ídolos** – "idolatria é a adoração de falsas representações de Deus".[9]

A sua bebida se foi (18) significa que eles ficaram desamparados por terem bebido. A intoxicação os levou a **corrompem-se** (cf. "eles se entregam à prostituição", ARA; ECA) **cada vez mais**. Os **príncipes** (os protetores do povo) chegaram a ponto de amar a **vergonha**. "Amam a vergonha mais que a glória" (VBB; cf. BV).

A conclusão no versículo 19 é inexorável. **Um vento os envolveu nas suas asas** (19). O **vento** é a invasão assíria que Oséias vê no horizonte. A destruição de Israel é certa. Sua vergonha se arrojará repentinamente sobre o reino como uma tempestade (cf. Sl 18.11ss.). Nem mesmo **seus sacrifícios** livrarão os israelitas.

G. Campbell Morgan sugere que três verdades chamam nossa atenção no capítulo 4: 1) A coisa proibida: a idolatria, 12; 2) A condição descrita: **Efraim está entregue aos ídolos**, 17; 3) O aviso proferido a Judá: **Deixa-o**, 17.

2. *O Aviso do Profeta* (5.1-15)

O capítulo 5 constitui um discurso aos sacerdotes, ao povo e à casa do rei. A escuridão aumenta com a proximidade do dia da repreensão. A consciência de Israel se entorpeceu, sua visão se escureceu, seu testemunho acabou e seu concerto com Deus se rompeu. **Ouvi isto, ó sacerdotes** (1) indica que o discurso foi feito diretamente aos líderes religiosos, mas o povo também é responsabilizado com esta ordem: **Escutai, ó casa de Israel**. Nem os príncipes são isentos da culpa: **E escutai, ó casa do rei**. O juízo de Deus trata de todas estas três classes, porque vós **fostes um laço para Mispa e rede estendida sobre o Tabor**. É evidente que a profecia está relacionada com o texto precedente, pois **Mispa** e **Tabor** eram notórios centros de adoração de Baal e **um laço** para Israel. **Mispa** estava situada no lado leste do rio Jordão (Jz 10.17; 11.11,34), ao passo que o **Tabor** ficava na extremidade oriental da planície de Jezreel, a oeste do rio Jordão (ver Mapa 2). Os dois lugares eram fortalezas com função militar onde os príncipes da **casa do rei** e os **sacerdotes** apóstatas "exerciam sua influência mortal sobre as pessoas, ao armarem armadilhas contra elas como os pássaros e animais são enganados nas montanhas da rapina (cf. 6.8,9)".[10]

a) *Deus conhece Efraim* (5.1-7). O texto menciona dois modos de apanhar pássaros e animais: **laço** e **rede** (além de "armadilha", se considerarmos a primeira parte do v. 2 na RSV; BV). Estes representam a maneira na qual as seduções mascaravam a idolatria. Na primeira metade do versículo 2, o original hebraico não está claro, e proporciona a sugestão de várias interpretações. Parece que Oséias não fala de **matança** de animais para sacrifício, mas até que ponto extremo os **transviados** foram em sua corrupção. A passagem fica mais inteligível com esta tradução: "E eles cavaram uma armadilha funda em Sitim" (RSV; cf. BV), ou esta: "Os revoltosos se afundaram demais na corrupção e matança" (ATA; cf. ECA; NVI).

Não há dúvida sobre a segunda parte do versículo: **Eu serei a correção de todos eles**, ou: "Eu, *o Senhor Deus*, sou uma repreensão e um castigo para todos eles" (ATA). A ameaça prossegue. Por causa da conduta idólatra, a nação será julgada. O versículo 2 serve de introdução para os versículos 3 e 4. Uma vez mais, a profecia identifica que o estado moral de Efraim é a prostituição (3, **te tens prostituído**), condição que separou os filhos de Israel do conhecimento de Deus (4; ver Introdução). Eles não podem voltar a Deus, visto que **não querem ordenar** ("tramar" ou "manobrar") **as suas ações**. "As suas ações não lhes permitirão voltar ao seu Deus; pois há neles um espírito de prostituição que não lhes permite conhecer o Senhor" (VBB). A idolatria monopolizou-lhes o afeto de tal forma que o conhecimento do verdadeiro Deus foi sufocado.

A soberba de Israel testificará, pois, no seu rosto (5). A Septuaginta traduz estas palavras assim: "A arrogância de Israel será humilhada". Robinson diz que a **soberba** do versículo 5 é uma doença, "um coração enfermo". [11] Israel era arrogante no empenho de rivalizar as forças estrangeiras como se tivesse o direito por ser nação poderosa. A prosperidade de Jeroboão era uma armadilha na qual "a honra nacional tornava-se sinônima de prostituição nacional".[12] A soberba, então, é mais um item na lista de males que separavam Israel de Jeová. Em resultado disso, a nação seria destruída por causa de seu próprio pecado.

Judá cairá juntamente com eles. A arrogância levou Israel a se ressentir com a superioridade de Judá. Este ciúme provocou a rebelião inicial de Jeroboão I. Agora, uma vez mais, a arrogância causaria a queda de Israel, mas Judá também seria envolvido. A profecia do capítulo 5 talvez tenha sido entregue mais tarde que a do capítulo 4, porque há a nova observação da declaração profética relativa ao Reino do Sul. [13]

Há um sentimento de ternura no versículo 6 à medida que os filhos de Israel passam pelos verdadeiros atos de adoração, mas não discernem a verdadeira natureza da experiência e o objeto de adoração. Ir **com as suas ovelhas e com as suas vacas** (6) significa ir com todos os seus sacrifícios (VBB; cf. NVI). Eles irão com coração impenitente; portanto, **ele se retirou deles**.

Aleivosamente (infielmente) **se houveram contra o SENHOR** (7); agir infielmente (*bagad*) é expressão freqüentemente aplicada à infidelidade conjugal. Deus, ao falar como marido, apresenta a segunda frase: **Porque geraram filhos estranhos**; em vez de serem filhos do concerto é uma geração adúltera. A ameaça de julgamento surge novamente: **Agora, a lua nova os consumirá com as suas porções**; ou: "Agora os festivais da lua nova os consumirá e também aos seus campos [ou "plantações", NVI]" (ECA). Isto não significa que a terra seria invadida e destruída na "lua nova" ou no próximo mês, mas "qualquer mês podia trazer a ruína a eles e aos seus campos" (Phillips). Keil explica que a "lua nova" é a ocasião festiva na qual se ofereciam sacrifícios (1 Sm 20.6,29; Is 1.13,14); ela representa os próprios sacrifícios. "O significado é este: sua festa sacrifical, sua adoração hipócrita, longe de lhe trazer salvação, comprovará sua ruína". [14] Reynolds acredita que este mês fala da invasão iminente de Tiglate-Pileser (2 Rs 15.29).

Esta incursão devia-se, em parte, à aliança de Acaz com a Assíria contra Peca e Rezim. O envolvimento de Judá pode explicar o comentário no versículo 5: **Judá cairá juntamente com eles**.

b) *Oséias avisa Judá* (5.8-12). Nos versículos 8 e 9, o profeta dá um aviso solene. **Gibeá** e **Ramá** (8; ver mapa 2) situavam-se em cumes de montes, perto da fronteira ao norte de Benjamim, adequadamente situadas para dar este aviso. A **buzina** (*shophar*) era o chifre curvado do carneiro, ao passo que a **trombeta** (*chatsotserah*) era reta, feita de bronze ou prata e usada em ocasiões solenes. (Quanto a **Bete-Áven** ver comentários em 4.15.) O sopro dos chifres indicava a invasão da terra. Visto que **Gibeá** e **Ramá** não eram de Israel, mas de Judá, é provável que a queda de Israel já tivesse acontecido e o inimigo agora se dirigia à fronteira de Judá. **Após ti, ó Benjamim** é frase difícil de interpretar. Talvez seja um brado de batalha e aviso: "O inimigo está atrás de ti e ao teu encalço, ó Benjamim (fica atento)!" Esta tradução parece ser compatível com o assunto do versículo.

Os versículos 9 e 10 explicam o versículo 8. **Efraim será para assolação** (9) como sinal da justiça do Senhor e do cumprimento de sua profecia. **Os príncipes de Judá** (10) não são diferentes. Como "ladrões de terra comuns", eles **traspassam os limites**, ou seja, "mudam os marcos" (ARA; cf. NTLH) da fronteira (cf. NVI). Também sobre eles, diz Jeová, **derramarei, pois, o meu furor**.

Israel foi despedaçado pelo julgamento de Deus. A **vaidade** (11, *tzav*) é um estatuto ou ordem humano. Esta palavra ocorre aqui e em Isaías 28.10,13 (traduzida por "mandamento"), onde é empregada como antítese à palavra ou mandamento de Deus.[15] A **vaidade** ou estatuto humano mencionado aqui diz respeito à adoração de bezerros (cf. "deuses falsos", NTLH), o pecado que ocasionou a destruição do reino.

A **traça** e a **podridão** (12) indicam destruição lenta e silenciosa: as traças que se alimentam de roupas (Is 51.8), os bichos que comem madeira e carne. Mais tarde, o Senhor virá **como um leão** (14), mas aqui Ele atua **como a traça**, de maneira silenciosa, lenta e gradual.[16]

c) *O mistério do mal* (5.13-15). Judá e Israel poderiam ter amado Jeová, seu marido, mas prefeririam agir contrariamente. O próprio Deus se torna seu Inimigo, ao trabalhar interiormente até que ambas as nações sejam destruídas pela própria "podridão" e, assim, se tornem presa fácil de nações estrangeiras. Ao temer o Egito e conhecer sua própria **enfermidade** (fraqueza), Israel, em vez de se voltar para Jeová, buscou a **Assíria** (13), que mais tarde o destruiu. **Rei Jarebe** (*jarebh*) significa "guerreiro" ou "grande rei" (cf. ECA; NVI). Talvez este fosse um título comumente usado pelos reis assírios.

Se Deus é o Inimigo interior, também é o Inimigo exterior. **Como um leão** (14), usará a mesma nação (a Assíria), para quem Israel e Judá tinham se voltado, a fim de despedaçá-los e destruí-los. Oséias segue Amós, ao declarar que Jeová é o Deus de todas as nações para controlá-las conforme sua vontade e usar o mal que elas têm, a fim de castigar o povo eleito. **Arrebatarei, e não haverá quem livre**. Como o leão se retira para a caverna, assim o Senhor se retira para o seu lugar[17] e "priva os israelitas da sua presença graciosa e cooperadora até que eles se arrependam, ou seja, não só se sintam culpados, mas experimentem a culpa ao serem punidos".[18] Na ausência de Deus não há salvamento possível.

O pensamento é repetido no versículo 15. Deus se retirará até que os filhos de Israel se reconheçam **culpados** e **busquem** a **face** divina. **De madrugada** (15, *shachar*; cf. 6.3) não é usado no sentido de "logo, brevemente", mas no "crepúsculo da manhã". Numa exposição textual de 5.13, Alexander Maclaren prega sobre "Os Médicos que não Valem Nada": 1) O homem descobre que está doente, 13a; 2) O homem procura por todos os meios a cura, 13b; 3) O modo de Deus curar verdadeiramente, 13c. A conclusão é reforçada pela referência a 6.1.

3. *Desafio ao Arrependimento e à Cura* (6.1-3)

A separação entre a passagem de 6.1-3 e o capítulo 5 é infeliz. Há conexão óbvia entre "irei e voltarei" (5.15) e **vinde, e tornemos** (6.1). Não parece razoável entender que esta seção é o clamor dos israelitas, como interpretam muitos comentaristas. Trata-se do apelo simples de Oséias em nome do Senhor. (Esta interpretação requer uma mudança rápida no pensamento de Oséias, mas tal transição é típica do estilo literário do profeta.) Deus é a fonte de tudo. Foi o Senhor que os despedaçara; será Ele que os curará. **Fez a ferida e a ligará** (1). O avivamento nacional deve acontecer em curto período de tempo, fato figurativamente indicado por **depois de dois dias** e **ao terceiro dia** (2; cf. Lc 13.32,33). Estas palavras não são referência direta à ressurreição de nosso Senhor. Contudo, há intérpretes que as consideram antitipicamente como linguagem que se refere ao Messias, o "verdadeiro Israel" (cf. Is 49.3; Mt 2.15).[19]

O versículo 3 repete que a conseqüência da reconciliação é conhecimento de Deus. **Conheçamos e prossigamos em conhecer o SENHOR**. Este conhecimento não é puramente cognitivo, mas prático. Perseguir ou buscar este conhecimento traz as bênçãos de Deus: **Como a alva, será a sua saída; e ele a nós virá como a chuva, como chuva serôdia que rega a terra**. Aqui estão duas figuras fascinantes: o crepúsculo da manhã e a chuva renovadora. A profecia vê a saída de Jeová como o amanhecer "que anuncia o dia" e como as chuvas no inverno e na primavera (cf. NVI) – **como a chuva** temporã e como a **chuva serôdia** – que regam a terra. O amanhecer é o precursor dessa salvação (Is 58.8; 60.2), idéia representada pela "chuva serôdia" que molha a terra (Lv 26.4,5; Dt 11.14; 28.12). Oséias fala das primeiras e das últimas chuvas (temporãs e serôdias) como bênçãos do Senhor em relação à obediência e devoção sincera. O cumprimento da promessa se dará pelo Messias (Is 35.6; 44.3; Ez 36.25-28).

B. A INFIDELIDADE DE ISRAEL E SEU CASTIGO, 6.4—10.15

1. *O Processo Judicial de Deus contra Israel* (6.4–7.16)

a) *O lamento divino* (6.4-6). Os versículos 4 e 5 mostram o clamor do coração de Deus. Muitos vêem nesta passagem prova de que a penitência de 5.15 a 6.3 é superficial, que Efraim e Judá não mostraram arrependimento sincero. "Fiaram-se no *chesed* de *Yahweh* (Jeová) para que fossem inabaláveis; mas o próprio 'chesed' de BONDADE que tinham durou tão pouco quanto o 'ORVALHO' sob o sol da manhã".[20] **Por isso, os abati pelos profetas; pela palavra da minha boca, os matei** (5). Deus foi forçado a disciplinar sua noiva através dos profetas que enviou para destruir "o estilo de vida dela". Ao concluir o versículo, Oséias acrescenta: **E os teus juízos sairão como a luz**. Semelhante ao raio do julgamento de Deus que sai para fender o coração. Assim, paradoxalmente, a luz divina traz escuridão.

Porque eu quero misericórdia e não sacrifício; e o conhecimento de Deus, mais do que holocaustos (6). "Eu quero o verdadeiro amor, não o sacrifício; o conhecimento de Deus em lugar de holocaustos" (Phillips; cf. BV). A palavra *chesed*, traduzida por **misericórdia**, é amor por outrem que se revela na justiça e tem sua origem no conhecimento de Deus. Aqui, **misericórdia** significaria a afeição por Jeová, sentimento que Ele almeja na obediência humilde de Israel (cf. NTLH). Os sacrifícios insensíveis para cobrir o pecado são rejeitados como anátema para Deus. Declaração semelhante é dada por Samuel: "Eis que o obedecer é melhor do que o sacrificar; e o atender melhor é do que a gordura de carneiros" (1 Sm 15.22; cf. Sl 40.7-9; 50.8-15; Is 1.11-17; Mq 6.8).

b) *O fracasso do homem* (6.7-11). Encontramos a antítese do anseio de Jeová na descrição que a passagem de 6.7 a 7.16 faz sobre Efraim e Judá. **Eles traspassaram o concerto** e **se portaram aleivosamente** (infielmente) **contra mim** (7). A expressão de localidade (**como Adão**, *i.e.*, lá no jardim do Éden) destaca o lugar onde ocorreu a quebra do concerto (provavelmente Bete-Áven). **Como Adão** tinha quebrado o acordo com Jeová, seu Deus, assim fizeram eles.

Como exemplos desta infidelidade, o profeta menciona **Gileade**, cidade [21] de malfeitores **calcada de sangue** (8). Gileade era notória pelos seus homicídios (2 Rs 15.25). No versículo 9, Oséias lamenta que, **como hordas de salteadores que espreitam alguém, assim é a companhia dos sacerdotes que matam no caminho para Siquém; sim, eles têm praticado abominações**.

John Mauchline sugere que o texto do versículo 9b deveria vir antes de 9a, para dar a entender que os assassinatos de 9b foram atribuídos aos homens de Gileade mencionados no versículo 8. O sacerdócio, embora culpado de grosseira idolatria, nunca antes fora acusado de assassinato. Por outro lado, se for morte espiritual de que são acusados os sacerdotes, o significado acompanharia a seqüência do texto. Seja como for, os sacerdotes não estão livres de culpa. "Os sacerdotes formam turmas" (BV) como ladrões na estrada de Siquém e pecam contra os adoradores que estão em viagem aos santuários para adorar.[22]

Presume-se que a **prostituição de Efraim** (10) diga respeito à idolatria dos sacerdotes, que teve tão longo alcance, que contaminou a nação. Oséias não se esquece de Judá, a quem também "está determinada uma ceifa" (11, ECA; cf. NVI).

Fundamentado no teor da mensagem, talvez o versículo 11b devesse ser unido a 7.1. Então, o texto ficaria assim: **Quando eu remover o cativeiro do meu povo – sarando eu a Israel, se descobriu a iniqüidade de Efraim**.

O capítulo 6 identifica os recursos de Deus de maneira notável: 1) Deus é a fonte da disciplina espiritual, 1a; 2) Deus é a fonte da reconciliação, 1b; 3) Deus é a fonte do verdadeiro conhecimento, 3.

2. *As Sementes da Destruição* (7.1-16)

Oséias prevê claramente o exílio de Israel (722 a.C.), embora não tenha sobrevivido para ver o acontecimento. Como ele amou Gômer para salvá-la da prostituição, assim

O PECADO DE ISRAEL   OSÉIAS 7.1-10

Jeová atrairá para si o povo do seu concerto e curará suas enfermidades (Êx 15.26; Sl 103.3). A "conversa séria" que Oséias teve com sua esposa nos dias do exílio de contato físico sugere, em analogia, a "conversa séria" que Jeová expressou diante da **iniqüidade de Efraim** e das **maldades de Samaria**.[23] No capítulo 7, o profeta acrescenta mais itens à lista de crimes de Israel: **Pois, os cercam as suas obras** (2) más.

a) *Distúrbios internos* (7.1-7). Após a explicação do v. 7.1, há uma lista dos pecados e crimes abertamente cometidos. Predominavam a mentira e os assaltos na estrada, visto que os homens **não dizem no seu coração que eu me lembro de toda a sua maldade** (2).

Com a sua malícia alegram ao rei (3). Ele é culpado porque os pecados do povo o divertem e entretêm a corte. Certos comentaristas sugerem a leitura: "Em sua maldade eles ungem reis", indicativo da alegria pela posse de um novo rei viabilizado mediante intrigas (cf. 2 Rs 15.8-15). O texto do versículo 4 é difícil e muitos acreditam que foi copiado incorretamente, embora revele a corrupção daqueles dias. As pessoas são incrédulas e infiéis às relações do concerto. Preste atenção nesta paráfrase do versículo 4: "Todos são adúlteros; como o forno do padeiro, que está sempre aceso – a não ser quando ele amassa o pão e deixa fermentando – assim essas pessoas estão sempre fervendo de sensualidade" (BV).

No versículo 5, o profeta fala daqueles que embebedam o rei que de nada desconfia, quando ele se reúne com os **escarnecedores** (os conspiradores) no dia das festividades. O **dia do nosso rei** fala provavelmente da comemoração anual da coroação. Ironicamente, a embriaguez do rei prepara o caminho para o seu próprio assassinato.

O versículo 6, embora relacionado com os **príncipes** do versículo 5, retoma a figura do forno: **Porque, como um forno, aplicaram o coração, emboscando-se**. Declaram lealdade ao rei, mas esperam até o momento oportuno. O plano secreto lhes queima o coração durante **toda a noite**. E pela manhã, incendeia **como fogo de chama** no assassinato do rei. Regicídio após regicídio (cf. 2 Rs 15).

Embora a miséria do reino fosse extrema, **ninguém entre eles há que me invoque** (7). "Ninguém procurava o verdadeiro remédio e clamava por Jeová, pois a capacidade do arrependimento em si acabara".[24]

b) *Hesitação e fraude* (7.8-16). **Efraim com os povos se mistura** (8). Aqui, a idéia de misturar-se com as nações não se refere ao exílio, mas é o tipo de entrosamento no qual as dez tribos aprenderam as obras dos pagãos e serviram seus ídolos. Por causa desta situação, eles eram **um bolo que não foi virado**. A figura incisiva diz respeito a pão assado sobre pedras em brasa ou cinzas. Caso não fosse virado, o pão ficava queimado de um lado e cru do outro, e para nada prestava. Os israelitas apóstatas serviam apenas para serem rejeitados.

A acusação continua no versículo 9: **Estrangeiros lhe devoraram a força, e ele não o sabe; também as cãs se espalharam sobre ele, e não o sabe**. Indicações visíveis de idade avançada em Israel são indícios de ruína veloz; e a nação israelita ignorava tudo isso.

A **soberba de Israel** (10) se refere ao seu comportamento arrogante e é repetição de 5.5 (ver comentários nessa passagem).

Em conseqüência disso, **Efraim é como uma pomba enganada, sem entendimento; invocam o Egito, vão para a Assíria** (11). Ao voejar como uma pomba perdida, Efraim titubeia com seus pedidos de ajuda entre o Egito e a Assíria. Porém, durante todo o tempo Israel não percebeu que caíra no poder da Assíria pela **rede** (12) de Jeová. Deus usava esta poderosa nação como meio de julgamento contra seu povo, **conforme o que eles têm ouvido na sua congregação** (*i.e.*, de acordo com os avisos já constantes na lei: Lv 26.14-44; Dt 28.15-68).

Ai deles, porque fugiram (voaram) **de mim** (13). **Fugiram** (*nadad*), verbo que é aplicado ao vôo dos pássaros, lembra as figuras da pomba nos versículos 11 e 12. **Eu os remi, mas disseram mentiras contra mim**, e agora não vou remi-los de novo. [25]

Nos versículos 14 a 16, Oséias continua a descrever a situação difícil de Israel em face do julgamento. **E não clamaram a mim com seu coração, mas davam uivos nas suas camas** (14). O Senhor acusa os israelitas de hipocrisia; o clamor não vinha do coração. Depois de clamar no aperto da situação difícil, **para o trigo e para o vinho** eles afluem em multidão (*hithgorer*) e **contra mim se rebelam**. O significado foi parafraseado assim: "Adoram deuses estranhos, para pedirem boas colheitas e muitas riquezas" (BV).

O Senhor não fala apenas de castigo, mas de instrução e ajuda em vista do **mal contra** Ele (15). Deus lhes ensinou e fortaleceu os **braços**, ou seja, instruiu-os e lhes deu poder para lutar e obter vitórias sobre os inimigos. A linguagem alegórica do versículo 16 resume a atitude fraudulenta da nação. [26] O **arco enganador** é um instrumento no qual o arqueiro não confia. Assim Deus não acredita em Israel. **A violência da sua língua** alude às mentiras que proferiram. Por causa da queda dos **príncipes** os israelitas foram escarnecidos na **terra do Egito**. Foram ridicularizados porque tinham se vangloriado de serem fortes, mas caíram diante da Assíria. [27]

O julgamento de Deus sobre o pecado de Israel serve para fazer uma exposição inspiradora: 1) O conhecimento de Deus, do pecado, 2; 2) O impulso mortal do pecado, 9; 3) A autocondenação do pecado, 10; 4) A falsidade do pecado, 16; 5) A redenção de Deus rejeitada, 13; 6) O julgamento de Deus sobre o pecado, 12.

3. *Israel sob Sentença* (8.1—9.17)

a) *A apostasia da nação* (8.1-14). O capítulo 8 começa com uma declaração do inimigo, o qual executará o julgamento divino em Israel. Em hebraico, a primeira frase é uma exclamação sem verbo. A convocação de Jeová é dirigida ao profeta: **Põe a trombeta à tua boca** (1). Ele deve tocar o aviso. Esta é a "brevidade da urgência" (cf. 5.8).[28] A segunda frase dá a mensagem a ser entregue: **Ele vem como águia** ("urubus", BV; abutre) **contra a casa do SENHOR, porque traspassaram... a minha lei**. O profeta tem de fazer o papel de "atalaia" (Ez 33.2b, 3), ao repetir as acusações contra Israel em vista dos invasores (os assírios).

Deus faz duas acusações. Primeiro, os israelitas **traspassaram o meu concerto**. Eles quebraram o contrato original, o acordo nupcial. Declararam que não eram mais de Jeová. Segundo, **se rebelaram contra a minha lei**, quer dizer, cometeram o pecado da desobediência e da infidelidade. As acusações são particularizadas no versículo 4.

As frases nos versículos 2 e 3 são dadas em *staccato*. O clamor de Israel no versículo 2 é um arquejo sem expressão vocal ordenada, e a resposta de Deus no versículo 3 é da mesma forma curta e urgente. Apesar da acusação divina, o povo brada: **Deus meu! Nós, Israel, te conhecemos** (2). Esta tradução sucinta é apoiada por Keil: "Meu Deus, nós te conhecemos, nós, Israel!"[29], a fim de revelar surpresa por Deus não os identificar como seu povo. O mero nome **Israel** prova que eles pertencem a Jeová? Deus responde que não; não basta! O fato por si só não salva. Por quê? Porque **Israel rejeitou o bem** (3). Arbitrariamente, **fizeram reis** (4) e **príncipes**. Eles **fizeram ídolos para si** (5) de **prata** e de ouro na forma de bezerros, uma abominação aos olhos do Senhor.

R. F. Horton nos lembra que "durante 253 anos Israel teve 18 reis de dez famílias diferentes e nenhuma delas chegou a um fim que não fosse por morte violenta. A sucessão rápida de usurpadores nos últimos anos era o mergulho final de uma carreira desastrosa".[30] A acusação no versículo 4 indica que a "eleição carismática dos reis dera lugar a planos secretos e políticas do suborno".[31] **O teu bezerro, ó Samaria, foi rejeitado** é traduzido por "o teu ídolo-bezerro é repugnante, Eu o rejeitei" (ATA). Matthew Henry observa que "Deus nunca rejeita ninguém até que Ele seja rejeitado primeiro".[32] A palavra **bezerro** talvez seja um diminutivo sarcástico para referir-se a "touro". Samaria, a capital de Israel, se afastara de Deus. Agora Deus a rejeita. Knight sugere que o versículo 5 poderia ser traduzido assim: "Teu bezerro fede, ó Samaria. Que *ersatz* ou substituto pobre para o Deus vivo é um bezerro!"[33]

Jeová brada: **Até quando serão eles incapazes de alcançar a inocência?** (5). Considerando que a idolatria era prostituição, a inocência era pureza. O "Deus que sofre" clama contra a infidelidade de Israel, "da mesma forma que Oséias conhecera a dor pela infidelidade de sua esposa".[34]

A profecia prossegue para anunciar que **em pedaços** (hb., "lascas", "estilhaços") **será desfeito o bezerro de Samaria**. Não é de Deus; foi **um artífice** que **o fez** (6; cf. Êx 32.20).

O versículo 7 representa o clímax e o tema do capítulo 8: **Semearam ventos** e colheram **tormentas** (cf. Gl 6.7). "As fontes da vida nacional secaram e o povo não vale coisa alguma entre as nações".[35] Os **ventos** – a paixão e a deslealdade do pecado – provocam as **tormentas** da destruição nas colheitas e nos campos e pela invasão dos assírios – **estrangeiros** que os devoram. Oséias declara que o mundo é um universo moral no qual o pecado precisa ser julgado.

O fato de Israel ser **devorado** o torna um recipiente imundo (8). O versículo não fala tanto do exílio como da nação que já foi menosprezada **como coisa em que ninguém tem prazer**. Eles mesmos prepararam esta condição. **Porque subiram à Assíria, como um jumento montês, por si só** (9). Parece que o **jumento montês** é um trocadilho em hebraico para aludir a *Efraim*. **Subiram à Assíria** não é menção ao exílio, mas tem esta tradução: "Israel foi para Assur como um jumento montês vai sozinho por conta própria".[36] **Mercou Efraim amores**, ou seja, negociou seus namoros; deu presentes de amor em troca de favores. "A intriga política estava [...] fora de simetria com a verdadeira missão de Israel. Tendia a secularizar o povo, a fazer dele uma nação como as outras nações do mundo e, desta forma, equivalia a comerciar galanteios e falar mentiras contra Jeová".[37]

Todavia, ainda que eles merquem entre as nações, eu os congregarei; já começaram a ser diminuídos por causa da carga do rei dos príncipes (10). Este é um versículo difícil, mas parece indicar que, embora os israelitas tenham negociado favores com as nações, Jeová os congregará com o propósito de discipliná-los. Eles sentirão a **carga** tributária imposta pelo **rei dos príncipes**. Phillips sugere que eles vão diminuir os presentes por causa dos pesados impostos.

O capítulo se encerra com uma descrição de adoração sem o "conhecimento de Deus" (cf. 11.1-4). **Porquanto Efraim multiplicou os altares para pecar; teve altares para pecar** (11). Amós (Am 4.4,5) propusera ironicamente que Israel oferecesse cada vez mais sacrifícios para que Deus notasse a quantidade e se esquecesse da qualidade das ofertas (cf. Mq 6.6-9). Mas não conseguiram enganar Jeová; a nação só multiplicava seu pecado.

Escrevi para eles as grandezas da minha lei; mas isso é para eles como coisa estranha (12), pode ter esta tradução: "Embora eu lhe escreva a minha lei em dez mil preceitos, estes seriam tidos como coisa estranha" (ARA; cf, BV). No desejo ardente por religiões estrangeiras, a pura adoração de Jeová fora esquecida e isso soava estranho aos ouvidos insensíveis do Israel pecador. A **lei** (Torá) mencionada aqui não é somente o Decálogo, porém a revelação e instrução de Moisés mais as declarações dos profetas.

Quanto aos sacrifícios dos meus dons, sacrificam carne e a comem (13). As pessoas amavam sacrificar para desfrutar o banquete de **carne** que se seguiria. Não admira que Jeová estivesse irado e não os aceitasse. Assim, **eles voltarão para o Egito**. Israel tinha de aprender as lições amargas dos seus antepassados. O **Egito** representa a terra da escravidão (cf. 9.3,6), da qual Israel fora resgatado, mas que simbolizava o sofrimento pelo qual o povo tinha de passar novamente.

O versículo 14 determina uma vez mais a fonte do pecado de Israel: **Porque Israel se esqueceu do seu Criador**. Esquecer Deus e ostentar o próprio poderio diante de nações estrangeiras trouxe o julgamento do Senhor sobre Israel. A frase final: **Mas eu enviarei um fogo contra as suas cidades, e ele consumirá os seus palácios**, refere-se a ambas as nações (Israel e Judá). "Estes castelos de falsa segurança o Senhor destruirá, o *armanoth* [cidades cercadas] correspondem ao *hokkaloth* [templos]".[38]

O capítulo 8 oferece possibilidades diversas de exposição impressionante. Ele representa o caráter do pecado com clareza: 1) O engano do pecado, 2,11,12; 2) A ação recíproca do pecado, 7; 3) O absurdo do pecado, 9; 4) O fardo do pecado, 10; 5) O julgamento contra o pecado, 14.

Uma análise textual de 8.1 proporciona uma explicação do pecado: 1) O pecado é essencialmente relação rompida, 1b; 2) O pecado é uma transgressão da lei, 1c.

b) *A angústia e cativeiro de Israel* (9.1-17). Ao dar continuidade à acusação apresentada no capítulo 8, Oséias faz uma descrição no capítulo 9 da pena do exílio, o definhamento da nação. Israel rejeitou Jeová e tem de enfrentar a perda de rei, crianças, lugares de adoração e país.

Nos versículos 1 a 9, o profeta faz uma advertência de julgamento apesar da prosperidade temporária. **Não te alegres, ó Israel, até saltar, como os povos; porque te foste do teu Deus como uma meretriz** (1). Os israelitas não devem se exultar, pois a infidelidade (prostituição) foi a causa de haverem se separado de Deus. As festividades de Israel deviam ser ocasiões felizes, mas as festas de Baal se desdobraram em festança licenciosa. Isto ocorria, sobretudo, na festa da colheita, que começava como ocasião de agradecimento e alegria, mas acabava em libertinagem. "Oséias destaca fortemente que junto com a lealdade a Yahweh (Jeová) está a adoração feliz de um povo grato, ao passo que junto com a virada infiel a uma adoração das forças da Natureza está um colapso da vida moral".[39]

Amaste a paga sobre todas as eiras de trigo (1). Israel deixou de considerar que as bênçãos da colheita vinham de Deus e passou a atribuí-las à adoração de Baal, no qual se alegravam. Por causa dessa "prostituição espiritual", **a eira e o lagar não os manterão** (2). Trigo, óleo e vinho não os nutrirão nem os satisfarão, porque estarão distantes, no exílio. O versículo 3 explica o versículo 2. **Egito** (3) é, obviamente, um símbolo para o exílio (8.13) como nos dias de Moisés. A expressão: **na Assíria comerão comida imunda** mostra que as leis dietéticas do Pentateuco eram conhecidas nos dias de Oséias. Comer **comida imunda** estava associado aos gentios. Mesmo nesta época, Deus deu a Israel sua proteção contra a degradação, mas no exílio não haveria tal proteção. O "emblema de distinção" não vale mais, os limites e distinções sociais acabaram – tais fatos eram julgamentos que Israel sentia ardentemente.[40]

Os quadros nos versículos 3 e 4 descrevem nitidamente o exílio vindouro. Os verbos hebraicos estão no futuro simples. Na Assíria, **não derramarão vinho** (libação) **perante o SENHOR** (4), mas **os seus sacrifícios para eles serão como pão de pranteadores**.[41] **Seus sacrifícios** não serão agradáveis a Jeová. A expressão: **o seu pão será para o seu apetite; não entrará na casa do SENHOR** significa que não haverá templo ao qual eles possam levar uma oferta antes de comer o alimento.

Que fareis vós no dia da solenidade e no dia da festa do SENHOR? (5). Israel não poderá observar as festas do Senhor enquanto estiver no exílio. Ou talvez o significado seja que os israelitas fariam sacrifícios, mas que não haveria a alegria da ocasião festiva porque estavam desacompanhados de justiça.

Porque eis que eles se foram por causa da destruição (6) quer dizer que os israelitas estarão sujeitos ao exílio. O **Egito** é mencionado simbolicamente como o lugar deste exílio. **Mênfis** era a antiga capital do Baixo Egito, hoje em ruínas ao sul da antiga Cairo. O tesouro de Israel será destruído e suas habitações ficarão abandonadas: "As urtigas herdarão os seus tesouros de prata e os espinhos ocuparão as suas tendas" (Phillips; cf. NVI).

Mais uma vez o texto fala dos **dias da visitação** (7; "castigo", BV; ARA; ECA; NVI; cf. 2.13), desta feita junto com **os dias da retribuição** ("punição", NVI). O radical da palavra hebraica indica que **retribuição** é a execução necessária da prostituição de Israel. Então a nação **saberá** que o **profeta** profissional **é um insensato**. Estes mensageiros predisseram somente prosperidade para o povo (Ez 13.10). O **homem de espírito** ("homem inspirado", NVI) é idêntico ao **profeta insensato**. "O termo 'ish ruach (homem de espírito) é sinônimo de 'ish holekh ruach (homem que anda no espírito), mencionado em Miquéias 2.11, onde diz que profetiza mentiras. [...] Até os falsos profetas ficam sob um poder demoníaco superior, e eram inspirados por um *ruach sheqer* (espírito de mentira, 1 Rs 22.22)".[42] Isto, em si, com certeza mostrava a profundidade da **iniqüidade** de Israel e o grande **ódio**.

Deus queria que Efraim fosse o seu **vigia** e profeta para as nações circunvizinhas, mas não há confiança nesses mensageiros profissionais e não inspirados pelo Senhor.[43] Assim, o **profeta é como um laço de caçador de aves em todos os seus caminhos** (8), e há "inimizade, hostilidade, e perseguição na casa do Senhor" (ATA; cf. NVI).

Oséias lembra os leitores do comportamento depravado de Israel em **Gibeá** (9; cf. Jz 19), quando "não havia rei em Israel" (Jz 19.1) e "cada um fazia o que parecia reto aos seus olhos" (Jz 21.25).

Uma vez mais ouvimos o clamor aflito de Jeová: **Achei Israel como uvas no deserto, vi a vossos pais como a fruta temporã da figueira no seu princípio** (10). O Senhor representa-se como viajante no deserto que sente grande prazer e alegria ao achar uvas para matar a sede e figos temporãos, iguaria muito apreciada para a maioria dos orientais (Is 28.4; Jr 24.2; Mq 7.1). Assim, Deus se deliciava em ajudar Israel como seu povo escolhido no Egito. Mas os filhos de Israel **foram para Baal-Peor**[44] e "se tornaram abomináveis como o objeto que amavam" (Vulgata; cf. BV; RC; ARA; ECA; NTLH; NVI).[45] Eles se tornaram de caráter semelhante àquilo que amavam.

No versículo 11, encontramos uma figura diferente, mas paralela. A **glória** de Efraim **como ave, voará; não haverá nascimento, não haverá filho, nem concepção**. "A glória de Efraim voou como pássaro; não há mais nascimento, não há mais maternidade, não há mais concepção!" (VBB; cf. ECA; NVI). Os povos de terras orientais consideravam a esterilidade uma desgraça. *Efraim* quer dizer "fertilidade". A ironia da escritura está na observação de que o frutífero ficará estéril, e o qualificativo "frutífero" deixará de caracterizar Israel.

A **glória** de Israel era sua relação exclusiva com Jeová; agora os israelitas rejeitavam essa glória do mesmo modo que abandonaram sua eleição. Não admira que Deus diga: **Ai deles, quando deles me apartar!** (12). A glória terá ido porque as últimas gerações de Israel se foram: **Para que não fique nenhum homem**. A última frase do versículo 12 dá a razão para o castigo ameaçador: a partida do Senhor. O luxo será punido pela "diminuição de números", que é conseqüência da esterilidade. Ainda que nasçam filhos, **eu os privarei deles** – os homens se perderão na batalha.

O tema da glória desvanecedora de Efraim continua nas descrições dos versículos 13 e 14. **Efraim, assim como vi Tiro, está plantado em um lugar deleitoso** (13), contudo a nação **levará seus filhos ao matador**. A palavra **Tiro** quer dizer "rocha". Israel pretendia ser uma rocha, símbolo de poder e glória. Mas agora que sua apostasia ficou notória, o Senhor entregaria seus filhos à morte pela espada.

Oséias parece inquieto com a situação. "Dá-lhes o que merecem" (14, ATA), diz o profeta. Jamieson interpreta que as palavras **uma madre que aborte e seios secos** indicam: "A calamidade será tão grande, que a esterilidade será uma bênção, ainda que essa condição fosse considerada uma grande desgraça" (cf. Jó 3.3; Jr 20.14; Lc 23.29)".[46]

No versículo 15, Oséias volta à situação anterior e fala por Deus. **Gilgal** era um dos santuários degradados pela adoração a Baal (cf. 4.15; 12.11). Paradoxalmente, foi o primeiro lugar onde os israelitas fizeram um culto a Jeová depois da travessia do rio Jordão (Js 4.20; Mq 6.5). Foi ali que Jeová os odiou. Como marido traído, ele os lançaria fora de sua casa; não os amaria mais, pois os **rebeldes** (15) o rejeitaram. Knight faz um comentário sobre o versículo 15: "O Antigo Testamento nunca usa o palavreado tolo de certos evangelistas de hoje que declaram que Deus odeia o pecado, mas ama o pecador. O pecado não existe independentemente de homens que pecam. É por isso que Deus, em sua pureza e amor santo, tem de odiar o próprio pecador".[47]

Efraim, o frutífero, agora é atingido duramente por uma ferrugem: **Secou-se a sua raiz; não darão fruto** (16; cf. Sl 102.4). Talvez isto seja um trocadilho amargamente irônico feito por Oséias. "Efraim, o frutífero, não dá mais frutos" (Phillips). O hebraico indica o cumprimento certo da profecia.

As ameaças nos versículos 11 e 12 são reforçadas no versículo 16 e encerradas no versículo 17 com uma razão para essa rejeição: **O meu Deus os rejeitará, porque não o ouvem; e desocupados andarão entre as nações** (17). A frase final transmite um tremendo tom patético. A palavra traduzida por **desocupados** ("errantes", ARA) é usada em referência a Caim em Gênesis 4.14 (cf. Dt 28.65). Ao considerar que Israel preferiu andar desocupado; agora é Deus que diz: **Desocupados andarão entre as nações**. "A luz que Deus dá aos homens, e particularmente a luz do amor, [...] ou ilumina-lhes os olhos ou cega-lhes os olhos. Esta é a convicção de todos os profetas".[48]

4. Resumo e Súplica (10.1-15)

Oséias tem duas mensagens: o pecado de Israel e o seu castigo. Estes temas são repetidos muitas vezes. "A repetição, não a progressão de pensamento, caracteriza o fluxo impetuoso de eloqüência inspirada do profeta Oséias".[49] No capítulo 10 há uma repetição quádrupla e uma referência dupla ao pecado de Israel, que é: 1) O estabelecimento de reis não autorizados; e 2) A instituição da adoração do bezerro de ouro. O castigo é paralelo ao pecado na destruição do reino e seus ídolos.[50]

Metáforas descritivas são abundantes nesta profecia. Oséias já falou de "vaca rebelde" (4.16), negociantes fraudulentos (5.7, "aleivosamente se houveram"), homens doentes (5.13), "adúlteros" (7.4), "uma pomba enganada" (7.11) e, agora, "uma vide frondosa".

Israel é uma vide frondosa;[51] **dá fruto para si mesmo** (1), ou seja, Israel "colheu" seus frutos. A reclamação do Senhor não era que os israelitas prosperaram, mas que eram egoístas. Em vez de aumentar a gratidão a Jeová, a prosperidade tornou-se ocasião de aumentar o número de **altares** e **estátuas** ou colunas[52] de Baal (cf. Êx 23.24; 1 Rs 14.23).

O seu coração está dividido (2), "e agora devem carregar sua culpa" (NVI). Seus sentimentos estavam divididos por causa da influência nefanda da adoração a ídolos. Israel tem de expiar sua infidelidade, pois Deus destruirá seus **altares** e **estátuas**.

Oséias anuncia que, um dia, eles se darão conta de que a razão de não terem um rei, é porque não temem o **SENHOR** (3). A última frase do versículo talvez signifique: "Se não reverenciamos o Senhor, o que nos poderia fazer o rei?" (VBB; cf. ARA; NTLH; NVI).

Os versículos 4 a 7 acrescentam mais detalhes sobre o fracasso de Israel. **Multiplicaram palavras, jurando falsamente, fazendo um concerto** (4). Quando o povo dividiu sua lealdade, também perdeu a crença em seus reis. Estes faziam e guardavam o concerto somente quando lhes era pessoalmente vantajoso. "Tinha havido uma seqüência funesta de regentes que, em nível internacional, faziam alianças fraudulentas e, nacionalmente, brincavam com políticas de força; nenhum deles reinou por possuírem um dom carismático" (cf. 7.7; 8.4).[53] Um governante desta qualidade não faria mais que "proferir meras palavras" (RSV) e entrar em pactos inúteis.

Nestas circunstâncias o único **juízo** ("justiça", NTLH) que Israel conhecia era uma experiência amarga. **Erva peçonhenta** era, talvez, a cicuta, o veneno dado a Sócrates. Amós se refere a veneno quando observa: "Haveis tornado o juízo em veneno e o fruto da justiça, em alosna" (Am 6.12, ARA; cf. ECA; NVI).

Os versículos 5 e 6 fazem uma descrição gráfica da relação do povo com os ídolos. Se a comunhão com Deus constituía uma grande alegria, a relação de Israel com os ídolos de **Bete-Áven** (5) seria de lamento. Diante do julgamento iminente o **povo e os sacerdotes** lamentaram pela segurança dos **bezerros** (touros) de ouro. Estes **sacerdotes** eram *kamar*, idólatras ("sacerdotes idólatras": ARA; cf. ECA; NVI; NTLH). Os verdadeiros sacerdotes de Israel eram *kohen*. Oséias mostra que o próprio bezerro de ouro vai peregrinar no exílio: **Também a Assíria será levada como um presente** (tributo) **ao rei Jarebe** (6). A palavra **Jarebe** não é nome próprio. Significa "grande rei" (ver BV; ECA; NVI; cf. ARA; NTLH). **Efraim ficará confuso... por causa do seu próprio conselho**, ou seja, por causa deste ídolo de quem buscou conselho deliberativo. Assim, "os reis fantoches compartilharão o mesmo destino que os deuses fantoches".[54] O rei de Samaria será destruído como "um refugo sobre a superfície das águas" (7, Phillips; cf. BV; ARA).

Oséias identifica o principal pecado de Israel com a imagem de adoração em Bete-Áven (Betel). **E os altos de Áven** (Bete-Áven), **pecado de Israel, serão destruídos** (8).

Estes lugares de adoração idólatra tinham de ser totalmente destruídos, pois **espinhos e cardos crescerão sobre os seus altares** (8). Com o fim do reino e de seus altares e santuários, o povo almejará a morte e destruição, e dirá **aos montes: Cobri-nos! E aos outeiros: Caí sobre nós!** Sem concerto e ídolos, as pessoas buscarão as montanhas a fim de se esconder da ira de Deus (cf. Hb 10.31; Ap 6.16). No versículo 9, o profeta volta a falar do pecado de **Gibeá** como exemplo da pecaminosidade absoluta de Israel (ver comentários em 9.9).

A palavra **transgressões** (10) é mais bem traduzida por "dupla transgressão" (ARA; cf. NVI).[55] Por causa de sua grande iniqüidade, a nação será castigada e acorrentada diante dos inimigos.

No versículo 11, há uma comparação entre o animal que é ensinado a **trilhar** e o que é enviado a lavrar o campo. O Código Deuteronômico permitia ao boi comer enquanto trilhava os grãos (cf. Dt 25.4). O jugo que Jeová pusera em Israel era leve, mas por causa do pecado cometido o Senhor o enviaria aos campos para arar. Deus poria um jugo pesado no pescoço de Israel, em vez de um cavaleiro a conduzir. O povo seria conduzido em vez de ser dirigido. Estas são figuras de subjugação e escravidão.[56] "As esperanças que Efraim tinha de escapar serão frustradas. Os assírios se mostrarão senhores duros".[57]

É notável que, mesmo na zero hora antes do julgamento, Deus, mais uma vez, oferece sua misericórdia (*chesed*) para Israel. A nação ainda tem a chance de obedecer esta ordem: **Semeai para vós em justiça, ceifai segundo a misericórdia; lavrai o campo de lavoura; porque é tempo de buscar o SENHOR, até que venha, e chova a justiça sobre vós** (12). **Semeai... justiça** implica em ações corretas entre dois homens. Se Israel fizesse a vontade de Deus, ele colheria **misericórdia** de acordo com a compaixão de Jeová e não **perversidade**.

Aqui, e em Jeremias 4.3, a palavra hebraica *nir* pode significar **campo de lavoura** (terra arada) ou solo não cultivado. Em ambos os casos, a terra fora abandonada até ficar seca pelo calor e cheia de espinhos. Qualquer uma das duas interpretações indica que o povo tem de trabalhar sob circunstâncias difíceis em um novo curso de vida.[58]

Este é o momento decisivo. É a vontade de Deus que **chova a justiça sobre** Israel, mas há obediência parcial ou nula. A nação está tão dedicada na propensão à idolatria que ficou insensível ao chamado de Deus.

O PECADO DE ISRAEL   OSÉIAS 10.13—11.1

Os versículos 13 a 15 identificam uma vez mais a conseqüência da indiferença e **impiedade**. Há um efeito cumulativo quando os homens praticam o mal: "Mas vocês plantaram a maldade e acabaram colhendo só pecados" (13, BV). Eles não confiaram em Jeová, mas **na multidão** dos seus **valentes**. Alguns tradutores unem a última parte do versículo 13 com o começo do 14: "Porque confiastes nos vossos carros e na multidão dos vossos valentes, portanto, entre o teu povo se levantará tumulto de guerra" (RSV).

Nada sabemos sobre esta ilustração: **Salmã destruiu a Bete-Arbel** (14). A palavra **salmã** é, provavelmente, contração de Salmaneser, o conquistador de Israel (2 Rs 17.6). Logsden assevera que **Bete-Arbel** é um "quadro pré-desenvolvido" de Betel, em que mais tarde se cumpriu a profecia do versículo 14: **A mãe ali foi despedaçada com os filhos.**[59]

Assim vos fará Betel (15) deveria ser "Assim eu vos farei" (VBB). **Betel**, o lugar da **malícia** e da idolatria,[60] será destruído em uma **madrugada** (*basshachar*, "crepúsculo da manhã"). Devemos entender que o **rei de Israel** refere-se à monarquia em geral e não a um monarca específico. Na época da invasão, era o rei Oséias que estava no trono.

Os versículos 11 a 15 oferecem uma exposição sobre o evangelismo: 1) A falsa esperança de Israel, 11a; 2) A súplica amorosa de Deus em face do julgamento iminente, 12; 3) O julgamento incontestável de Deus, 13-15.

C. O AMOR DE JEOVÁ, 11.1—13.16

1. *A Magnanimidade de Deus* (11.1-11)

O capítulo 11 de Oséias é um dos grandes textos do Antigo Testamento. É neste contexto que Deus apresenta a figura do filho ao lado da imagem da noiva. Deus amava Israel como um filho (cf. Dt 32.6,18; Is 63.16; 64.8; Jr 3.19; Ml 1.6; 2.10).

a) *A preocupação de Deus pelo seu povo* (11.1-4). **Quando Israel era menino, eu o amei; e do Egito chamei a meu filho** (1). Este versículo está baseado em Êxodo 4.22,23, que diz: "Então, dirás a Faraó: Assim diz o SENHOR: Israel é meu filho, meu primogênito. E eu te tenho dito: Deixa ir o meu filho, para que me sirva; mas tu recusaste deixá-lo ir; eis que eu matarei a teu filho, o teu primogênito". Esta não é uma profecia, mas uma descrição da relação de Jeová com os filhos de Israel quando estes foram eleitos por Ele para serem o povo do concerto. Snaith denomina esta relação do "amor-eleição" de Deus.[61] Israel era o filho de Jeová, por causa da sua eleição como o povo escolhido do Senhor (Êx 4.22). O amor de Deus foi expresso na adoção de Israel "como o filho de Jeová, que começou com a libertação da escravidão do Egito e terminou na conclusão do concerto no monte Sinai. [Isto] forma o primeiro estágio no cumprimento da obra divina de salvação, que terminou na encarnação do Filho de Deus para redimir a humanidade da morte e destruição".[62]

Se a figura da "noiva" no livro de Oséias dá a entender que ela era um indivíduo antes do casamento, trata-se de indicação meramente parcial da significação da relação de Deus com o seu povo. Um filho "é dependente do cuidado do pai desde o nascimento, e mesmo antes de nascer. Assim, esta segunda afirmação suplementa a primeira".[63]

Martin Buber, como judeu desfrutava grande influência na comunidade cristã, atribui a relação ao zelo de Jeová no deserto: "Eu os amei (11.1) e eles me traíram (9.10; 11.2; 13.6)".[64] Buber sugere também três tipos de amor mencionados em Oséias, pois "o profeta não usa profusamente a preciosa palavra 'amor'".

O amor de Deus: 1) É um amor exigente, 11.1-4; 2) É um amor colérico, 9.15; 3) É um amor misericordioso, 14.5.[65]

A frase: **do Egito chamei a meu filho** significa que Israel passou do serviço de Faraó para o de Jeová. Este ato de Deus, na mente dos israelitas fiéis, era um dos grandes momentos de sua história. Mas, embora o Senhor os tivesse chamado, eles **sacrificavam a baalins e queimavam incenso às imagens de escultura** (2). Esta tradução deixa o versículo 2 mais claro: "Mas, quanto mais os chamava, mais eles se afastavam de mim, para oferecerem sacrifícios aos baalins e queimarem incenso aos ídolos" (VBB; cf. BV; ARA; NVI). Agora, Deus fala com grande ternura e com a mesma figura do filho: "Mas fui eu quem ensinou Efraim a andar, quando o tomei nos braços; mas eles não perceberam que fui eu quem os curou" (3, NVI; cf. ARA). Pode ser que Deus tenha se humilhado tanto que o filho não reconheceu a "semelhança de Deus em tal humildade".[66]

No versículo 4, a figura muda. "Como um lavrador leva o seu animal favorito, assim guiei Israel, puxando-o com cordas de amor. Desatei sua boca para ele poder comer. Eu mesmo me abaixei e lhe dei comida" (BV). Devemos contrastar as **cordas** com as rédeas com que controlamos os animais. Elas representam a compaixão do pai por um filho, quando o guia **com cordas de amor**. Ao findar o trabalho do dia, o fazendeiro tira o jugo dos bois e os alimenta. Do mesmo modo, à tardinha, o Senhor retira as cordas e amorosamente alimenta seu filho.

b) *O castigo de Israel* (11.5-7). Os versículos 5 a 7 destacam uma vez mais que, pelo fato de Israel ter rejeitado o amor (*chesed*) de Deus, o castigo será sua sina. A declaração **não voltará para a terra do Egito** (5) parece contradizer 8.13 e 9.3. Nestas referências anteriores, o Egito é mencionado simbolicamente como a terra da escravidão. Aqui, é usado literalmente e comparado com a Assíria. Embora houvesse o desejo de voltar no sentido de aceitar a ajuda do Egito, o malogro será sua sina; a **Assíria será seu rei, porque recusam converter-se** a Deus.

Os versículos 6 e 7 dão mais detalhes sobre o caráter rebelde de Israel e o castigo iminente. **Cairá** (6, hb., "rodopiará", "girará") sugere que a espada de Assur "varrerá as suas cidades" (Keil), ou seja, vencerá de forma espetacular. Com toda a probabilidade, o termo **ferrolhos** refere-se às "trancas de suas portas" (NVI). **Por causa dos seus conselhos** mostra que esta é a conduta de Israel e não de Deus!

É difícil de traduzir e interpretar o hebraico constante no versículo 7: "E Deus está irado com os seus queridos, e não os exaltará" (LXX); "O meu povo está decido a me abandonar e por isso Eu o condenei à escravidão; ninguém será capaz de livrar Israel" (BV). Qualquer uma das duas traduções indica o objetivo inexorável do julgamento diante da pecaminosidade da nação.

c) *O Deus anelante* (11.8-11). Mas é tão grande o amor do Senhor por seu povo que Ele não consegue deixá-lo ir: **Porque eu sou Deus e não homem, o Santo no meio de ti** (9). Por causa da santidade divina, revelada no seu "amor-concerto" (*chesed*), ele é "mais amável que o pai mais amável e mais gentil que o condutor mais gentil".[67] No versículo 8, as advertências de Deus cessam temporariamente. O filho desapontou o Pai; por isso, o Pai tem de entregá lo à Assíria e escolher outro instrumento na terra que faça tudo que Ele diz. "Mas no Sinai, Deus pôs seu *chesed* sobre seu filho/noiva para sempre". [68] Aqui está a cruz no coração de Deus. **Admá** e **Zeboim** (8) eram cidades da planície que, como Sodoma e Gomorra, foram destruídas.[69]

Deus poderia mesmo destruir Israel? Seu espírito anelante diz que não, mesmo que sua justiça diga que sim. "Está comovido em mim o meu coração, todas as minhas compaixões à uma se acendem" (8, ECA; cf. NVI). Sua compaixão arde em seu interior. "Não tornarei a destruir Efraim" (9, NVI). É a tendência do homem a se desesperar, mas não a de Jeová. Deus não permite que a infidelidade afete sua compaixão.

Em uma das grandes e comoventes passagens da Bíblia, Deus revela a dor que Israel lhe causou. Ainda que Deus seja transcendente e independente do homem, **o Santo está no meio de ti** (9; cf. Is 12.6). Como disse um antigo rabino: "Deus é o coração de Israel". [70] O clamor está no "eterno agora". **Como te deixaria, ó Efraim?... Porque eu sou Deus e não homem**.

Nos próximos dois versículos, o profeta dá continuidade à promessa de esperança de Deus. O Senhor é **como leão** (10). A figura não tem a intenção de aterrorizar, mas é um chamado que o Senhor dá a seus filhos para que venham correndo de todos os cantos do globo. **E os farei habitar em suas casas, diz o SENHOR** (11). No dia do cumprimento da promessa messiânica, Deus os estabelecerá na sua herança para sempre (cf. Jr 32.37: "E farei que habitem nele seguramente").

2. *O Inexorável Exílio* (11.12—12.14)

Ao representar Jeová, Oséias justifica novamente o julgamento iminente por causa da apostasia de Israel: **Efraim me cercou com mentira, e a casa de Israel, com engano** (12). A frase **Judá ainda domina com Deus** é difícil de entender, porque esta expressão sugere o contrário do contexto. Esta tradução é consistente com o significado sugerido no versículo 12a: "Judá ainda não está firme com Deus, com o Santo". [71]

a) *A controvérsia do Senhor* (12.1). Em 12.1, a mentira e falsidade de Israel estão descritas de modo mais abrangente. Sua vaidade é como correr atrás do crestante **vento leste** (1), o qual, caso ocorresse, destruiria o que atingisse. Ao se tornarem infiéis ao Senhor, os israelitas **fazem aliança com a Assíria** e exportam **azeite** ao **Egito**. Com isto, esperavam comprar proteção contra a Assíria. No esforço de jogar uma nação contra outra, Israel foi pego entre as duas.

b) *Uma palavra ao Reino do Sul* (12.2-6). **Judá** (2) não é inocente. **Jacó** (todas as doze tribos) receberá o castigo que merece. O profeta cita o exemplo de Jacó que era enganador, foi condenado porque era hipócrita, mas se arrependeu de seu pecado. **Pela sua força** (3) é traduzido "já homem feito, Jacó lutou com Deus" (NTLH; cf. BV). Como Jacó **prevaleceu** e **suplicou** (4), assim Israel pode se achegar a Deus. O versículo 4 alude a Gênesis 32.24-32, passagem que narra a luta de Jacó com Deus em oração. Foi ali que o nome de Jacó foi mudado para Israel, "Príncipe de Deus", no sentido de ter poder. Vemos, pois, que foi somente por luta sincera que Jacó se tornou Israel.[72]

O SENHOR é o seu memorial (5) pode ser traduzido por "Jeová (*Yahweh*) é o seu nome comemorativo" (cf. NVI). A palavra expressa como Deus desejava ser lembrado – o Eterno, o Imutável, o Deus do concerto de Israel. É a este Deus que, no fim, Israel voltaria; assim o profeta apela: **Tu, pois, converte-te a teu Deus** (6). "Volta-te agora para mim", é o chamado melancólico. Note como Moffatt traduz a última parte do versículo: "Sê sempre amável e justo e em teu Deus põe tua confiança infalível". Como em Miquéias 6.8, Jeová chama uma vez mais o seu povo. O estudante do livro de Oséias não pode deixar de ficar impressionado com a compaixão e paciência de Deus nas suas repetidas ofertas de perdão e restauração.

c) *O orgulho de Israel* (12.7-9). O versículo 7 menciona que Israel é como um **mercador** (*canaan*) que busca vantagens, quando engana e oprime. Como comerciante fraudulento, Efraim não acha que este procedimento é pecado, porque ele ficou **enriquecido** (8), como se a riqueza fosse sinal de inocência. Mas seus ganhos foram adquiridos desonestamente e o castigo está perto.

Mas eu sou o SENHOR, teu Deus, desde a terra do Egito; eu ainda te farei habitar em tendas, como nos dias da reunião solene (9). Isto é castigo ou restauração? A tônica do texto está na última opção, contudo, ambas as idéias podem estar presentes. A nação será afastada do luxo e sedução do culto a Baal para a simplicidade e severidade do deserto, que conheceu apenas por tradição. Se esta se tornar ocasião de preparar as pessoas para o serviço do Senhor, terá sido a conseqüência do castigo e não o propósito da punição.[73]

d) *A culpa de Israel* (12.10-14). Jeová lembra Israel de quem Ele é e do que fez. Falou **aos profetas**, deu **visão** para revelar sua vontade e **símiles** (10; "parábolas", ECA; NVI) pelo ministério de seus servos. Mas, apesar disso, toda a terra está impregnada de **iniqüidade** (11); especificamente, a adoração ao bezerro de ouro. Dois famosos centros idolátricos são inspecionados: **Gileade** e **Gilgal**.[74]

Os versículos 12 a 14 falam do merecido castigo: **Jacó fugiu para o campo da Síria, e Israel serviu por uma mulher e por uma mulher guardou o gado** (12). Estas palavras destacam a situação penosa que Jacó suportou (Gn 29–31) como fugitivo de Canaã. Na **Síria** (Arã), ele serviu como criado comum para obter sua esposa.[75] O propósito do contraste entre os versículos 12 e 13 é ajudar Israel a se lembrar dos poucos bens com os quais os israelitas foram chamados quando estavam no Egito. Era este fato que tinham de reconhecer a cada ano na Festa das Primícias (Dt 26.5-10). **Mas o SENHOR, por meio de um profeta** (Moisés), **fez subir a Israel do Egito** (13) **e por um profeta, foi** Israel **guardado**. Diante de tais procedimentos providenciais, **Efraim mui amargosamente provocou** (14) o Senhor. Em vez de mostrar gratidão, sua ingratidão incitou a ira do Senhor.[76] **Portanto, deixará ficar sobre ele o seu sangue e o seu Senhor fará cair sobre ele o seu opróbrio** (14). O **sangue** ou "culpa de sangue" diz respeito a Efraim e não a Jeová. Talvez se refira especificamente à culpa de sacrifícios humanos, que estavam associados com a adoração de Moloque. Deus os deixou com a culpa do pecado e o conseqüente castigo.

No capítulo 12, encontramos: 1) A loucura do pecado, 1; 2) A medida da punição – de acordo com os pecados, 2; 3) A negligência do pecador, 2-4. Também temos: 1) O caráter de Deus, 5,10; 2) A longanimidade de Deus, 9; 3) A ira final de Deus, 14.

3. A Conseqüência Final: O Exílio (13.1-16)

Os primeiros oito versículos do capítulo 13 relatam os argumentos que levaram Oséias a concluir que a conduta de Israel é suicida. A ingratidão do povo em face da providência divina, seu orgulho e a negligência de reverenciar Jeová são fatores que justificam a conclusão à qual Deus chegou. Porque o Senhor foi desde o princípio o Ajudador e Libertador dos israelitas, eles são responsáveis pela própria destruição.[77]

Para mostrar a que ponto extremo Israel fora em sua apostasia, o profeta destaca a eminência que Efraim teve entre as doze tribos antes de pecar: **Quando Efraim falava, tremia-se; foi exalçado em Israel** (1). Mesmo quando falava humildemente, expressava com autoridade; **mas ele fez-se culpado em Baal e morreu**. Com a introdução da adoração a Baal no reinado de Jeroboão I, no qual Jeová foi simbolizado por bezerros de ouro (cf. 1 Rs 12.28), Efraim foi entregue à destruição.[78]

E, agora, multiplicaram pecados (2) e eles fizeram imagens de prata, **obra de artífices**. A expressão: **os homens que sacrificam, beijam os bezerros** refere-se aos bezerros, símbolos da fertilidade. As pessoas beijavam os ídolos feitos com as próprias mãos. O absurdo da ação como ato de adoração foi retratado com sarcasmo pelo profeta.

A morte de Israel está perto. O profeta usa quatro figuras para enfatizar a destruição prematura que está para vir. A vida da nação, diz ele, é **como a nuvem de manhã** (3), **como o orvalho da madrugada, que cedo passa, como o folhelho** ("palha", ARA) impelido pelos ventos e **como o fumo** ("fumaça", ARA) **da chaminé**.

Nos versículos 4 a 8, Deus insiste que Israel reconheça que a base de sua existência está no **SENHOR, teu Deus** (4). Do **Egito** até este momento, Israel não conheceu outro Deus senão Jeová e não achou outro **Salvador** (outro verdadeiro ajudador). Tempos mais tarde, Isaías faria o mesmo argumento clamoroso: "Eu, eu sou o SENHOR, e fora de mim não há Salvador" (Is 43.11). "Mas primeiramente, Israel teve de aprender que a 'estranha obra' de Deus acarretava a destruição do seu povo antes de poder salvá-los, não que a destruição fosse parte da sua atividade salvífica".[79]

Não reconhecerás outro deus além de mim (4). Com o primeiro mandamento (Êx 20.3), Israel precisava tomar consciência novamente do direito total que Jeová tinha sobre seu povo. Foi Jeová quem deu aos israelitas o maná e a água no **deserto** (5); mas assim que prosperaram, se esqueceram de Deus e se entregaram à idolatria. Por isso, o seu Salvador tornou-se o seu Destruidor. **Serei, pois, para eles como leão; como leopardo, espiarei no caminho** (7). Eles serão dilacerados como a presa de animais selvagens. A figura continua e é enfatizada no versículo 8. O julgamento será executado **como urso que tem perdido seus** filhotes, arrancando-os das **teias** (centro) do **coração** de quem os roubaram.

Para tua perda, ó Israel, te rebelaste contra mim, contra o teu ajudador (9); ou, como traduz a Septuaginta: "Se eu te destruir, ó Israel, quem será teu ajudador?" (cf. NTLH). Não há salvação da destruição para quem serve os falsos deuses. O **rei** não pode salvá-lo (**te guarde**); o único Salvador é Jeová (10).

Dei-te um rei na minha ira e to tirei no meu furor (11). Israel exigiu um rei (1 Sm 8.5) e Jeová consentiu. Mas esta declaração em particular pode se referir à sucessão de reis a partir de Jeroboão I, o primeiro rei de Israel, até Oséias, o rei na época da invasão. O governo teocrático da casa de Davi foi substituído por uma sucessão de autodenominados reis, que Jeová, no seu **furor**, permitiu governar para a própria destruição dos israelitas.

Nada acerca do mal de Israel será esquecido: **A iniqüidade de Efraim está atada** (12). A expressão **o seu pecado está armazenado** é traduzida por Moffatt assim: "O seu pecado é mantido em estoque para ele". A transgressão deve ser mantida em mente até a chegada do dia de ajuste de contas.

A figura de repente muda: **Dores de mulher de parto lhe virão** (13). Os julgamentos estão associados com as dores agudas e repentinas de uma mulher em trabalho de parto; em conseqüência disso nasce uma nova vida (Is 13.8; Mq 4.9,10; Mt 24.8). Mas Israel é um filho tolo, porque não surgirá nos lugares desejados ou certos: "Ele precisa de novo nascimento, mas não se esforça em obtê-lo" (ATA). Não há mudança de figura. A mãe e o filho serão tratados como a mesma pessoa. **Ele é um filho insensato**, porque não chega a nascer, ou, como natimorto, não há vida nele (cf. VBB, nota de rodapé).

Os comentaristas diferem radicalmente quanto à interpretação do versículo 14. Traduzi-lo inteiramente por afirmações positivas mostra uma promessa. O hebraico, porém, com suas sentenças interrogativas, tende a indicar que a idéia de promessa é, pelo menos, secundária à da ameaça. "Será, então, que eu vou salvar o meu povo da morte? Será que vou livrá-los do mundo dos mortos?" (14a, NTLH; cf. BV) **Onde está, ó morte, as tuas pragas? Onde está, ó inferno, a tua perdição? O arrependimento será escondido de meus olhos** (14b). Certo comentário[80] observa que esta última frase é a chave do significado: **O arrependimento** ("compaixão", ECA; NTLH; NVI) **será escondido de meus olhos**. Deus não pode mais mostrar misericórdia. Efraim tinha de estar no corredor do julgamento. Se o equilíbrio do versículo deve ser interpretado coerentemente com esta última frase, as sentenças interrogativas requerem uma resposta negativa: "Efraim está fora da capacidade de recuperação",[81] está espiritualmente morto.[82]

Os versículos 15 e 16 declaram novamente que o Senhor planeja destruição absoluta. A invasão ocorreu 12 anos depois. O versículo 15 inicia com um desdém ao nome Efraim, que significa "frutífero" ou "duplamente frutífero". **Ainda que ele dê fruto entre os irmãos**, a tragédia virá como o **vento leste** para secar a **nascente** e a **fonte**, as origens de poder e estabilidade. A última frase é uma ameaça: O invasor assírio **saqueará o tesouro de todos os vasos desejáveis**. Ele saqueará o reino.

O capítulo se encerra com a declaração de que "Samaria tem de sofrer por sua culpa" (16, Phillips) ou "carregará sua culpa" (NVI; cf. BV; ARA). Em seguida, a profecia apresenta os detalhes horríveis da conquista e destruição de Samaria efetuados por Salmaneser. Oséias prevê que **seus filhos serão despedaçados, e as suas mulheres grávidas serão abertas pelo meio** (cf. 2 Rs 8.12; Sl 137.9; Is 13.16).

Alexander Maclaren, ao fazer uma exposição textual de 13.9, observa: 1) A descoberta amorosa da ruína; 2) A súplica amorosa à consciência quanto à causa; 3) A paciência amorosa que ainda oferece restauração.

Seção III

ARREPENDIMENTO E RESTAURAÇÃO

Oséias 14.1-9

A. A Súplica Final ao Arrependimento, 14.1-3

Depois de 13 capítulos que tratam de pecado, julgamento e punição, nos versículos 1 a 3 deste capítulo, Deus faz uma última súplica. Se o Senhor não fosse Deus, o leitor ficaria admirado com a constante inutilidade de tudo. Mas "eu sou Deus e não homem" (11.9), e isso faz a diferença.[1]

Converte-te, ó Israel, ao SENHOR, teu Deus (1). O profeta identifica que a razão para o chamamento é a **iniqüidade** do povo. Israel é exortado a não responder com conversa fiada, mas com oração: **Expulsa toda a iniqüidade** (2) "e aceita-nos graciosamente" (ECA; cf. NVI). "O texto descreve que *kashalta* (**iniqüidade** ou pecado) é uma 'escorregadela' que ainda deixa aberta a possibilidade da volta."[2] A conversão tem de começar com uma oração por perdão de *toda* a iniqüidade e pela confiança simples na misericórdia de Deus. **Os sacrifícios dos nossos lábios** ("o fruto dos nossos lábios", NVI) seriam as palavras sinceras ditas de corações penitentes.

No versículo 3, a confissão continua. A Assíria não pode salvar, nem o Egito com seus **cavalos** de guerra, nem os deuses feitos pela **obra das nossas mãos** trazem salvação. A exclamação: **Tu és o nosso Deus**, já não será proferida por esses penitentes. As figuras do casamento e do filho de Oséias estão envolvidas na declaração: **Por ti, o órfão alcançará misericórdia**. Israel era órfão antes de ser adotado como nação do concerto do Senhor, e dois dos filhos de Gômer seriam órfãos, caso Oséias não os tivesse adotado.

B. A Promessa de Bênção Última, 14.4-8

A resposta à oração penitencial (1-3) encontra-se nos versículos 4 a 8, que descrevem a resposta do Senhor. **Eu sararei a sua perversão, eu voluntariamente os amarei; porque a minha ira se apartou deles** (4). Deus responde com uma promessa de salvação. A promessa é curar os danos causados pela apostasia de Israel. Abrange as lesões físicas e os fracassos morais. A promessa do Senhor é amá-los **voluntariamente**, sem esperar nada em troca.³ Sua **ira**, inflamada pela idolatria, agora **se apartou** de Israel.

Eu serei, para Israel, como orvalho (5). Esta é a terceira vez que Oséias usa a figura do orvalho. Nos outros exemplos, ele falou da duração do orvalho matinal (6.4; 13.3). Agora, "ele emprega a palavra como um retrato do beijo gentil do perdão de *Yahweh*, que dá nova esperança e vida aos amados".⁴ Israel crescerá exuberantemente **como o lírio**, com **raízes** semelhantes aos cedros do **Líbano**.⁵ A expressão **estender-se-ão as suas vergônteas** (6; "brotos", NVI; "ramos", ARA) sugere que a prosperidade de Israel brotará.

Como os cedros do Líbano têm um aroma doce, assim será Israel para o Senhor – um cheiro perfumado. Com respeito aos versículos 5 a 7, Rosenmuller sugere: "O *enraizamento* indica estabilidade; a *propagação* dos ramos, multiplicação e multidão de habitantes; o *esplendor* da oliveira, beleza e glória, aquilo que é constante e duradouro; a *fragrância*, alegria e encanto".⁶

As figuras de linguagem continuam no versículo 7: **Voltarão os que se assentarem à sua sombra**. Aqueles que se sentam sob a sombra de Israel **serão vivificados como o trigo e florescerão como a vide**. O "perfume" (BV; **memória**), que **será como o vinho do Líbano**, desde tempos imemoriais é célebre na Palestina.

A passagem se encerra com o versículo 8: **Efraim dirá: Que mais tenho eu com os ídolos?** Algumas traduções põem as palavras na boca de Deus: "Ó Efraim, que tenho eu [a ver] com os ídolos?" (ARA). "Eu te ouvirei e cuidarei de ti" (ECA; cf. NVI). O versículo é, em parte, promessa, e, em parte, súplica. Dá a entender que o dia da idolatria terminou e Deus nada terá a ver com os ídolos, porque Efraim se livrou deles.⁷ Jeová continua: **Eu sou como a faia verde**, a fonte em que a nação encontrará seu **fruto** (força e sustento). A promessa do capítulo se cumpre na era messiânica.

C. Epílogo, 14.9

O termo de abertura diz respeito a tudo que Oséias colocou diante do povo em sua profecia de advertência: **Quem é sábio, para que entenda estas coisas? Prudente, para que as saiba?** O capítulo se encerra com uma sinopse da profecia do livro: **Porque os caminhos do SENHOR são retos, e os justos andarão neles, mas os transgressores neles cairão**.

O capítulo 14 é um clímax apropriado ao livro de Oséias. Neste capítulo, identificamos o segredo da redenção: 1) A sinceridade dos arrependidos, 2a; 2) A oração pela restauração total, 2b; 3) A fé em um Deus misericordioso, 2c; 4) A esperança dos convertidos 4; (5) O crescimento dos convertidos, 5,6; 6) O estado final dos convertidos, 7.

Na conclusão adequada de seu estudo sobre a profecia de Oséias, Martin Buber fala de "A Virada para o Futuro":

YHVH promete a Israel, que voltou à vida, um concerto duplo (Os 2.1,19-23). Primeiro, há o concerto de paz que o Senhor faz por Israel com todas as criaturas vivas e com todas as nações do mundo; e segundo, há o novo concerto matrimonial pelo qual se casa com Israel para sempre segundo os grandes princípios que compõem a relação de dois lados entre a deidade e a humanidade. Esta promessa é qualificada para uma ligação *dialógica*. No deserto, onde ocorre a mudança interior e de onde se origina a transformação de todas as coisas, a esposa "cantará" ("responderá", NVI; "corresponderá", BV) ao marido "como nos dias da sua mocidade" (Os 2.15), e ele "responderá" (Os 2.22,23), não somente a ela, mas ao mundo inteiro. Ao mesmo tempo, a chuva de "resposta" se derrama de Deus para o céu e, dali, para a terra, sendo esta a razão de todas as bênçãos produtivas de Jezreel. Tudo muda: como *Lo-Ruama* se torna *Ruama* e *Lo-Ami* se torna *Ami*, assim Jezreel, outrora chamado por este nome amaldiçoado devido ao lugar onde ocorreu uma ação sangrenta, agora se revela de acordo com o significado deste nome, qual seja, "aquele que Deus semeia". Desta forma, Deus é responsável por uma nova geração. YHVH semeia a terra com uma nova semente. E ao término do livro retorna o conceito dialógico de "resposta". YHVH cura o desvio dos israelitas, porque a sua "ira se apartou deles" (Os 14.5). Ele deseja ser como orvalho para os filhos de Israel, que voltarão a habitar na sombra do Líbano (Os 14.8) e florescer como a vide. Porque "eu sou aquele que responde" (Os 14.9).[8]

Notas

INTRODUÇÃO

[1] Citado em Albert C. Knudson, *The Beacon Lights of Prophecy* (Nova York: The Methodist Book Concern, 1914), p. 93.

[2] Gleason L. Archer Jr., *A Survey of Old Testament Introduction* (Chicago: Moody Press, 1964), p. 93. Amós identificou a pecaminosidade da nação em termos de não-conformidade com a justiça divina; Oséias falou do pecado na qualidade de quebra do concerto. A palavra hebraica *chesed* tem o sentido geral de "amor do concerto". Portanto, *chesed* fala de uma relação contratual "em que as duas partes são unidas por deveres que têm de ser honrados com zelo e paciência firmes. Foi nesta relação de *chesed* que *Yahweh* entrou com seu povo no Sinai; por conseguinte, o pecado do povo acha-se no fato de não ter honrado seus deveres (ver "Hosea", IB, pp. 556, 557; cf. Norman H. Snaith, *The Distinctive Ideas of the Old Testament* [Filadélfia: Westminster Press, 1946], pp. 122, 123).

[3] George L. Robinson, *The Twelve Minor Prophets* (Nova York: George H. Doran & Company, 1926), p. 16.

[4] A. B. Davidson, "Hosea", *Dictionary of the Bible*, editado por James Hastings *et al.*, vol. II (Nova York: Charles Scribner & Sons, 1909), p. 420.

[5] Archer, *op. cit.*, p. 310.

[6] *Ib.*

[7] C. F. Keil e Franz Delitzsch, "Hosea", *Biblical Commentary on the Old Testament* (Grand Rapids: William B. Eerdmans Publishing Company, 1954), p. 15.

[8] Knudson, *op. cit.*, pp. 92, 93.

[9] Kyle M. Yates, *Preaching from the Prophets* (Nova York: Harper & Brothers, 1942), p. 55.

[10] *Ib.*, pp. 55-86.

[11] Frederick Carl Eiselen, *Prophecy and the Prophets* (Nova York: The Methodist Book Concern, 1909), p. 54.

[12] J. D. Smart, "Hosea", *The Interpreter's Dictionary of the Bible*, editado por George A. Buttrick *et al.* (Nova York: Abingdon Press, 1962), p. 652.

[13] Snaith, *op. cit.*, p. 119. Ver tb. Gerhard Kittel *et al.*, "Love", *Bible Keys Words*, traduzido para o inglês e editado por J. R. Coates (Nova York: Harper & Brothers, 1951), pp. 18, 19; Gustave F. Oehler, *Theology of the Old Testament*, traduzido para o inglês por George E. Day (Grand Rapids: Zondervan Publishing House, s.d.), p. 178; Otto J. Baab, *The Theology of the Old Testament* (Nova York: Abingdon-Cokesbury Press, 1949), p. 18; Anders Nygren, *Agape and Eros*, traduzido para o inglês por Phillip S. Watson (Filadélfia: The Westminster Press, 1953), pp. 75, 76.

[14] M. C. Vriezen, *An Outline of Old Testament Theology* (Boston: Charles T. Bradford Company, 1958), p. 126.

[15] *Ib.*, p. 129.

[16] Snaith, *op. cit.*, p. 155.

[17] Stuart E. Rosenberg, *More Loves than One: The Bible Confronts Psychiatry* (Nova York: Thomas Nelson & Sons, 1963), p. 34.

SEÇÃO I

[1] R. Lansing Hicks, "The Twelve Minor Prophets", *The Oxford Annotated Bible: RSV*, editado por Herbert G. May e Bruce M. Metzger (Nova York: Oxford University Press, 1962), p. 1.088 (notas).

[2] Archer, *op. cit.*, p. 310.

[3] Keil, *op. cit.*, p. 27.

[4] Archer, *op. cit.*, p. 311.

[5] John W. Horine, "The Book of Hosea", *Old Testament Commentary*, editado por Herbert C. Alleman e Elmer E. Flack (Filadélfia: The Muhlenberg Press, 1948), p. 795.

[6] Keil, *op. cit.*, p. 45.

[7] Joseph S. Exell, editor, "Hosea", *The Biblical Illustrator: The Minor Prophets*, vol. I (Nova York: Fleming H. Revell Company, s.d.), p. 9.

[8] J. J. Given, "The Book of Hosea" (Exposition and Homiletics), *The Pulpit Commentary*, editado por H. D. M. Spence e Joseph S. Exell (Nova York: Funk & Wagnalls, s.d.), p. 9.

[9] *Ib.*

[10] Keil, *op. cit.*, p. 51.

[11] E. B. Pusey, *The Minor Prophets* (Nova York: Funk & Wagnalls, 1886), p. 28.

[12] Otto Schmoller, "Hosea", *A Commentary on the Holy Scriptures: Critical, Doctrinal and Homiletical*, editado por J. P. Lange, vol. XIV (Grand Rapids: William B. Eerdmans Publishing Company, 1874, reimpressão), p. 35. Inserção do comentarista deste volume.

[13] Esta interpretação particular parece contradizer a anterior, que fala que os filhos são os "poucos fiéis". A mudança de figura não é fora do comum no livro de Oséias.

[14] Keil, *op. cit.*, p. 53.

[15] *Ib.*

[16] H. R. Reynolds, "Hosea", *Commentary on the Whole Bible*, editado por Charles John Ellicott, vol. V (Londres: Cassell & Company, 1897), p. 415.

[17] Keil, *op. cit.*, p. 54.

[18] Matthew Henry, *Commentary on the Whole Bible*, vol. VI (Nova York: Fleming H. Revell Company, s.d.), p. 764.

[19] "Arrancarei", "arrebatarei".

[20] Hebraísmo que significa "tirar".

[21] George A. F. Knight, "Hosea", *Torch Bible Commentaries*, editado por John Marsh e Alan Richardson (Londres: SCM Press, Limited, 1960), pp. 55ss. A Páscoa, o Pentecostes e os Tabernáculos eram as três festas anuais. A festa da "lua nova" era celebrada no primeiro dia de cada mês. O sábado, do pôr-do-sol de sexta-feira ao pôr-do-sol de sábado, era um dia em cada sete dedicado a Jeová.

[22] O plural de **Baal** é baalins. Há várias formas de Baal (inclusive Baal-Peor, Baal-Berite, Baal-Zebube, etc.), cujo nome veio a designar qualquer ídolo ou falso deus.

[23] Knight, *op. cit.*, p. 56.

[24] G. Campbell Morgan, *Hosea* (Londres: Marshall, Morgan & Scott, Limited, 1948), p. 15.

[25] Martin Buber, *The Prophetic Faith* (Nova York: The Macmillan Company, 1949), p. 115.

[26] Horine, *op. cit.*, p. 797.

[27] John Mauchline, "Hosea" (Exegesis), *The Interpreter's Bible*, editado por George A. Buttrick *et al.*, vol. VI (Nova York: Abingdon Press, 1956), p. 593.

[28] O culto de Baal: Astarote tinha vários nomes no Oriente Próximo e era adorada como a deusa da fertilidade. Consideravam-na a cônjuge de El (termo genérico para referir-se a "deus") e/ou Baal. Era sensual e selvagem com ênfase exagerada em suas partes sexuais. Conheciam-na também por Astarte, a deidade em forma de vaca, com santuários (aseras) no cume dos montes (1 Rs 14.23; Os 3.4). A tentação ao homem comum era grande, pois a renovação da vida representada na conduta das prostitutas dos templos pagãos, estava estreitamente relacionada com a renovação da fertilidade da terra no começo da primavera. "Supunha-se que o induzimento da vida dentro do útero da 'santa' indicava a nova vida na primavera" (Knight, *op. cit.*, p. 19). Mesmo que Deuteronômio 23.17,18 proibisse o contato com prostitutas cultuais, esta prática ainda era bastante comum nos dias de Jeremias, um século depois de Oséias (2 Rs 23.6,7).

[29] Knight, *op. cit.*, p. 62.

[30] O **éfode** era uma peça do vestuário sacerdotal (1 Sm 2.18; 22.18; 2 Sm 6.14). A descrição em Êxodo 28.28,29; 35.27 diz que o éfode era um colete dispendioso, confeccionado com ouro e tecido azul, púrpura e carmesim. Nesta roupa era presa a bolsa do oráculo que continha o Urim e o Tumim (pedras com as quais os israelitas apuravam a vontade de Deus). Ver IDB, p. 118; Hastings, DB, p. 955. Os **terafins** eram ídolos do lar (ARA; cf. NTLH; NVI) empregados na adivinhação.

[31] Knight, *op. cit.*, p. 63.

[32] Keil, *op. cit.*, p. 72.

SEÇÃO II

[1] Ver Introdução para inteirar-se de uma explanação mais completa sobre fidelidade, amor e conhecimento.

[2] Keil, *op. cit.*, p. 75.

[3] Pusey, *op. cit.*, p. 47.

[4] Os intérpretes não sabem se o v. 11 conclui a acusação contra os sacerdotes ou se começa a acusação contra o povo.

[5] Given, *op. cit.*, vol. XIII, p. 104.

[6] Keil, *op. cit.*, p. 81.

[7] *Ib.*

[8] Morgan, *op. cit.*, p. 27.

[9] *Ib.*, p. 28.

[10] Reynolds, *op. cit.*, p. 420.

[11] Robinson, *op. cit.*, p. 23.

[12] *Ib.*

[13] Reynolds, *op. cit.*, p. 420.

[14] *Ib.*, p. 89.

[15] Keil, *op. cit.*, p. 92.

[16] George Adam Smith, *The Book of the Twelve Prophets*, vol. I (Nova York: Harper & Brothers, 1928), p. 282.

[17] Esta ação não indica que Deus é inacessível, mas que ele espera pelo movimento de Israel. O livro de Oséias está cheio de figuras para caracterizar a tragédia.

[18] Keil, *op. cit.*, p. 93.

[19] Robert Jamieson *et al.*, *A Commentary: Critical, Experimental and Practical*, vol. I (Hartford: The S. S. Scranton Company, s.d.), p. 655; Keil, *ib.*, p. 96.

[20] Knight, *op. cit.*, p. 79.

[21] Na realidade, Gileade não era uma cidade, mas uma região; provavelmente todo o Israel a leste do rio Jordão. Ver Ramote-Gileade, *i.e.*, Ramote em Gileade, mapa 2.

[22] "Hosea", IB, vol. VI, p. 630.

[23] Knight, *op. cit.*, p. 82.

[24] Horine, *op. cit.*, p. 800.

[25] Keil, *op. cit.*, p. 109.

[26] *Ib.*

[27] Lange, *op. cit.*, p. 69.

[28] "Hosea", IB, vol. VI, p. 643.

[29] Keil, *op. cit.*, p. 111.

[30] *The Minor Prophets*, p. 45, conforme citado em IB, p. 643.

[31] *Ib.*, p. 646.

[32] Henry, *op. cit.*, p. 745.

[33] Knight, *op. cit.*, p. 89 (cf. 1 Rs 12.28-33; Jeroboão I ordenara a construção de dois bezerros de ouro, um em Dã e o outro em Betel. Talvez Jeroboão tivesse considerado que o touro era uma representação segura do *Yahweh* (Jeová) invisível, mas, na melhor das hipóteses, tratava-se de uma inovação perigosa para camponeses que não sabiam distinguir os cultos a Baal da adoração de *Yahweh*).

[34] *Ib.*, p. 90.

[35] T. Henshaw, *The Latter Prophets* (Londres: George Alien & Unwin, Limited, s.d.), p. 98.

[36] Given, *op. cit.*, vol. XIII, p. 240.

[37] Knudson, *op. cit.*, p. 116.

[38] Keil, *op. cit.*, p. 114. Na inscrição relativa à campanha militar empreendida em 701 a.C., o rei Senaqueribe menciona as **cidades** fortificadas. "Quarenta e seis das suas [de Ezequias] cidades fortes, fortalezas [...] eu sitiei e capturei". Estas cidades foram construídas por Uzias e Jotão (2 Cr 26.10; 27.4). Quanto à alusão aos **palácios** (templos) de Israel, cf. Amós 3.11,15 (ver Ellicott, *op. cit.*, p. 425).

[39] Knight, *op. cit.*, p. 95.

[40] Exell, *op.cit.*, p. 167.

[41] *Lechemn 'onim*, "pão de aflição". O pão comido nas refeições funerárias era considerado imundo, porque o cadáver contaminava a casa e tudo que estivesse associado à cerimônia. Aqui, o significado é que o pão não ficaria santificado na casa de Jeová, porque os filhos de Israel estavam longe do local de revelação (santuários e templos).

⁴² Keil, *op. cit.*, p. 122.

⁴³ Amós sentia a obrigação de renunciar o título técnico de "profeta" por causa das falsas profecias dos mensageiros profissionais. Ele dizia que era "boieiro e cultivador de sicômoros" (Am 7.14). Talvez Oséias tenha passado por situação semelhante.

⁴⁴ Baal-Peor era deus dos moabitas em cuja adoração as jovens se prostituíam.

⁴⁵ Conforme citado por Jamieson, *op. cit.*, p. 653.

⁴⁶ *Ib.*, p. 568.

⁴⁷ Knight, *op. cit.*, p. 100.

⁴⁸ *Ib.*

⁴⁹ Alexander Maclaren, *Expositions of Scripture*, vol. VI (Grand Rapids: William B. Eerdmans Publishing Company, 1944, reimpressão), p. 114.

⁵⁰ *Ib.*

⁵¹ O particípio hebraico *boqeq* significa "exuberante", "superabundante", "transbordante" (cf. Ez 15.6).

⁵² Quanto mais próspero Israel ficava, mais sagrados ficavam as colunas que ele esculpia com beleza e cuidado.

⁵³ "Hosea", IB, vol. VI, p. 670.

⁵⁴ *Ib.*, p. 673.

⁵⁵ É difícil interpretar "dupla transgressão" (10.10, ARA; cf. NVI) à luz do contexto, a menos que seja traduzido por "grande" (cf. "muitos pecados", NTLH). Os israelitas são castigados por seu "grande" pecado. A interpretação de Keil é que a expressão significa "duas transgressões": "Sua apostasia de Jeová e da casa real de Davi" (cf. 3.5), p. 133.

⁵⁶ Keil, *op. cit.*, p. 134.

⁵⁷ S. Franklin Logsden, *Hosea* (Chicago: Moody Press, 1959), p. 86.

⁵⁸ *Ib.*

⁵⁹ Destruir "mãe e filhos" juntos é uma expressão proverbial em hebraico que denota a crueldade desumana e fala do destino de Israel às mãos de Salmaneser (Keil, *op. cit.*, p. 136).

⁶⁰ A ironia de Betel, o lugar de adoração do bezerro de ouro, estava no próprio nome. Foi Jacó quem originalmente deu ao lugar o nome de "casa de Deus" (Gn 28.19).

⁶¹ Snaith, *op. cit.*, pp. 131-142.

⁶² *Ib.*, p. 137.

⁶³ Knight, *op. cit.*, p. 108.

⁶⁴ Buber, *op. cit.*, p. 45.

⁶⁵ *Ib.*, p. 113.

⁶⁶ Adam C. Welch, *Kings and Prophets of Israel* (Londres: Lutterworth Press, 1952), p. 147.

⁶⁷ Henshaw, *op. cit.*, p. 99.

⁶⁸ Knight, *op. cit.*, p. 110.

⁶⁹ "Hosea", IB, vol. VI, p. 688 (cf. Dt 29.23; Jr 49.18).

⁷⁰ *Ib.*

[71] O significado do verbo *rud* (**domina**) em árabe é "vaguear". É usado para se referir ao gado que fugiu. O termo *niphil* significa "fazer vaguear" (Gn 27.40), quer dizer, ser descontrolado ou rebelde. *Qedoshim*, Santo, é usado em Provérbios 8.10, para referir-se a Deus e significa firme, fiel, confiável, o oposto de *rud*. Assim, Judá é "descontrolado" para com o Deus (El) poderoso (Keil, *op. cit.*, p. 145; cf. F. W. Farrar, *The Minor Prophets* [Nova York: Fleming H. Revell Company, s.d.], p. 93).

[72] O termo *Yehovah zikhro* deve ser menção ao "Deus dos Exércitos" e não ao Deus dos patriarcas. Esta diferença era importante nos dias de Oséias, pois Deus não só era o Deus dos patriarcas, mas o Deus que dominava os céus e a terra com onipotência irrestrita (ver Keil, p. 148).

[73] "Hosea", IB, vol. VI, p. 701.

[74] **Gileade**, situado a leste do rio Jordão, ocupava-se em fabricar falsos deuses. O termo "gilgals" se tornara um trocadilho para aludir a "montões de pedras" empilhados ao lado dos sulcos ou solo arado. Assim, seus altares são como "gilgals". Gilgal, no centro de Efraim, sempre é mencionado como lugar de adoração idólatra.

[75] O termo hebraico *shamar*, "cuidar do gado", aludia a uma das servidões mais difíceis. Arã (**Síria**) é provavelmente a tradução hebraica do termo aramaico Padã-Arã (Gn 28.2; 31.18).

[76] **Ira**, *tamrurim*, em hebraico, é usado como expressão adverbial que significa "amargamente" (Keil, p. 152).

[77] Given, *op. cit.*, p. 395.

[78] Keil interpreta de modo bem diferente. O v. 1a fala de Efraim que sobe ao governo com a rebelião de Jeroboão I. O povo tremeu com a revolução e guerra civil, e não com a exaltação das dez tribos (p. 153).

[79] Knight, *op. cit.*, p. 117.

[80] "Hosea", IB, vol. VI, p. 714.

[81] *Ib*.

[82] Paulo tinha opinião mais otimista quando usou o versículo para servir seus desígnios e propósitos (1 Co 15.55). "Mas, conforme Oséias as proferiu, as palavras infundem derrota e não desafio: A compaixão se escondeu dos olhos do povo" (*ib.*).

SEÇÃO III

[1] É provável que o capítulo 14 seja, essencialmente, uma liturgia usada para ensinar a Israel as verdades de Deus segundo eram expressas por Oséias.

[2] Keil, *op. cit.*, p. 164.

[3] Este é o âmago do *chesed* de Deus e do *agape* de 1 Coríntios 13.

[4] Knight, *op. cit.*, p. 125.

[5] O **lírio** cresce em profusão e beleza na Palestina, embora suas raízes sejam fracas. Mas as **raízes** de Israel crescerão fortes e profundas, como as **raízes** dos cedros do **Líbano** (5; cf. Sl 80.10).

[6] Citado de Keil, *loc. cit.*, p. 166.

[7] A promessa parece igual à que se cumpriu quando Judá voltou da Babilônia, quando nunca mais os israelitas usaram imagens na adoração.

[8] Buber, *op. cit.*, p. 125; YHVH, ou *Yahweh*, ou Jeová.

O Livro de
JOEL

Oscar F. Reed

Introdução

A. O Nome e a Situação Histórica

O nome Joel (hb., *Yoel*) significa "Jeová é Deus". Com toda a probabilidade, Joel foi judeu natural do Reino de Judá e habitante de Jerusalém. Embora não haja provas, supõe-se que era sacerdote ou, pelo menos, um "profeta ligado ao templo".[1]

O contexto histórico da profecia foi uma época de pânico nacional em face das devastações de uma praga de gafanhotos sem paralelo na história. Na opinião do profeta, a praga era uma advertência solene de julgamento vindouro no "dia de Jeová", que é a idéia central do livro de Joel.

B. A Data da Composição

A data da profecia é questão de muita discussão entre os estudiosos da Bíblia. Levando em conta que há poucas ou nenhuma evidência externa, temos de tirar nossas conclusões do próprio texto. Joel não data sua profecia de acordo com o governo de um determinado rei, como fazem Oséias, Amós, Isaías e outros; nem faz alusão específica a situações históricas que nos ajudam a estipular uma data.

É nitidamente claro que Joel cita ou é mencionado por outros profetas. Se for colocada em uma data anterior e Joel for o original, a profecia torna-se fonte de pensamentos sementeiros para muitos outros profetas. Se o livro foi escrito em data posterior, Joel se torna o resumo de grande parte do que foi expresso antes dele.[2]

A. F. Kirkpatrick faz excelente defesa da posição conservadora que data Joel em cerca de 830 a.C., durante a minoridade do rei Joás e a regência de Jeoiada, o sumo sacerdote. Tal intérprete baseia-se nos seguintes argumentos.[3]

1) A posição do livro entre Oséias e Amós indica que a tradição judaica o considerava antigo. A posição no cânon é forte evidência de data anterior.

2) Há nítida evidência de "cópia" entre Amós e Joel (cf. Jl 3.18 e Am 9.13; note que Jl 3.16 é usado como texto por Amós no começo de sua profecia). Se Amós cita Joel, como parece, a profecia deve ser mais antiga que 755 a.C.

3) O método de governo implícito em Joel concorda com o tipo de regência de Jeoiada. Considerando que não há menção a rei, são os sacerdotes e anciões que têm de cumprir a "responsabilidade de liderança nacional".[4] O texto de 2 Reis 11.4 ressalta que Joás tinha sete anos quando foi coroado, e que seu tio, o sumo sacerdote, "exerceu influência governável em Judá até o dia em que morreu".[5]

4) Os inimigos de Judá são nações identificáveis em uma data anterior. Não são mencionados os assírios, os caldeus e os persas. As nações que desempenham seus papéis no drama representado por Joel são os filisteus, edomitas, egípcios e fenícios. Claro que na época da escrita do livro a Assíria e a Babilônia não eram nações perigosas; caso contrário Joel as teria mencionado. O Egito e nações menores ameaçavam Judá. Este fato indicaria uma data anterior e não posterior.[6] Archer conclui que as evidências internas pertinentes à composição da profecia concordam mais com um período em torno de

835 a.C. do que com qualquer outra data. Além destes argumentos resumidos, ele acrescenta: "As evidências lingüísticas concordam perfeitamente com esta data anterior, e tornam a teoria da composição pós-exílica bastante insustentável. É justo afirmar que os argumentos a favor de uma data avançada estão amplamente baseados na suposição filosófica humanística e não na dedução racional dos dados do próprio texto".[7]

C. As Idéias Centrais

O ensino de Joel gira em torno do "dia de Jeová". Nesse dia, durante certa conjuntura perigosa, o Senhor manifesta seu poder e majestade na destruição dos inimigos e na libertação daqueles que nele confiam. Sua abordagem é marcada por grandes calamidades e fenômenos extraordinários na esfera da Natureza. O caráter do dia, se é de terror ou de bênção, dependerá da atitude do coração e da vida do indivíduo em relação a Jeová.[8]

Outro ensino principal acha-se no derramamento do Espírito Santo. Em nenhuma outra parte do Antigo Testamento encontramos uma promessa tão abrangente cujo cumprimento significasse o cumprimento das palavras de Moisés: "Tomara que todo o povo do SENHOR fosse profeta, que o SENHOR lhes desse o seu Espírito!" (Nm 11.29). O Dia de Pentecostes marcou o início deste cumprimento. Desde então, tem se cumprido com abundância cada vez maior.

Joel nada fala sobre a pessoa do Messias. Na conjuntura final, é o próprio Jeová que interfere, quando julga as nações e liberta os judeus.

Por causa do destaque nos aspectos externos da religião,[9] Joel é censurado por desprezar "o mais importante da lei". Mas não é verdade que não mostrou interesse pelas exigências morais, pois prometeu libertação não apenas sobre as observâncias externas, mas também com base na "tristeza segundo Deus [que] opera arrependimento para a salvação".[10]

Quando o estudante de Joel transcender o "particularismo nacional" do profeta, verá a mensagem permanente do livro que causou tamanha influência no Novo Testamento. Sob a revelação divina, Joel é capaz de sustentar um equilíbrio entre os elementos externos e internos da religião. Deus se revela pelo seu Espírito como também pela Natureza. O texto profético dá a devida consideração à adoração formal e reputa o arrependimento e a fé (que são características interiores) como obrigações primárias do homem. Embora a promessa messiânica indique a limpeza do ambiente externo, a tônica central de Joel é a presença de Deus no meio de seu povo obediente e fiel. A contribuição mais significativa do profeta acha-se na promessa do derramamento do Espírito de Deus sobre todos os crentes. "No cumprimento desta promessa, a mais verdadeira experiência cristã do Senhor desde o Pentecostes é principalmente espiritual e pessoal e não formal e sacerdotal".[11]

Esboço

I. **A Praga de Gafanhotos e o Dia de Jeová**, 1.1—2.11

    A. Título, 1.1
    B. A Devastação Causada pelos Gafanhotos, 1.2-7
    C. A Invasão como Tipo, 1.8-20
    D. O Dia de Jeová, 2.1-11

II. **O Clamor de Joel ao Arrependimento**, 2.12-19

    A. A Súplica ao Arrependimento, 2.12-14
    B. A Extensão do Arrependimento, 2.15-17
    C. A Promessa de Misericórdia, 2.18,19

III. **A Esperança de Bênçãos Futuras**, 2.20-32

    A. A Destruição de "Aquele que é do Norte", 2.20
    B. A Restauração das Bênçãos Espirituais e Terrenas, 2.21-27
    C. A Vinda do Espírito Santo, 2.28-32

IV. **O Dia de Jeová**, 3.1-21

    A. O Julgamento dos Incrédulos, 3.1-17
    B. O Triunfo para Jerusalém e os Remidos, 3.18-21

Seção I

A PRAGA DE GAFANHOTOS
E O DIA DE JEOVÁ

Joel 1.1—2.11

A. Título, 1.1

Esta é outra ocasião em que Joel começa com uma referência à fonte divina de sua profecia: Era a **palavra do SENHOR que foi dirigida a Joel** (1). Joel (*Yahu* ou *Yahweh* é Deus) era **filho de Petuel** (ou "Betuel", LXX). O significado do nome do pai é "franqueza" ou "sinceridade de Deus". Tudo o mais relacionado com a vida de Joel é conjectura baseada nas evidências internas do próprio texto.[1]

B. A Devastação causada pelos Gafanhotos, 1.2-7

Ao servir-se do discurso direto, Joel ganha a atenção dos ouvintes. **Ouvi isto, vós, anciãos, e escutai, todos os moradores da terra** (2). O evento histórico é desconhecido e não há paralelo nas gerações precedentes. Por isso, o profeta espera uma resposta negativa às perguntas: **Aconteceu isto em vossos dias? Ou também nos dias de vossos pais?** Em seguida, dá a ordem para que a história não caia no esquecimento! Seus ouvintes tinham de contar a catástrofe aos **filhos** (3), netos e bisnetos. O profeta se dirigia aos **moradores da terra** (Jerusalém e Judá; cf. 14; 2.1).

A opinião geral é que a praga era real e não simbólica. As pessoas que observaram os hábitos e atividade destrutiva dos gafanhotos vêem na descrição de Joel um quadro preciso da ocasião em que o profeta usa para proclamar sua mensagem.

O quarto versículo faz uma descrição dos gafanhotos:

"O que ficou do *gazam*, o comeu o *arbeh*,
e o que ficou do *arbeh*, o comeu o *jelek*,
e o que ficou do *jelek*, o comeu o *chasel*".[2]

Das nove palavras hebraicas encontradas no Antigo Testamento usadas para referir-se a **gafanhoto**, quatro ocorrem neste versículo: *gazam*, que significa "gafanhoto cortador"; *arbeh*, "gafanhoto infestante"; *jelek* ou *yeleq*, "gafanhoto saltador" e *chasel* ou *hasil*, "gafanhoto destruidor". Estes nomes não representam quatro espécies de gafanhotos, mas são provavelmente quatro fases da vida do gafanhoto. A língua árabe tem um nome para cada uma das seis formas de vida do gafanhoto.[3]

A maioria dos livros e comentários recorre à praga de gafanhotos de 1915, ocorrida em Jerusalém, para fazer uma descrição vívida do que deve ter acontecido nos dias de Joel.

> Antes de os gafanhotos chegarem, as pessoas ouviram um barulho alto produzido pelo agitar de miríades de asas, semelhante ao ribombo distante das ondas (cf. Ap 9.9). De repente, o sol escureceu. Os seus excrementos, semelhantes aos dos ratos, caíam como chuva grossa e forte. Às vezes, eles se elevavam a dezenas de metros; outras vezes, voavam bastante baixo, alguns dos quais pousavam. "Pelo menos em Jerusalém", disse o Sr. Whiting, "eles vinham sempre do nordeste e iam em direção sudoeste, a fim de estabelecer a precisão do relato de Joel em 2.20." Toneladas de gafanhotos foram capturados e enterrados vivos; muitos foram lançados em poços ou no mar Mediterrâneo, e quando as ondas os traziam à praia, eram juntados, secos e usados como combustível em banhos turcos. [...]
>
> O Sr. Aaronsohn, outra testemunha da praga de 1915, afirma que em menos de dois meses depois que apareceram, os gafanhotos tinham devorado toda folha verde e descascado os troncos das árvores, os quais ficaram brancos e sem vida, como esqueletos. Os campos, diz ele, foram pelados até ao solo. Até os bebês árabes deixados por suas mães à sombra de alguma árvore, tiveram o rosto devorado antes que os gritos fossem ouvidos. Os nativos aceitaram a praga como julgamento justo por causa de sua maldade.[4]

Joel interpreta a calamidade como julgamento de Deus e conclama Judá ao arrependimento. O profeta chama à sobriedade os **ébrios** e **todos os que** bebem **vinho** (5) para que compreendam a significação do castigo divino. É provável que o preço do vinho tenha subido astronomicamente como ocorre em tempos de pragas que pelam as videiras. Por conseguinte, não admira que os bebedores gemessem por **mosto** ("vinho novo", ECA; NTLH; NVI), ou porque inexistia ou porque não estava financeiramente ao seu alcance.

A profecia apresenta os gafanhotos como **nação** (6) **poderosa**, inumerável e com **dentes de leão**. A expressão **tem queixadas de um leão velho** é traduzida por "suas presas são de leoa" (NVI; cf. NTLH). Os gafanhotos destruíram as figueiras e videiras, e deixaram somente os troncos descascados e as trepadeiras. Até as cascas das árvores foram retalhadas, de forma que o dano não ficou limitado a um único ano.

C. A INVASÃO COMO TIPO, 1.8-20

Agora, o chamado é endereçado a toda a nação, que tem de chorar e lamentar **como a virgem que está cingida de pano de saco pelo marido** (o noivo) **da sua mocidade** (8; cf. Is 54.6). Assim que a mulher ficava noiva, seu noivo tornava-se conhecido como seu marido (Dt 22.23,24; Mt 1.19). **Pano de saco** era sinal de luto e dor.

Foi cortada a oferta de manjar e a libação (9), porque a fonte do **trigo**, do **mosto** ("vinho novo", ECA; NVI) e do **óleo** (10) foi destruída. Por isso, **os sacerdotes, servos do SENHOR, estão entristecidos**. Ao considerar que o sacrifício é impossível, há uma "suspensão prática da relação-concerto – um sinal de que Deus rejeitara seu povo".[5] A descrição da desolação prossegue nos versículos 11 e 12. Os **lavradores** (11) são "agricultores" (NVI), "fazendeiros" (BV) ou aqueles "que trabalham nos campos" (NTLH). Até a **romeira**, a **palmeira** e a **macieira** secaram. "Por isso toda a alegria murchou no coração dos homens" (12, BV).

Agora surgem as implicações éticas da profecia. Há um chamado aos **sacerdotes**, os **ministros do altar** (13), para que dia e noite façam súplicas na presença do Senhor. Eles, por sua vez, devem conclamar os **anciãos e todos os moradores desta terra** ao arrependimento na **Casa do SENHOR, vosso Deus** (14). As ordens são: **Santificai um jejum**, quer dizer, estipulem um tempo de jejum como culto de oração ao Senhor na ausência dos sacrifícios matinais e vespertinos.[6]

No versículo 15, Joel apresenta a idéia central do livro: o dia de Jeová. **Ah! Aquele dia! Porque o dia do SENHOR está perto e virá como uma assolação do Todo-poderoso**. Junto com Amós, Joel interpreta esse dia em seu contexto atual como tempo de julgamento em Israel.[7]

"O 'dia do Senhor' é tão iminente que não há tempo para mais nada, exceto fazer as pessoas sentirem que a mão do Senhor está sobre elas, que esta calamidade é um ato de Deus que exige arrependimento e uma volta a Ele, de quem tinham se esquecido".[8]

Esse dia virá como a devastação dos gafanhotos – *Yom Yehovah* é o grande dia de Jeová, o **Todo-poderoso**, que destruirá tudo que se levanta contra Ele.

Jeová é o Senhor de tudo e expressa sua justiça mediante eventos da Natureza. Então, seria de se esperar que os versículos 16 a 18 descrevessem estes eventos como expressão do descontentamento divino.[9] As palavras **diante de nossos olhos** (16) indicam que as pessoas testemunharam a calamidade. Sentiram-se tão impotentes em face do violento ataque que suspendeu os sacrifícios no Templo, que lhes acabaram **a alegria e o regozijo**.[10]

A semente apodreceu debaixo dos seus torrões (17, ou seja, "no solo", BV), e "os celeiros estão em ruínas, os depósitos de cereal foram derrubados" (NVI). A terra pastoril acabou, de forma que o **gado** (18) foi forçado a andar de um lado para o outro, em busca de água e pasto (1 Rs 18.5). Até as **ovelhas** e cabras sofreram, embora precisassem pouco em comparação ao gado.

O primeiro capítulo se encerra com um clamor do coração do profeta pela ajuda do **SENHOR** (19). Visto que a Natureza e os **animais** (20) padecem, Joel brada ao Senhor que pode ajudar ambos (Sl 36.6). **Fogo** e **chama** (19) são usados para indicar o calor ardente da seca ocasionada pela praga de gafanhotos.[11]

O capítulo 1 oferece a oportunidade de entendermos as condições para o arrependimento nacional: 1) O inevitável julgamento de Deus sobre a nação por causa de suas transgressões, 1.15ss; 3) O chamado à oração, jejum e arrependimento pelos pecados da nação, 1.14; 3) A fonte de libertação está em Deus somente, 1.19a.

D. O DIA DE JEOVÁ, 2.1-11

Robinson acredita que Joel deve ter autenticado o termo **o dia do SENHOR** (1).[12] Por ser uma frase escatológica, a encontramos na profecia do Antigo Testamento em seus mais primitivos tempos (cf. Is 2.12; Am 5.18). "A idéia de um grande Dia de Julgamento brota tão perfeitamente de sua mão, que seus sucessores a adotaram e sequer lhe acrescentaram um toque. Foi a visitação da praga de gafanhotos que, primeiramente, sugeriu a idéia à mente de Joel."[13]

A passagem até o versículo 18 destaca repetidamente o arrependimento em face do grande e terrível dia do julgamento de Jeová (1-11). A esta tônica se junta um otimismo relativo à misericórdia e compaixão do Senhor, caso o povo se volte de todo o coração (12).

A instrução dos sacerdotes foi: **Tocai a buzina** (*shophar*) **em Sião e clamai em alta voz no monte da minha santidade** (1). **Sião** é chamada "santo monte" (1, ARA; Sl 2.6), porque ali o Senhor está no seu santuário, o Santo dos Santos. O toque da trombeta seria retransmitido a outras cidades até que **todos os moradores da terra** tremessem (ARA; ECA; NVI; cf. BV; NTLH) por causa do **dia do SENHOR que está perto**.

O **dia de trevas e de tristeza** (2) é alusão aos gafanhotos que escureceram a terra. Esses insetos são comparados a um **povo grande e poderoso** que a nação não tinha conhecido nem ia conhecer **pelos anos adiante, de geração em geração**.

A descrição continua sob a metáfora do **fogo** (3), cujos efeitos descritos podem ser atribuídos facilmente aos gafanhotos. O contraste da passagem da praga pinta o **jardim do Éden**, antes; e **um desolado deserto**, depois. Nada é poupado.

Joel diz que o **seu parecer é como o parecer de cavalos** (4). A cabeça do gafanhoto tem forte semelhança com a cabeça de um cavalo.[14] No versículo 5, o barulho das asas destes insetos é **como o estrondo de carros**. Eles também são comparados a um fogo voraz e crepitante, o qual, alimentado pelo vento, devora a **pragana** ("restolho", ARA; NVI; ECA; "galhos secos", NTLH), e a **um povo poderoso, ordenado para o combate**. Não admira que as pessoas tivessem ficado com medo e que **todos os rostos** fossem **como a tisnadura da panela** (6; "todos os rostos empalidecem", ARA; ECA; cf. BV; NTLH; NVI).[15]

Nos versículos 7 a 10, a profecia compara a multidão de gafanhotos a um exército altamente treinado, que infesta os muros de Jerusalém, que não se desvia nem sai de formação (7). **Ninguém apertará a seu irmão** (8) é melhor: "não empurram uns aos outros" (ARA), porque cada um segue o seu caminho. Não são detidos por **espada** ou outro armamento. W. T. Thompson descreve as vãs tentativas em controlar a praga de gafanhotos no Líbano, em 1845: "Cavamos trincheiras, acendemos fogueiras, batemos e queimamos até a morte 'montões e montões' de gafanhotos, mas os esforços foram totalmente inúteis. Ondas sobre ondas rolavam pela encosta das montanhas, e derramavam-se em cima de pedras, muros, paredes, fossos e cercas vivas; os de trás cobriam e passavam por cima das massas mortas".[16]

Os gafanhotos corriam como cavalos **pelos muros** (9). Subiam **às casas** e se esgueiravam **pelas janelas** como ladrões. Nada lhes detinha o avanço ou os controlava. A descrição de Joel: **Diante dele tremerá a terra** (10), foi confirmada na invasão de 1915, quando o exército de gafanhotos era, por vezes, tão denso que parecia que a terra se movia. O vôo dos gafanhotos escureceu o **sol** e a **lua** e fizeram as **estrelas** se esconder da visão do homem.

E o SENHOR levanta a sua voz (11). Somente tal demonstração de poder, conforme descrevem os versículos 4 a 10, seria condizente com o **dia do Senhor**. O versículo 11 é parafraseado graficamente: "O Senhor comanda esse exército com um grito. Este é o seu poderoso exército e todos obedecem as suas ordens. O dia do julgamento do Senhor é uma coisa espantosa, terrível. Quem pode agüentar tudo isso?" (BV).

A proclamação de Joel de "o dia do Senhor" sugere a seguinte exposição, de acordo com a descrição do julgamento vindouro: 1) O dia do Senhor será um dia de escuridão, 2.2; 2) O dia do Senhor será um dia de desolação, 2.3; 3) O dia do Senhor será um dia de execução da Palavra de Deus, 2.11.

SEÇÃO II

O CLAMOR DE JOEL AO ARREPENDIMENTO

Joel 2.12-19

A. A Súplica ao Arrependimento, 2.12-14

O capítulo 2.12-19 é uma chamada ao arrependimento nacional. Os filhos de Israel podem evitar o julgamento se sinceramente voltarem a Deus com arrependimento e choro.

O anúncio do dia do Senhor (11) tinha de produzir arrependimento em face do julgamento ameaçador.

A nação deveria voltar-se de **todo o coração**. Todos os elementos do verdadeiro arrependimento estão presentes: **jejuns, choro** e **pranto**. Imediatamente, o profeta equilibra as evidências externas com as palavras do versículo 13: **Rasgai o vosso coração, e não as vossas vestes**. A exigência primária de Deus é sempre "um coração quebrantado e contrito" (Sl 51.17). Diante de tal atitude, o Senhor responde sempre em amor: **Porque ele é misericordioso, e compassivo, e tardio em irar-se, e grande em beneficência e se arrepende do mal** (13; "Ele sofre para arrepender-se do mal"[1]).

Quem sabe (14) talvez signifique que Deus se arrependerá do seu julgamento. Ter mais confiança na mudança da atitude do Senhor teria sido ofensivo à soberania divina. Uma **bênção** na forma de **oferta de manjar e libação** seria sinal de que Deus restabelecera a terra, a fim de tornar as ofertas possíveis. A restauração também seria sinal de concerto renovado.

B. A Extensão do Arrependimento, 2.15-17

No versículo 15, verificamos de novo a chamada a **um dia de proibição** ("uma assembléia solene", ARA). No versículo 1, a buzina ("trombeta", ARA) dá um aviso; aqui, representa uma convocação ao arrependimento. Note que a buzina está em um contexto semelhante a 1.13,14 e que 2.15b é similar a 1.14a. Uma lista por idade dos grupos envolvidos põe em relevo a chamada de âmbito nacional ao arrependimento: os **anciãos** (16), os **filhinhos** e **os que mamam**; e até o **noivo** e a **noiva** são chamados do quarto nupcial. Ninguém é isento por idade ou posição, fato que indica a culpa de toda a nação. Todos são expostos a julgamento diante do Senhor.

No versículo 17, encontramos a fonte de uma notória figura de intercessão. Os **sacerdotes**, na função de mediadores, devem chorar **entre o alpendre e o altar**. Eles têm de ficar entre o **alpendre** ("pórtico", ARA; NVI) do templo e o **altar** do holocausto (o altar de bronze, 2 Cr 4.1, ARA; ver o diagrama B), e suplicar ao Senhor a favor do povo. Consistente com o contexto, Joel fala no versículo 17 de dominação estrangeira, mas do medo de chacota em conseqüência da calamidade nacional. A frase **para que as nações façam escárnio dele** é traduzida por "não faça de tua herança [...] um provérbio entre as nações" (VBB). O medo não era só por causa de Israel, mas que as nações pagãs expressassem dúvida sobre a existência ou o poder de Jeová com palavras escarnecedoras: **Onde está o seu Deus?**

Joel é explícito ao exigir arrependimento como condição de restauração: 1) A condição: A nação tinha de voltar de todo o coração, 2.12,13; 2) A resposta: A graça, a misericórdia e a bondade de Deus, 2.13; 3) A conclusão: A restauração da relação do concerto, 2.14.

C. A Promessa de Misericórdia, 2.18,19

Em resposta à oração dos sacerdotes a favor da nação, o Senhor faz promessas para o presente e o futuro. A destruição dos gafanhotos dará previsão segura de **trigo, mosto** ("vinho novo", ECA; NVI) e **óleo** (19), porque o Senhor tem **zelo da sua terra** (18) e compadeceu-se **do seu povo**. Ao insulto registrado no versículo 17: "Onde está o seu Deus?", o Senhor responde no versículo 19: **E vos não entregarei mais ao opróbrio entre as nações**.

Seção III

A ESPERANÇA DE BÊNÇÃOS FUTURAS

Joel 2.20-32

A. A Destruição de "Aquele que é do Norte", 2.20

Este versículo não acha interpretação consistente entre os estudiosos da Bíblia. Diz-se respeito somente aos gafanhotos; a expressão **aquele que é do Norte** refere-se aos gafanhotos que vêm do norte (cf. NTLH), como ocorreu na praga de 1915. Keil argumenta que **aquele que é do Norte** (a palavra "exército" é acréscimo dos tradutores ao texto, cf. BV; ARA; ECA) não fornece argumento decisivo a favor de uma interpretação alegórica. Este ponto de vista é apoiado por várias autoridades contemporâneas.[1]

Na opinião de certos intérpretes, **aquele que é do Norte** é um exército humano, visto que os inimigos históricos de Israel vêem do norte. Archer e Ellicott[2] reputam que **aquele que é do Norte** deve ser alusão às hordas assírias que foram os últimos a destruir Israel (Jr 1.13 fala do exército caldeu que se espalha para o sul proveniente do lado do norte, cf. NTLH). Ellicott raciocina que a adição da sílaba patronímica à palavra hebraica indica um "nativo do Norte". Assim, ele acredita que, sob a imagem da destruição dos gafanhotos, o profeta aponta a libertação dos invasores do Norte[3] (cf. NVI).

Em todo caso, a bênção da libertação é prometida à **terra** (21), aos **animais** (22) e ao povo (23).

B. A Restauração das Bênçãos Espirituais e Terrenas, 2.21-27

O texto profético exorta a **terra** (21) a não temer, mas a se alegrar, **porque o SENHOR fez grandes coisas**. Esta promessa é seguida por outras exortações aos **animais do campo** (22) e aos **filhos de Sião** (23), que serão abençoados com **a chuva, a**

temporã e a serôdia, no primeiro mês.⁴ Em conseqüência disso, os animais terão pastos verdejantes e em abundância; as árvores frutíferas e as figueiras, devoradas pelos gafanhotos, terão a bênção de dar frutos (**fruto e força**).

Os versículos 24 a 27 prosseguem e falam sobre a promessa das bênçãos restauradoras de Deus. A seca passou, as chuvas vieram em profusão. Tudo que fora perdido pela praga de gafanhotos será devolvido multiplicadamente aos **filhos de Sião**. A escassez será substituída por abundância, inclusive de **trigo**, **mosto** ("vinho novo", ECA; NVI) e **óleo** (24).

O versículo 25 destaca as mesmas quatro fases do gafanhoto mencionadas em 1.4 (ver comentários ali), embora não na mesma ordem (cf. BV; NVI). E como verificamos no versículo 11, a profecia diz que o bando de gafanhotos é o **grande exército** do Senhor, usado por Deus para julgar a nação. A promessa de restauração sugere que a praga continuou por vários anos. Mas agora as bênçãos do Senhor são dadas em resposta às orações penitenciais e **o meu povo não será envergonhado para sempre** (27; "o meu povo jamais será envergonhado [de novo]", ARA; cf. NTLH; NVI). Keil acrescenta a expressão de duração – "por toda a eternidade" –, porque Jeová, o único Deus verdadeiro, está **no meio de Israel** e **procedeu** com o seu povo **maravilhosamente** (26).

C. A Vinda do Espírito Santo, 2.28-32

Vemos que as maiores bênçãos colocadas diante do povo de Deus são: 1) O derramamento do Espírito de Deus sobre toda a carne; 2) O julgamento das nações; e 3) A glorificação do povo de Deus. Estas características não são mantidas estritamente em separado, mas, mesmo assim, são indicadas com clareza e relacionadas de perto umas com as outras.

Os estudantes do Novo Testamento reconhecem com facilidade os versículos 28 a 32 por ser a promessa gloriosa citada por Pedro no Dia de Pentecostes, quando este a identificou por "é o que foi dito pelo profeta Joel" (At 2.16-21).⁵

E há de ser que, depois (um dia, no futuro), **derramarei o meu Espírito sobre toda a carne** (28). Se o Senhor deu a chuva **temporã** e a **serôdia** na forma de bênçãos materiais, também estava pronto para derramar (Is 32.5; Ez 39.29) bênçãos espirituais no dom do seu Espírito. Sob este aspecto, Pedro se refere ao comentário de Joel.

Se o primeiro grande ensino em Joel é o arrependimento diante das adversidades, o segundo é o derramamento do Espírito sobre toda a carne. A promessa é uma amplificação de Números 11.29 e seu cumprimento, como já dissemos, ocorreu no Dia de Pentecostes narrado em Atos 2. A promessa em si é proeminentemente escatológica, embora objetivava "consolar o povo nos dias do profeta. Robinson declara que a promessa "é semelhante à mensagem de Jeremias de 'um concerto novo' (Jr 31.31-34). Ainda que não haja predição do Messias no livro de Joel, como bem observou Horton, o estudo deste livro deve nos levar a Cristo e ao batismo no Espírito Santo. Joel começa a construir a ponte para o Reino da Graça".⁶

Após a promessa do Espírito para **toda a carne**, a profecia descreve os fenômenos pertinentes ao grande evento que Pedro, mais tarde, identificou com o Dia de Pentecostes. Em Números 12.6, **sonhos** e **visões** são as duas formas de revelação profética.

Esta alusão em Joel significa que os **filhos**, as **filhas**, os **velhos** e os **jovens** receberão o Espírito de Deus com os dons divinos.

A promessa é estendida aos **servos** e **servas** (29; escravos e escravas). O evangelho deveria quebrar as correntes da escravidão, conclusão que os intérpretes judeus (a LXX e os fariseus) não conseguiram aceitar.[7]

A promessa do Espírito é o ponto culminante da profecia de Joel: 1) A promessa é universal, 28,29; 2) É uma promessa de um novo concerto, 32; 3) É uma promessa aos que crêem, 32.

O **grande e terrível dia do SENHOR** (31; cf. Ml 4.5) está estreitamente associado com a promessa do Espírito. Os fenômenos mencionados no versículo 31 são descrições figurativas do julgamento no Antigo e Novo Testamento (Is 13.10; Mc 13.24; Ap 6.12).[8]

Pedro e Paulo (Rm 10.13) citam Joel quando aplicam o princípio da salvação pela fé aos homens de todas as gerações: **E há de ser que todo aquele que invocar o nome do SENHOR será salvo** (32). Há o chamado ao Senhor em face do julgamento e a promessa de libertação para os que se arrependem. A última frase do versículo 32 indica que os **restantes**, os que verdadeiramente crerem, serão salvos. Mesmo nos dias de Joel, a resposta humana em fé torna-se o complemento da eleição divina. Deus elege para a libertação aqueles que invocam o nome do Senhor.[9]

SEÇÃO IV

O DIA DE JEOVÁ

Joel 3.1-21

Alcançamos a parte final da profecia de Joel. A visão se amplia e abrange as experiências mais gerais ligadas ao "dia do Senhor". Nos capítulos 1 e 2, vemos a história profética de Israel; o último capítulo revela o julgamento do Senhor sobre toda a terra, seguido pelo triunfo milenar para Jerusalém e os remidos.

A. O Julgamento dos Incrédulos, 3.1-17

A expressão **porquanto eis que, naqueles dias e naquele tempo** (1) parece referência direta ao período de restauração de Judá, após voltar do cativeiro na Babilônia. Algumas versões fazem uma tradução mais geral: "Mudarei a sorte de Judá e de Jerusalém" (ARA; cf. ECA; NVI). De acordo com a maioria dos comentaristas, esta tradução inclui a promessa mais abrangente de restauração final para Israel. Esta interpretação é autenticada pelo ajuntamento de **todas as nações** (2) no **vale de Josafá** ("Jeová julga").[1]

A descrição do julgamento: "os julgarei" (NTLH; NVI; **com elas entrarei em juízo**), não é um quadro do Senhor que julga no sentido hodierno do termo. Deus atua (ou entra em juízo) **por causa do meu povo e da minha herança, Israel, a quem eles espalharam entre as nações**. Em defesa de Israel (Joel usa **Israel** e **Judá** intercambiavelmente), Deus julgará as nações que repartiram a **terra**.

O versículo 3 destaca que os inimigos de Israel não mostraram consideração pelos seus cativos, inclusive pelas crianças, as quais venderam em troca de **meretriz** e por **vinho**. Lançar **sorte** refere-se a dividir o espólio em Jerusalém ente os caldeus (Ob 11).

Os versículos 4 a 16 constituem um tratamento direto às nações pagãs. **Todos os termos da Fenícia** (4) e da "Filístia" (cf. ARA) são igualmente culpáveis como **Tiro** e **Sidom**. A pergunta: **É tal o pago que vós me dais?**, provavelmente seja indício da falsa reivindicação dos inimigos de Israel, que afirmavam que apenas buscavam a justiça. Jeová prontamente "adverte que esta suposta 'recompensa' lhes será cobrada": **Bem depressa farei cair a vossa paga sobre a vossa cabeça.**[2]

Imediatamente Deus apresenta as razões para sua justiça: **Levastes a minha prata e o meu ouro** (5). Esses povos tinham depositado os tesouros de Deus em **templos** pagãos. Ao prosseguir com a acusação de tráfico de escravos, Joel menciona a venda dos **filhos** (pessoas) **de Judá** (6) aos gregos (os jônios). Os versículos 7 e 8 falam sobre o castigo que o Senhor devolverá **sobre a vossa própria cabeça** (7), ou seja, pagar de volta na mesma moeda. O próprio povo que fora despojado (Israel) agora vende os **filhos** e as **filhas** (8) dos seus inimigos para os habitantes de **Seba** ("os sabeus", ARA).[3] O pronunciamento recebe a autenticação divina: **Porque o SENHOR o disse.**

No versículo 9, Joel fala sobre o julgamento dos gentios, abordado primeiramente no versículo 2 (cf. Zc 14.2). O chamado é para que todas as nações se preparem para a batalha e compareçam no **vale de Josafá** (12). Mas, o adversário não é Israel, senão o próprio Deus de Israel: **Porque ali me assentarei, para julgar todas as nações em redor**. É para esta finalidade que o Senhor desafia as nações: **Forjai espadas das vossas enxadas e lanças das vossas foices** (10). Note que esta ordem é precisamente o inverso da promessa messiânica feita mais tarde (cf. Is 2.4; Mq 4.3). Até o **fraco** será chamado para a batalha.

Ajuntai-vos, e vinde (11) repete a intimação para a sentença. "Apressai-vos, e vinde" (ARA; cf, NTLH; NVI) ao vale do julgamento. No versículo 13, o profeta mostra o tempo oportuno do julgamento e serve-se das figuras de colher o trigo maduro e de pisar uvas no lagar cheio. As mesmas figuras são usadas em 2.24 para descrever inversamente a abundância das bênçãos de Deus. Aqui, a colheita madura e os tanques transbordantes indicam o grau de maldade pelo qual as nações serão julgadas.

Multidões (*hamonim*): significa povos ruidosos ou em tumulto. A repetição **multidões, multidões** (14) cumpre a função de sugerir um número elevado de pessoas **no vale da decisão** na espera do iminente julgamento do **dia do SENHOR**.

O versículo 15 repete a lista dos fenômenos da natureza alistados em 2.31, como sinais que acompanham o julgamento. Haverá um escurecimento do **sol**, da **lua** e das **estrelas**. A seguir, o **SENHOR bramará de Sião e dará a sua voz de Jerusalém, e os céus e a terra tremerão** (16; imagem similar é usada em 2.11; Jr 25.30; Am 1.2).

Mas é só para os inimigos que o Senhor brama **de Sião**. Para o seu povo, é um **refúgio** e **fortaleza**. Deste fato, seu povo aprenderá que Jeová é o seu **Deus** (17), que santifica Jerusalém pela presença divina. É lógico que Joel fala do Armagedom, como o vale de julgamento, e de Jerusalém, como a Sião celestial, que aparecerá no "último dia".

B. O Triunfo para Jerusalém e os Remidos, 3.18-21

Nesta subdivisão, com exceção do versículo 19, o julgamento é colocado de lado e a visão milenar forma a conclusão da profecia. Em fascinante linguagem simbólica, Joel descreve o futuro glorioso do povo de Deus. **Os montes destilarão mosto** (18; "vinho novo", ECA; NVI; cf. Am 9.13). Os rios que normalmente estão secos regarão o **vale de Sitim**[4] – virão da **Casa do SENHOR**.

Parenteticamente, o **Egito** e **Edom** (19; símbolos de todas as nações hostis) são ameaçados de novo com julgamento. Serão devastados **por causa da violência que fizeram aos filhos de Judá** e devido ao derramamento de sangue inocente (cf. 1 Rs 14.25,26; 2 Rs 23.29; Ob 1-21).

Por outro lado, **Judá será habitada para sempre, e Jerusalém, de geração em geração** (20). Repetidas vezes, o Egito ou a Assíria tinha cruzado as fronteiras de Judá para resolver suas queixas na busca de poder mundial. Israel fora o campo de batalha de todas as grandes nações. Agora, Jeová prometia paz perpétua em Jerusalém, a "cidade glorificada de Deus".

O versículo final combina bênção e julgamento – os temas da profecia inteira. A tradução: **purificarei o sangue dos que eu não tinha purificado** (21) pode dar idéia errada. Esta versão é mais precisa: "Eu vingarei o sangue do meu povo; não me esquecerei da culpa dos que os maltrataram" (BV; cf. NTLH). [5] A profecia não anuncia mais castigo para o Egito e Edom, "mas [prediz] simplesmente o pensamento com o qual a proclamação é finalizada, qual seja, que a devastação eterna dos reinos do mundo [...] corrigirá todas as injustiças que eles cometeram contra o povo de Deus, e que até aqui permaneceram impunes".[6]

As bênçãos milenares do Senhor que foram registradas em 3.18-21 sugerem: 1) A bênção superabundante de Deus na Natureza, 18; 2) O equilíbrio dos pratos da balança da justiça, 21; 3) A promessa final de segurança **de geração em geração**, 20.

Notas

INTRODUÇÃO

[1] Joel fala com profundo conhecimento sobre Sião e os filhos de Sião (2.1,23), sobre Judá e Jerusalém. Interessa-se pelo templo (1.13-17). Discorre objetivamente dos sacerdotes, a despeito de 1.13 e 2.17, exceção que leva muitos estudiosos a crer que não pertencia ao sacerdócio.

[2] A. F. Kirkpatrick, *The Doctrine of the Prophets* (Nova York: Macmillan Company, 1897), p. 58.

[3] John A. Thompson, em sua exposição sobre Joel em IB, vol. VI, p. 729, coloca Joel em data posterior a 400 a.C. por causa das condições políticas e religiosas descritas no livro. Esta posição é bastante típica da perspectiva mais liberal.

[4] Gleason L. Archer Jr., *A Survey of Old Testament Introduction* (Chicago: Moody Press, 1964), p. 292.

[5] *Ib.*

[6] O Egito ainda seria temido nos dias de Joás. Por outro lado, perdera sua posição mundial depois do período caldaico. Estes fatos eliminariam a possibilidade de uma data posterior a 400 a.C.

[7] Archer, *op. cit.*, p. 292.

[8] Ver 1.15; 2.1,2,11,31; 3.14-21. Para inteirar-se de uma análise abrangente dos ensinos de Joel, ver Frederick Carl Eiselen, *Prophecy and the Prophets* (Nova York: The Methodist Book Concern, 1909), pp. 286-292.

[9] Ver 1.9,13,14; 2.12-17.

[10] Cf. 2.12,13.

[11] John A. Thompson, "Joel" (Exegesis), *The Interpreter's Bible*, editado por George A. Buttrick *et at.*, vol. VI (Nova York: Abingdon Press, 1956), p. 735.

SEÇÃO I

[1] William Neil, "Joel", *The Interpreter's Dictionary of the Bible*, editado por George A. Buttrick *et al.* (Nova York: Abingdon Press, 1962), p. 926.

[2] A. C. Gaebelein, *The Prophet Joel* (Nova York: Publication Office, *Our Hope*, 1909), pp. 31ss.

[3] Cf. "Joel", IB, vol. VI, p. 737.

[4] George L. Robinson, *The Twelve Minor Prophets* (Nova York: George H. Doran & Company, 1926), pp. 34ss.

[5] C. F. Keil e Franz Delitzsch, "The Twelve Minor Prophets", *Biblical Commentary on the Old Testament* (Grand Rapids: William B. Eerdmans Publishing Company, 1954, reimpressão), p. 184.

[6] *Ib.*, p. 186.

[7] Cf. 2.1; 3.14; Amós 5.18,20; ver tb. Ezequiel 30.2,3; Sofonias 1.7,14.

[8] Raymond Calkins, *The Modem Message of the Minor Prophets* (Nova York: Harper & Brothers, 1947), p. 158. Joel provavelmente partilhava a idéia de que todo tipo de calamidade era prova de pecado.

[9] John Paterson, *The Goodly Fellowship of the Prophets* (Nova York: Charles Scribner's Sons, 1948), p. 259.

[10] Joel fala, com toda probabilidade, de ofertas de paz (Dt 12.6,7); das primícias (Dt 26.10); da Festa das Semanas (Dt 16.10); e da Festa dos Tabernáculos (Dt 16.13-15).

[11] A Palestina é uma terra árida e seca. Os rios e córregos secam na ausência de chuva. Uma seca severa só aumentava o problema.

[12] Robinson, *op. cit.*, p. 38.

[13] *Ib.*

[14] Em alemão, os gafanhotos são chamados *heupferde*, cavalos de feno. No v. 4, sua aparência é comparada, não aos cavaleiros, mas ao avanço de cavalos e como cavalos de guerra.

[15] "Todos os rostos recolheram o seu rubor" (Keil, p. 192), no sentido de que o rosto ficou branco de terror (Jr 30.6).

[16] "Joel", IB, vol. VI, p. 745.

SEÇÃO II

[1] *Ib.*, cf. Êxodo 34.6; Jonas 4.2.

SEÇÃO III

[1] Keil, *op. cit.*, p. 201; "Joel", IB, vol. VI, p. 749. De acordo com esta interpretação, Deus dirigirá os gafanhotos para **uma terra seca e deserta** (20) e **para o mar oriental** (o mar Morto). A **sua retaguarda para o mar ocidental** fala do mar Mediterrâneo, cujas águas lançaram à praia montões de gafanhotos mortos, o que ocasionou **mau cheiro**. Os vv. 21-23 atingem um clímax quando a terra, os animais e o povo são abençoados com a promessa de chuva abundante, **a temporã e a serôdia** (23).

[2] Archer, *op. cit.*, p. 294, afirma que o invasor é Senaqueribe. Charles John Ellicott, *Old Testament Commentary* (Londres: Cassell & Company, 1897), p. 442.

[3] *Ib.*

[4] A chuva **temporã** indica as primeiras chuvas após o verão (chuvas de outono, BV; NVI); elas amolecem a terra e preparam o solo para a semeadura. A chuva **serôdia** (chuvas de primavera, BV; NVI) rega a semente. O intervalo entre as duas chuvas dá tempo para o fazendeiro plantar (ver James Hastings, *Dictionary of the Bible*, vol. II [Nova York: Charles Scribner's Sons, 1909], p. 782).

A Versão Caldaica e a Vulgata Latina traduzem a palavra hebraica *moreh* por "ensinador". Keil tem uma explicação completa em defesa dessa posição (*op. cit.*, p. 205). Se esta tradução for aceita, a expressão **ensinador de justiça** indica o advento do Messias (Ellicott, p. 433).

[5] "Ao levar em conta o cumprimento do Novo Testamento, a predição de Joel de iluminação espiritual a todo o povo de Deus é, quiçá, sua maior contribuição religiosa" ("Joel", IB, vol. VI, p. 753).

[6] Robinson, *op. cit.*, p. 45.

[7] Keil, *op. cit.*, p. 211.

[8] O **fogo** (30) e o **sangue** (31) lembram as pragas do Egito (Êx 7.17; 9.24). As **colunas de fumaça** relembram a descida de Jeová no monte Sinai com a fumaça do monte que sobe aos céus (Êx 19.18). O escurecimento do **sol** e a aparência vermelho-vivo da **lua** também recordam as pragas do Egito (Êx 10.21).

[9] O pleno uso da profecia acha-se no sermão de Pedro, registrado em Atos 2.17-21, onde o apóstolo cita Joel 2.28-32, com exceção de 32b. A referência em Atos 2.39: "Porque a promessa vos diz respeito a vós, a vossos filhos e a todos os que estão longe e a tantos quantos Deus, nosso

Senhor, chamar", é substituição apropriada do v. 32b, com acréscimos. O cumprimento da profecia de Joel começou no Dia de Pentecostes e continua ao longo da atual dispensação a tantos quantos invocam o Senhor.

SEÇÃO IV

[1] O vale de Josafá é, provavelmente, o vale de Cedrom situado no lado oriental de Jerusalém (ver Keil, p. 220, para inteirar-se de explicação completa). Aqui, o termo é usado no significado gramatical, como cenário do julgamento de Deus, e não no significado geográfico estrito.

[2] "Joel", IB, vol. VI, p. 755.

[3] **Os de Seba**, ou os sabeus, eram famosos traficantes de escravos. A filosofia "olho por olho" só pode ser entendida sob a luz da revelação progressiva. Esta é outra indicação da antiguidade do livro de Joel.

[4] O vale de Acácia, que se situava acima do mar Morto junto ao rio Jordão, era em geral seco.

[5] Esta passagem não ensina necessariamente a renovação terrena ou a glorificação da cidade de Jerusalém; pois Sião é a cidade "santificada" e "glorificada" de Deus, na qual o Senhor se unirá eternamente com a igreja remida, santificada e glorificada (ver *The Pulpit Commentary*, "Hosea and Joel", p. 53).

[6] Keil, *op. cit.*, p. 232.

O Livro de
AMÓS

Oscar F. Reed

Introdução

Amós viveu e escreveu na primeira metade do século VIII a.C. durante o reinado de Jeroboão II, monarca do Reino do Norte. Talvez a data de 755 a.C. melhor se ajuste às condições apresentadas no livro. Seu ensino é de significação particular, porque inaugurou uma linha de ministérios proféticos que levou o povo de Israel a um entendimento mais profundo sobre o caráter de Jeová. Somente a revelação de Deus em Jesus Cristo é maior que esta compreensão da natureza divina. Foi pelos ensinos de Amós e das pessoas depois dele que os israelitas conseguiram "sobreviver ao fim trágico de Israel como nação, e tornar-se o veículo da revelação distintiva de Deus para o mundo".[1]

A. O Autor e o Pano de Fundo Histórico

Há pouco mais de um século, pensava-se que Amós fosse apenas um dos profetas menores; hoje, em virtude dos estudos exegéticos e críticos, o livro recebe destacada posição na literatura bíblica. Considera-se sua linguagem um dos melhores exemplos do puro estilo hebraico.

Amós foi o primeiro dos profetas literários que se aplicou a eliminar os elementos pagãos que se insinuaram na vida religiosa e social de Israel. Ele, como os outros, teve de reavivar o ideal mosaico que advoga que Deus exige santidade de vida. Estes profetas "moralizaram" a religião e também a universalizaram. O Deus em cujo nome falavam, não era apenas o Senhor deles, mas o Deus do mundo inteiro.

Como no caso de Joel, muito pouco sabemos sobre a pessoa de Amós, exceto alguns indícios que podemos depreender das evidências internas do livro. Sabemos que viveu nos dias de Jeroboão II (782-753 a.C.). Ao levarmos em conta que um longo período de prosperidade precedeu os dias do profeta, deduzimos que seu ministério se deu na segunda metade do reinado de Jeroboão.

Amós morava em Judá, mas sua mensagem profética foi entregue em Israel e para essa nação. Este fato levanta uma pergunta interessante concernente à relação de sua mensagem para Judá. Amós pretendia excluir Judá da destruição pronunciada para Israel e os povos vizinhos? Ou pretendia incluir Judá? Este comentarista é inclinado a crer na última opção. Amós não cogitava poupar o Reino do Sul. Temos, então, de aceitar que pretendia incluir Judá na destruição comum que se abateria sobre Israel e as nações circunvizinhas. Por que escolheu Betel, e não Jerusalém, para o cenário do seu ministério? A resposta provável é que considerava essencialmente um os dois ramos do povo israelita e que, dos dois, o Reino do Norte era o mais importante.

O centro da vida nacional estaria em Betel, o santuário do monarca do Reino do Norte. Era este o lugar estratégico para um profeta começar seu ministério. Ali, sua mensagem produziria o efeito mais imediato e forte.

Amós nega o título de *nabi* (profeta profissional). Com esta atitude, quer dizer que não pertencia à ordem profética e não tinha recebido o treinamento para isso. Designa-se cidadão de posição social humilde pertencente à classe mais pobre. Em vista deste fato, imaginamos como adquiriu o grau de cultura que manifestadamente possuía. Entre os hebreus, o conhecimento e a cultura não eram peculiares aos ricos e às classes de profissionais. Mesmo o treinamento inicial de todo israelita o equipava religiosa e culturalmente, a despeito de sua posição social.

Mesmo assim, Amós era homem simples, um boiadeiro e cultivador de sicômoros, a comida dos pobres. Seu pai não era profeta, nem possuía formação nobre como Isaías. Sua casa ficava em Tecoa, quase 20 quilômetros ao sul de Jerusalém (ver mapa 2), onde a vida espiritual genuína e a pura adoração a Deus sobreviviam no acidentado interior montanhoso.

O chamado era de Deus. O próprio Amós diz que Jeová o "tirou" do serviço referente ao rebanho. Este ato indica que um poder não dele mesmo o tomava de súbito. Esta também é a implicação de 3.8, onde o profeta diz: "Bramiu o leão, quem não temerá? Falou o Senhor JEOVÁ, quem não profetizará?" Havia um fogo ardente retido em seus ossos que o compelia a falar. Amós era um homem com uma mensagem de Jeová e tinha de livrar-se desse peso.

Ao considerar que o seu chamado era divino, Amós foi honesto, corajoso e dinâmico. Ressentia-se profundamente com os males sociais dos seus dias e ficava irritado com a injustiça e a desonestidade. Obteve um discernimento profundo sobre as questões peculiares de Deus, bem como acerca das relações nacionais e internacionais. Sua língua era como um chicote para os opressores e mel para os oprimidos.

B. A Mensagem

As grandes concepções fundamentais que subjazem a mensagem de destruição proclamada por Amós torna-o uma figura importante na história da fé religiosa. Os israelitas de sua época sentiam-se certos do favor divino por duas razões: Primeira, não foram eles escolhidos por Deus? Segunda, eles zelavam minuciosamente de todos os detalhes da adoração. Para Amós, porém, estes dois pilares de confiança popular eram canas quebradas – sequer ofereciam a mais trivial base de garantia do favor divino.

Era verdade que Jeová escolhera Israel para ser o seu povo peculiar. Ele se colocou numa relação especialmente íntima com a nação. Mas este fato não significava, como supunham, que tinham o monopólio do favor divino ou que o cuidado protetor de Jeová se limitava a Israel. Seu favor era universal, procedente do Deus que não tolerava rivais.

A primazia que Israel possuía estava na revelação especial que Deus lhe dera sobre seu caráter e vontade. Mas os israelitas rejeitaram esta revelação. Israel, portanto, não tinha vantagem sobre as outras nações. Quando pecavam, não significavam a Jeová mais que os distantes e desprezados etíopes. Foi deste modo que Amós lidou com a pretensão nacional de seus dias.

Com a confiança popular em ritos e cerimônias, o profeta foi ainda mais severo, mas é erro supor que Amós queria condenar todos os ritos e cerimônias em si. Ele não era tão idealista quanto a estar cego ao fato de que a verdadeira devoção precisa de "dias e tempos" e formas externas para seu exercício. O que o profeta contestava era a substituição do espírito de devoção interno por estes ritos externos.

Contra a confiança popular nos sacrifícios, a eleição não qualificada de um povo escolhido e a providência especial de Deus pela nação, Amós estabeleceu o princípio de que a única esperança de Israel estava na justiça. E sobre esta virtude, o profeta queria dizer o que era certo no sentido absoluto do termo, tanto objetiva quanto subjetivamente: respeito pela personalidade própria e pela dos outros. Amós designou expressamente dois males: a opressão dos pobres pelos ricos e a corrupção do sistema judicial em Israel. Nestas mazelas, a vida humana era literalmente negociada pela troca. Na opinião do profeta, esta situação era o cúmulo da iniqüidade e o extremo da insensatez. Por isso, exortou os homens: "Buscai o SENHOR e vivei"; e: "Buscai o bem e não o mal, para que vivais" (5.6,14). Desta forma, Amós identificou a religião com a lei moral. Buscar Jeová é procurar o bem. Não há outro meio de entrar em comunhão com Deus. A religião é a principal força preservadora na sociedade e estímulo poderosíssimo para o desenvolvimento das mais sublimes aptidões humanas.

Nosso estudo sobre os ensinos de Amós não estaria completo se omitíssemos as palavras de esperança registradas em 9.8-15. Claro que, apesar de todas as suas previsões sombrias, o profeta não havia perdido a esperança de Israel ser salvo, e certamente não lhe faltava a convicção de que pelo menos alguns "viveriam". Amós era homem de paixão intensa que via propósito em tudo. O elemento ideológico permeia a totalidade de seu livro. É incrível que alguém como ele não tivesse atinado no que aconteceria depois da destruição de Israel.

Mesmo que Amós tivesse uma perspectiva esperançosa para o futuro, estava subordinado à tendência vigente de seu ensino. Sua tarefa primária era confirmar as reivindicações da lei moral em oposição ao formalismo material e a pretensão nacional de seus dias. Sua maior significação estava na eficácia com que moralizou a concepção de religião em sua exigência de justiça nacional e pessoal.

Esboço

I. O JULGAMENTO IMINENTE, 1.1—2.16

    A. Título e Tema, 1.1,2
    B. Oráculos contra Nações Vizinhas, 1.3—2.3
    C. Oráculo contra Judá, 2.4,5
    D. Oráculos contra Israel, 2.6-16

II. SERMÕES SOBRE O FUTURO JULGAMENTO DE ISRAEL, 3.1—6.14

    A. A Relação de Israel com Deus, 3.1-8
    B. A Pecaminosidade de Samaria, 3.9—4.3
    C. A Profundidade da Culpa de Israel, 4.4—5.3
    D. Exortação e Condenação, 5.4-15
    E. O Aparecimento de Jeová, 5.16-25
    F. Invasão e Exílio, 5.26—6.14

III. VISÕES E EPÍLOGO, 7.1—9.15

    A. As Visões de Amós, 7.1—8.3
    B. Pecado e Julgamento, 8.4-14
    C. O Julgamento Inexorável, 9.1-7
    D. Epílogo, 9.8-15

Seção I

O JULGAMENTO IMINENTE

Amós 1.1— 2.16

A profecia de Amós divide-se em três partes com uma estabelecida unidade que não deixa dúvida sobre sua autoria e motivação. A predição de julgamento imediato está no âmago do ministério de Amós. Ele proclamou essa mensagem habilmente, ao começar com os gentios, exortar os judeus e terminar com Israel, o povo a quem ele pessoalmente se dirige. "O israelita ouviria com certa satisfação interior as faltas dos seus vizinhos e os julgamentos com que eles incorreriam".[1] Mas, Israel seria medido exatamente pelo mesmo padrão aplicado aos outros povos e com um julgamento não menos severo.

A. Título e Tema, 1.1,2

O autor da profecia identifica-se como pastor[2] de **Tecoa** (1), que viveu nos reinados de **Uzias, rei de Judá**, e de **Jeroboão, rei de Israel**. A cidade de **Tecoa** situava-se ao sul de Judá (cf. 2 Cr 11.6; 20.20). Amós afirma que era apenas um pastor e "cultivador de sicômoros" (7.14). Vemos, então, que o profeta não era um próspero proprietário de ovelhas, mas um pastor modesto e um "podador de árvores" que estava determinado a não ser classificado como *nabi* (profeta profissional). Ele era o tipo de pessoa que Israel "insistia em silenciar" (cf. 2.11,12).[3]

Os estudantes do livro datariam a profecia com mais precisão se porventura conseguissem identificar o **terremoto** (cf. Zc 14.5) mencionado no versículo 1, o qual evidentemente era bem conhecido na época do ministério de Amós. Sabemos, porém, que este profeta estava em atividade durante o apogeu do próspero reinado de Jeroboão II, algum tempo antes da morte do rei em 753 a.C. (ver diagrama A).[4]

Amós inicia sua profecia com a confirmação de um tema declarado primeiramente por Joel (Jl 3.16): **O SENHOR bramará de Sião e de Jerusalém dará a sua voz** (2). Foi o próprio Deus que falou por meio de Amós. A figura foi dada para advertir os violadores do concerto que estavam tranqüilos em sua prosperidade. Tinham de saber que o julgamento de Deus viria sobre Israel como também para o mundo pagão – até o **cume do Carmelo** se secaria.[5]

B. ORÁCULOS CONTRA NAÇÕES VIZINHAS, 1.3—2.3

Esta subdivisão foi compilada com habilidade para apresentar o "peso" ou sentença contra as nações estrangeiras. Claro que só elogia os povos no intuito de prepará-los para o tremendo golpe que vem imediatamente a seguir.

1. *Damasco* (1.3-5)

O primeiro oráculo é contra **Damasco** (3; ver mapa 2), a capital do reino arameu (sírio), com o qual Israel estivera em guerra por grande parte do século VIII a.C. **Três**, o número perfeito, é seguido por **quatro**, que indica um número maior de crimes em sua pior forma. A medida da iniqüidade estava cheia, além de toda proporção.

Gileade, a área mais exposta à invasão síria (ver mapa 2), foi sujeita a "rodas com pontas de ferro" (NTLH); "trilhos de ferro pontudos" (NVI). Estes **trilhos de ferro** eram grossos rolos com dentes entalhados, que tinham sido usados para destruir e mutilar a carne humana. É uma referência à destruição que Hazael ocasionou em Gileade, fato registrado em 2 Reis 10.32,33.

O versículo 4 identifica os líderes sírios que tinham pecado contra Gileade (a história é contada em 2 Rs 8–13). **Hazael** foi o fundador da dinastia que **Ben-Hadade** (Ben-Hadá II), seu filho, representou. A **casa de Hazael** representa a dinastia, e **Ben-Hadade**, o rei específico (cf. Is 17.1-3; Jr 49.23-27; Zc 9.1-4). A parte final do versículo 5 demonstra o poder de Jeová em seu julgamento. O profeta ouve o rompimento do **ferrolho de Damasco** (as fortificações da cidade) e vê o massacre dos habitantes de **Biqueate-Áven** (5). O restante da Síria será levado à distante e remota **Quir** – tudo isto pela palavra do **SENHOR**. [6] Esta profecia cumpriu-se quando Tiglate-Pileser, rei da Assíria (ver diagrama A), conquistou Damasco durante o reinado de Acaz, governante de Judá (2 Rs 16.9). A palavra final, **diz o SENHOR**, identifica a autoridade com que o oráculo é proclamado.

2. *Filístia* (1.6-8)

Destruição semelhante deve acontecer com os filisteus (ver comentários no v. 3). **Gaza** (6), a principal cidade da Filístia, é usada como símbolo da nação. Era importante centro de caravanas que transitavam pela estrada entre o Egito e a Síria. Situava-se ao sul de Judá, perto do mar Mediterrâneo (ver mapa 2). A acusação específica contra os filisteus é que eles **levaram em cativeiro todos os cativos;** ou seja, tomaram cativo um povo inteiro e o entregaram a Edom, inimigo mortal de Israel. É uma referência à invasão dos filisteus nos dias de Jeorão (2 Cr 21.16; cf. Jl 3.4). Os versículos 7 e 8 autenticam o fato de que toda a Filístia está inclusa na destruição futura. Julgamento semelhante virá sobre todas as suas cidades importantes: **Gaza** (7), **Asdode** (8), **Asquelom** e **Ecrom**. Todas estão inclusas para serem exterminadas pela **mão** do **Senhor JEOVÁ**.

A ironia do julgamento de Deus é evidente. Os próprios edumeus, a quem os israelitas foram vendidos, serão aqueles que venderão os filisteus em escravidão. (Os edumeus tinham um porto no mar Vermelho e eram notórios traficantes de escravos.)

3. *Tiro* (1.9,10)

Os grandes pecados de Tiro são simbolizados novamente **por três transgressões... e por quatro** (9; cf. comentários no v. 3). A transgressão é maior, porque os habitantes de Tiro **não se lembraram da aliança dos irmãos**, ou seja, o antigo pacto entre Salomão e Hirão (1 Rs 5.1,12). Ainda que não se possam confirmar as ocasiões históricas, talvez a acusação indique que Tiro entregou os israelitas a Edom no tráfico de escravos. Não há registro de um rei de Israel ou de Judá ter guerreado contra a Fenícia (Tiro). Por causa de seu pecado, nem mesmo a magnífica cidade de Tiro escaparia do julgamento de Jeová (10), conforme declarou Amós (ver Ez 28 para inteirar-se de uma descrição de Tiro).

4. *Edom* (1.11,12)

Existia uma marcante hostilidade entre Israel e Edom, mesmo antes do exílio. Amós não condenou um pecado em particular, mas destacou o ódio implacável de Edom na perseguição de Israel **à espada** (11), a absoluta falta de **misericórdia** e o ininterrupto espírito de **ira** contra seu **irmão**.[7]

Como nos oráculos anteriores, o julgamento seria por **fogo a Temã**, que **consumirá os palácios de Bozra** (12), a capital de Edom, situada ao sul do mar Morto. **Temã** era provavelmente um distrito ao norte de **Bozra** (ver mapa 3). Ambos simbolizavam a totalidade de Edom.

5. *Amom* (1.13-15)

O território de Amom estendia-se ao longo do rio Jordão até ao leste de Gileade. A acusação específica: Eles **fenderam as grávidas de Gileade** (13); era só o clímax de uma sucessão de crueldades contra Israel. Mas os israelitas também poderiam ter sido acusados de ofensa semelhante (2 Rs 15.16).

Igual ao castigo de Edom, a importante cidade de **Rabá** (14, "a grande") seria queimada **no dia da batalha**. Nessa ocasião, o invasor pareceria uma **tempestade** que devasta tudo que há pela frente. A profecia se encerra com o oráculo de destruição contra o **rei** e **seus príncipes** (15), que irão **para o cativeiro**.

6. *Moabe* (2.1-3)

A profecia final contra os vizinhos de Israel é dirigida a **Moabe**, situado entre Edom e Amom (ver mapa 2). O delito específico era contra o **rei de Edom** (1), cujos ossos foram queimados até virar **cal**.

Embora não haja referência histórica ao incidente, talvez se refira à guerra que Jorão, governante de Israel, e Josafá, monarca de Judá, empreenderam contra os moabitas, na qual o rei de Edom era aliado de Israel (2 Rs 3).[8] Jerônimo menciona uma tradição judaica, a qual registra que os moabitas desenterraram os ossos do rei de Edom, lançaram sobre eles muitos insultos e os queimaram até virar pó.

Como castigo, o Senhor queimaria a principal cidade de Moabe, **Queriote** (2), e acabaria com a nação. Todas as profecias de 1.6 em diante cumpriram-se com as invasões dos caldeus que levaram os habitantes em cativeiro (Ez 25).

Na época em que Amós profetizou, a ameaça da Assíria (Tiglate-Pileser III, 745-727 a.C.) ainda era uma pequena nuvem no horizonte. Mas o profeta anuncia os julgamentos vindouros, não só por causa das ambições assírias, mas porque Jeová estava em ação na área política. Amós afirma que Jeová é soberano sobre todas as nações da terra. Os povos mencionados são mera indicação da extensão de sua soberania. Neste ponto, o profeta não afirmava que anunciava algo inteiramente novo, mas com certeza "falou com tonicidade inquietantemente nova".[9]

C. Oráculo contra Judá, 2.4,5

Depois de haver dedicado a atenção às nações vizinhas, Amós trata do Reino do Sul, **Judá**. Este é o segundo passo em direção ao golpe final contra Israel.

No que se refere a Judá, Amós condena a rejeição da **lei do SENHOR** (4; Torá; esta "lei" era a soma total de todos os preceitos dados por Jeová como norma de vida). **Estatutos** (*chuqqim*) são os preceitos que não constam na Torá e abrangem, inclusive, as leis cerimoniais e morais.[10] A palavra **mentiras** (4) deve ser traduzida por "ídolos" ("deuses falsos", NTLH; NVI), ou "as vaidades que eles fizeram" (LXX).[11]

O castigo indicado no versículo 5 foi executado por Nabucodonosor, em 586 a.C., quando destruiu **Jerusalém** e levou a maior parte da população para a Babilônia (ver diagrama A).

D. Oráculos contra Israel, 2.6-16

Amós finalmente passa a tratar de Israel. Imaginamos o desapontamento das pessoas nas praças. Se porventura aplaudiram o profeta por suas mensagens contra os inimigos e murmuraram de suas profecias contra Judá, é fácil entendermos a hostilidade quando ele declarou a verdade sobre Israel. Precisamente com o mesmo linguajar que usara antes, Amós anunciou que o julgamento que Deus fará contra Israel era igualmente irrevogável.

1. *A Rebelião de Israel* (2.6-8)

Esta é a primeira acusação: **Vendem o justo por dinheiro e o necessitado por um par de sapatos** (6). Em geral, os intérpretes afirmam que esta frase alude ao costume de condenar os inocentes em troca de suborno e dar os pobres aos credores (por ninharia) para servirem de escravos. Faziam assim em virtude da lei escrita em Levítico 25.39 (cf. 2 Rs 4.1).[12] Desta forma, os ricos não mostravam a mínima consideração pelos justos (*tsaddiq*). Aqueles que suspiram **pelo pó da terra sobre a cabeça dos pobres** (7) são indivíduos que "pisam a cabeça dos pobres no pó da terra" (ECA; cf. BV). A atitude é fraseada em particípios como se eles "arquejassem" na ânsia de humilhar os pobres. Além disso, **eles pervertem o caminho dos mansos**, ou seja, os afastam do trajeto natural da vida, para direcioná-los à destruição.

A terceira acusação era a profanação do santo nome do Senhor pela imoralidade repulsiva de **um homem e seu pai** terem relações sexuais com uma **moça**. "O significado é com uma mesma moça; mas a palavra hebraica *achath* [**mesma**] não ocorre no original, porque tem o propósito de obstar todo possível equívoco de que era permitido os dois irem a prostitutas diferentes. De acordo com a lei, este pecado era equivalente a incesto e tinha de ser punido com a morte".[13]

A quarta acusação dizia respeito à **casa de seus deuses** (8). Eles bebiam vinho comprado com as quantias pagas pelos **multados**. As **roupas** sobre as quais dormiam ao lado de altares profanavam o nome santo de Jeová, visto que a vestimenta penhorada tinha de ser devolvida antes que a noite caísse (Êx 22.26).

2. A Revelação de Deus (2.9-12)

O privilégio ocasiona a correspondente responsabilidade. Amós não pôde deixar de realçar que, visto que Jeová favorecia Israel acima de todas as outras nações, o Senhor as considerava responsáveis por seus pecados.[14] É esta revelação de Deus na história que provoca a recitação da destruição do **amorreu** (9, os antigos habitantes de Canaã) como preparação para a migração de Israel do Egito (10) **para que possuísseis a terra do amorreu** (cf. Js 3.10). A expressão: **destruí o seu fruto por cima e as suas raízes por baixo** (9) é figura para indicar a devastação total.

O cuidado de Jeová foi expresso por sua proteção na viagem do Egito para Canaã e pelo levantamento de **profetas** (11) e **nazireus** para revelar a vontade santa a Israel. Os nazireus eram homens com um chamado específico que buscavam privar-se de: 1) beber bebida forte, 2) comer carne e 3) cortar os cabelos. Sansão, Samuel e, provavelmente, João Batista eram nazireus. Em vista desta providência divina e contra a lei de Deus, os israelitas tentaram os nazireus com **vinho a beber** (12) e procuraram silenciar os profetas: **Não profetizeis**. A palavra do Senhor não lhes era agradável.

3. O Esperado Julgamento (2.13-16)

Por causa das graves transgressões, o Senhor anuncia um julgamento do qual ninguém escapará. Será uma opressão na qual os mais fortes padecerão. "Eis que eu vos apertarei no vosso lugar como [...] aperta um carro cheio de feixes" (13, ECA; cf. NVI). Israel tem de sentir a pressão moedora do carro totalmente carregado. Outros expositores, com leve mudança no verbo hebraico traduzido por "apertar" (mudança apoiada pela LXX), obtêm o significado "oscilar": "Eis que farei oscilar a terra debaixo de vós, como oscila um carro carregado de feixes" (ARA).[15]

Os versículos 14 a 16 descrevem a incapacidade de Israel fugir do Senhor. O **ágil** (14) não conseguirá escapar. O **forte** "não reterá suas forças e o guerreiro não salvará a sua vida" (RSV; cf. NVI). Nem o arqueiro, o soldado de infantaria e o cavaleiro poderão opor-se ao julgamento do Senhor (15). **Nu** (16) sugere a absoluta impotência do homem "despojado de todos os recursos com os quais conta para se manter quando enfrentar a catástrofe final".[16]

Amós choca seus ouvintes ao anunciar os julgamentos sobre Israel depois do monólogo contra as nações vizinhas. Estas são as razões para "os julgamentos de Deus contra o seu povo": 1) Desprezaram a lei do Senhor, 4b; 2) Tentaram enganar seu Criador, 4c; 3) Sacrificaram a integridade que Deus lhes dera, 6; 4) Oprimiram os pobres, 7a; 5) Caíram na imoralidade, 7c; 6) Profanaram aquilo que era sagrado, 8,12. Portanto, Deus destruirá todos os que quebraram o concerto com o Senhor, 14-16.

Seção II

SERMÕES SOBRE O FUTURO JULGAMENTO DE ISRAEL

Amós 3.1—6.14

Na segunda seção da profecia, Amós particulariza as acusações apresentadas nos primeiros dois capítulos e enfatiza a finalidade com que fala sobre o julgamento vindouro. Os sermões começam com esta expressão: **Ouvi esta palavra** (3.1; cf. 4.1; 5.1), o que identifica a autoridade do profeta e a fonte de suas declarações.

A. A Relação de Israel com Deus, 3.1-8

Amós lembra a ocasião em que Deus libertou Israel da **terra do Egito** (1). A figura da noiva não é usada aqui da maneira como é empregada em Oséias. Contudo, é possível que o profeta tivesse em mente a mesma comparação quando usou a expressão: **De todas as famílias da terra a vós somente conheci**[1] (2). A razão para a escolha de Deus em estabelecer sua peculiar relação com Israel por "amor-eleição" (ver Introdução de O Livro de Oséias) é tão inescrutável quanto a escolha de uma noiva.[2]

1. A Eleição (3.1,2)

Ao considerar que os filhos de Israel foram especialmente escolhidos, eles têm uma responsabilidade especial. O julgamento de Deus tem de ser mais severo sobre o seu povo por causa da eleição (cf. 2 Cr 36.16; Is 1.2-4). **Ouvi esta palavra que o SENHOR fala contra vós, filhos de Israel** (1).

É a relação descrita no versículo 2 que separa Israel para um papel especial entre as **famílias da terra** e também para uma responsabilidade específica. O pecado de Israel não exige transigência da parte de Jeová por causa dessa relação de concerto, mas julgamento de todas as suas **injustiças**.

2. A Autoridade do Profeta (3.3-8)

Apesar da eleição dos israelitas, eles são rebeldes e arrogantes. A nação não ouvirá o profeta (cf. 2.4; 7.10-13). Amós estabeleceu seu direito e dever de profetizar mediante uma série de símiles retirados da própria vida.[3]

Os versículos 3 a 6 ilustram a relação causal entre as declarações do profeta e sua fonte em Deus. **Andarão dois juntos, se não estiverem de acordo?** (3) não sugere a relação entre Jeová e seu povo, mas entre Deus e seu profeta, que foi enviado a Samaria e Betel para declarar o julgamento contra a nação escolhida.

O **leão** (4) é Jeová (cf. 1.2; Joel 3.16), que não ruge sem causa.[4]

Cairá a ave no laço em terra, se não houver laço para ela? (5). O **laço** (*moquesh*) é uma rede com uma vara para lançamento que só é acionada quando a caça se coloca no lugar pretendido.[5] O castigo é tão merecido quanto certo. Como em Joel, o pecador armou a própria armadilha.

Amós continua no versículo 6 com o mesmo argumento causal. **Tocar-se-á a buzina na cidade, e o povo não estremecerá?** (6). No seu clímax, o profeta compara o iminente julgamento de Deus com o toque da buzina (ou "trombeta", ARA). É um aviso sobre o inimigo que se aproxima e resulta em ansiedade e medo para o povo. O julgamento é de Jeová que usa o inimigo como instrumento de destruição. Assim, **o SENHOR... o terá feito**. Os símiles nos versículos 1 a 6 são nitidamente elucidados nos versículos 7 e 8, onde o pensamento é explicado. Jeová executa seus propósitos de julgamento somente depois de avisar seu povo por meio de seus profetas. "Certamente, o SENHOR Deus não fará coisa alguma, sem primeiro revelar o seu segredo aos seus servos, os profetas" (7, ARA).

Amós defende sua chamada. Ele tem o direito de representar Deus nos julgamentos divinos. **Bramiu o leão... falou o Senhor JEOVÁ** (8). Amós nada pode fazer, exceto profetizar.

B. A Pecaminosidade de Samaria, 3.9—4.3

Agora que foram assentadas as fundações para as declarações autorizadas, Amós passa a revelar o que o Senhor determinou fazer com a nação pecadora.

1. *O Pecado da Opressão* (3.9,10

Os versículos 9 e 10 são uma convocação a **Asdode** (9; a LXX diz Assíria) e ao **Egito** para que se reúnam e vejam os opressores em **Samaria** a fim de que, assim, testemunhem contra o povo de Deus. Mais uma vez Jeová usa nações estrangeiras como instrumento de julgamento. São os habitantes do palácio que julgariam com justiça os pecados dentro dos **palácios** (10) de Samaria. O versículo 10 transmite compaixão e condenação: Eles **não sabem fazer o que é reto**. O povo de Israel perdeu todo senso de realidade moral, honestidade e integridade.

2. *A Destruição Vindoura* (3.11,12)

Um inimigo surgirá, e cercará a tua terra (11), ou seja, o ataque virá de todos os lados. Ele possuirá a terra ao saquear os **palácios** ("fortalezas", NTLH; NVI; cf.

ARA; BV; ECA) e derrubará (lançará abaixo) o esplendor de Samaria. Assim, os inimigos, ao atacarem os morros que circundam a cidade, destruirão suas fortificações e seus belos edifícios.

O profeta conclui com um símile em resposta a uma pergunta presumida: A destruição será total? Ninguém escapará? Amós responde com ironia: "Sim, poucos escaparão!" Será como o **pastor** (12) que recupera **duas pernas ou um pedacinho da orelha** (tíbia e o lóbulo da orelha). A última metade do versículo 12 é outra ilustração da mesma verdade. Quando os **filhos de Israel** forem levados em cativeiro eles terão deixado apenas o **canto da liteira**. O marfim e o tecido fino vinham de **Damasco**. Veja como Smith-Goodspeed traduz a figura: "Um canto do leito e uma perna da cama" (cf. ARA). Samaria será totalmente destruída!

3. O Destino de Betel (3.13-15)

A palavra: **ouvi** (13), coerente com o versículo 9, é dirigida aos pagãos que protestarão **contra a casa de Jacó** (a totalidade de Israel) e aprenderão a lição com a destruição de Samaria. O nome o **Senhor JEOVÁ, o Deus dos Exércitos**, é para fortalecer a declaração de que Jeová é o Deus de todos os povos e tem os recursos suficientes e adequados para executar suas ameaças.

O castigo é estendido aos **altares de Betel** (14), o lugar da idolatria. A destruição incluirá os **chifres do altar**, ou seja, o lugar de refúgio, além das **casas** (15) luxuosas do rei e da nobreza. Os **chifres do altar** eram projeções dos cantos do altar, algo semelhante aos chifres do boi. Possuíam santidade especial como lugar de refúgio (1 Rs 2.28). O cumprimento da profecia ocorreu quando Salmaneser tomou Samaria (2 Rs 17.5,6).

O capítulo 3 oferece pelo menos "três grandes entendimentos espirituais": 1) Privilégio pessoal significa maior responsabilidade, 1,2; 2) Deus não reprova ou convence os homens sem causa, 3-8; 3) Infidelidade a Deus ocasiona julgamento divino, 13-15.

4. A Ganância de Mulheres Egoístas (4.1-3)

Para Amós, a infidelidade de Israel era escandalosamente evidente nos males que vicejavam na sociedade urbana. Ele foi tão estarrecedor no que disse que o sacerdote Amazias considerou as profecias como traição do mais elevado grau e insistiu que "a terra não poderá sofrer todas as suas palavras" (7.10). Os sintomas da maldade se evidenciavam nas senhoras afetadas, de peles lisas e macias, a quem o profeta-pastor comparou com as **vacas de Basã** (1), uma região famosa pelas vacas gordas e saudáveis e pela terra produtiva (Nm 32). Amós acusou as mulheres "da alta sociedade de Samaria" (Moffatt) de pressionar os maridos a obterem riquezas. Para atender o pedido, eles oprimiam o povo. Desta forma, elas eram igualmente responsáveis. Eram constantes em pedir que seus **senhores** (os maridos) "arranjassem meios de libertinagem"[6] (**dai cá, e bebamos**).

Os versículos 2 e 3 identificam o julgamento por causa do pecado das mulheres. De modo incomum, o versículo 2 começa com um juramento solene, fato que supõe a severidade extrema do mal. **Jurou o Senhor JEOVÁ, pela sua santidade**. O Santo não pode tolerar a falta de retidão dos ricos (a opressão tirânica sobre os pobres). É pronunciado o julgamento: **Dias estão para vir sobre vós, em que** os inimigos **vos levarão com anzóis e a vossos descendentes com anzóis de pesca**. O conquistador arrastará os cadáveres para a pilha de refugo fora da cidade, utilizando-se dos ganchos usados para jogar fora carcaças de animais mortos (costume oriental ainda em vigor).

A Versão Bíblica de Berkeley traduz o versículo 3 assim: "Saireis pelas brechas, cada um de vós indo avante; e sereis dirigidos para a fortaleza [*harmon*]".[7]

C. A Profundidade da Culpa de Israel, 4.4—5.3

A profecia volta a tratar a nação como um todo. A ironia do profeta é manifesta. "Continuai praticando vossas ações, sabendo muito bem o que vós estais fazendo e o que inevitavelmente significa!".

1. *O Pecado no Santuário* (4.4,5)

Amós satiriza: **Vinde a Betel e transgredi; a Gilgal, e multiplicai as transgressões** (4). **Betel** era uma cidade instituída de adoração (ver mapa 2). **Gilgal** quer dizer "o círculo". Este determinado local de adoração não era a cidade que ficava perto de Jericó (Js 4.19,20), nem o lugar associado a Eliseu (2 Rs 2.1; 4.38) poucos quilômetros ao norte de Betel. Pode ter havido muitos locais chamado Gilgal que eram lugares de adoração.[8] Poderíamos imaginar que os sacrifícios eram feitos para reconciliação, mas foram usados na adoração de ídolos, atos que ampliavam a separação entre Jeová e seu povo.

O quadro é de grande zelo, com **sacrifícios a cada manhã** e **dízimos** a cada três dias. "Todas as manhãs ofereçam sacrifícios e de três em três dias dêem os seus dízimos" (NTLH). A ironia estava no fato de que, com este zelo exagerado, transformaram as tradições sagradas em adoração idólatra. **Sacrifício de louvores do que é levedado** (5) refere-se aos pães fermentados oferecidos com as ofertas de louvores (Lv 7.11ss). Estes eram usados quando se traziam os pães asmos da oferta pelo pecado.

Porque disso gostais, ó filhos de Israel, pode ser traduzido por: "Pois amais fazer isso, ó povo de Israel" (RSV). O ato de adoração se centralizava neles. Evidenciava ganância, injustiça e opressão, características que Amós denunciou com fervor. O profeta sabia que Deus se preocupava mais com o espírito dos adoradores do que com a mecânica da adoração.

2. *Indiferença ao Castigo* (4.6-12)

Cinco vezes nos versículos 6 a 11 Amós apresenta o Senhor a dizer: **Contudo, não vos convertestes a mim** (6). A frase descreve o amor contínuo de Deus diante da indiferença. O profeta detalhou os castigos do passado pelos quais o Senhor tentara restaurar seu povo ao concerto. A **falta de pão** explica a **limpeza de dentes** (6). O pensamento é repetido quando Jeová reteve a chuva **três meses** (7) antes da colheita, para permitir que chovesse seletivamente nas cidades e nos campos. As chuvas fortes cessavam habitualmente em fevereiro. Amós interpreta que o caráter caprichoso da estação é obra de Deus que impõe a procura de água como em períodos de seca.

Em seguida, o profeta se volta para as **hortas** (9) e as **vinhas**. O Senhor feriu o trigo com ferrugem; as **figueiras** e as **oliveiras** foram devoradas pelos gafanhotos. Em todas estas situações, Amós enumera uma série de julgamentos que eram esforços do Senhor em despertar as pessoas do engano do pecado. Mas só temos o refrão repetido: **Contudo, não vos convertestes a mim**. O julgamento está carregado de ternura.

Amós repete a mesma verdade no quarto castigo: **Enviei a peste contra vós, à maneira do Egito** (10). A combinação de peste e espada (cf. Lv 26.25; Is 10.24,26) é típica de situação de guerra. A matança de **jovens** na guerra à **espada** traria recordações dolorosas aos israelitas (cf. 2 Rs 8.12; 13.3,7). Dos homens e seus cavalos mortos provinham o **fedor** no acampamento. O próprio mal-cheiro era uma recompensa por seus pecados. Mesmo em face da morte, **não vos convertestes a mim, disse o SENHOR**.

Ao conduzi-los progressivamente a castigos maiores, agora o Senhor se refere à ruína de Israel como ocorreu com **Sodoma** (11) e **Gomorra**, as quais Deus destruíra por fogo nos dias de Ló (Gn 19). Repare nesta tradução da primeira parte do versículo 11: "Destruí algumas de suas cidades como fiz com Sodoma e Gomorra" (BV). "O verbo hebraico *haphakh*, 'subverter', também é usado para descrever a destruição ocasionada por um invasor (cf. 2 Sm 10.13), e Marti [...] pode ter razão ao argumentar que o texto diz respeito à situação crítica [...] vigente no tempo do rei Jeoacaz (2 Rs 13.7)",[9] quando Israel realmente era **como um tição arrebatado do incêndio**.

Depois de narrar todo o castigo que Israel sofrera por causa de suas transgressões, o Senhor repete sua determinação de castigar a nação com julgamento, já que não há arrependimento nacional e pessoal. **Prepara-te, ó Israel, para te encontrares com o teu Deus** (12).

3. *Doxologia* (4.13)

Esta doxologia tem forma diferente dos oráculos que a precedem. A descrição contrasta Deus, na glória de sua majestade, com o que foi criado. É o **Deus dos Exércitos** (13) que formou os **montes** e criou o **vento**. O verbo hebraico *bara* (**cria**) indica o poder soberano do Senhor que está totalmente fora do poder criativo humano. Deus **declara ao homem qual é o seu pensamento, o que faz da manhã trevas e pisa os altos da terra**. Tudo isto é uma exposição da soberania divina, uma revelação do Senhor dos exércitos.

Amós, no capítulo 4, relata a integridade de Deus de maneira esplêndida: 1) Ele jura por sua santidade, 2; 2) Ele avisa seu povo, 12; 3) Ele identifica seu nome, 13.

4. *O Fim de uma Nação* (5.1-3)

Os versículos 1 a 3 são uma elegia sobre a queda de Israel. A **lamentação** mencionada no versículo 1 é detalhada no 2. É como se Israel fosse uma **virgem** (2) que **caiu**. A expressão **nunca mais tornará a levantar-se** indica morte da qual não há redenção. Há uma finalidade inexorável nas palavras do profeta. Para Amós, isto não era uma dramatização. Seu coração se partiu ao ver, diante de si, a nação prostrada como na morte. O pronunciamento é mais real quando lembramos que Amós profetizou na plenitude da prosperidade de Israel. Não admira que ele e suas palavras tivessem sido rejeitados como tolice. O versículo 3 interpreta e enfatiza o 2. Israel perecerá na guerra. "Pois o Senhor Deus diz: 'Se uma cidade mandar mil soldados para a guerra, apenas cem voltarão. Se outra cidade mandar cem, voltarão apenas dez com vida'" (BV).

D. Exortação e Condenação, 5.4-15

1. A Verdadeira Religião (5.4-6)

Porque assim diz o SENHOR à casa de Israel: Buscai-me e vivei (4). A exortação expressa claramente o elemento central do ensino de Amós. Ele identifica a verdadeira religião com a justiça (que guarda a lei moral). Quando o povo busca Jeová procura o bem. "A religião que se atarefa com ritos e cerimônias, com sinais e presságios, tem pouco valor para o mundo. Age como uma barreira ao progresso. Não é guiada por princípio racional e, por isso, tende a santificar os costumes e crenças do passado, os quais são incoerentes, absurdos e, na maioria das vezes, prejudiciais. Mas quando a religião se identifica com a natureza moral, tudo isso muda".[10]

Era absolutamente necessário que Amós estabelecesse a máxima moral que o único modo de buscar Jeová era procurar o bem, e não o mal representado pelos santuários em **Gilgal**, **Betel** e **Berseba** (5).

Fosbroke realça que nos versículos 4 e 5 há um desenvolvimento eficaz em dois significados distintos do verbo hebraico *darash* ("buscar"). Em tempos primordiais, era usado com relação a buscar a vontade de um deus por meio de um vidente ou profeta. Mais tarde, veio a ser usado no sentido de voltar para o Senhor e de "ansiar pelo próprio Deus e não por algo que Ele possa dar (Dt 4.29)".[11]

A palavra: **vivei** (6) também significa mais que a prolongação da existência. "Fala da vida com abundância na relação certa com Deus, como na conhecida passagem: 'O homem não viverá só de pão' (Dt 8.3)".[12]

Em certa medida, o conceito de responsabilidade pessoal fora compreendido séculos antes. Mas parece que Amós foi "o primeiro a diferenciá-la da religião popular, e torná-la um princípio fundamental da verdadeira religião. Assim, ele se destaca na história como o grande profeta da lei moral".[13]

As traduções dos versículos 5 e 6 quase não mostram a força rude do texto hebraico. **Mas não busqueis a Betel** (5) é, no original: "E Betel se torna *Bete-Áven*". A palavra hebraica *aven* (idolatria) também significa "maldade". George Adam Smith fala "que não exageraríamos a antítese se empregássemos uma frase que antigamente não era vulgar: E Betel, a casa de Deus, irá para o diabo".[14]

No versículo 6, uma vez mais Jeová identifica seu poder **como um fogo** que consumirá a **casa de José** e purgará a terra da injustiça de **Betel** (Bete-Áven, casa da idolatria).

2. Os Pecados dos Ricos e uma Segunda Doxologia (5.7-13)

Amós gosta muito de construções participiais (cf. 2.7; 4.13). Ele apresenta os pensamentos dos versículos 7 e 8 sem estreita conexão lógica entre si. **Alosna** (7, *haanah*), planta amarga, é termo simbólico que sugere "injustiça amarga" (cf. 6.12). **Deitais por terra a justiça** dá a entender o barulho dos pés ao pisar a bondade que Jeová exige. O versículo 7 deve ser ligado aos 10 a 13. A doxologia dos versículos 8 e 9 é uma interpolação que reconhece que o **SENHOR** pode aniquilar aqueles que deitam **por terra a justiça** (7).

A doxologia identifica o nome daquele que é responsável pelo mistério da Natureza criada. "[Deus] fez as estrelas" (Gn 1.16) era fato conhecido por Amós. É provável que a declaração de que o Senhor criou os astros fosse reação à adoração assíria das estrelas. O versículo mostra o governo de Jeová na terra. A alusão ao dilúvio – **o que chama as águas** (8) – indica o grandioso poder do julgamento que nenhum homem pode desafiar. O **SENHOR é o seu nome** é outro chamamento para reconhecer Deus como Senhor, e voltar-se a Jeová, o Senhor de todos os povos. O versículo 9 fica mais inteligível com a versão de Smith-Goodspeed: "O Senhor é o seu nome; é ele que faz vir súbita ruína sobre o forte e destruição sobre a fortaleza" (cf. ARA; ECA).

Nos versículos 10 a 13, o profeta condena detalhadamente a injustiça social praticada pelos ricos. Começa com uma declaração introdutória sobre a atitude das pessoas para com todo aquele que erguia a voz em protesto **na porta** (10; o tribunal de justiça da cidade). **Ao que os repreende** não deve limitar-se ao profeta, mas inclui toda voz erguida contra o mal.

Os versículos 11 a 13 destacam o castigo pela opressão injusta. As próprias posses angariadas em resultado da opressão serão inúteis. Os opressores não habitarão nas **casas** (11) construídas com **pedras lavradas** (o que fazia tremendo contraste com as casas dos pobres, construídas com madeira e restolho). Eles não beberão o **vinho** das **vinhas desejáveis**. Deus sabe quem aflige o **justo** (12), aceita **resgate** ("suborno", ARA) e ignora os **necessitados** em seu direito de justiça nos tribunais.

O tom do versículo 13 é de resignação. **Portanto, o que for prudente guardará silêncio naquele tempo, porque o tempo será mau**. O **prudente** (*hammaskil*) é quem se mantém em silêncio, não porque não deva falar, mas porque os avisos para nada servem. Os julgamentos de Deus vinham sobre um povo que parecia indolente a conselhos.

3. *O Espírito Penitente* (5.14,15)

Israel se mostrava incorrigível, e o pronto julgamento estava prestes a lhe sobrevir. Não obstante, o **resto de José** (15) se arrependerá de todo o coração. A profecia da destruição prossegue nos versículos 16 e 17, e mostra que Amós pensava que o apelo era em vão. Mas a integridade do Senhor não o permite passar para a fase de julgamento e destruição sem um apelo recorrente. Por isso, o profeta roga: **Buscai o bem e não o mal, para que vivais** (ver comentários nos vv. 4-6); **e assim o SENHOR, o Deus dos Exércitos, estará convosco, como dizeis** (14).

Amós se dirige ao **resto** (15), o fragmento que sobrou de uma nação após uma catástrofe devastadora. Ele ressalta uma vez mais a única maneira possível na qual os israelitas podem escapar do julgamento: **Aborrecei o mal, e amai o bem, e estabelecei o juízo na porta**. O profeta não designa uma promessa, mas uma possibilidade: **talvez**. Em 734-731 a.C., o Israel do Norte foi reduzido a um **resto**. Tiglate-Pileser (ver diagrama A) deixou apenas Efraim depois de obter vitória arrasadora sobre Gileade e a Galiléia e levá-los ao exílio. Smith observa que não é prudente negar a Amós "a mitigação tão natural da destruição que ele fora forçado a passar a um povo que tinha tantos elementos bons que, em pouco tempo, gerou um profeta como Oséias".[15]

O capítulo 5 sugere "os segredos da vida espiritual": 1) Descubra o bem, 14b; 2) Odeie o mal, 15a; 3) Seja constantemente honesto, 15c; 4) Confie no Senhor, 15d.

E. O Aparecimento de Jeová, 5.16-25

1. Pranto (5.16,17)

Estes dois versículos narram o **pranto** (16; "choro", BV; "lamentação", NVI) do povo por causa dos mortos durante o período de julgamento. **Ai! Ai!** indica a lamúria de morte (cf. Jr 22.18). Visto que o luto acontecerá nas cidades, o **lavrador** será chamado às metrópoles para lamentar pelos mortos de sua própria casa. **Os que souberem prantear** (os pranteadores profissionais) também serão contratados para chorar pelos mortos (cf. Jr 9.17,18; Mt 9.23). Até as **vinhas** (17), normalmente cenários de alegria, serão lugares de **pranto**. Amós se baseou em Êxodo 12.12, quando citou: **Passarei pelo meio de ti**. Como o Senhor passou pelo Egito para matar os primogênitos, agora passará por Israel e destruirá os infiéis. A nação do concerto, tornou-se Egito, a nação pagã.

2. Trevas (5.18-20)

A ameaça começa com **ai** (*hoi*) daqueles que apresentam sua "eleição" como livramento certo, apesar de seus pecados. Amós compartilhou a expectativa do **dia do SENHOR!** (18). Porém, sabia que não era um dia de privilégio para Israel. Só podia ser um **dia** de **trevas** (julgamento) para um povo que quebrara o concerto com Jeová. A verdade é reforçada pela descrição pitoresca de um homem que foge de um **leão** (19) e encontra um **urso**; ou a pessoa se apóia na **parede** sem reboco e é mordida por uma **cobra** venenosa. Quem conseguisse escapar de um perigo cairia em outro. No **dia do SENHOR** (18), há perigos em todos os lugares para quem não conhece Deus.

Amós reforça o julgamento no versículo 20. **Será** (*nonne*) é igual a "com certeza": "Sim, aquele dia será de escuridão e desespero para todos vocês" (BV).

3. Repúdio das Festas e Cerimônias (5.21-25)

Em vez de falar sobre o Senhor, Amós apresenta Deus declarando: **Aborreço, desprezo as vossas festas, e as vossas assembléias solenes** (cerimoniais) **não me dão nenhum prazer** (21). Visto que o concerto está quebrado, o Senhor não tem prazer nas cerimônias religiosas. "A adoração externa e insensível não os torna povo de Deus, o qual pode fiar-se na graça divina".[16]

Os versículos 22 a 24 reiteram em estilo hebraico o pensamento do 21. Por não haver virtude nas festas e sacrifícios,[17] eliminou-se o fundamento da "falsa confiança". **Não ouvirei** (23) leva à determinação de rejeitar o culto.[18]

"Em vez disso, corra a retidão como um rio, a justiça como um ribeiro perene!" (24, NVI; cf. BV). Pelo fato de Deus não aceitar adoração hipócrita, o **juízo** correrá como grande inundação sobre a terra (cf. Is 28.2). Como Keil observa, *mishpat* não é o julgamento praticado pelos homens, mas por Deus.[19]

Oferecestes-me vós sacrifícios e oblações no deserto por (estes) **quarenta anos, ó casa de Israel?** (25) é equivalente a uma negação. Não me oferecestes! A apostasia continuara durante os 40 anos no deserto, embora exteriormente fizessem uma porção de seus sacrifícios e ofertas rituais.[20]

F. INVASÃO E EXÍLIO, 5.26—6.14

1. *O Auto-engano da Adoração de Ídolos* (5.26,27)
O versículo 26 está ligado ao 25 mediante contraste. "No tempo em que fostes incrédulos em vossos sacrifícios", **levastes a tenda de vosso Moloque, e o altar das vossas imagens** (26). Embora o versículo seja difícil de traduzir, a intenção é clara. As deidades assírias foram feitas pelas mãos dos homens; elas eram impotentes diante do **SENHOR, cujo nome é Deus dos Exércitos** (27). Há outra versão alternativa para o versículo 26: "Sim, levastes Sicute, vosso rei, Quium, vossa imagem, e o vosso deus-estrela, que fizestes para vós mesmos" (ARA; cf. BV; NTLH; NVI). Por causa desta arrematada apostasia, a nação será levada **para além de Damasco**, desterro já profetizado no versículo 24.

2. *A Auto-suficiência dos Líderes de Israel* (6.1-7)
O mal gerado pela adoração formal foi a falsa confiança gerada no povo quanto à relação do concerto com Jeová. No capítulo 6, "a profecia nos leva da adoração do povo para os banquetes dos ricos, a fim de contrastar essa segurança e extravagância com a peste, guerra e exílio que se aproximavam rapidamente. A tranqüilidade condenada é a tranqüilidade arrogante e orgulhosa".[21] As pessoas que se esbanjavam nas riquezas "estavam totalmente indiferentes à ruína que ameaçava o povo".[22]

Os versículos 1 a 6 demonstram o "luxo extravagante e ostentoso dos ricos" e os "bacanais de homens e mulheres devassos que esqueceram as devoções simples e as decências elementares da vida".[23] Estes eram os líderes de Israel, os **que têm nome entre as primeiras nações** (1; "que são as autoridades desse grande país de Israel", NTLH; cf. BV).

O versículo 2 talvez seja uma interpolação, a qual mostra que **Israel** (1) não é melhor que **Calné**, situada ao norte da Síria, a **grande Hamate**, que fica junto ao rio Orontes, neste mesmo país, e a importante cidade de Gate, na Filístia. Todos estes lugares caíram diante da Assíria (ver mapa 2).

Depois do aviso do versículo 2, prossegue a descrição daqueles **que repousam em Sião** (Jerusalém). Eles têm casas de inverno e verão (3.15), e dormem em **camas de marfim** (4) importadas de Damasco. Devoram **os cordeiros do rebanho e os bezerros do meio da manada**, e cantam preguiçosamente **ao som do alaúde** (5).[24] Estes líderes comodistas bebem irreverentemente **vinho** (6) de **taças** cerimoniais (ou "em grandes taças", NVI) e se ungem **com o mais excelente óleo** (ou "os perfumes mais caros", NTLH) em sinal de alegria. Como líderes, eles deveriam se preocupar com os sintomas da doença moral da nação, mas eles não se afligem **pela quebra** (ruína) **de José**.

A conclusão da descrição encontra-se no versículo 7, que profetiza que a nobreza da terra estará **entre os primeiros que forem cativos**. Eles encabeçarão a procissão de cativos e "o grito dos farristas cessará" (Smith-Goodspeed). O governo acabará.[25] Amós transmite esta profecia em 760 a.C., quando Jeroboão II reinava uma nação próspera. Menos de 40 anos depois, Israel do Norte foi conquistado pela Assíria e todos, menos os pobres, foram levados para o exílio.

Sellin[26] alista cinco formas do pecado de Israel, de acordo com a denúncia de Amós: 1) A exploração dos pobres e a opressão dos necessitados, 2.6; 3.10; 4.1; 5.11; 8.4-6; 2) A falta de justiça e a parcialidade dos juízes, 5.7-12; 3) O luxo ostentador dos ricos em face da ruína iminente, 6.1-6; 4) A substituição das relações mecânicas e mágicas pelas relações pessoais com Jeová, 4.4; 5.5; 6.3; 8.14; 5) A arrogância que ousa se vangloriar em vista do julgamento prometido, 4.2; 9.7.

3. Os Horrores do Assédio (6.8-11)

Como em 4.2, Amós introduz 6.8 com a frase: **Jurou o Senhor JEOVÁ pela sua alma** (*nephesh*), ou seja, pelo ser íntimo ou por sua santidade. Ele entregará a **cidade** por causa da **soberba de Jacó**. Com este orgulho, a nação, em vez depender de Deus, confiara em sua própria auto-suficiência.

A profecia narra detalhadamente o horror do assédio. Ninguém escapará da morte, mesmo que sobrem apenas **dez homens em uma casa** (9). Os israelitas enterravam os mortos, mas em tempos de peste autorizavam a queima dos corpos. O versículo 10 descreve esse tempo de desolação, e o grande terror do julgamento adicional de Jeová. "Um parente será a única pessoa que restou para enterrar alguém, e quando estiver carregando o corpo para ser enterrado, perguntará ao único sobrevivente, que ficou dentro de casa: 'Há mais alguém junto com você?' A resposta será: 'Não', e ele dirá: 'Psiu... não fale o nome do Senhor; Ele pode ouvir" (BV).

4. O Fim de Israel (6.12-14)

Os exemplos de impossibilidades no versículo 12 destacam a certeza do destino de Israel. **Poderão correr cavalos na rocha?** (12). "Alguém pode arar o mar com bois?" (RSV; cf BV). Israel tornara a justiça em **fel** (amargura) e a bondade em **alosna** (veneno).

Amós faz um jogo de palavras com os nomes de *Lo-Debar* (**nada**, 13) e *Carnaim* (**força**). Em hebraico, **nada** é *dhabhar*, cujas consoantes são iguais às da palavra Lo-Debar, cidade situada a leste do rio Jordão. Carnaim (**força**) também é uma cidade na mesma região. Ambas foram conquistadas por Jeroboão II em suas bem-sucedidas campanhas militares em direção ao leste. As duas cidades são relativamente insignificantes; daí, o jogo de palavras com os nomes.[27] Veja como Moffatt traduz o versículo: "Vós tendes tanto orgulho de Lo Debar; pensais que conquistastes Carnaim pela vossa própria força" (cf. NTLH).

As palavras finais do julgamento retornam ao pensamento do versículo 11. O **povo** (14) que o Senhor levantará contra os filhos de Israel, os oprimirá **desde a entrada de Hamate** (a passagem entre as montanhas do Líbano ao norte) "até ao ribeiro da Arabá" (ARA), ao sul de Israel, próximo do mar Morto.

Temos no capítulo 6 uma intrigante lista de "ais" de Amós: 1) Ai daqueles que dependem de rituais e não se apóiam na fé e obediência, 1; 2) Ai daqueles que realmente não obedecem à palavra de Deus, 3; 3) Ai daqueles que gozam de suas riquezas, mas não se preocupam com a transgressão pessoal e nacional, 4-6; 4) Ai daqueles que transformam o fruto da justiça em fel de amargura, 12.

Seção III

VISÕES E EPÍLOGO

Amós 7.1— 9.15

A. As Visões de Amós, 7.1—8.3

Nos capítulos 7 a 9, temos o relato das visões de Amós. Há cinco mensagens nitidamente identificadas. A primeira está em 7.1-3, e a segunda em 7.4-6. A terceira e a quarta têm de ser separadas com precisão das "mensagens fragmentárias" que estão ligadas a elas; as visões em si estão registradas em 7.7-9 e 8.1-3. A quinta é de forma e caráter bem diferentes e provavelmente deve ser considerada parte da passagem de 9.1-4.[1]

O Senhor JEOVÁ assim me fez ver (1) é introdução comum das primeiras quatro entre as cinco visões. A quinta começa com "Vi o Senhor" (9.1). Outro elemento comum em cada uma das primeiras quatro visões é a palavra **eis**, que inicia o teor das mensagens.

1. *Gafanhotos* (7.1-3)

A primeira visão descreve uma "ninhada de gafanhotos" **no princípio do rebento da erva serôdia** (1). Esta seria justamente a época em que as chuvas preparavam as plantações para o crescimento final e a colheita. Não havia momento mais desastroso para a ocorrência da infestação. **A erva serôdia depois da segada do rei** dá a entender que o tributo (imposto) pago ao Estado era tirado da primeira **segada** ("a colheita que pertence ao rei", NTLH). A quebra da segunda safra significaria ausência do rendimento pessoal do lavrador.[2]

Amós percebeu que a subseqüente fome era julgamento sobre Israel. Quando os gafanhotos tivessem **comido completamente a erva da terra** (2), a deixariam no talo, desprovida de frutos, produto e colheita.

Após a descrição da praga há um diálogo entre Amós e o Senhor. "Rogo-te" (ARA) é um "particípio de solicitação", equivalente a "por favor!" (cf. BV). Amós roga pelos israelitas, não como eles se viam, uma "nação orgulhosa e auto-suficiente, mas como Deus os via, um povo pequeno e desamparado". ³ "Como se levantará agora Jacó? Ele é tão pequeno!" (ECA; tradução apoiada por Smith-Goodspeed).

A resposta à súplica de Amós é mostrada na garantia de que a desgraça poderia ser evitada. **Então, o SENHOR se arrependeu disso. Não acontecerá, disse o SENHOR** (3).[4]

2. *Fogo* (7.4-6)

O **fogo** (4) consumidor representa o segundo e mais severo julgamento de Deus contra Israel. **O Senhor JEOVÁ clamava que queria contender por meio do fogo** significa "o Senhor Deus exigia um julgamento por meio do fogo" (BBV; cf. ECA). Ao considerar que o **fogo** é um dos símbolos figurativos da ira de Deus, é possível que o profeta tenha visto o julgamento como um contínuo vento quente do deserto que assola a terra. O fogo era tão intenso que chegava a consumir o **grande abismo**, "o reservatório subterrâneo de águas, que abastecia as fontes (cf. Gn 49.25: 'abismo que está debaixo')".[5]

Amós intercede novamente com as mesmas palavras encontradas no versículo 2 e o Senhor altera sua ação ameaçadora: **Nem isso acontecerá, disse o Senhor JEOVÁ** (6).

3. *Prumo* (7.7-9)

Na terceira visão, Deus fez a pergunta: **Que vês tu, Amós?** (8). O prumo era usado para testar o esquadro de uma construção. Desta forma, a figura descreve que o Senhor exige que seu povo seja reto. Sidney Lovett observa sucintamente que a fome e a seca são ocorrências sazonais fora do controle humano. Daí, a intercessão de Amós ao único que poderia intervir. Porém, "uma parede é o trabalho das mãos do homem. Se, por qualquer motivo, estiver torta, o prumo inexoravelmente marcará a diferença. E desse veredicto não há apelo".[6] Podemos imaginar Amós calado diante do julgamento de Deus. Nada mais havia a dizer. O julgamento era inevitável, porque a construção era obra de homem. Deus declara: **Nunca mais passarei por ele** (8). O versículo 9 determina que o julgamento vindouro abrangerá os **altos de Isaque** (os lugares sagrados no cume dos montes), os **santuários de Israel** (os edifícios sagrados) e a **casa** (a dinastia e família) de **Jeroboão**.

4. *O Conflito com Amazias* (7.10-17)

Nas visões, Amós fala na primeira pessoa. Nesta passagem, temos um relato do antagonismo entre Amós e Amazias, o sumo sacerdote do santuário do bezerro de ouro situado em Betel. Este oratório fora instituído com o intento de impedir que os adoradores fossem a Jerusalém para adorar a Deus.

O anúncio ousado de julgamento sobre o sacerdote e o rei levou **Amazias** (10) a informar Jeroboão II da suposta conspiração de Amós. No parecer dele, **a terra não poderá sofrer todas as suas palavras**. (cf. BV; NTLH). A acusação de Amazias indicava que ele associou Amós com a subversão, e que a pregação causava tremendo prejuízo à nação. Claro que Amós era um profeta a ser temido, visto que sua mensagem era influente.

A confrontação dramática entre o profeta e o sacerdote (11-17) colocou a carreira de Amós em um momento decisivo. Agora suas "severas e intragáveis profecias de destruição nacional" enfrentavam a repressão eclesiástica e régia. A colisão mordaz em Betel

AMÓS 7.10—8.3   VISÕES E EPÍLOGO

"é marco do grande debate entre o sacerdote e o profeta, o conflito renhido entre o Estado e a Igreja, cujo vínculo amargo infesta toda a história subseqüente".⁷ Não se tratava de mero desacordo entre duas personalidades fortes, mas era um conflito de vocação e instituição. Em conseqüência disso, Amazias apresentou uma acusação formal de traição: **Amós tem conspirado contra ti** (10, Jeroboão), pois disse que o rei **morrerá à espada, e Israel certamente será levado para fora da sua terra em cativeiro** (11).

Com a acusação de traição, Amazias deu uma ordem direta a Amós: **Vai-te, ó vidente, foge para a terra de Judá** (12). Em outras palavras: "Volta para o teu lugar e profetiza ali profissionalmente para ganhar o teu pão". A seguir, o sacerdote fez uma proibição: **Mas, em Betel, daqui por diante, não profetizarás mais, porque é o santuário do rei** (13), oratório fundado pelo monarca (1 Rs 12.28). A **casa do reino** (*beth mamlakhah*) era o principal lugar de adoração que o rei estabelecera para o seu governo. Por isso, ninguém teria permissão de profetizar contra o rei ali.⁸ O fato de o sumo sacerdote ter dado estas ordens a Amós dá a entender que Jeroboão não levou a sério a acusação e deixou o assunto nas mãos de Amazias.

Amós respondeu imediatamente à insinuação de que ele era profeta profissional (*nabi*). Ele declarou: **Eu não era profeta, nem filho de profeta** (14, sócio do grêmio dos profetas), **mas boieiro e cultivador de sicômoros** ("cuido de figueiras", NTLH). Ele insistiu no chamado do Senhor, que o mandara deixar o **gado** e dissera: **Vai e profetiza ao meu povo Israel** (15).

A cena era dramática. Ao servir-se de suas próprias palavras, Amós confrontou Amazias e, de imediato, passou a profetizar exatamente como o Senhor ordenara: **Ora, pois, ouve a palavra do SENHOR** (16). Esta é a descrição trágica do castigo de Amazias: **Tua mulher se prostituirá na cidade** (17); quer dizer, quando Betel fosse tomada pela invasão, seria estuprada, seus filhos mortos e sua terra dada a novos colonos. O que aconteceria com Amazias também sucederia com toda a nação, e **Israel certamente será levado cativo para fora da sua terra**.

Numa exposição do capítulo 7, teríamos o título "quando Deus pode usar o homem": 1) Embora de condições humildes, ouve e segue a Deus, 14,15; 2) Está pronto a proclamar a palavra do Senhor mesmo diante de oposição, 12,13; 3) Não tem medo de profetizar a vinda de julgamento, 17.

5. *Cesto de Frutas Maduras* (8.1-3)

A quarta visão é de formato igual às outras e retoma o ponto das três precedentes (7.1-9). A mensagem é semelhante e confirma os julgamentos anteriores. A pergunta do Senhor: **Que vês, Amós?** (2), dá início à visão do cesto de produtos da terra. Eram frutos que amadureceram no verão e foram colhidos no outono. Em hebraico, há uma aliteração com "frutos do verão" (*qayits*) e **o fim** (*qets*). A figura mostra uma nação que está madura para o julgamento e destruição – **chegou o fim sobre o meu povo**.

É lógico que estas visões ocorreram ao longo do período de um ano; os gafanhotos estavam associados com a primavera, o fogo consumidor com o verão e os frutos com o outono. A repetição e severidade crescente devem ter feito Amós perceber a imediação do julgamento e a urgência da profecia.

Mais uma vez, Amós apresenta o Senhor que fala: "Não vou mais adiar o castigo" (2, BV; cf. 7.8). Toda a alegria será transformada em "uivos" (3, ARA; "choro", BV; "lamento",

NVI). **Multiplicar-se-ão os cadáveres; em todos os lugares serão lançados fora em silêncio.** Veja como Keil traduz a parte final do versículo: "Ele os lançou para todos os lugares. Silêncio!" (cf. ARA). A interjeição "Silêncio!" não é um sinal de desespero, mas de "aviso para se curvar diante da tremenda severidade do julgamento de Deus, como ocorre em Sofonias 1.7 (cf. Hc 2.20; Zc 2.17)".[9]

B. Pecado e Julgamento, 8.4-14

Amós 8.4 inicia um grupo de oráculos que não têm relações suficientemente claras entre si, mas reforçam a preocupação do profeta com Israel. Lidam em geral com os pecados da nação e os julgamentos vindouros.

1. *A Opressão dos Pobres* (8.4-7)

A profecia denuncia a opressão dos pobres ao falar diretamente aos gananciosos. **Ouvi isto, vós que anelais o abatimento do necessitado** (4). A **lua nova**[10] (5) e o **sábado** eram dias de repouso, apreciados pelos trabalhadores, mas concedidos com relutância pelos comerciantes. "Os interesses do sábado são os interesses dos pobres; os inimigos do sábado são os inimigos dos pobres. E tudo isso ilustra o que nosso Salvador disse: 'O sábado foi feito por causa do homem'". Diminuir o **efa** era dar menos que a medida completa e devida. Aumentar o **siclo** era cobrar a mais dos compradores. As **balanças** ficavam enganosas pelo uso de pesos falsos.

O propósito dos ricos era tornar os **pobres** mais pobres, de modo que estes fossem forçados a se vender em escravidão **por dinheiro** (6), ou se entregar aos credores por não poderem pagar dívidas não maiores que o preço de **um par de sapatos**. Os comerciantes gananciosos venderiam por lucro até as **cascas do trigo** ("trigo estragado", BV).

O versículo 7 apresenta um sentimento ardente de indignação acerca do caráter destes crimes. Deus é tanto dos pobres como dos ricos, e **jurou o SENHOR pela glória** (excelência) **de Jacó: Eu não me esquecerei de todas as suas obras para sempre!**

Deus jura pela **glória** ou "orgulho" (BV; NVI) **de Jacó** como faz por sua própria santidade. Tão certo quanto Deus é o que é, o Senhor julgará os gananciosos.

2. *Terremoto, Escuridão e Luto* (8.8-10)

O sentimento da ira de Deus é compartilhado pela Natureza. **Não se comoverá a terra?** (8) diz respeito a terremotos. De todos os lados haverá lamento. **Levantar-se-á** refere-se à destruição que também é comparada com a inundação do Egito, ou seja, quando o nível do rio Nilo sobe no período de inundação. Mesmo que a ação não seja tão súbita quanto o choque de um terremoto, a destruição é tão devastadora quanto inevitável. O profeta descreve o mesmo tipo de julgamento em 9.5,6.

Após a ameaça de terremoto, há a predição do eclipse[11] (9). No terror dessa noite inatural, os **cânticos** se converterão em **luto** (10) e **lamentações**. O uso de **pano de saco** e a **calva sobre toda cabeça** eram sinais de luto (cf. Is 3.24). A tristeza será grande e severa, como o luto pela morte de **filho único** (cf. Jr 6.26; Zc 12.10). **E o seu fim como dia de amarguras** sugere que o julgamento não seria de curta duração. "Aquele dia será amargo, muito amargo" (BV).

3. Fome e Sede (8.11-14)

O julgamento de Deus fica progressivamente mais severo. A **fome sobre a terra** (11) e a **sede** não eram por falta de comida e água, mas por escassez das **palavras do SENHOR**. A profecia diz que esta **palavra do SENHOR** (12) é a luz de sua revelação. Aqueles que hoje não apreciam sua Palavra terão fome e sede pelo que outrora ignoraram e rejeitaram.

O versículo 12 descreve como será o desejo ardente que sentirão. **Irão errantes** ("correrão por toda parte", ARA) de uma extremidade à outra da terra. De **Norte** a Sul e de Leste a Oeste, eles **correrão... em busca da palavra do SENHOR, e não a acharão**. Até as **virgens formosas e os jovens** (13) definharão de **sede** pela Palavra. Estes indivíduos representam os mais fortes da nação. E quanto aos fracos?

O versículo 14 é difícil de interpretar. Atualmente, o consenso geral é que o **delito** (culpa) **de Samaria** (*ashmath shomeron*) se refira ao bezerro de ouro de Betel, o principal ídolo daquela cidade colocado no santuário nacional (cf. 4.4,5).[12] A referência a **Dã**, no extremo norte, e a **Berseba**, no distante sul, revela a amplitude da infecção idolátrica por toda a terra.

O caminho de Berseba (14) fala da peregrinação ao local de adoração e não se refere ao ato de adoração em si. Esta devoção não era a ídolos pagãos, mas provavelmente se tratava de uma ação idólatra a Jeová. Acerca dos adoradores, Amós declara: **Esses mesmos cairão e não se levantarão mais** (14). O cumprimento desta profecia começou com o exílio das dez tribos. Continua até hoje para aqueles que ainda esperam o Messias.

C. O Julgamento Inexorável, 9.1-7

1. A Quinta Visão (9.1-4)

Amós declara: **Vi o Senhor, que estava em pé sobre o altar** (1). Esta quinta visão em Betel evoca a solenidade de posse de Isaías (Is 6.1-13). Deus já se mostrara em meio ao julgamento, cuja "tônica é a completude e a impossibilidade de escape".[13] Na visão de Isaías, o Senhor estava sentado em um trono, mas Amós o viu em pé com a palavra final: **Fere**.

Os versículos 1 a 4 são formados por cinco estrofes de quatro linhas cada, com parelhas de versos que transmitem um pensamento próprio. Mas com isso, a profecia comunica a finalidade do julgamento sobre toda a nação do concerto, à qual Israel ainda pertencia, embora estivesse separado da casa de Davi.[14]

O Senhor aparece **sobre o altar** diante de toda a nação reunida no santuário. Seu julgamento destruirá o templo até os alicerces e soterrará as pessoas. O **capitel** é o "topo das colunas" (NVI), de modo que de cima abaixo o lugar cairá aos pedaços. (Possivelmente, previsão do terremoto violento como instrumento de julgamento.) O golpe nas colunas até que os **umbrais** ("soleiras das portas") estremeçam, representa retoricamente a finalidade da destruição da vida nacional. "Sacuda o templo até que as colunas caiam e o telhado desabe sobre o povo" (BV). Ninguém escapará, "e os que sobrarem matarei à espada" (NVI).

Os versículos 2 a 4 destacam a conclusão inexorável do julgamento de Deus sobre o povo que quebrou o concerto. O linguajar da onipresença de Deus relembra o salmo 139.7-9. Nem o **inferno** (2, *sheol*, "a sepultura", ECA), nem o **céu** ("os céus", NVI), nem o **cume do Carmelo** (3; uma montanha alta), nem o **fundo do mar**, nem o **cativeiro**

(4; residência em terra estrangeira) podem salvar os israelitas da vingança onipresente de Deus. A **serpente... os morderá** tem esta interpretação: "Eu mandarei a serpente marinha ['dragão', Moffatt] atacá-los e destruí-los" (BV). Amós resume a passagem: **Eu porei os meus olhos sobre eles para mal e não para bem**. "É o povo mais ricamente abençoado do mundo, mas também o mais severamente castigado".[15]

2. A Terceira Doxologia (9.5,6)

Esta terceira doxologia de Amós declara novamente (cf. 4.13; 5.8,9) a majestade transcendente de Jeová, profecia que recorda e parcialmente repete 8.8. Moffatt traduz o versículo 5: "Este é o Eterno, o Senhor dos exércitos, a cujo toque a terra treme" (cf. NVI). A profecia dá a entender que o "terremoto" é castigo. **Subirá** talvez se refira à ação soberana de julgamento e misericórdia de Deus. **E se submergirá** seria o efeito do julgamento do Senhor sobre o povo. O versículo 6 declara uma vez mais o poder universal de Deus sobre todas as nações. Preste atenção nesta paráfrase da primeira parte do versículo 6: "A habitação do Senhor se estende pelos céus, na terra Ele também habita" (BV). **As águas do mar** representam as nações da terra que se derramarão sobre Israel em julgamento. **O SENHOR** (*Yahweh*) **é o seu nome** identifica o **SENHOR dos Exércitos** (5) e destaca novamente Aquele que pode fazer com que tudo isso aconteça.

3. O Senhor de todas as Nações (9.7)

O famoso sétimo versículo é o ponto culminante dos ensinos de Amós concernentes à universalidade de Deus. Mais uma vez, porém de maneira mais articulada, o profeta enfatiza a verdade da unidade do Senhor (cf. Dt 6.4). Não há outro Deus. Todos os outros assim chamados são falsos. Ao mesmo tempo em que Amós insistia que fora Jeová que resgatara Israel do Egito, era igualmente insistente em afirmar que o Senhor trouxera os **filisteus, de Caftor**, e os **siros, de Quir**.[16] Também coloca os **etíopes** no mesmo patamar que os filhos de Israel: **Não sois vós para mim, ó filhos de Israel, como os filhos dos etíopes?** Desta forma, Amós nivela por baixo a segurança carnal de Israel que confiava em sua posição de povo escolhido.

D. Epílogo, 9.8-15

1. Julgamento Purificador (9.8-10)

O julgamento de Deus predito no versículo 8 cumpriu-se com a queda de Samaria, em 722 a.C., e a destruição de Jerusalém, em 586 a.C. (ver diagrama A). À primeira vista, esta passagem parece redundante, mas abre um novo panorama cujo ápice é a promessa de restauração no versículo 14.

Precisamos entender que a **casa de Jacó** (8) não é meramente Judá em contraste com o reino de Israel. Aqui, Jacó representa o Israel inteiro. Amós mostra que depois que a nação fosse banida **como se sacode grão no crivo** (9), os servos fiéis de Deus seriam preservados. Este resto será uma "semente santa", da qual o reino de Deus crescerá. Neste ponto, a profecia distingue entre a nação má e as pessoas fiéis, pois deveria ter havido pelo menos algumas. No versículo 10, esta distinção desencadeia um aviso solene para que os **pecadores** não se enganem ao pensar que escaparão do julgamento do Senhor.

2. Restauração (9.11,12)

A profecia se encerra com a promessa de restauração do remanescente fiel e o estabelecimento do reino de Deus. **Naquele dia** (11), quando o julgamento for executado, **tornarei a levantar a tenda** ("tabernáculo", ARA) **de Davi**. Neste oráculo, soa uma nota de esperança em face do desespero. Bem no fundo do coração das pessoas jazia "a memória do período áureo de Davi". [17] A possibilidade da volta desse tempo, mesmo quando a força do reino davídico tinha caído, revelou a mão de Jeová em "governar o curso da história. 'Aquele que ferira poderia curar'". [18] O versículo 12 promete que as nações circunvizinhas, inclusive **Edom** (ver mapa 2), serão reconquistadas. A frase: **chamadas pelo meu nome** indica meramente que estas nações também estão sob o poder do Senhor. Não há dúvida de que a **tenda de Davi** se refere ao reinado do Messias. Baseado nesta passagem, os judeus autenticaram um nome para designar o Messias: *Felius cadentium*, que significa "Aquele que brotara da choupana caída".[19]

3. Bênçãos para a Natureza (9.13)

O oráculo final é uma "música agradável, como os pássaros que saem depois do temporal e os montes úmidos que brilham ao sol". [20] No reino messiânico as pessoas gozarão as promessas de Moisés (Lv 26.5): **O que lavra alcançará ao que sega**. Enquanto uns estiverem no arado, outros colherão por causa do crescimento rápido das plantações. O trabalho de quem **pisa as uvas** sobreporá ao empenho de quem **lança a semente**. As pessoas verão este tempo maravilhoso como se o Deus de todas as nações, o Senhor dos exércitos, fizesse os **montes** gotejarem **mosto** ("vinho novo", ECA; NVI, que é doce) e os **outeiros** o produzirem "à vontade, como um rio" (NTLH). Finalmente, Israel comerá o fruto de sua herança.

4. A Volta do Remanescente (9.14,15)

Smith-Goodspeed traduz assim a declaração de abertura do versículo 14: "E restabelecerei a sorte do meu povo de Israel" (cf. ARA; BV). George Adam Smith tem esta versão: "Reverterei o cativeiro do meu povo Israel" (cf. ECA; NVI). Em virtude do fato de a terra ser abençoada com grandíssima fertilidade (13), o remanescente fiel desfrutará as bênçãos contínuas de paz e prosperidade. **E reedificarão as cidades assoladas, e nelas habitarão, e plantarão vinhas, e beberão o seu vinho, e farão pomares, e lhes comerão o fruto** (14).

O texto não evidencia razão para o aparecimento desta linda profecia messiânica. Trata-se de uma defesa da justiça de Jeová que tal promessa do surgimento do Messias venha de um profeta que passou a maior parte do tempo predizendo a ruína absoluta e final de um povo pecador. Até da destruição brota a esperança, tão permanente quanto os julgamentos precedentes. **E não serão mais arrancados da sua terra que lhes dei, diz o SENHOR, teu Deus** (15).

Podemos desenvolver duas exposições do capítulo final de Amós. A primeira é "a presença maravilhosa de Deus": 1) Sua onipotência, 1; 2) Sua onisciência, 2; 3) Sua onipresença, 4. A segunda seria "o maravilhoso poder reconstituinte de Deus": 1) O levantamento dos caídos, 11; 2) Em Deus, há dias melhores por vir, 13,14; 3) A promessa eterna de Deus, 15.

É com esta confiança que Amós, de Tecoa, nos deixa. "Os dias que passaram serviram apenas para autenticar sua palavra profética". O Deus que destrói por causa do pecado "no deserto do desespero e da destruição passará ao cumprimento de tudo que é parcial",[21] enquanto durar a provação do homem. Podemos ampliar as palavras de Paulo para mostrar o propósito soberano e eterno de Deus: "Aquele que em vós começou a boa obra a aperfeiçoará até ao Dia de Jesus Cristo" (Fp 1.6).[22]

Notas

INTRODUÇÃO

[1] Hughell E. W. Fosbroke, "Amos" (Exegesis), *The Interpreter's Bible*, editado por George A. Buttrick *et al.*, Vol. VI (Nova York: Abingdon Press, 1956), p. 763.

SEÇÃO I

[1] S. R. Driver, *An Introduction to the Literature of the Old Testament* (Nova York: Charles Scribner's Sons, 1891), p. 294.

[2] A palavra hebraica *noqedh* não é o termo habitual para referir-se a pastor; tem, em geral, o sentido de "criador de ovelhas" (cf. NVI). É provável que Amós viajasse ao Reino do Norte para vender lã, quando então se familiarizou com as condições gerais vigentes ali ("Amos", IB, *op. cit.*, p. 977).

[3] Bernard W. Anderson, *Understanding the Old Testament* (Englewood, Nova Jersey: Prentice-Hall, Incorporated, 1957), p. 228.

[4] Os reinados contemporâneos de Jeroboão II, de Israel, e Uzias, de Judá, foram marcados por excepcional prosperidade em ambos os governos. Esta situação perdurou por boa parte da primeira metade do século VIII a.C.

[5] **Carmelo** é o promontório à foz do ribeiro de Quisom, no Mediterrâneo, e não é a cidade de igual nome em Judá. Assim, para Amós, **pastores** (2) e **Carmelo** representam Israel. Até o "cume apinhado de árvores do monte Carmelo esmorecerá e murchará" (C. F. Keil e Franz Delitzsch, "The Twelve Minor Prophets", *Biblical Commentary on the Old Testament*, vol. I [Grand Rapids: William B. Eerdmans Publishing Company, 1954, reimpressão], p. 241).

[6] Keil ressalta que o "extermínio" dos habitantes de Biqueate-Áven indica "matança" e não deportação (1.5). O verbo hebraico *hikhith* significa "exterminar", "de forma que *galah* (cativeiro) na última frase [do versículo] se aplica ao resto da população que não fora morta na guerra" (*op. cit.*, p. 243). O príncipe e o povo perecerão. Vale-Áven e **Bete-Éden** eram provavelmente as capitais da nação. Originalmente, os sírios emigraram de Quir (9.7), que ficava bem a leste (Is 22.6).

[7] Os edomitas tinham íntimas relações de parentesco com Israel através de Esaú (Gn 36). Estavam estrategicamente situados na foz do golfo de Áqaba e eram ricos em recursos naturais e hábeis nos tratos comerciais. Por terem sido sujeitos a Israel desde os dias de Davi, a oportunidade de vingança apareceu e foi aproveitada em 586 a.C. com a queda de Jerusalém. É a este período que o julgamento tem de se referir (George Adam Smith, *The Book of the Twelve Prophets*, vol. I, edição revista [Nova York: Harper & Brothers, 1940], pp. 128-130).

[8] Keil, *op. cit.*, p. 250. Ao levar em conta que são mencionados somente os pecados cometidos contra a nação do concerto, deve ter havido certa relação do rei de Edom com os israelitas como vassalo de Judá.

[9] Anderson, *op. cit.*, p. 230.

[10] Certos comentaristas acreditam que Amós 2.4,5 é uma inserção posterior, de tônica deuteronômica, por causa do vocabulário legal usado ali. Verdadeiro ou não, "o oráculo contra Judá representava a crença de que a estreiteza de relacionamento com Deus não isentava o povo dessa sujeição severa ao justo julgamento, sobre o qual Amós tinha falado" ("Amos", IB, *op. cit.*, p. 786).

[11] Amós chama os ídolos de **mentiras**, porque são meras invencionices e não entidades reais, por não possuírem a realidade em si mesmos.

[12] Keil, *op. cit.*, p. 252. "Certos comentários (cf. Arthur Weiser, *Die Profetie des Amos*: Alfred Topelmann, 1929, pp. 90, 91) destacam que o verbo empregado aqui (vender) é usado para referir-se a vender em escravidão (Gn 37.27,28; Êx 21.16)" ("Amos", IB, *op. cit.*, p. 786).

[13] Há certa diferença de julgamento quanto à significação da passagem. Certos comentaristas (IB, p. 787) indicam que se refere à prostituição do templo, na qual os velhos e os jovens freqüentavam o santuário com este propósito. Amós não usa o termo hebraico *queheshah* (prostituta sagrada). Ele meramente declara que "vão a uma moça". Em todo caso, a prática é condenada por ser profanação contra o santo nome de Jeová.

[14] John A. Sampey, *The Heart of the Old Testament* (Nashville: Broadman Press, 1922), p. 152.

[15] *Ib.*, p. 790; W. K. Lowther Clarke, *Concise Bible Commentary* (Nova York: Macmillan Company, 1954), p. 599.

[16] "Amos", IB, vol. VI, p. 790.

SEÇÃO II

[1] O verbo hebraico *yadha* (conhecer) e o substantivo *daath* referem-se ao aspecto cognitivo de conhecimento (ver Introdução de O livro de Oséias) e ao saber obtido pelas emoções. Tal aspecto de "conhecimento" acha-se também em o homem "conhecer" sua esposa. O emprego do verbo em 3.2 é consistente com o uso do termo em Oséias 2.14; Jeremias 3.14; 31.32; Is 54.5,6 (Knight, *op. cit.*, pp. 177, 178).

[2] George F. A. Knight, *A Christian Theology of the Old Testament* (Richmond, Virgínia: John Knox Press, 1959), pp. 200, 201.

[3] Keil, *op. cit.*, p. 259.

[4] O termo hebraico *kephir* alude ao **leão** que sai para caçar. É diferente de *gur* (**leãozinho**) que ainda não pode atacar e chora **no covil** (4). Os dois símiles têm significados semelhantes: "Deus não só tem diante de si a nação que está madura para o julgamento, mas a tem no seu poder" (*ib.*, p. 261).

[5] W. J. Deane, "Hosea" (Exposition). *The Pulpit Commentary: Amos to Micah*, editado por H. D. M. Spence e Joseph S. Exell (Nova York: Funk & Wagnalls Company, s.d.), p. 40.

[6] Keil, *op. cit.*, p. 267.

[7] O significado do texto hebraico é bastante vago. A palavra traduzida por **palácio** é *hermonah* ou *harmon*. Todos os comentaristas concordam que não se sabe o que significa *harmon*. Sua etimologia denota terra alta, mas não pode ser considerada no sentido de *armon* (fortaleza ou palácio). Esta palavra aparece só uma vez na literatura sagrada (*ib.*, p. 269).

[8] "Amos", IB, vol. VI, p. 804.

[9] "Amos", IB, vol. IV, p. 808.

[10] Albert C. Knudson, *The Beacon Lights of Prophecy* (Nova York: The Methodist Book Concern, 1914), p. 83.

[11] "Amos", IB, vol. VI, p. 811.

[12] *Ib.*

[13] Knudson, *op. cit.*, p. 84.

[14] Smith, *op. cit.*, p. 169. Oséias usa o termo Bete-Áven (casa da idolatria) mais do que Betel (casa de Deus).

[15] Smith, *op. cit.*, p. 172.

[16] Keil, *op. cit.*, p. 287.

[17] **Holocaustos** (*zebhachim*) e **ofertas de manjares** (*minchah*) são mencionados para denotar sacrifícios de todos os tipos (Keil, *op. cit.*, p. 291).

[18] Amós alista as ofertas essenciais que, no todo, representavam "o meio sacro de amizade entre Deus e os homens" ("Amós", IB, vol. VI, p. 819).

[19] Keil, *op. cit.*, p. 289.

[20] Amós não insinua que Jeová não se agradava da adoração, mas que estava descontente com a hipocrisia dessa adoração.

[21] Smith, *op. cit.*, p. 178.

[22] Frederick Carl Eiselen, *Prophecy and the Prophets* (Nova York: The Methodist Book Concern, 1909), p. 46.

[23] John Paterson, *The Goodly Fellowship of the Prophets* (Nova York: The Methodist Book Concern, 1909), p. 46.

[24] A frase: **inventais para vós instrumentos músicos, como Davi** (5), é difícil de entender, porque ocasiona interpretações várias. O IB sugere: "gritando, imaginam estar cantando" (p. 824).

[25] Ver George L. Robinson, *The Twelve Minor Prophets* (Nova York: George H. Doran & Company, 1926), p. 54, para inteirar-se de uma explicação mais completa.

[26] John Paterson, *op. cit.*, p. 33, que cita Ernest Sellin, "Das Zwolfprophetenbuch Erste Haefte", *Kommentar Zum Alten Testament XII*, 1929, p. 184.

[27] "Amós", IB, vol. VI, p. 827.

SEÇÃO III

[1] John D. W. Watts, *Vision and Prophecy in Amos* (Grand Rapids: William B. Eerdmans Publishing Company, 1958), p. 28.

[2] Norman Snaith ressalta que não se tem notícia de semelhante tributo em Israel e interpreta a passagem por "tosquia", que é o significado habitual do termo hebraico traduzido por **segada** (citado em "Amós", IB, vol. VI, p. 831).

[3] *Ib.*

[4] Na interpretação de Keil, os vv. 1-3 narram a intercessão de Amós na presença do Senhor depois que a hortaliça (Gn 1.11, a "erva verde") foi comida pelos gafanhotos e antes do consumo da segunda colheita. Assim Israel seria poupado da destruição completa (*op. cit.*, p. 307).

[5] Clarke, *op. cit.*, p. 601.

[6] "Amós", IB, vol. VI, p. 834.

[7] *Ib.*

[8] Keil, *op. cit.*, p. 312.

[9] *Ib.*, p. 314. Fosbroke é de opinião de que o silêncio refere-se ao "silêncio de desespero que fica remoendo a cena". Em todo caso, a seriedade da ocasião era evidente para Amós ("Amós", IB, vol. VI, p. 389).

[10] A **lua nova** (*chodesh*) era um feriado no qual todo o comércio parava, da mesma maneira que ocorria no **sábado** (cf. Nm 28.11; 2 Rs 4.23).

[11] Smith salienta que houve eclipse em 803 a.C. e 763 a.C. É provável que a lembrança desses fenômenos tenha inspirado o simbolismo desta passagem (*ib.*, p. 191).

[12] Keil, *op. cit.*, pp. 318, 319.

[13] Watts, *op. cit.*, p. 47.

[14] "Ainda que o artigo hebraico antes de *kammizbeach* indique o altar do santuário em Betel, e parece se prender a 8.14 de modo explicativo, não há prova de que a profecia de Amós seja dirigida apenas contra Israel. [...] O Senhor brama de Sião a Sião, e de Sião levanta a voz (1.2) contra todas as nações que foram hostis com Judá ou Israel, bem como contra Judá e Israel por terem se apartado da lei" (cf. 2.4,6ss). (Keil, *op. cit.*, p. 321).

[15] *Ib.*, p. 325, conforme citado por Hengstenberg.

[16] Em geral, **Caftor** é associado com Creta, **Quir** a algum ponto extremo a nordeste. Jeová é designado Senhor de Damasco (1.3-5) e de Tiro (1.9,10). "Assim, Amós ofereceu a Israel nova profundidade ao denominado primeiro mandamento, [...] sem declarar explicitamente em nenhum lugar que *Yahweh* é o único Deus" (Knight, *op. cit.*, p. 63).

[17] "Amos", IB, vol. VI, p. 851.

[18] *Ib.*

[19] Keil, *op. cit.*, p. 331.

[20] Smith, *op. cit.*, p. 202.

[21] "Amos", IB, vol. VI, p. 852.

[22] *Ib.*

O Livro de
OBADIAS

Armor D. Peisker

Introdução

"Digam para aquela raposa que [...] terminarei o meu trabalho". Com estas palavras, Jesus enfrentou o aviso que os fariseus lhe deram para que saísse da região, porque Herodes Antipas planejava prendê-lo (Lc 13.32, NTLH).

Ao enfrentar de maneira corajosa o enredo assassino do edomita Herodes, Jesus mostrou incidentemente a hostilidade amarga e secular que existira entre os dois povos. Ressaltou, também, a descendência de cada um: os edomitas eram filhos de Esaú, e os israelitas, de Jacó. Os antepassados de Herodes são os personagens envolvidos na profecia de Obadias.

As palavras de Jesus identificam que Herodes era inteligente, cruel e maquinador. A história indica que estas eram as características gerais dos filhos de Esaú.

No Novo Testamento, o escritor aos Hebreus escreve que Esaú era "profano", ou, como diríamos hoje em dia, ateu, materialista e secularista. Sua descendência também seguiu esse padrão. Ao escrever sobre isso, George Adam Smith menciona o fato de que, no Antigo Testamento, nunca lemos acerca dos deuses edomitas. Diz que, embora tivessem divindades, "eram essencialmente irreligiosos, vivendo para comer, saquear e vingar-se – povo que merecia castigo maior que os filisteus e ter o nome aviltado como símbolo de dureza e ignorância". [1]

Jacó e seus descendentes eram conhecidos pela esperteza, mas eram indivíduos profundamente religiosos e possuíam visão espiritual e fé – em essência, o oposto dos edomitas. Eram nesta divergência de interesses e propósito que estavam as raízes do antagonismo entre Edom e Israel.

No Antigo Testamento, a primeira vez que estes inimigos hereditários de Israel são mencionados é em Gênesis 25.30 e a última, em Malaquias 1.2-5. O longo registro entre essas referências forma um relato das relações trágicas entre Israel e Edom. Vários profetas israelitas predisseram a destruição de Esaú: Isaías 34.5-8; 63.1-4; Jeremias 49.17; Ezequiel 25.12-14; 35.1-15; Amós 1.11,12. O fato de Edom ser um tema recorrente nos profetas hebreus ajuda a explicar a semelhança entre Obadias 1-9 e Jeremias 49.7-22. É possível que o primeiro tivesse copiado o pensamento do segundo; porém, o mais provável é que ambos usaram a obra de outro profeta que escreveu antes deles. No entanto, Obadias é de caráter único entre os profetas no fato de ocupar-se exclusivamente com a nação de Edom.

Não sabemos quem era Obadias. Vários homens que aparecem na história do Antigo Testamento tinham este nome, que significa "servo (ou adorador) do Senhor". Mas nenhum deles é o autor deste livro.

Obadias não declara quando entregou sua severa denúncia profética. Datar o escrito, que é o livro mais curto do Antigo Testamento, é um problema. Talvez a chave encontre-se no versículo 11, mas os estudiosos discordam entre si quanto a que evento específico na história de Jerusalém se refira a profecia de Obadias. É provável que tenha entregado sua mensagem logo em seguida à queda de Jerusalém diante de Nabucodonosor, em 586 a.C. Portanto, suas profecias se relacionam com essa ocasião.

Esboço

I. O Julgamento de Edom, 1-9

II. Razões para o Julgamento, 10-14

III. O Dia do Senhor, 15-21

Seção I

O JULGAMENTO DE EDOM

Obadias 1-9

O livro começa com o título: **Visão de Obadias** (1). O termo traduzido por **visão** é a palavra comumente usada para descrever o teor de uma revelação divina dada a um dos profetas (Is 1.1; Jr 14.14; Ez 7.26; Na 1.1). Ao se referir à **pregação** ("novas", ARA; "notícia", BV) **do SENHOR**, talvez Obadias afirme que cita algum dos profetas de Deus – palavras as quais percebia que na ocasião eram particularmente pertinentes (cf. Jr 49.14). O **embaixador** (ou "mensageiro", ARA) que **foi enviado às nações** pode ter sido uma pessoa ou pessoas subversivas enviadas por um rei para incitar as nações circunvizinhas contra Edom. Também é possível que o profeta se refira a um espírito instigador do desassossego geral, inveja e má vontade para com Edom (ver mapa 1) entre as nações vizinhas, que fora resultado de causas políticas. Qualquer que tenha sido a situação serviu como mensageiro do Senhor, pois Deus a usou para dar início ao seu propósito de julgar os edomitas.

Deus não interfe nos assuntos edomitas, de certa maneira notavelmente milagrosa, mas elaborava a conspiração e deslealdade das nações circunvizinhas. Estes fatos nos lembram que "há no mundo forças históricas em operação que tornam precária a posição de qualquer nação, por mais forte que pareça. A mensagem de Obadias é peculiarmente apropriada como declaração profética que toda nação poderosa, rica e bem estabelecida faz bem em ouvir".[1]

Eis que te fiz pequeno... tu és mui desprezado (2) é mais bem traduzido pelo modo profético: "Eis que te farei pequeno [...]; tu serás totalmente desprezado" (ECA). O texto hebraico diz respeito a algo já determinado na mente de Deus, mas que ainda está no futuro humano (cf. ATA; NTLH; NVI; VBB).

A terra de Edom se estendia ao longo das encostas da cadeia de montanhas rochosas do monte Seir, em direção do golfo de Áqaba e chegava quase ao mar Morto. O território variava de regiões férteis, que produziam trigo, uva, figo, romã e azeitona, a altos picos montanhosos separados por desfiladeiros profundos. A meio caminho na principal cadeia montanhosa, elevava-se o monte Hor, alto e sombrio acima do terreno circunvizinho e a curta distância da capital Sela ou Petra, que se situava em um profundo vale cercado por 60 metros de precipício, acessível somente por uma abertura estreita de uns 3,5 metros de largura.

Assim, os edomitas habitavam literalmente **nas fendas das rochas** (3), cuja posição era praticamente impenetrável e inconquistável. Por muitas gerações tinham vivido seguros. Nenhum inimigo conseguira entrar pelos caminhos estreitos dos desfiladeiros que conduziam às principais cidades talhadas nas paredes rochosas das montanhas. Nessas posições, uma pequena companhia militar de edomitas podia facilmente defender a passagem entre as montanhas contra um exército inteiro de invasores. Essa posição elevada permitia que observassem as atividades dos povos em redor. Como o leão pronto para se lançar sobre a presa, os edomitas sempre estavam alertas para se dedicar ao saque de seus vizinhos sempre que a ocasião fosse oportuna.

Por ser um povo inteligente, os edomitas desenvolveram uma civilização muito superior às tribos que vagavam pelos desertos circunvizinhos. De suas casas no alto, controlavam as rotas comerciais de Áqaba e do Egito (ver mapa 1). Este comércio lhes dava acesso a mercadorias e riquezas desconhecidas por seus vizinhos. Em conseqüência disso, ficaram orgulhosos, arrogantes e hostis (3).

Viviam isolados e sozinhos como a águia, com suas casas no alto da solidez montanhosa – por assim dizer, **entre as estrelas** (4). Mas por seu orgulho eles seriam derrubados, de acordo com o princípio de vida expressado em Provérbios 16.18: "A soberba precede a ruína, e a altivez do espírito precede a queda". A bravata de Edom também é condenada em Ezequiel 35.13.

Os julgamentos de Deus tinham de ser severos. O profeta lembra os edomitas que quando um grupo de ladrões faz uma invasão noturna, ou quando colhedores de uva passam por um vinhedo, sempre deixam algo. Mas não será assim com os espoliadores que virão contra Edom. A nação será totalmente devastada. Edom, o descendente de **Esaú** (6), será reduzido a nada. Seus bens e riquezas entesourados, escondidos nas cavernas mais secretas, inacessíveis e armazenados nas fortalezas mais espetaculares, serão vasculhados e confiscados (cf. Jr 49.10). A tradução que George Adam Smith[2] faz dos versículos 5 e 6 é proveitosa:

> Como tu estás completamente arruinado!
> Se ladrões noturnos tivessem entrado em tua casa,
> Eles teriam roubado mais do que precisassem?
> Se colhedores de uva tivessem entrado em teu terreno,
> Eles não teriam deixado os respigos?
> Como Esaú foi pilhado,
> Como foram roubados seus tesouros!

Os edomitas buscavam abrigo e segurança nas fendas das rochas. Ao rirem talvez da profecia de Obadias, mostravam-se confiantes em sua pátria rochosa, nunca antes invadida. Estavam certos de que ali estariam protegidos até da vingança de Deus profe-

O JULGAMENTO DE EDOM   OBADIAS 6-9

tizada pelo profeta. Mas, sua esperança de refúgio era vã, como é a esperança de todos os que resistem a Deus. Só nele há segurança. Existe alguém acerca de quem Isaías escreveu que é "como um esconderijo contra o vento, e como um refúgio contra a tempestade, [...] e como a sombra de uma grande rocha em terra sedenta" (Is 32.2). Deus é único. Em nosso Senhor Jesus Cristo todos que quiserem acham refúgio seguro de toda deflagração de julgamento que vier. W. O. Cushing alegrou-se com essa realidade e escreveu:

> *Oh, firme na Rocha que é mais alta que eu,*
> *Minha alma fugiria de seus conflitos e tristezas.*
> *Sou tão pecador, estou tão cansado, Teu somente serei.*
> *Tu és a bendita "Rocha dos Séculos", em Ti me refugio.* (N. do T.)

Os edomitas orgulhavam-se de seus tesouros, como os povos e nações de hoje. Mas a Bíblia contém muitos avisos para não pormos a confiança nas riquezas terrenas. Leia Salmo 62.10; Provérbios 23.5; 1 Timóteo 6.5-11 e comprove a verdade destes ensinamentos divinos.

A destruição de Edom seria muito mais amarga, porque viria das mãos de amigos: **Todos os teus confederados... os que gozam da tua paz** (7). Nações que foram aliadas enganarão os edomitas. Aqueles que na qualidade de amigos íntimos comeram de sua comida usarão esta falsa amizade para conspirar contra eles. Os edomitas, há muito eminentes por sua sabedoria e prudência (Jó 4.1; Jr 49.7), aferraram-se tolamente à segurança de sua posição geográfica, com vastos compartimentos de riquezas e sua situação política. Não perceberiam o desenrolar dos acontecimentos enquanto seus supostos amigos armassem armadilhas para apanhá-los. Estes mesmos amigos e aliados expulsariam os edomitas de suas terras, ao lançá-los **para fora dos teus limites**.

Não se pode confiar na sabedoria mundana (1 Co 1.18,19,27). "O orgulho e a autoconfiança seduzem o homem à queda. Quando ele está caído, a autoconfiança traída passa imediatamente para o desespero. [...] Os homens não usam os recursos que lhe restam, porque o que eles valorizam, os deixa na mão. A confiança indevida é o pai do medo indevido".[3]

Armadilha (7) ou "ciladas" (BV; NVI).

A situação trágica descrita por Obadias desenvolveu-se em Edom logo após esta profecia. Nos séculos VI e V a.C. os registros históricos mostram que, sob força de coação árabe, os edomitas foram expulsos do país e instalaram-se no sul da Palestina.

A **montanha de Esaú** (8) era a principal fortaleza de Edom, que consistia nos altos pontos proeminentes da região de Sela ou Petra. **Temã** (9) era importante cidade edomita distante cerca de oito quilômetros da capital. **Os teus valentes... estarão atemorizados** – o desânimo destes guerreiros é descrito com mais detalhes em Jeremias 49.22.

A atitude de Edom é excelente ilustração de "os trágicos frutos do orgulho": 1) O orgulho de coração é enganoso, 3a: no comércio, nos assuntos intelectuais e nos valores morais; 2) O orgulho de coração é atrevido, 3c, pois se atreve a contar com as vantagens materiais e a própria habilidade humana sem pensar na intervenção divina; 3) O orgulho de coração é destrutivo, 4 (cf. Pv 16.18; Lc 14.11), já que Deus pode usar vários meios de abater os orgulhosos: dificuldades econômicas, incapacidade física, perda, conflito doméstico, difamação ou até a morte.

Seção **II**

RAZÕES PARA O JULGAMENTO

Obadias 10-14

Deus nunca age em julgamento sem uma boa razão. Nessa seção, o Senhor revela para os edomitas por que julgará destrutivamente. O principal pecado contra Jeová foi o tratamento cruel que deram aos próprios irmãos no tempo da tragédia e sofrimento. A expressão **teu irmão Jacó** (10) é usada para realçar a relação que existia entre os edomitas, por serem filhos de Esaú, e os homens de Judá, que eram filhos de seu irmão gêmeo Jacó.

Neste ponto, o Antigo Testamento prenuncia as declarações solenes do Novo Testamento concernentes à nossa atitude para com todos os homens, pois cada um deles deve ser considerado como irmão. Tudo que fazemos a favor ou contra nosso irmão realizamos a favor ou contra o próprio Deus (Mt 25.31-46; 1 Jo 3.10-15; 4.20,21). Não há dúvida de que muitas das aflições sociais que sofremos hoje em dia, como as questões raciais, são em grande parte colheita que fazemos das sementes ruins que as gerações passadas semearam. Ninguém pode escapar da lei inalterável: "Tudo o que o homem semear, isso também ceifará" (Gl 6.7).

Os atos de antagonismo pelos quais Edom seria julgado remontavam à recusa em conceder passagem para Israel viajar por suas fronteiras durante o êxodo do Egito à Palestina (Nm 20.14-21). Este procedimento alcançou um ponto culminante no modo em que Edom tratou Judá, quando Nabucodonosor saqueou Jerusalém em 586 a.C. Nessa ocasião, os edomitas fiaram indiferentes e não ofereceram ajuda até que se certificasse para qual lado dirigia-se a maré da batalha. Mas este procedimento os tornou parte do exército invasor (11). Nesta versão bíblica a acusação fica bem clara: "No dia em que foste indiferente com teu irmão Jacó, no dia em que os estranhos levaram cativo o seu exército e carregaram a sua riqueza, e os estrangeiros entraram pelas suas portas e lançaram sortes sobre Jerusalém, tu mesmo eras um deles" (ATA; cf. BV).

Pelos versículos 12 a 14, entendemos que os edomitas na verdade ajudaram os babilônios quando viram que Nabucodonosor seria o vencedor. O profeta detalha graficamente alguns procedimentos utilizados por eles para esse fim. **Não devias olhar para o dia** (12), ou seja, "não devias ter olhado com prazer para o dia" (ARA). **Olhar, satisfeito, para o seu mal** (13) seria "olhar com prazer para o sofrimento deles" (ATA; cf. BV; ECA). Não temos informação histórica sobre os métodos exatos que os edomitas usaram para colaborar com os invasores. Talvez tivessem se unido ao saque da nação ferida (**estender as tuas mãos contra o seu exército** seria "ter lançado mão nos seus bens", ARA; cf. NTLH; NVI) e bloqueado a fuga dos refugiados (**parar nas encruzilhadas, para exterminares os que escapassem**, 14) e até entregue traiçoeiramente os judeus fugitivos às mãos babilônicas (**entregar os que lhe restassem**). Por estes procedimentos, Edom procurava colocar-se sob as boas graças diante dos invasores babilônicos vitoriosos, mas estas ações eram indesculpáveis para Deus. Jeremias 49.7-22 e 2 Reis 25 são provavelmente escrituras paralelas a esta porção de Obadias.

Seção III

O DIA DO SENHOR

Obadias 15-21

Obadias dá a entender que o julgamento de Edom não terminará apenas com a expulsão dos edomitas de sua pátria amada. Ele faz referência ao **dia do SENHOR** (15), um dos grandes temas do Antigo Testamento (Jl 1.15; 3.14; Sf 1.7). Esta profecia, como muitas outras, anuncia que o dia está **perto**, ou seja, decididamente próximo e iminente, mas nenhum texto profético declara o tempo exato de sua ocorrência. Nem sabemos o modo e métodos do dia. Mas entendemos algo do seu caráter. Naquele dia, só o Senhor será exaltado (Is 2.11), e todas as nações que se esquecem de Deus serão castigadas (Sl 9.17).

Edom estará entre essas nações ímpias que finalmente serão julgadas. Obadias lhes anuncia: **Como tu fizeste, assim se fará contigo** (15). Esta profecia sugere o ensino do Novo Testamento em passagens como Mateus 6.14,15; 18.21-35; Lucas 6.31; Tiago 2.13.

O profeta lembra aos edomitas a orgia e bebedeira que fizeram em Jerusalém na ocasião em que a cidade foi pilhada por Nabucodonosor. Obadias diz que, semelhantemente, **todas as nações** (16) que vivem sem Deus beberão da sua ira e a destruição será **como se nunca tivessem sido** (cf. Jr 25.15-28).

Em contraste com essa cena, **no monte Sião** (17), em Jerusalém, o local do Templo santo, haverá **livramento** (escape, cf. NTLH) da ira divina. E o monte **será santo**. Aqui, esta santidade está relacionada apenas parcialmente com a qualidade moral tão destacada no Novo Testamento. Obadias se refere à liberdade da contaminação de nações ímpias e, assim, indica proteção contra todo ataque (Jl 2.32; 3.17). A **casa de Jacó**, ou seja, Judá, recuperará os territórios que Deus outrora lhe dera. A Septuaginta traduz o versículo de forma interessante: "A casa de Jacó receberá por herança aqueles que os tomaram por herança" (17).

A **casa de José** (18) refere-se ao Reino do Norte, que, em 721 a.C., fora destruído por Sargão. Em concordância com as profecias de Oséias 1.11 e Ezequiel 37.16-22, Israel se unirá a Judá, o Reino do Sul, e juntos, como a **chama** queima a **palha**, destruirão Edom (cf. Is 11.13,14).

Os versículos 19 e 20 falam da extensão da herança de Israel. A história narra que durante o exílio de Israel os edomitas ocuparam as cidades do **Sul** (19) de Judá, o Neguebe (cf. ARA), a região ao sul de Hebrom em direção ao deserto de Parã. Depois do exílio, **os do Sul**, ou seja, os homens de Judá que voltarem do exílio, possuirão Edom, a **montanha de Esaú**. As **planícies** são a região que fica a oeste de Hebrom em direção ao mar. Os que possuirão **Efraim** e **Samaria** são, provavelmente, os homens de Israel que antigamente tinham possuído a região montanhosa da Palestina. Estas conquistas foram realizadas no século II a.C., quando os judeus, sob a liderança dos macabeus, atacaram e ocuparam as áreas indicadas.

Os **cativos** (20) se referem aos exilados. Este **exército dos filhos de Israel** seria os moradores do Reino do Norte que, em 721 a.C., foram deportados por Sargão depois da queda de Samaria. Os **cananeus** eram os fenícios. **Zarefate** era uma cidade que ficava entre Tiro e Sidom (ver mapa 1); é a Sarepta de Lucas 4.26. Os **cativos de Jerusalém** eram os habitantes do Reino do Sul que, em 586 a.C., foram levados por Nabucodonosor para **Sefarade**, provavelmente Sardes, na Ásia Menor.

Os dois temas principais do livro de Obadias estão resumidos no último versículo. O profeta anuncia que os **salvadores** israelitas, homens sábios de perspicácia espiritual e fé, reinarão em Edom, o território outrora ocupado pelos ímpios e mundanos filhos de Esaú. O plano de Deus é que, no fim, o espiritual se eleve sobre o profano. E o **reino será do SENHOR**: Deus reinará sobre tudo e sobre todos (Sl 22.28; 103.19; Zc 14.9; Ap 11.15).

Notas

INTRODUÇÃO

[1] George Adam Smith, *The Book of the Twelve Prophets*, vol. II (Nova York: Harper & Brothers Publishers, 1938), p. 182.

SEÇÃO I

[1] Norman F. Langford, "Hosea" (Exegesis), *The Interpreter's Bible*, editado por George A. Buttrick *et al.*, vol. VI (Nova York: Abingdon Press, 1956), p. 861.

[2] Smith, *op. cit.*, p. 175.

[3] E. B. Pusey, *The Minor Prophets*, vol. I (Grand Rapids, Michigan: Baker Book House, 1963, reimpressão), p. 358.

O Livro de
JONAS

Armor D. Peisker

Introdução

"Misericordioso e piedoso é o SENHOR; longânimo e grande em benignidade" (Sl 103:8). De forma pungente e sucinta, esta é a mensagem de Jonas.

Ler este livro é ver o mundo pelos olhos de Deus. Todos os indivíduos de todas as nações, de todas as raças são pessoas, almas, cada uma com um destino eterno. Cada pessoa é preciosa à vista de Deus; uma, tão preciosa quanta a outra.

"O livro de Jonas", afirma W. W. Sloan, "está mais próximo dos ensinamentos do Novo Testamento do que qualquer outro texto das Escrituras hebraicas. O tema central é que Deus está interessado em todas as pessoas de qualquer nacionalidade ou raça e espera que aqueles que o conheçam se dediquem a compartilhar esse conhecimento".[1]

Nunca na história, o livro de Jonas teve maior relevância que hoje. Há tremenda urgência que todo cristão sinta e considere esta mensagem, a fim de se envolver na missão mundial da igreja.

Entendemos a mensagem à medida que observamos Jonas – insensível, vingativo, nacionalista e implacavelmente soberbo – que prende sua fé no peito, enquanto Deus procura fazer com que ele a compartilhe de acordo com o seu propósito mais amplo de redenção. Jonas, ao lutar contra os procedimentos divinos, às vezes nos lembra o mesquinho irmão mais velho do pródigo. E como o pai, perdoador e alegre, o Senhor insiste para que Jonas abandone a aboboreira murcha e a barraca queimada pelo sol e vá compartilhar da alegria da cidade poupada. Aqui, Jonas nos lembra o servo desumano em outra das parábolas de Jesus. Quase podemos ouvir o Senhor pleiteando com o profeta: "Servo malvado, perdoei-te toda aquela dívida, porque me suplicaste. Não devias tu, igualmente, ter compaixão [...] como eu também tive misericórdia de ti?" (Mt 18.32,33).

A historicidade da profecia de Jonas não foi questionada até recentemente, quando os estudiosos incrédulos se recusaram a "engolir a baleia". Desde então, outros fatores miraculosos no relato também entraram em discussão. Para alguns, parecia mito. Para outros era alegoria do exílio e a missão de Israel com base em Jeremias 51.34. Um terceiro grupo o considerava parábola. Mas há boas razões para aceitá-lo como narrativa histórica.

O profeta Jonas, sem dúvida, foi uma figura histórica. Residia em Gate-Hefer, era filho de Amitai e serviu como verdadeiro profeta do Senhor no Reino do Norte durante o reinado de Jeroboão II (aproximadamente 786-746 a.C.; 2 Rs 14.25). Foi, portanto, antigo contemporâneo de Oséias e Amós. A Bíblia não relata o que Jonas fez depois de ter pregado em Nínive. A tradição que diz que foi enterrado em Nínive num local marcado por uma mesquita carece de apoio histórico.

Jesus menciona a experiência de três dias de Jonas no "ventre da baleia" para indicar antecipadamente sua experiência entre a crucificação e a ressurreição. E, pelo visto, nosso Senhor considera o arrependimento dos ninivitas como fato histórico. Na realidade, Jonas é o único profeta do Antigo Testamento com quem Jesus se comparou e o fez no assunto da ressurreição (Mt 12.39-41; Lc 11.29-32).

A missão de Jonas em Nínive com suas feições miraculosas não foi única. Ela é comparada às missões de Elias a Sidom e de Eliseu à Síria (1 Rs 17.8-24; 19.15; 2 Rs 8.7-

15). Nem a perigosa viagem do apóstolo Paulo para Roma, no Novo Testamento, foi tão diferente da viagem de Jonas em suas implicações miraculosas (At 27.1–28.14).

O livro de Jonas está na forma de narrativa histórica linear e não há indicação de que deva ser interpretado de outro modo. Até o século XIX, os judeus e cristãos em geral consideraram o livro como relato verdadeiro.

Conforme sugere Robinson: "Podemos alegar enfaticamente que, para Jonas, a força da autodefesa de Jeová exigia uma missão verdadeira para uma cidade pagã com um arrependimento verdadeiro e 'salvamento' autêntico. Não é fácil acreditar que o desafio: 'Não hei de eu ter compaixão da grande cidade de Nínive'? foi apresentado ao povo de Israel pelo escritor inspirado como consideração puramente hipotética".[2]

A autoria e data do livro de Jonas são incertas. O texto é a respeito de Jonas, mas não foi necessariamente escrito por ele. Não temos informação sobre quem fez o registro. Nem sabemos quando a história foi escrita. É provável que a composição tenha sido feita antes da queda do Reino do Norte (721 a.C.) ou, no máximo, antes da queda de Nínive (612 a.C.). Pode ser que o livro não tenha sido colocado em sua forma atual até depois da última data. Tiramos esta conclusão do fato de que o tempo passado "era" é usado para descrever Nínive (3.3).

É possível que durante a vida de Jonas a Assíria (ver mapa 1), cuja capital era Nínive, passava por um período de declínio. A sucessão de três reis fracos diminuíra seu prestígio e poder no mundo. Babilônia, no baixo vale do Tigre-Eufrates, ganhava força e era uma ameaça a ter de enfrentar. No noroeste, Urartu – a antiga Armênia – também ameaçava a supremacia assíria. Os territórios tributários ocidentais também estavam cientes do declínio da Assíria, e o sucesso de Damasco e Arpade ao resistir os monarcas assírios encorajou outros. Essa situação resultou numa sucessão de calamidades que deixaram o império grandemente exaurido.

Parecia ocasião apropriada para o Espírito de Deus se mover na capital. O estado de espírito das pessoas era de incerteza e insegurança, o que proporcionou uma colheita madura. O Senhor buscou um ceifeiro na pessoa de Jonas.

A importância das circunstâncias é sugerida por S. C. Yoder, quando escreve acerca do fugitivo Jonas: "Este era um homem que fugiu da oportunidade que surge, talvez, uma vez na vida e, ainda, mais raramente, na história de uma nação, para levar um povo ao arrependimento. E agora o mensageiro que foi chamado para representar Deus nesta missão estava pouco propenso a enfrentar as questões, quaisquer que tenham sido, e assumir a responsabilidade que a oportunidade lhe dispunha".[3]

Esboço

I. **O Comissionamento e Desobediência de Jonas**, 1.1-3

II. **A Interposição de Deus**, 1.4—2.10
    A. A Tempestade, 1.4-14
    B. O Lançamento de Jonas ao Mar, 1.15-17
    C. Jonas no Fundo do Mar, 2.1-9
    D. A Libertação de Jonas, 2.10

III. **O Recomissionamento e Obediência de Jonas**, 3.1-10
    A. A Comissão, 3.1,2
    B. A Obediência, 3.3,4
    C. O Resultado, 3.5-10

IV. **Deus Convence Jonas pela Lógica**, 4.1-11
    A. O Descontentamento de Jonas, 4.1-3
    B. O Parecer de Deus, 4.4-9
    C. A Preocupação de Deus por Todos, 4.10,11

Seção I

O COMISSIONAMENTO E DESOBEDIÊNCIA DE JONAS

Jonas 1.1-3

Em 2 Reis 14.25, ficamos cientes que **Jonas, filho de Amitai**, era um profeta experiente e de confiança, a quem **veio a palavra do SENHOR** (1). Tratava-se de um homem a quem Deus falava e revelava sua vontade. A passagem de 2 Reis também nos informa que era um nativo de Gate-Hefer, da Galiléia, local mais tarde conhecido por Caná (ver mapa 2). É bem possível que esta cidade, situada quase cinco quilômetros a nordeste de Nazaré, tenha sido visitada muitas vezes por Jesus durante os 30 anos de obscuridade em Nazaré. No entanto, sabemos com certeza que foi aqui que Cristo compareceu a uma festa de casamento e fez seu primeiro milagre registrado (Jo 2.1-11; cf. tb. Jo 4.46; 21.2). Os fariseus que disseram a Nicodemos: "Da Galiléia nenhum profeta surgiu" (Jo 7.52), devem ter se esquecido de Jonas.

Em Caná, a tumba de Jonas provavelmente chamava a atenção para Jesus, como ocorria com os visitantes nos dias de Jerônimo. E talvez, como sugere Robinson, "foi aqui que o jovem Jesus começou a perceber algo da significação da missão de Jonas e da sua própria"[1] (ver Introdução para inteirar-se de mais comentários relativos ao conhecimento de Jesus sobre o profeta).

A tradição considera que Jonas, cujo nome significa "pomba", é o jovem profeta tímido mencionado em 2 Reis 9.1-11. O nome do seu pai, Amitai, significa "verdadeiro"; e reputa-se tradicionalmente que estava entre os 7.000 mencionados em 1 Reis 19.18 que não se curvaram a Baal.

Jonas deve ter ficado surpreso com a comissão de profetizar em **Nínive** (2), e a considerou com temor e perspectiva desagradabilíssima. Era preciso fazer uma viagem árdua por terra de uns 800 quilômetros (ver mapa 1). E, para piorar a situação, Nínive era uma **grande cidade**: a metrópole do mundo gentio localizada à margem esquerda do rio Tigre a uns 65 quilômetros ao norte da junção de Zab. Era a magnífica capital do poderoso Império Assírio, inimigo constante e temido de Israel. Durante os dias de Jeú, Israel fora forçado a pagar tributo ao rei assírio, Salmaneser III. Jonas também sabia dos sofrimentos que a Síria suportara para repelir os recentes ataques assírios. As atrocidades assírias, que depois aterrorizaram as nações ocidentais sob o governo de Tiglate-Pileser III, talvez já estivessem em prática durante o tempo de Jonas. E a **malícia** ("maldade", BV; NTLH; NVI) geral de Nínive, que Deus declarou que tinha subido até o céu, não era menos famosa que seu poder e grandeza (Na 3).

O fato de Deus estar preocupado com a maldade de Nínive indica que, desde o início, o seu amor ia muito além das fronteiras desse povo proclamado como seu escolhido, mesmo que se considerassem exclusivos do alcance do cuidado divino (2).

Jonas, vencido pelo medo, concluiu que a tarefa não era para ele. Sentia que a ordem de Deus era autêntica, mas ao mesmo tempo se lhe ocorriam muitos elementos imponderáveis. Mais tarde, confessou (4.2) que não foi o sofrimento físico ou o perigo que o intimidara. Seu receio era que Nínive se arrependesse e que Deus perdoasse e poupasse a cidade. Em tal situação, seria considerado falso profeta. Ser desacreditado dessa maneira pelos seus compatriotas talvez fosse particularmente objetável a Jonas, pois, pelo visto, era profeta popular e altamente estimado em Israel. Em tempos de opressão, prometera dias de prosperidade. Esse anúncio, como nos lembra Schultz, "foi muito bem recebido. [...] Indubitavelmente o cumprimento de sua predição, na totalidade do território de Israel sob o reinado de Jeroboão, aumentou-lhe a popularidade na sua pátria. Não há indicação de que ele possuísse uma mensagem de advertência ou julgamento para entregar ao seu próprio povo (2 Rs 14.25)".[2]

Caso Nínive se arrependesse, esse tremendo inimigo de sua nação seria poupado. Para sua fé limitada e nacionalismo estribado isto era insuportável.

Esse conflito interior ficou tão forte que Jonas esperava fugir desse compromisso afastando-se de casa e das circunstâncias em que ocorrera a incumbência. Ele **se levantou para fugir... da face do SENHOR** (3). Decidiu ir o mais longe que pudesse e na direção oposta a Nínive. Escolheu **Társis**, provavelmente Tartesso, uma colônia fenícia na Espanha perto do Estreito de Gibraltar, porque era o ponto mais ocidental ao qual os navios velejavam, ao sair da Palestina. O lugar também é mencionado em Isaías 23.1-12 e Ezequiel 27.12,25.

Segundo G. Campbell Morgan, para entendermos o ponto de vista de Jonas "é necessário que lembremos o preconceito nacional dos hebreus contra todos os outros povos na questão da religião. Embora cressem que Jeová fosse um Deus amoroso, consideravam-no exclusivamente deles. A incumbência de entregar uma mensagem a uma cidade que não pertencia ao concerto, além de ser a metrópole que era o centro de um poder que fora tirânico e cruel, deveria ter sido assustador para Jonas".[3]

De nossa perspectiva atual é fácil censurar Jonas. Pensamos que um homem de sua categoria e experiência já deveria saber que não se pode fugir de Deus. Mas se lembrarmos que séculos mais tarde, mesmo depois da resplandecente luz do Pentecostes, o excelente apóstolo judeu de nosso Senhor, Simão Pedro, passou por um período semelhante de confusão, talvez sintamos mais simpatia por Jonas e tenhamos mais entendimento de sua atitude. Pedro tinha pregado com tanto poder em Jerusalém que multidões de compatriotas judeus creram em Cristo. Mas, quando, durante um período especialmente particular de oração, o Senhor o instruiu a pregar o Evangelho aos gentios, foi inflexivelmente contra a ordem. "De modo nenhum, Senhor", disse ele. Foram necessárias uma revelação especial e certas circunstâncias quase milagrosas e providenciais para fazer com que este apóstolo cumprisse seu compromisso na casa de Cornélio (At 10). O livro de Gálatas também reflete a luta entre os cristãos primitivos antes que os gentios fossem aceitos na Igreja em condições iguais aos hebreus.

Mesmo hoje, é preciso que cada um de nós considere nossa vida à luz destes acontecimentos. Como escreveu alguém: "Cada um de nós ou está na caravana para Nínive ou no navio para Társis, [...] percorrendo o caminho de Deus ou o seu próprio. [...] Alguns vão a Társis religiosamente. Cantam e oram, ao mesmo tempo em que fazem as coisas à sua maneira, indo em direção diametralmente oposta à vontade de Deus".

Jonas saiu de sua cidade natal na Galiléia, dirigiu-se a oeste e depois virou para o sul à cidade portuária de **Jope** (ver mapa 2), único porto apropriado na costa mediterrânea da Palestina. Foi ali que a uns oito séculos depois o Senhor falou com o apóstolo Pedro sobre pregar aos gentios (At 10). Neste porto marítimo, Jonas **achou um navio que ia para Társis; pagou, pois, a sua passagem e desceu para dentro dele**. Ao procurar racionalizar sua ação, talvez o profeta fugitivo tivesse concluído que seus achados foram providenciais. Havia um navio que ia para a cidade que ele queria ir e tinha dinheiro para a passagem! Mas esta não era uma situação organizada pela providência divina. Deus nunca incentiva a desobediência. Tratava-se de uma tentação da qual Satanás tirou proveito.

Quando Jonas entregou os siclos ao comissário de bordo, nem imaginava o custo total desta viagem. Ele não estava propenso a pagar o preço para ir a Nínive, mas a viagem a Társis foi muito mais cara. O caminho da desobediência sempre é muito mais caro. Servir a Deus pode nos custar muito, mas não servi-lo é o ápice no gasto excessivo inconseqüente.

Seção II

A INTERPOSIÇÃO DE DEUS

Jonas 1.4—2.10

A. A Tempestade, 1.4-14

Deus não revoga seu chamado nem muda seu propósito para com os homens (Rm 11.29). Também não desiste facilmente daqueles a quem chama, para deixá-los na desobediência. Ele procura por todos os meios trazê-los de volta para os seus caminhos. No caso de Jonas, Deus "encerrou os ventos nos seus punhos" (Pv 30.4) e **mandou** (4; lit., "arremessou" ["lançou", ARA]) **ao mar um grande vento**, de forma que houve **uma grande tempestade** que ameaçava despedaçar o navio.

O mau tempo não era novidade para os marinheiros do mar Mediterrâneo, mas o vento forte e súbito era tão implacável que os **marinheiros** (5; lit., "marujos", marinheiros experientes) **temeram**. Com medo da morte, cada um deles orou intensamente ao seu deus. A situação parecia tão desesperadora que eles ficaram excessivamente aterrorizados. Lançaram ao mar os equipamentos do navio e, talvez, a carga inteira para aliviar a embarcação. Enquanto isso, Jonas havia descido **aos lugares do porão** (o compartimento de carga do navio), onde **dormia um profundo sono** e "roncava" (LXX).

Pelo visto, o ronco chamou a atenção do **mestre do navio** (6; "capitão do navio", BV; NTLH), que, depois de acordar o passageiro suspeito, perguntou: **Que tens, dormente? Levanta-te**. O termo hebraico traduzido por **dormente** diz respeito a alguém em sono profundo, um sono livre de preocupações (cf. Rm 11.8). O capitão exigiu explicações! Queria saber por que Jonas dormia a sono solto numa hora dessas. Ele pediu: "Levante-se e fale com o seu Deus, para ver se Ele tem pena de nós e nos salva!" (BV). A palavra hebraica usada para se referir a **Deus** é o nome genérico aplicado a todos os seres divinos. É o mesmo termo encontrado no Antigo Testamento para se referir a deidades imaginárias como "os deuses das nações". Este uso mostra o entendimento religioso dos marinheiros e não o conceito de Jonas sobre Deus.

Ao perceber que esta tempestade não era comum, os marinheiros estavam determinados a encontrar a razão desse fenômeno climático. Disseram: **Vinde, e lancemos sortes, para que saibamos por que causa nos sobreveio este mal... e a sorte caiu sobre Jonas** (7). Lançar sortes era método comum entre os antigos para resolver questões incertas (Nm 26.55; Js 7.14; 1 Sm 10.20,21; At 1.26).

Com a investigação dos marinheiros, Jonas se identificou como **hebreu** que temia Jeová, o **Deus do céu, que fez o mar e a terra seca** (9). As Escrituras confirmam o fato de que Deus é o Criador dos céus, dos mares e da terra (cf. Sl 8.1-4; 65.5-7; 107.23-32; 139.7-12; Mc 4.35-51). Jonas também reconheceu sua culpa. Os marinheiros, convictos da grandeza do Deus dele, ficaram apavorados com a infidelidade do profeta. Perguntaram: **Por que fizeste tu isso?** (10; "Que é isto que fizeste!", ARA). É provável que deste ponto em diante Jonas tenha começado a perceber algo da enormidade do que fizera. A repreensão dos descrentes pode ter aumentado seu sentimento de condenação e arrependimento.

Convicto de que a tempestade era o julgamento divino sobre ele, o profeta viu que seu pecado envolvera e colocara em risco a vida de outras pessoas. Isto reforçou a prova de sua culpabilidade. Sem esperança de escapar do julgamento, sentia-se pronto para ser lançado ao mar e morrer afogado, pois isto salvaria a vida dos seus companheiros de bordo (11,12).

Em sentido real, o profeta se tornou o sacrifício deles. "O quadro de Jonas lançado ao mar mostra um paralelo e um contraste espiritual [com a morte de nosso Senhor]. A tempestade mais violenta é a ira de Deus contra o pecado; *essa* manifestação concentrou-se na pessoa de nosso Senhor e só podia ser acalmada por sua morte na cruz. A experiência de Jonas foi terrível, mas foi só o Senhor Jesus Cristo que vivenciou completamente as palavras da oração do profeta: 'Todas as tuas ondas e as tuas vagas passaram por cima de mim' (2.3b, ARA)". [1]

É possível que outros barcos estivessem em perigo com a tempestade que o pecado de Jonas provocou. Além do próprio pecador, o pecado sempre fere outras pessoas – na maioria das vezes, muitas outras pessoas.

Esta experiência de Jonas é prova notável de que não se pode fugir de Deus – fato proclamado no Salmo 139.7-10. O profeta desobediente fora dormir, ciente que tinha conseguido fugir do Senhor. Ele não percebeu que Deus estava presente e em ação para frustrar seus planos autodeterminados.

Os marinheiros **remavam, esforçando-se** (13; "remavam com todas as suas forças", BV) para colocar o navio em segurança e salvar o profeta. Quando viram que os esforços eram inúteis, oraram ao Deus de Jonas para que não os responsabilizasse pela morte dele. Clamaram: "Ó Senhor [...] não nos mate por causa do pecado deste homem, não nos condene pela morte dele, pois disso nós não temos culpa – porque essa tempestade caiu sobre ele por razões que o Senhor mesmo sabe" (14, BV). É interessante observar que quando os marinheiros mencionaram o Deus de Jonas não usaram o termo genérico comum, mas utilizaram o termo **SENHOR**, Jeová, o único Deus vivo e verdadeiro.

B. O Lançamento de Jonas ao Mar, 1.15-17

Sem esperança de se salvarem de outro modo, os marinheiros seguiram com relutância a sugestão de Jonas. Eles o apanharam e **o lançaram ao mar** (15).

As águas imediatamente se aquietaram. A frase **cessou... da sua fúria** pode ser traduzida por: "O mar saiu da sua raiva". A tempestade parou tão de repente que os marinheiros ficaram aterrorizados diante do Senhor. O testemunho do profeta e as manifestações milagrosas do poder de Deus lhes encheram o coração de medo e reverência. Cultuaram na presença de Jeová (15,16). E assim foi que Jonas se tornou missionário a despeito de seu fracasso inicial; que o Senhor, ao julgar o profeta desobediente, revelou aos marinheiros pagãos que é o Deus que misericordiosamente se importa com todos (Sl 76.10); e que Jonas, nestes marinheiros, "vê pagãos que se converteram ao temor do Senhor. Tudo de que ele fugira para que não acontecesse é justamente o que acontece bem diante de seus olhos e por sua própria mediação". [2]

Em ato de disciplina misericordiosa, Jeová **deparou** ("designou", RSV; "ordenou", LXX; NTLH) **um grande peixe, para que tragasse a Jonas** (17). O texto não nos informa que tipo de peixe era. Nem o fato de Mateus 12.40 falar de uma "baleia" nos ajuda muito, pois a palavra grega usada ali significa, literalmente, "um enorme peixe" ou um monstro marinho.

É interessante observar que J. D. Wilson conta uma analogia atual da experiência de Jonas. Ele narra um incidente no qual um cachalote, perto das ilhas Falkland, engoliu um membro da tripulação de um navio. Três dias depois, o indivíduo foi salvo, reanimado da inconsciência e, subseqüentemente, viveu com boa saúde. [3]

O profeta permaneceu dentro do peixe por **três dias e três noites**. Pelo que deduzimos, esta expressão de tempo é um termo coloquial que meramente indica período curto e indefinido, como em Josué 2.16. Jesus a usou com este sentido em Mateus 12.40, visto que o Novo Testamento declara repetidamente que sua ressurreição aconteceu "ao terceiro dia" (Mt 16.21; Mc 9.31; Lc 9.22; 1 Co 15.4).

Na "fuga do dever" de Jonas, vemos que: 1) Fugir do dever não é fugir do controle de Deus, 1.4; 2) As circunstâncias favoráveis na fuga não justificam as desculpas, 1.3; 3) Fugir de Deus e do dever é mais dispendioso do que render-se – quer em penosas experiências, quer em perda moral, 1.15.

C. Jonas no Fundo do Mar, 2.1-9

Esta passagem, composta depois que o profeta saiu de dentro do peixe, registra a oração que **Jonas** (1) fez **ao SENHOR, seu Deus, das entranhas do peixe**. Foi escrito na forma poética. Embora haja confissão de pecado e promessa de obedecer a Deus, é em grande parte um salmo de louvor e adoração por Deus ter libertado Jonas da morte por afogamento nas profundezas do mar.

O fato de Jonas orar num lugar tão pouco auspicioso, e receber uma resposta, nos fala que podemos transformar qualquer lugar – qualquer lugar mesmo – em um santuário particular. Não há lugar em que oração e louvor sejam impróprios.

Da **angústia** de Jonas, em sua aflição de espírito e sofrimento físico e mental, ele clamou **ao SENHOR** (2). A invocação eficaz a Deus não é necessariamente com a voz, mas com o coração. O **ventre do inferno** seria a parte mais secreta do sheol ou as profundezas, a região das trevas e da morte, a sepultura. As águas profundas lhe eram como sepultura, pois foi contado entre os mortos (cf. Sl 88.3-12). Vários salmos começam com semelhante situação, como por exemplo, os 18.5; 120.1; 142.1. O texto de Lamentações 3.55-58 também fala da oração em tempos de profunda angústia.

O profeta relata detalhadamente, e em termos vívidos, os horrores da experiência quando Deus o lançou **no profundo, no coração dos mares** (3; cf. NTLH; ver Sl 42.7-9). Mas já no início do relato, admite que não chegou a tais extremos por acaso. Tudo lhe ocorreu pela ação de Deus. Ele confessa ao Senhor: **Tu me lançaste no profundo** (3a). É motivo de alegria saber que todas as coisas – até as aflições ou angústias – vêm ou pela ação direta de Deus ou por sua vontade permissiva. O Senhor tem um propósito para cada um nós, um objetivo que assegura um futuro bom para nós e glória para si mesmo.

> *Muitas vezes a nuvem que nos envolve hoje*
> *Serve só para clarear todos os nossos dias futuros.* (N. do T.)

Jonas comprara a passagem para Társis no intuito de afastar-se deliberadamente da presença de Deus. Mas em face da morte, mudou de opinião (4). Parte de seus temores surgiu do fato de que sabia que estava fora das vistas do Senhor, fora da sua vontade e fora do seu favor. Então declarou: "Fui lançado da Tua presença" (LXX; cf. NTLH). Esta tradução dá a entender que perdera toda a esperança de voltar a ver o Templo, que, para o judeu piedoso, simbolizava a própria presença de Deus: "Será que vou voltar a ver o santo Templo outra vez?" (LXX; cf. BV). A tradução: "Banido estou de diante dos teus olhos; todavia tornarei a olhar para o teu santo Templo" (ECA), indica arrependimento e propósito sincero de voltar a adorar a Deus de todo o coração. A Versão Bíblica de Berkeley sugere ainda mais. Jonas declara: "Fui expulso das tuas vistas", mas parece que tinha fé de ser salvo da morte, pois proclama: "Mas verei novamente o teu santo Templo" (cf. **lançado estou de diante dos teus olhos; todavia, tornarei a ver o Templo da tua santidade**).

Não há como saber qual destas traduções expressa mais exatamente o sentimento do profeta nas águas profundas. Mas todas são claras em mostrar que Jonas tinha mudado de opinião e se arrependido por ter fugido do chamado divino. "A presença de Deus, que antes considerara um peso e da qual desejara fugir, agora que conseguiu o que queria, percebe que é o sentimento mais amargo estar fora dela. Dera as costas a Deus, assim o Senhor o abandonara, ao tornar o pecado dele o seu castigo".[4]

Como era desesperadora a situação! "As águas me cercaram, ameaçando-me a vida", disse ele; "as algas marinhas se enrolaram em minha cabeça" (5, VBB; cf. Sl. 69.2). O profeta perdeu toda a esperança. "Afundei até à base das montanhas, a uma terra cujas trancas me aprisionaram para sempre" (6, Moffatt). Mas se alegra no fato de Deus, em sua misericórdia, tê-lo libertado: **Mas tu livraste a minha vida da perdição, ó SENHOR, meu Deus** (6). Este testemunho tem um grande paralelo no salmo 16.10, citado por Pedro em Atos 2.27.

A Septuaginta oferece um vislumbre do arrependimento angustiante que enchia o coração de Jonas: "Contudo, ó Senhor meu Deus, tu restauraste minha vida arruinada" (6c). Os desviados têm motivos para alimentar esperança. As ondas do desejo mau os engoliram. Mas se, como Jonas, se humilharem, voltarem do pecado para Deus, da desobediência para a obediência, então o Senhor lhes promete que se voltará para eles. A vida arruinada pode ser restaurada.

Quando desfalecia em mim a minha alma (7) pode significar que o profeta ficou inconsciente. Quando voltou a si, instintivamente orou (cf. Sl 139.18). Agora é grato, por Deus ter-lhe respondido a oração. Conscientizou-se de que seguir outra coisa que não seja o Senhor é observar as **vaidades vãs** (8), ou seja, os "ídolos inúteis" (NVI). Eles não podem fazer o que prometem e só causam a separação entre o homem e Deus, nossa fonte de misericórdia. Muitos fazem um deus do intelecto, do orgulho, da ambição, da avareza ou da obstinação. Jonas nos advertiria: "Os que adoram ídolos inúteis abrem mão da graça que poderia ser deles" (8, VBB). Em outras palavras: "Os que prestam consideração a ídolos vãos renunciam à verdadeira lealdade" (RSV; cf. ECA; NVI). O profeta, que estabelecera o ídolo da obstinação, arrancou-o do coração e prometeu adorar e obedecer somente a Jeová, pois só nele há **salvação** (9).

Desta experiência de Jonas muito aprendemos sobre "a oração eficaz": 1) *Quando* orar, 1; 2) *Onde* orar, 2-6; 3) *A quem* orar, 7,8; e 4) *Pelo que* orar, 9.

D. A Libertação de Jonas, 2.10

Logo após Jonas confessar seu pecado e reconhecer que Deus é o único meio de libertação e salvação, **falou, pois, o SENHOR ao peixe, e ele vomitou a Jonas na terra**. A narrativa não nos diz onde o profeta foi libertado, mas agora está livre para fazer a obra de Deus. Aprendera pela pior maneira que fugir da vontade do Senhor com o intuito de evitar tarefas difíceis sempre nos envolve em maiores dificuldades.

Por esta experiência no mar, Jonas tornou-se "o profeta de Cristo, não nas palavras, mas nos sofrimentos pessoais, cujo significado típico, embora lhe fosse desconhecido (1 Pe 1.10-12), nos é revelado pelo Espírito Santo. Sua passagem do navio para o sepulcro escuro, mas vivo, e dali de volta à luz depois de três dias, mostra a descida do Senhor da cruz de madeira para o sepulcro escuro, e dali sua ascensão à vida depois do mesmo número de dias, de forma mais intensa do que a predição em palavras dos mesmos eventos".[5] O texto de Mateus 12.38-41 deve ser considerado sob esta ótica. Indica que o único sinal que Deus dá para o mundo pecador é a ressurreição de Jesus Cristo (cf. Rm 4.25; 1 Co 15; 1 Ts 4.14).

Há quem considere o episódio de Jonas no mar e o estômago do peixe, conforme relatado neste capítulo, algo tão totalmente incrível que só lhes resta rejeitar o relato como história (veja Introdução). Mas não há dúvida de que a obra divina de disciplina, preservação e restauração de Jonas foi um milagre. Mas se reconhecemos que Deus é o Criador e Sustentador do universo, então temos de esperar sua intervenção milagrosa. "Os milagres faziam parte da revelação redentora. Por meio deles, o verdadeiro Deus dos céus e da terra manifestou sua superioridade sobre os deuses das nações e o seu controle total sobre a criação".[6]

As Escrituras relatam muitos incidentes – até acontecimentos vitais para a nossa salvação – que não podem ser explicados pela filosofia e ciência humanas. Ler a Palavra de Deus sem fé é não entender sua mensagem. Mas se, pela fé, aceitarmos como verdadeiro o que a Bíblia ensina sobre os postulados da criação, providência, pecado e salvação, os milagres tornam-se uma necessidade autêntica, uma necessidade da graça.

Mas entre os que aceitam o livro de Jonas como história, há quem se concentra tanto nos detalhes singulares da história do peixe que não nota a verdadeira mensagem que Deus quis transmitir. Para evitar este erro, temos de manter em mente que o propósito principal dos milagres narrados na Bíblia não é mera exibição de poder para provar a existência do Senhor. O propósito é mostrar a atitude de Deus para com os homens e indicar a resposta conseqüente que todos devem dar a Deus. Gillett disse: "Como fenômenos religiosos, os milagres não devem ser vistos como prova da existência de Deus; mas como revelações acerca de Deus".[7]

Seção III

O RECOMISSIONAMENTO E A OBEDIÊNCIA DE JONAS

Jonas 3.1-10

A. A Comissão, 3.1,2

Com misericórdia de seu profeta e com a determinação de cumprir seu propósito com Nínive, **veio a palavra do SENHOR segunda vez a Jonas** (1). O profeta castigado e penitente recebeu uma segunda chance. A parábola de Jesus registrada em Mateus 21.28-31 é pertinente aqui.

No Novo Testamento encontramos um paralelo na experiência de Pedro. A primeira comissão do apóstolo está registrada em Marcos 1.16,17 e Lucas 5.10. Depois de seu fracasso e restauração, foi recomissionado de acordo com o registro em João 21.15-17. Muitos crentes louvam a Deus pelo fato de ouvirem o chamado do Senhor mais de uma vez.

É comum os crentes não terem tanta consideração entre si como o Senhor tem com quem desobedece sua palavra. Até Paulo preferiu recusar o acompanhamento de João Marcos na segunda viagem missionária depois que o jovem fracassou na primeira (At 15.36-40). Porém, mais tarde, como ponto favorável ao apóstolo, reconheceu o verdadeiro valor de Marcos e desejou sinceramente ajudá-lo (2 Tm 4.11).

O Pai celestial deseja ser gracioso, e sempre lida com seus filhos problemáticos em quaisquer circunstâncias para obter deles a obediência e a confiança. O escritor aos Hebreus fala do castigo de Deus (Hb 12.7-12) e encoraja os fracos: "Portanto, tornai a levantar as mãos cansadas e os joelhos desconjuntados". Deus continua a nos chamar de volta para começarmos de novo justamente no ponto em que fracassamos. A ordem para Jonas ainda era: **Levanta-te, e vai à grande cidade de Nínive, e prega contra ela a pregação que eu te disse** (2).

Jonas fora perdoado por Deus, mas tinha de tomar a cruz de onde a deixara. Por sugestão humana, não há uma Társis que tome o lugar de Nínive, nem há serviço substituto para aquilo que Deus nos manda fazer na obra de tornar conhecida sua graça salvadora às pessoas. Esta verdade é ressaltada pela tradução da Septuaginta: "Pregue nela de acordo com a pregação que anteriormente Eu te disse" (cf. RC).

Para manter o favor e a bênção que Deus restabeleceu, temos de encarar o mesmo assunto do qual tentamos fugir. Deus é amável, compreensivo, paciente e perdoador; mas também é firme. A advertência de Samuel a Saul sempre é verdadeira: "O obedecer é melhor do que o sacrificar; e o atender melhor é do que a gordura de carneiros" (1 Sm 15.22).

A insistência de Deus em enviar Jonas a Nínive contém lições para nós que somos pais. Algumas vezes, corrigimos e disciplinamos nossos filhos, e depois deixamos que façam o que quiserem. Com este procedimento, os resultados da disciplina se perdem. O castigo produz o resultado planejado por Deus quando é administrado de modo a gerar obediência.

B. A Obediência, 3.3,4

Pelo que deduzimos, o sentimento avesso de Jonas pelos ninivitas não mudou muito. As disciplinas pelas quais passou o convenceram de que era impossível fugir da ordem de Deus. **E levantou-se Jonas e foi a Nínive, segundo a palavra do SENHOR (3).**

O texto declara que Nínive era **uma grande cidade, de três dias de caminho**. Os muros internos da cidade, de acordo com as ruínas examinadas por arqueólogos, tinham apenas uns 13 quilômetros de circunferência. Sem dúvida, o autor referia-se ao populoso distrito administrativo de Nínive, o qual tinha entre 48 e 96 quilômetros de lado a lado. Os historiadores gregos Ktesias e Diorus afirmam que Nínive tinha uma circunferência de 480 estádios, que são pouco mais de 96 quilômetros. O significado do texto fica claro na paráfrase: "Ora, Nínive era uma cidade muito grande, com grandes bairros, tão grande que uma pessoa levaria três dias para dar uma volta completa em torno dela, a pé" (BV).

A nota de rodapé na Nova Versão Internacional (NVI) chama a atenção ao fato de que **uma grande cidade** é, literalmente, "uma cidade importante para Deus" (cf. ARA). Esta é uma forma hebraica comum de expressar o superlativo. Mas a frase sugere outro pensamento. Jonas e os israelitas, que se consideravam os especialmente eleitos de Deus, viam Nínive como uma cidade pagã e ímpia que tinha de ser odiada e destruída. Mas esta metrópole era "grande diante do Senhor", objeto de sua preocupação misericordiosa. É verdade que os ninivitas eram ignóbeis, idólatras e impiedosos; mas Deus ansiava pela salvação e regeneração desse povo. O Senhor não está interessado em exterminar os ímpios, mas em mudá-los em pessoas tementes a Deus e retas. Impõe o pecado humano com ofertas de salvação. Implementará recursos punitivos somente quando a oferta de sua graça for rejeitada.

A preocupação redentora de Deus alcança a todos os homens. Como destacou Purkiser: "A porta da salvação está aberta a todos os que quiserem entrar. O livro de Jonas fala contra a exclusividade racial; protesta contra todo tipo de teologia que limite a salvação a uns poucos escolhidos por Deus, de modo a excluir todos os que não são escolhidos. A Bíblia proclama com alegria a todos os homens de todos os lugares que Deus elegeu para salvação todos os que crêem no Senhor Jesus Cristo para salvação. Ele predestinou para a vida eterna todos os que aceitam as providências feitas de antemão para a redenção deles. Se alguém é excluído, é por causa de incredulidade e desobediência e não devido a um decreto soberano de Deus. Que ninguém ouse desbastar o Evangelho que declara que

'Deus amou o mundo de tal maneira que deu o seu Filho unigênito, para que todo aquele que nele crê não pereça, mas tenha a vida eterna' (Jo 3.16)".[1]

O **caminho de um dia** (4) refere-se provavelmente ao período de tempo em que Jonas pregou e não à distância percorrida. Sem dúvida, parou em vários pontos onde seria facilmente observado para proclamar a mensagem de Deus. O propósito do profeta era alcançar o maior número de pessoas, e nada tinha a ver com o percorrer a maior distância possível.

Jonas foi desobediente e, pelo visto, mesmo enquanto ia para Nínive, o fez com relutância, mas nunca foi falso profeta. Pregou a palavra de Deus da mesma maneira que lhe fora dada: **Ainda quarenta dias, e Nínive será subvertida.**

Este tipo de fidelidade tem de caracterizar todo servo digno de Deus. Temos de tomar cuidado com a forma com que reformulamos a mensagem do Senhor para ajustar-se aos nossos ouvintes. Certas pessoas nos instruiriam a não pregar sobre o julgamento divino, como fez Jonas, para que não amedrontemos os ouvintes e aumentemos seu complexo de culpa. Mas na grande maioria das vezes nossos interlocutores são realmente culpados e precisam se arrepender. Os ninivitas foram movidos para Deus pelo medo. E lemos que foi por esse motivo que Noé preparou a arca que salvaria a ele e sua família (Hb 11.7).

Em nossa pregação e ensinamento relativo ao julgamento de Deus precisamos nos certificar de não ter o espírito vingativo de Jonas. Ele uniu inconscientemente suas paixões pessoais com as ameaças divinas. Ao pregarmos sobre o julgamento de Deus, sempre devemos fazê-lo com a compaixão manifesta por Jesus quando chorou pela cidade condenada de Jerusalém (Mt 23.37-39). É muito fácil ser como o pregador que, embora estivesse dentro da Palavra na apresentação das advertências de Deus contra os pecadores, agia como se estivesse alegre por seus ouvintes estarem a caminho do inferno. Adam Clarke escreve: "Aquele que, ao denunciar a palavra de Deus contra os pecadores, une suas próprias paixões com as ameaças divinas é homem cruel e ruim, desqualificado para ser encarregado na casa de Deus".[2]

A demora de 40 dias no julgamento divino em Nínive deu às pessoas tempo para se arrependerem. Se a destruição proclamada tivesse sido súbita, elas teriam ficado tão perplexas e aterrorizadas que não conseguiriam ter avaliado o assunto em pauta.

Por sua presença e pregação, Jonas foi um sinal para os ninivitas (Lc 11.30). Nisto vemos "O que Deus pode revelar através de um homem". 1) Ele era um sinal da misericórdia de Deus aos homens: para perdoar o pecado, restaurar o desviado e reintegrar o profeta fugitivo. 2) Ele era um sinal da justiça inflexível de Deus aos homens: Os servos de Deus devem ser disciplinados e corretos; a cidade tem de abandonar seu pecado. 3) Ele era um sinal do propósito imutável de Deus aos homens: Os planos do Senhor são feitos em sabedoria, não sujeitos ao capricho de alguém; rogos e desculpas são inúteis. Deus estabelece uma obra para cada um de nós fazer, e espera que a façamos.

C. O Resultado, 3.5-10

Jonas não pôde deixar de ficar impressionado com a maravilha que era a cidade de Nínive. A parte interna era rodeada por um muro de 30 metros de largura, suficientemente largo para três carros andarem lado a lado sobre ele. Os muros tinham 1.500

torres de 30 metros de altura cada. Leões e touros colossais esculpidos em pedra vigiavam os 27 portões. Jardins encantadores cercavam os edifícios públicos que eram ornamentados com alabastro e figuras esculpidas. Os campos de cultivo eram mantidos dentro da cidade para evitar que os habitantes morressem de fome em caso de ataque. Todavia, nos dias de Jonas a sorte nacional da Assíria estava muito fraca (ver Introdução). Pode ser que a depressão prevalecente tenha contribuído para a boa vontade das pessoas em ouvir o profeta hebreu.

Os assírios provavelmente não compreenderam que Jeová, a quem Jonas representava, era o único Senhor vivo e verdadeiro, visto que adoravam muitos deuses. Mas temeram para não correr o risco de ofender o Deus deste profeta. A situação era comparável ao que Paulo encontrou em Atenas quando falou sobre o "DEUS DESCONHECIDO" (At 17.22-31). Não obstante, talvez reconhecessem que o Deus de Jonas era de fato o Senhor dos céus e da terra. As traduções atuais (em inglês: RSV, VBB; em português: ARA, ECA, NTLH, NVI, RC) grafam com maiúscula a palavra **Deus** usada pelos ninivitas (**creram em Deus**, 5; a BV diz: "o povo acreditou em Jonas"). Em suas trevas e corrupção pagãs, estas pessoas **creram em Deus** e invocaram o seu nome. Em profunda contrição por seus maus caminhos, **proclamaram um jejum, e vestiram-se de panos de saco, desde o maior até ao menor** (5).

O pano de saco era um tecido grosso confeccionado com pêlos de cabra. Por todo o mundo semita, as pessoas usavam roupas deste material como sinal de lamento: luto pelos mortos, tristeza por desgraça pessoal ou nacional, aflição por pecados dos quais se buscava libertação (cf. 1 Rs 20.31; Is 15.3; Jr 49.3; Ez 37.31).

O decreto de grau máximo proclamado pelo **rei** e **seus grandes** (7; "seus nobres", ECA; NVI) evidencia o desespero induzido entre os ninivitas pela pregação de Jonas. Eles se arrependeram de coração, e o fizeram em esperança com fé. **Quem sabe**, declarou o rei, **se se voltará Deus, e se arrependerá, e se apartará do furor da sua ira, de sorte que não pereçamos?** (9). Declarar que Deus talvez se arrependesse significa que, caso atendessem seus conselhos, o Senhor poderia alterar o seu curso de ação. A significação da passagem fica evidente por esta tradução: "Quem sabe Deus volte atrás e revogue sua sentença contra nós (quando satisfizermos suas condições) e abandone sua raiva ardente, de forma que não pereçamos?" (ATA; cf. Nm 23.19; Jr 18.6-10; Jl 2.13,14).

Com misericórdia, **Deus** ouviu o clamor dos suplicantes ninivitas e **viu** que as **obras deles** mostravam sinceridade de arrependimento, porque eles **se converteram do seu mau caminho** (cf. Mt 3.8; Tg 2.18). Arrependimento com esperança e fé sempre chama a atenção do Senhor. **Deus se arrependeu do mal que tinha dito lhes faria e não o fez** (10). **Mal**, quando usado em conexão com a obra do Senhor, diz respeito ao julgamento que viria sobre as pessoas por serem desobedientes. Em várias outras ocasiões, o Antigo Testamento fala de Deus que se arrepende ou muda de opinião. O Senhor é imutável em seu propósito último para o gênero humano, e é de natureza invariável. Mas, quando se leva em conta que os homens mudam em sua resposta a Deus, torna-se necessário que o Senhor mude seus métodos de lidar com eles. Neste caso, deve tomar um curso de ação diferente para permanecer fiel ao seu propósito e natureza inalteráveis.

Os ninivitas não permaneceram no temor do Senhor; Naum e Sofonias (Sf 2.13-15) profetizaram contra a cidade e predisseram sua queda. A profecia cumpriu-se em 612 a.C. com a vitória dos exércitos dos babilônios e dos medos.

A graça perdoadora de Deus pelos ninivitas penitentes nos mostra que o Senhor chama todos os homens ao arrependimento e promete sua graça a todos os que se arrependerem: "Vinde, então, e argüi-me, diz o SENHOR; ainda que os vossos pecados sejam como a escarlata, eles se tornarão brancos como a neve; ainda que sejam vermelhos como o carmesim, se tornarão como a branca lã" (Is 1.18). Esta chamada ao arrependimento e certeza de perdão está no centro da mensagem cristã. Jesus declarou: "Eu não vim chamar os justos, mas sim os pecadores, ao arrependimento" (Lc 5.32). E na estrada de Emaús, disse: "Assim está escrito, e assim convinha que o Cristo padecesse e, ao terceiro dia, ressuscitasse dos mortos; e, em seu nome, se pregasse o arrependimento e a remissão dos pecados, em todas as nações, começando por Jerusalém" (Lc 24.46,47).

O arrependimento dos ninivitas coloca-nos face a face com nossa responsabilidade pelo Evangelho de Cristo. O Senhor Jesus declarou às pessoas dos seus dias: "Os ninivitas ressurgirão no Juízo com esta geração e a condenarão, porque se arrependeram com a pregação de Jonas. E eis que está aqui quem é mais do que Jonas" (Mt 12.41). Ainda hoje, a medida de luz e oportunidade determina nossa responsabilidade. As palavras de Jesus nos são ainda mais rigorosas, porque nossa luz e oportunidade são maiores que as das pessoas do século I.

A pregação de Jonas foi de conteúdo divino; ele falou como oráculo de Deus (1 Pe 4.11). Essa mensagem era de alta gravidade e visava um propósito prático – tocar o coração dos homens. A mensagem do profeta atingiu os resultados desejados — a Nínive penitente ilustra o poder de Deus em modificar até as pessoas mais improváveis.

Seção IV

DEUS CONVENCE JONAS PELA LÓGICA

Jonas 4.1-11

A. O Descontentamento de Jonas, 4.1-3

A auto-estima e o nacionalismo de Jonas o indispuseram a aceitar as intenções misericordiosas de Deus para com um povo arrependido. Os ninivitas fizeram com que ele ficasse profundamente ressentido com o perdão mostrado àquela cidade. Ver milhares dos inimigos de Israel em busca de Deus, na verdade, enfureceu o profeta.

De seu baixo ponto de vista, tudo o que via era que sua predição não se cumprira – portanto, era falsa – e o inimigo nacional de Israel fora poupado. **Desgostou-se Jonas extremamente... e ficou todo ressentido** (1). Literalmente: "Foi mal para Jonas" e "isto [o desgosto] o queimava".

O profeta percebeu que, se a Assíria, o destruidor predito de Israel (Os 9.3; 11.5,11; Am 5.27) fosse destruída como profetizara, Israel ficaria livre de seu maior perigo. Não haveria pesado tributo a pagar, e o país se desenvolveria em uma nação mais forte e influente. Porém agora parecia que, com a salvação dos inimigos de Israel, Jonas anunciava a destruição de seu próprio povo.

Mas Israel não seria poupado apenas com a destruição de Nínive. Eram seus próprios pecados que destruíam a nação israelita (cf. Mt 7.4,5).

A despeito de seu espírito hostil, Jonas considerava-se crente fiel, pois **orou ao SENHOR** (2). É tristemente comum que a pessoa que observa as formas devocionais e se considere crente manifeste atitudes insensíveis e rejeite a vontade de Deus.

"Há crentes que supõem que o dom de profecia e o dom de operação de maravilhas são os mais importantes concedidos aos homens; mas quem pensa assim está completamente enganado, pois estes dons não mudam o coração. Jonas tinha o dom de profecia, mas não tinha recebido a graça que destrói o velho homem e recria a alma em Cristo

Jesus. Este é o amor mencionado por Paulo; a pessoa que não tem esse amor, mesmo que tenha o dom de profecia e remova montanhas milagrosamente, à vista de Deus e apesar de algum bem que colha disso, é como o bronze que ressoa ou como o címbalo que retine".[1]

O profeta petulante culpou o Senhor, não só por poupar a cidade inimiga, mas por sua fuga pessoal e desobediente a Társis. Ele ousou dizer: Fugi, **pois sabia que és Deus piedoso e misericordioso, longânimo e grande em benignidade e que te arrependes do mal** (2). Assim, defendeu o próprio fracasso e culpou a bondade de Deus. Talvez tivesse em mente o texto de Êxodo 34.6 (cf. Jl 2.13).

Jonas sentia-se pessoalmente desacreditado e humilhado. Vencido pela autopiedade, preferiu morrer a ter de enfrentar a vergonha de ser alvo de riso entre sua própria gente quando voltasse para casa. Tinha certeza de que o julgariam pelos resultados da profecia. Por isso, orou: **Peço-te, pois, ó SENHOR, tira-me a minha vida, porque melhor me é morrer do que viver** (3). Sua reputação e prestígio entre os amigos e compatriotas lhe eram mais importantes que a preservação de milhares de pessoas inocentes.

Elias, em certa ocasião, quando viu o resultado desfavorável de eventos nos quais se envolvera, também pediu a morte (1 Rs 19.4). Teve ciúme *por* Deus e ficou angustiado, porque tão poucos buscavam ao Senhor. Por outro lado, Jonas teve ciúme *de* Deus e ficou angustiado, porque tanta gente buscava ao Senhor (cf. Nm 11.15; Jó 6.8,9).

Pouco antes (2.6), o profeta ficou extremamente alegre e grato quando Deus lhe poupara a vida. Naquela ocasião, falou eloqüentemente da misericórdia do Senhor. Agora, menospreza a vida porque essa mesma bondade divina foi mostrada a outros. É tragicamente verdadeiro que os homens não percebem de que espírito eles são (cf. Lc 9.55). O desgosto irado de Jonas mostrou falta de autocontrole, de reverência a Deus e de amor pelos homens.

Como era diferente a atitude de Paulo diante da vida e da morte! Ele tinha "desejo de partir e estar com Cristo", mas também estava disposto a viver, se fosse usado pelo Senhor para oferecer a misericórdia divina aos outros. Ainda que a morte lhe fosse ganho pessoal, viver seria para a maior honra de Cristo (Fp 1.20-26).

B. O Parecer de Deus, 4.4-9

Deus, que salvara Jonas da morte quando este estava em desobediência flagrante, faz um debate com ele acerca de seu estado de espírito descontente e zangado. **É razoável esse teu ressentimento?** (1; cf. Tg 1.20). A verdadeira questão era: Por que Jonas estava com raiva? Qual era a base para este comportamento? O Senhor estava insatisfeito com a atitude do profeta, mas não o reprovou abertamente. Somente apresentou a situação de forma que Jonas visse por si mesmo como sua conduta era infantil e, assim, mudasse de atitude.

"O que o Senhor diz a Jonas, transmite-o a todos que, irados, estão no ofício de curar almas. [...] Se estão irados, não com os homens mas com os pecados dos homens, se odeiam e perseguem, não os homens mas as maldades dos homens, então estão certos em sua ira; tal zelo é bom. Mas se estão irados, não com os pecados mas com os homens, se odeiam, não as maldades mas os homens, então estão errados em sua ira; tal zelo é ruim".[2]

O texto profético não nos informa se Jonas, em seu íntimo, reconheceu sua atitude errada. Pelo visto, sua consciência não ficou suficientemente abalada. Ainda de mau humor, permaneceu à distância segura, fora da cidade, para ver o que aconteceria. Talvez "esperasse contra a esperança" de que, embora os 40 dias tivessem passado, a cidade ainda poderia ser destruída. Construiu, para si, **uma cabana** (5) ou "um abrigo com ramos e folhas" (BV) e sentou-se para observar.

Ao falar verbalmente, agora o Senhor usa "recursos visuais" para que o profeta tardio em aprender consiga entender. Primeiro, providenciou melhor sombra contra o calor do sol, ao fazer germinar **uma aboboreira, que subiu por cima de Jonas, que se alegrou em extremo por causa da aboboreira.** (6). Deus sabe quantas vezes estamos desanimados e cometemos falta em virtude de estarmos fisicamente cansados; e o Senhor, por ser misericordioso, nos providencia alívio (cf. 1 Rs 19.1-8; Sl 103.13,14). O termo hebraico não indica a natureza exata da planta que Deus deu para Jonas, mas julga-se que era uma mamoneira ou uma variedade de melão. A velocidade milagrosa do crescimento é outra prova do cuidado de Deus por este profeta relutante.

Jonas ficou alegre pela **aboboreira**. Mas alegria não é necessariamente gratidão; e pelo visto o profeta carecia dessa qualidade. Sua alegria era completamente egoísta e carnal. Alegrou-se pelo presente, mas não teve a mínima consideração pelo doador. Quando o presente murchou, ficou bravo e queixou-se com Deus.

Ao dar continuidade à lição prática, **Deus enviou um bicho... o qual feriu a aboboreira, e esta se secou** (7). A esta altura, os ramos da cabana que o profeta fizera também murcharam, e deixaram-no quase totalmente à mercê dos causticantes raios solares. Para impressioná-lo ainda mais, **aconteceu que, aparecendo o sol, Deus mandou um vento calmoso, oriental, e o sol feriu a cabeça de Jonas e ele desmaiou, e desejou** (hb., pediu; cf. ARA; BV) **com toda a sua alma morrer** (8). Talvez este vento fosse o *siroco*, que traz do deserto calor ardente e pó sufocante, e torna a vida insuportável mesmo em lugares fechados.

A frustração mental e espiritual de Jonas aumentou com o sofrimento físico. O Senhor falou com o profeta que continuou egoísta e insensível, bravo e inflexível. Em sua preocupação consigo mesmo, não entendeu o essencial que Deus procurava lhe mostrar. Se, porventura, afligiu-se pela destruição de uma mera planta que apenas lhe dava sombra, não deveria entristecer-se muito mais pela destruição de uma cidade inteira?

C. A Preocupação de Deus por Todos, 4.10,11

Quando o Senhor falou com Jonas, explicou o que tentara dizer, ao argumentar a partir de um caso menor para um maior. Ele disse: **Tiveste compaixão da aboboreira, na qual não trabalhaste... que, em uma noite, nasceu e, em uma noite, pereceu; e não hei de eu ter compaixão da grande cidade de Nínive, em que estão mais de cento e vinte mil homens, que não sabem discernir entre a sua mão direita e a sua mão esquerda, e também muitos animais?** (10,11).

As opiniões variam quanto à interpretação da declaração relativa à população da cidade. Certos estudiosos entendem que as 120.000 pessoas mencionadas referem-se apenas a crianças, o que nos leva a supor que a população total girava em torno de

600.000 habitantes. Outros deduzem que os 120.000 dizem respeito aos indivíduos que desconheciam a lei moral de Deus (ver terminologia semelhante em Dt 5.32; Js 1.7). Se este for o caso, os 120.000 seriam a população total. Seja como for, Deus expressa sua preocupação pelo sofrimento de quem não pode se valer.

O Senhor mostrava como a exclusividade religiosa de Jonas o cegara. A mensagem era: Você nada teve a ver com a origem ou crescimento da aboboreira que pouco viveu, mas se afligiu por sua destruição. Você ficou desgostoso com a perda da planta efêmera que serviu para o prazer temporário de um só indivíduo e sobre a qual não tinha controle. Não deveria eu ter muito mais compaixão por uma cidade grande, antiga e cheia de almas imortais, de cujos seres eu sou o Autor e de cujas vidas eu sou o Sustentador?

Esta passagem unida com Lucas 19.41 nos ajuda a perceber a atitude de Deus com as cidades. Sabemos que são centros de crime e iniquidade, de pobreza e degradação. Mas Deus as ama. Ele se enternece por elas. Isto é particularmente relevante em vista da urbanização continuada de nosso mundo. Talvez a tendência da igreja evangélica a evitar o centro da cidade e priorizar os bairros não esteja de acordo com a preocupação compassiva de nosso Deus. G. Campbell Morgan escreveu: "Deus não abandonou as cidades. Ele ainda envia seus profetas, seus mensageiros, seu Filho. Pelo Espírito Santo, o Senhor é a força efetiva e sempre presente para o alívio de toda condição ocasionada pelo mal e sofrimento. Não há problema complexo demais para a sua sabedoria; não há força adversária poderosa demais para o seu poder; não há trevas densas demais para a sua luz; não há ninharia insignificante demais para a sua atenção. Ele trabalha pela restauração das cidades. Qual é a responsabilidade da cidade? Para que existe a igreja de Cristo? Para os poucos seletos que hoje cultuam dentro de edifícios chamados pelo nome divino? Se assim for, em nome de Deus fechem as portas! Tais igrejas não têm missão, e não deveriam existir. A igreja de Cristo existe para revelar Deus e agir em união com ele". [3]

Por vezes, somos inclinados a, como Jonas, subestimar as coisas menos importantes da vida, as que são temporais. Mesmo quando pensamos nas bênçãos espirituais, temos a propensão a fazer esse apreço exagerado em sua relação conosco mesmos, com nossos familiares, com nossos amigos, com nosso grupo social. Mas a preocupação de Deus, que abrange as coisas temporais e as espirituais, alcança a última pessoa da ponta extrema do mundo. A vontade de nosso Pai é que ninguém pereça (2 Pe 3.9).

O conhecimento desta atitude divina estimulou Paulo a clamar: "Ó profundidade das riquezas, tanto da sabedoria, como da ciência de Deus! Quão insondáveis são os seus juízos, e quão inescrutáveis, os seus caminhos!" (Rm 11.33). O poeta F. W. Faber escreveu:

> [...] O amor de Deus é mais vasto
> Que a medida da mente humana;
> E o coração do Eterno
> É maravilhosissimamente terno. (N. do T.).

O amor de Deus constrangeu o apóstolo a deixar tudo para ser embaixador de Cristo (Fp 3.8). Sem dúvida, concordaria plenamente com as palavras recentemente escritas por S. C. Yoder: "Para ter sido um pregador eficaz nos dias de Jonas, da Igreja primitiva, da Idade Média, ou nos tempos modernos, alguém como Jonas, deve morrer para a sensualidade, a atração, a sedução, o lucro e a recompensa, os quais o homem deve sacrificar e estar contente com as compensações que o Senhor tem para dar".[4]

O amor de Deus em nosso coração nos constrangerá a aceitarmos o pleno compromisso que o Senhor buscou em Jonas e recebeu com alegria de Paulo. Esse amor afinará nossos ouvidos à sua voz, de forma que ouviremos o chamado de Deus para testificarmos mundialmente de sua salvação. Atenderemos ao seu chamado para exercermos uma mordomia solene e sagrada da vida e das posses. A medida de nossa resposta ao chamado de Deus é, na realidade, a extensão de nosso amor por Ele.

Notas

INTRODUÇÃO
[1] W. W. Sloan, *A Survey of the Old Testament* (Nova York: Abingdon Press, 1957), p. 304.
[2] Robinson, "Jonah", NBC, p. 714.
[3] S. C. Yoder, *He Gave Some Prophets* (Scottsdale, Pensilvânia: Herald Press, 1964), pp. 80, 81.

SEÇÃO I
[1] Robinson, *op. cit.*, p. 715.
[2] S. J. Schultz, *The Old Testament Speaks* (Nova York: Harper & Brothers, 1960), p. 379.
[3] G. Campbell Morgan, *The Analyzed Bible* (Nova York: Fleming H. Revell Company, 1908), p. 212.

SEÇÃO II
[1] Leon J. Davis, *Bible Knowledge*, editado por Henry Jacobsen, vol. 1 (Wheaton, Illinois: Scripture Press, 1956), p. 355.
[2] G. A. Smith, *op. cit.*, vol. II, p. 508.
[3] J. D. Wilson, "Jonah", *Princeton Theological Review*, XXV (1927), p. 636.
[4] A. R. Fausset, *A Commentary on the Old and New Testaments*, vol. IV (Grand Rapids: William B. Eerdmans Publishing Company, 1948, reimpressão), p. 576.
[5] Fausset, *op. cit.*, vol. IV, p. 578.
[6] E. J. Young, "Jonah", *Christianity Today*, vol. III, n.º 25 (28 de setembro de 1959), p. 12.
[7] A. L. Gillett, "Jonah", *New Standard Bible Dictionary*, editado por M. W. Jacobus, E. C. Lane, A. C. Zenos e E. J. Cook (Nova York: Funk & Wagnalls Company, 1936), p. 582.

SEÇÃO III
[1] W. T. Purkiser, "Jonah", *Aldersgate Biblical Series*, editado por Donald Joy (Winona Lake, Indiana: Light & Life Press, 1963), pp. 25, 26.
[2] Adam Clarke, *A Commentary and Critical Notes*, Vol. IV (Nova York: Mason & Lane, 1837), p. 707.

SEÇÃO IV
[1] Clarke, *op. cit.*, p. 708.
[2] E. P. Pusey, *The Minor Prophets*, vol. I (Grand Rapids, Michigan: Baker Book House, 1963), p. 423.
[3] G. Campbell Morgan, "Jonah", *Biblical Illustrator*, editado por J. S. Exell (Nova York: Fleming H. Revell, s.d.), p. 80.
[4] S. C. Yoder, *He Gave Some Prophets* (Scottsdale, Pensilvânia: Herald Press, 1964), p. 82.

O Livro de
MIQUÉIAS

Armor D. Peisker

Introdução

O povo a quem Miquéias profetizou era profundamente religioso. Assistiam aos cultos de programação com um colorido primoroso em um Templo magnífico. Entre suas atividades constava a observância dos dias santos divinamente designados, cujo propósito era lembrá-los da extensa fidelidade de Deus e do dever permanente de servi-lo. Participavam de numerosos ritos sagrados que apontavam para Cristo.

Mas os contemporâneos de Miquéias não eram espirituais. Sentiam confiança na mera participação das cerimônias. Não lhes ocorria que fosse importante a forma como se comportavam fora do Templo.

Esta situação de ser religioso e, ao mesmo tempo, impiedoso perturbava Miquéias. Foi contra tal atitude que ele clamou. Esta ação fala pungentemente de nossos dias.

O profeta advertiu fielmente sobre o julgamento divino. Entretanto, ele é mais lembrado por sua definição indiscutível e abrangente da verdadeira religião. Em uma única declaração concisa, engloba a ênfase de Amós na justiça (Am 5.24), a preocupação de Oséias por misericórdia (Os 6.6) e a súplica de Isaías por um andar humilde com Deus (Is 2.11; 6.1-8). Nas suas palavras: "Ele te declarou, ó homem, o que é bom; e que é o que o SENHOR pede de ti, senão que pratiques a justiça, e ames a beneficência [misericórdia, ARA], e andes humildemente com o teu Deus?" (6.8) Assim, ensinou que a verdadeira religião leva a pessoa a uma comunhão íntima com o Senhor, e que, dessa comunhão, emana conduta íntegra para com os membros da raça humana.

Miquéias, que viveu na última metade do século VIII a.C., era um dos integrantes da brilhante galáxia de profetas daquele século, entre os quais Isaías foi o mais insigne. As mensagens dos dois homens de Deus estão em harmonia. Certos expositores sugerem que Miquéias foi discípulo de Isaías, e é interessante notar a semelhança entre Miquéias 4.1-5 e Isaías 2.1-4. Mas os dois profetas são muito diferentes. Isaías era membro da aristocracia. Miquéias era homem do povo. Isaías era refinado, conhecia a fundo os costumes da capital e freqüentava os círculos da corte. Miquéias era homem rude do interior, um profeta dos humildes.

Sua formação, provavelmente, o tornou sensível às opressões sofridas pelos pobres. Estava, sem dúvida, inteirado das políticas corruptas da capital, sobre as quais Isaías falou. Também deve ter sido do seu conhecimento algo do fausto e depravação oculto que vigoravam no Reino do Norte, contra os quais Amós e Oséias, dois dos seus contemporâneos, protestaram. Conhecia a apostasia religiosa da nação. Mas foi o sofrimento dos pobres oprimidos que lhe torcia o coração.

Era natural de Moresete, cidade situada nos contrafortes de Judá a uns 32 quilômetros a oeste de Jerusalém, na extremidade da planície marítima, entre as montanhas de Judá e a Filístia junto ao mar.[1] Ainda que a região fosse fértil e bem provida de água, lugar de plantações, pomares de olivas e pastos, os agricultores, entre os quais Miquéias fora criado, quase sempre estavam em dificuldades econômicas. Oprimidos pelas dívidas, eram forçados a hipotecar suas propriedades aos ricos de Samaria e Jerusalém, os quais lhes desapropriavam as terras. Assim, se tornavam arrendatários de fazendas, oprimidos por senhores gananciosos e insensíveis. Esta exploração dos pobres foi, aos olhos de Miquéias, um dos crimes mais hediondos de seus dias, e ele bravamente denunciou estes exploradores (2.2).

O mundo de Miquéias estava em revolução. E o profeta estava ciente da situação agourenta. Ele morava numa região de aldeiazinhas afastada das atividades políticas das capitais, mas era o seu vale amplo e aberto que tinha de suportar o ímpeto do ataque do invasor que empreendesse conquistar Judá. Foi por isso que, ele viu e sentiu os terrores da catástrofe espantosa de seu mundo.

O meio-século de segurança e prosperidade desfrutado pelo Reino do Norte terminou com a morte de Jeroboão II e o avanço dos assírios em direção oeste. Damasco, capital da Síria, caiu em 731 a.C. (2 Rs 16.9). Samaria, capital de Israel, foi vencida em 721 a.C. pelos exércitos assírios sob as ordens de Salmaneser e Sargão (2 Rs 17.5,6). A queda da capital do norte deixou Jerusalém e a amada região rural de Miquéias expostas aos inimigos que destruíam tudo o que encontravam pela frente em sua determinação rumo ao Egito. O profeta deve ter sofrido uma angústia de espírito indescritível quando viu o rei Senaqueribe invadir Judá e, em 701 a.C., armar o cerco de Jerusalém (2 Rs 18.13–9.37).

A impiedade predominante e a deterioração calamitosa contra Israel e Judá não levaram Miquéias ao desespero. Ele sabia muito bem que a última palavra não seria dada pelos usurários cruéis que mantinham a ele e seus vizinhos em escravidão, nem mesmo seria dos insensíveis reis pagãos e seus exércitos que arbitrariamente causavam devastação por todo o mundo do profeta. Ele estava certo de que Jeová ainda tinha uma palavra derradeira. Ele esperava uma nação purificada e restaurada. Miquéias viu o cumprimento do propósito do Senhor na vinda do Messias. E ele deve ter ficado extremamente alegre ao saber que o Ungido nasceria na humilde região montanhosa de Judá, na pequenina aldeia de Belém.

Esboço

I. **O Julgamento de Deus está Perto**, 1.1—3.12

    A. Que Julgamento?, 1.1-16
    B. Por que Julgamento?, 2.1—3.12

II. **O Povo de Deus tem um Futuro**, 4.1—5.15

    A. A Glória Futura da Casa do Senhor, 4.1-8
    B. As Tristezas do Tempo Presente, 4.9—5.1
    C. A Vinda de Cristo para Remir, 5.2-15

III. **A Controvérsia de Deus com o seu Povo**, 6.1—7.20

    A. Deus faz um Apelo Supremo, 6.1-8
    B. Deus Condena o Mal, 6.9-16
    C. Miquéias Lamenta a Corrupção da Nação, 7.1-6
    D. A Fé de Miquéias em Deus, 7.7-13
    E. A Oração de Miquéias por seu Povo, 7.14-20

Seção I

O JULGAMENTO DE DEUS ESTÁ PERTO

Miquéias 1.1 — 3.12

A. QUE JULGAMENTO? 1.1-16

1. *Deus Apresenta-se Pessoalmente* (1.1-5)
Como todos os verdadeiros profetas em Israel, Miquéias, sob inspiração divina, expôs a mensagem de Deus aos seus contemporâneos. Sentia-se sob autoridade direta de Deus, a quem apenas deveria obedecer, pois a **palavra do SENHOR** (1) **veio a ele**. Conhecedor da vontade e dos propósitos santos do Senhor, Miquéias sentiu-se compelido a compartilhar com seu povo estes desígnios solenes. Com a confiança em Deus e a certeza de que falava as palavras da verdade, o profeta era destemido e não dava a mínima para as conseqüências pessoais ao entregar a mensagem.

Sob este aspecto, Miquéias é um modelo para os pregadores de todos os tempos. O mensageiro tem de ser homem de Deus e da Palavra de Deus. Deve ser confiante de que tem uma revelação divina. Precisa ser ousado ao falar a verdade para passar segurança e ser convincente. Só o homem que, como Miquéias, se sente compelido por Deus deve engajar-se na obra da pregação. Mas o que sente esta compulsão não ousa tardar em obedecer.

Natural de Morasete ou Moresete (ver Introdução), Miquéias profetizou durante os reinados de três reis sucessivos de Judá: **Jotão, Acaz e Ezequias** (1; ver diagrama A). Esta prova interna fixa a data de seus trabalhos entre 750 e 687 a.C. Embora morasse em Judá, sua mensagem era pertinente a **Samaria**, capital de Israel, e a **Jerusalém**, capital de Judá. Ao considerarmos que Samaria foi destruída em 712 a.C., é claro que a primeira parte da profecia deve ser datada antes desse ano.

Este capítulo, que estremece com o julgamento iminente, inicia com uma descrição gráfica e figurativa do Senhor que desce do lugar de sua habitação santa para julgar um povo rebelde. A terra inteira é convocada. Todos os homens de todos lugares recebem a ordem de parar e ouvir o que Deus tem a dizer sobre o **templo da sua santidade** (2). O Senhor viera lidar principalmente com a **transgressão de Jacó** (5; o Reino do Norte) e de sua capital, **Samaria**, e com a maldade de **Judá**, que se concentrava em sua capital, **Jerusalém**. Mas Jeová é o Deus de toda a terra. O Senhor não está afastado de nosso mundo. Preocupa-se com os assuntos humanos. Sua palavra é mais urgente que qualquer coisa que demande nossa atenção. Todos têm de parar e prestar atenção. "Onde Deus tem uma boca para falar, temos de ter ouvidos para ouvir; todos precisamos agir assim, porque a mensagem diz respeito a todos".[1]

O SENHOR... andará sobre as alturas da terra (3). A imagem descreve o Deus que usa o cume das montanhas como degraus para se aproximar do povo. Debaixo de seus passos largos e majestosos, as montanhas desaparecem e a terra se torna uma planície nivelada: "Debaixo dele as montanhas se derretem e fluem para os vales, como cera que se derrete diante do fogo e escorre como água" (4, Phillips). Veja como Moffatt traduz o versículo 5.

> *E tudo isso por causa da transgressão de Jacó,*
> *Por causa dos pecados da casa de Judá!*
> *A transgressão de Jacó? Não está em Samaria?*
> *O pecado de Judá? Não está em Jerusalém?*

Até hoje Deus interfere nos assuntos dos homens e das nações. Sempre que o Senhor entra em uma situação, é para mudar. Não há circunstância que esteja fora de seu interesse ou haja alguém que escape de seu julgamento.

2. *Como será o Julgamento de Deus* (1.6,7)

Ao falar na primeira pessoa, Deus declara que Samaria será completamente arrasada. **Farei de Samaria um montão de pedras do campo** (6). Segundo a Versão Bíblica de Berkeley, o **montão de pedras do campo** são terraplanagens em terreno pedregoso para uso comum no cultivo de uvas. A cidade outrora orgulhosa se tornará um lugar vazio para a plantação de vinhedos. **Descobrirei os seus fundamentos**, ou seja, as paredes de pedra dos edifícios e as muralhas da cidade serão lançadas para o vale abaixo, a fim de deixar as fundações descobertas e expostas para todos verem – um memorial trágico por causa da desobediência e falta de espiritualidade do povo. **Todas as suas imagens de escultura serão despedaçadas** (7). Os ídolos das deidades pagãs, cuja adoração fora praticada em Israel, serão estraçalhados e os presentes dados a esses ídolos, queimados.

Esta ruína virá sobre a cidade, porque Samaria abandonara o verdadeiro Deus e cometera prostituição espiritual. Como a esposa infiel vai atrás de outros homens, assim Israel tinha seguido outros deuses. Além disso, grande parte da prosperidade da cidade era resultado de taxas das prostitutas cultuais ligadas aos recintos adjacentes aos templos pagãos. A Septuaginta traduz o versículo 7d assim: "Porque juntou dos salários da fornicação, e dos salários da fornicação acumulou riquezas".

Este julgamento foi realizado pelos exércitos assírios sob o comando de Salmaneser e de Sargão (2 Rs 17.4-6). Quando Oséias, rei de Israel, reteve o tributo da Assíria, Salmaneser saqueou a terra, lançou Oséias na prisão e sitiou a cidade. Em 721 a.C., depois de três anos de assédio, Sargão (por esta época, rei da Assíria) reduziu a cidade a entulho e fez de Samaria estado vassalo regido por um governador provinciano na antiga cidade da realeza. Em sua inscrição, Sargão afirma ter deportado nesta ocasião 27.290 israelitas. A maioria destes foi mandado para a Média, onde se estabeleceu. Para completar as classes mais pobres que ficaram na terra, Sargão importou estrangeiros de várias regiões de dominação assíria.

3. *O Profeta Lamenta* (1.8-16)

Miquéias pranteia não só o golpe mortal que se abaterá sobre Israel, mas também o fato de que as corrupções do Reino do Norte tomaram conta de Judá, até chegar a Jerusalém. Em vista disso, deduz-se que o julgamento de Deus englobaria a pátria do profeta. De fato, o sucessor de Sargão, Senaqueribe, invadiu Judá e sitiou a própria Jerusalém. Talvez seja isso que Miquéias quis dizer quando profetizou: **Estendeu-se até à porta do meu povo, até Jerusalém** (9).

Miquéias bem sabia que o desentendimento moral e espiritual entre um povo era uma ferida fatal que só podia ser curada pela volta a Deus. **A sua chaga é incurável** é, literalmente, "ele está gravemente doente por causa de suas feridas". Para o profeta, está bastante claro que o salário do pecado sempre é a morte.

É fato sério que a obstinação no pecado entre qualquer grupo de pessoas sempre ocasiona o julgamento divino. Trata-se de uma ferida que só Deus pode curar.

Para dramatizar sua tremenda preocupação e impressionar o povo com a escassez que, sem dúvida, viria, Miquéias expressa abertamente sua dor de maneira comum em seus dias. **Por isso, lamentarei, e uivarei, e andarei despojado e nu** (8). Ele tirou os calçados e a roupa de cima. O profeta ficou tão profundamente abalado pelo que viria sobre sua gente, que tinha vontade de fazer "lamentações como de chacais e pranto como de avestruzes" (8b, ARA). Os terríveis uivos noturnos dos chacais (**dragões**) e o som triste e pesaroso das **avestruzes** expressam emoções de medo e tormento que palpitavam incontrolavelmente no interior do profeta.

Os homens de Deus que desejam eficiência no ministério devem tomar parte na preocupação sensata de Miquéias pelos santos sofredores e pelo julgamento dos pecadores. É necessário que o ministro seja incitado pela palavra que recebe do Senhor. Tem de ser tocado pela verdade que dá ao povo; pois é somente quando seu coração tem esse tipo de preocupação que sua mensagem atinge o coração dos que o ouvem. Para que a pregação seja significativa, a comunicação tem de ser de coração para coração.

Miquéias ficou não só aflito com a situação difícil e triste do povo, mas também com raiva quando lembrou os pecados que ocasionaram esta catástrofe. Por causa disso, foi extremamente satírico ao anunciar a destruição que viria sobre Judá, ao servir-se de uma série de trocadilhos (10-15) feitos com os nomes das cidades da região sudoeste da Palestina. O dramático jogo de palavras aparece na tradução de J. B. Phillips:

> *Portanto, em Gate, onde as histórias são contadas, não digais uma palavra!*
> *Em Aco, a cidade da Lamentação, não derrameis uma lágrima!*
> *Em Afra, a casa do Pó, rastejai no pó!*
> *E vós que morais em Safir, a cidade da Beleza, saí, pois a vossa vergonha está descoberta!*

> *Vós que morais em Zaanã, a cidade da Marcha, agora não há marcha para vós!*
> *E Bete-Ezel, situada na ladeira, em sua tristeza não pode oferecer posição segura,*
> *Os habitantes de Marote, a cidade da Amargura, esperam tremulamente pelo bem,*
> *Mas a desgraça desceu do Senhor até a porta de Jerusalém!*
> *Agora, vós que morais em Laquis, cidade famosíssima por seus cavalos,*
> *Pegai vossos corcéis mais velozes e atrelai-os aos vossos carros!*
> *Pois o pecado da filha de Sião começou convosco,*
> *E em vós achou-se a fonte da rebelião de Israel.*
> *Portanto, dai vosso dote de despedida para Moresete de Gate!*
> *As casas de Aczibe, aquele riacho seco, foram uma ilusão para os reis de Israel,*
> *E uma vez mais trago um conquistador contra vós, homens de Moresete,*
> *Enquanto a glória de Israel está escondida na caverna de Adulão.*

Miquéias fala que Laquis foi o **princípio do pecado para a filha de Sião** (Jerusalém, 13). O profeta quer dizer que foi aqui que as corrupções idólatras do Reino do Norte encontraram seu primeiro ponto de apoio no Reino do Sul. Ele dá a entender (14,15) que as pessoas deste lugar queriam enviar presentes à cidade natal do profeta, **Moresete-Gate** ou Maressa, e à vizinha cidade de **Aczibe**, a fim de garantir o apoio delas contra o inimigo. Mas essa ajuda, diz o profeta, não virá, pois um **herdeiro** (15, "inimigo", NTLH; "vencedor", ECA; ou "conquistador", NVI) também derrotará tais cidades. Nas palavras **Adulão a glória de Israel**, Miquéias recorda que o apuro de Judá é como o de Davi, que em um desesperado momento de fuga achou refúgio na caverna de **Adulão**, situada perto de Maressa. Ele vê a glória da outrora orgulhosa nação hebraica enfrentando uma nova Adulão de desespero.

O lamento triste de Miquéias se encerra com uma conclamação para o povo lamentar a perda iminente de seus filhos. Essas crianças, que foram criadas com esmero e carinho, estão destinadas a uma vida dura de escravidão na terra do inimigo. Ao falar deste pranto, Miquéias usa um símbolo comum de aflição: **Faze-te calva e tosquia-te** (16). Devem tosquiar (raspar) as cabeças (cf. Am 8.10; Is 22.12; Jr 16.6). Os **filhos das tuas delícias** ou "os teus filhos queridos" (Phillips; NTLH). Nesse luto, diz Miquéias, ficarão semelhantes à **águia**, ou melhor, ao urubu (ASV, nota de margem), cuja cabeça, diferente da águia, é **calva**, porque tem penas no restante do corpo.

Como indicado acima, este julgamento que Miquéias presenciou sobre Judá acarretava no cerco de Senaqueribe em 701 a.C. Ao compararmos esta passagem com Isaías 10.28-32, vemos algo do pânico e destruição que se espalhava de cidade em cidade com a aproximação dos exércitos assírios. Mas as repreensões de Miquéias foram levadas a sério pelo rei Ezequias (Jr 26.18,19), e a mensagem complementar de Isaías deu mais esperança e fé ao rei. Pela penitência e confiança em Deus, o julgamento foi atrasado (2 Rs 18.14-16; Is 37.36,37).

B. Por que Julgamento?, 2.1—3.12

1. *Injustiça* (2.1-5)

Deus prossegue com o caso contra seu povo desobediente. Através do profeta, expõe os males específicos na vida social e religiosa do povo, os quais eram responsáveis pela ruína deles. Miquéias deixa claro que os pecados contra o povo são, na realidade, pecados contra Deus. Neste ponto, precedeu o ensino de nosso Senhor Jesus (Mt 25.31-46; Lc 11.39-42; 16.13-15).

A injustiça era excessiva em Judá. Homens dessa categoria estavam prontos para tirar vantagem de seus companheiros. Entre esses indivíduos particularmente culpados estavam os ricos citadinos ávidos em obter extensas propriedades de terra (ver Introdução). Essa gente estava infectada pela cobiça que Deus condenara no Sinai (Êx 20.17). A cobiça é a raiz de vários tipos de males. Dela emana o desejo pecaminoso que incita os homens a quebrarem muitos dos outros nove mandamentos.

Estes homens eram tão aplicados em suas buscas gananciosas que **maquinam o mal** (1) **nas suas camas**, ou seja, ficam noites acordadas imaginando como conseguir mais terras. Então, **à luz da alva**, levantam-se sem agradecer a Deus ou levar em conta suas leis ("porque não ergueram as mãos para Deus", LXX). Descaradamente, em plena luz do dia, começam deliberadamente a pôr em ação seus desígnios egoístas. Em conluio com autoridades igualmente corruptas, mediante subornos e outros procedimentos ilegais, desapropriam campos e casas desejáveis dos seus respectivos donos. Nos dias de Miquéias, a riqueza consistia em grande parte em bens imóveis. Estes homens estavam tão dominados pela mania de possuir terras que, sem piedade, "saqueavam os órfãos" (LXX) e oprimiam casas inteiras, sem consideração pelos direitos invioláveis de herança dos donos (2). Miquéias não condena a riqueza em si, mas reprova a aquisição desonesta e o uso egoísta que é atribuição dos homens.

Pensamentos maus levavam estes homens a ações de confisco, roubo e violência. Do pensamento à ação, é como o mal se desenvolve. A passagem sugere a necessidade de resistirmos os primeiros ataques do pecado, expulsarmos os primeiros pensamentos do mal. É bastante ruim ser subitamente apanhado sem querer no erro ou no pecado, mas é extremamente pior ser apanhado no erro ou pecado deliberado, com desígnio, para seguir um curso do mal. O testemunho do salmista (Sl 63.5,6) e a advertência de Paulo (Fp 4.8) nos dão a orientação de Deus nesta área.

Os atos de pecado se desenvolvem a partir de pensamentos maus, e os atitudes pecadoras aumentam em sua pecaminosidade. Os que devoravam casas de viúvas uma geração mais tarde, tramavam contra aquele que reprovara esta prática (Mt 23.14). Foram eles que gritaram: "Fora daqui com este [homem]" (Lc 23.18).

A situação da qual Miquéias fala é ilustração surpreendente do que acontece quando os homens são governados pelo egoísmo. Planejam e trabalham por interesses próprios. Por não serem espirituais, dependem da própria maquinação e habilidade para conseguir o que intentam. Nesse ato, burlam todas as leis que impeçam seus propósitos ou simplesmente as desconsideram.

A opressão que Deus odeia não está limitada a tomar bens materiais. Envolve todas as injustiças sociais. Todos os homens são criados à imagem divina com direitos iguais diante de Deus. Cada ser humano é precioso aos seus olhos. Ninguém deve ser oprimido ou enganado em qualquer assunto.

Paulo ressalta (2 Co 5.15,16) que nós, como cristãos, devemos considerar todos os homens como filhos potenciais de Deus. Não devemos vê-los somente do ponto de vista humano e avaliá-los pela aparência. Ainda que sejam os mais vis pecadores, Cristo morreu para torná-los santos. Temos de ver todos os homens com compaixão entranhável, como pessoas a serem amadas e pelas quais oramos para que nosso Senhor as salve.

Miquéias não é o único que condena a injustiça. O salmista (Sl 36.1-4) fala de modo semelhante, bem como os profetas Isaías (Is 5.8-12; 32.7) e Amós (Am 8.4). Elias enfrentou Acabe e o condenou severamente por exigir o vinhedo de Nabote (1 Rs 21). Muitos anos depois, Jesus condenou alguns dos homens mais religiosos de seus dias pelas injustiças deflagradas pela cobiça (Mt 23.14; Mc 12.38-40; Lc 20.46,47). Sempre precisamos manter em mente que a justiça e boa vontade para com nossos semelhantes ainda são imperativos na vida cristã.

No tempo de Miquéias, os altares ficavam vermelhos com o sangue que escorria de milhares de bois, carneiros e cordeiros comprados pelos ricos de Jerusalém, que pagavam regiamente os sacerdotes pelos serviços. Hoje, é possível participar de cultos religiosos públicos cuja forma goza de ampla aceitação e, ao mesmo tempo, estar longe de satisfazer os padrões cristãos de adoração adequada. Ser hostil, agir com desonestidade nos negócios, divorciar o credo da prática são alguns procedimentos que desqualificam o crente diante do Senhor.

Deus é o Juiz entre os homens e vinga o inocente. Por causa da opressão citada por Miquéias, o Senhor delineia um julgamento humilhante para **esta geração** (3; os israelitas), do qual ninguém escapará ou "se sacudirá" (Phillips; cf. **do qual não tirareis os vossos pescoços**). O povo estava diante de dias desastrosos e os inimigos o humilhariam tanto que não andaria mais orgulhosamente ereto. **Não tirareis os vossos pescoços** significa que quem tinha se recusado a curvar o pescoço sob o jugo fácil dos mandamentos de Deus, agora tem de se curvar sob o jugo pesado do julgamento de Deus: o terrível cativeiro no exílio. **O tempo será mau** quer dizer que são tempos de desgraça, tempos semelhantes aos mencionados por Jeremias (Jr 18.11) e Amós (Am 5.13).

É verdade que hoje quem recusa o jugo fácil da obediência a Cristo não escapa do fardo pesado do julgamento. Aqueles que, por orgulho, não dobram voluntariamente o pescoço para levar o jugo de Cristo, cedo ou tarde serão forçados a dobrar o pescoço (Rm 14.11,12; Fp. 2.9-13).

O julgamento segundo os pecados cometidos estava a ponto de cair sobre os ricos cobiçosos. As terras que eles tinham arrancado dos outros seriam tomadas no tempo devido pelos invasores. Os inimigos lhes dirão de forma acusativa e zombeteira o destino desagradável que lhes aguarda e todos entoariam esta canção: **Nós estamos inteiramente desolados!** (4); "Estamos totalmente arruinados e destruídos! Deus troca a porção de meu povo. Como ele a retira de mim! Divide nossos campos aos rebeldes – nossos invasores" (4, ATA; cf. Hc 2.6).

Os campos que com tanto prazer confiscaram dos desamparados agora lhes seriam tirados. **Não terás tu... quem lance o cordel pela sorte** (5) significa que nenhum deles vai assumir uma parte da terra de Israel por rateio. Não haveria restauração no ano do Jubileu, porque não sobraria alguém da congregação de Jeová. Estes homens, que tinham tomado posse da terra, seriam levados em cativeiro, enquanto que quem se beneficiaria de seus campos seriam uns poucos pobres que ficariam e estrangeiros trazidos de outras nações.

Esta é uma verdade eterna, como salienta Matthew Henry: "Quanto mais inteligente é o ímpio no pecado, mais santas são a sabedoria e a conveniência no castigo; pois o Senhor será conhecido pelos julgamentos que executa".[2]

2. O Desejo de Pregação Fácil (2.6-11)

Alguns ouvintes, indignados porque Miquéias expusera seus crimes publicamente e afirmara que o julgamento de Deus seguramente viria sobre eles, o interromperam. Deram a entender que não tolerariam mais tal conversa: **Não profetizeis** (6). Os clamores confusos destes importunadores poderiam ser interpretados assim: "Pára com esse teu profetizar! São profecias (sobre nós)! Não vai acontecer isso! Será que nunca acabam estas repreensões?"[3]

O povo não queria ensino honesto. Como muitos em nossos dias, os habitantes de Judá desejavam coisas novas, inventadas pelo homem e não reveladas por Deus. Era popular descrer no que tinha sido revelado e no que os pais já tinham comprovado que era verdadeiro.

A atitude enfrentada por Miquéias é semelhante à encontrada por Isaías (Is 30.10), Jeremias (Jr 5.30,31) e Amós (Am 2.12). O público de Miquéias era como o que tem "comichão nos ouvidos" sobre o qual Paulo escreve (2 Tm 4.3-5). Em outra carta, o apóstolo fala também dos resultados trágicos de recusar ouvir a palavra de Deus (1 Ts 2.8-12). São tempos tristes quando, como diz Pusey, "os homens ensinam seus mestres como querem ser ensinados erroneamente, e ouvir o eco dos próprios desejos como a voz de Deus". [4]

Miquéias não se intimidou, nem evitou se comprometer. Ele se empenhou em criar fielmente um conceito adequado de justiça na mente das pessoas. E hoje precisamos considerar a base para a verdadeira justiça. Pois em nossos dias, como nos deste profeta, o comercialismo e o materialismo suplantam os valores éticos e espirituais. Não devemos nos esquecer de que "um ato não é justo porque tem sanção legal ou não é necessariamente justo porque tem a sanção da igreja ou da consciência do indivíduo. As nações, bem como as estruturas menos organizadas, têm concedido status legal a atos que são amorais e até imorais. As pessoas em grupos ou como indivíduos subordinam a consciência para justificar o mal ao visar alcançar certos fins".[5]

Miquéias procura argumentar com as pessoas. Apresenta quatro questões importantes (7): a) "Acaso dir-se-á isto, ó casa de Jacó?" (7a, RSV; cf. ECA). Vocês estão mesmo justificados, pergunta ele, ao falar desse jeito? b) **Tem-se restringido o Espírito do SENHOR?** Será que se me silenciarem, inquire Miquéias, vocês também calariam o Espírito de Deus? Vocês acham que, por serem incrédulos e desobedientes, frustram os planos divinos? Vocês conseguem tornar Deus seu prisioneiro e criado? c) **São estas as suas obras?** Vocês podem culpar Deus pelos julgamentos que vocês sofrerão? Miquéias os lembra: Não foram vocês que erraram? d) **Não é assim que fazem bem as minhas palavras ao que anda retamente?** O homem reto não tem medo do que eu possa dizer. Se quiserem, então andem retamente. Minhas palavras, que são mesmo de Deus, são para instrução e consolo e não para causar angústia.

O modo em que os versículos 6 e 7 descrevem a oposição à palavra de Deus sugere que os homens podem opor-se à verdade do Senhor, mesmo quando é falada com fidelidade e constância. Podem rejeitá-la, mas os propósitos divinos permanecem; o Espírito Santo jamais é contido. Opor-se à palavra divina, que é permanente, priva a pessoa das bênçãos imensuráveis do ministério fiel. Esta atitude ofende o Espírito de Deus, e despoja os homens de todos os privilégios do Evangelho.

Miquéias prossegue, enfrenta os antagonistas e revela mais de suas explorações cruéis contra os inocentes da terra. Estes homens, ao contratarem grupos de ladrões para emboscar viajantes desavisados, saqueavam as vítimas e agiam como um exército invasor. Roubavam até as roupas de pessoas bem intencionadas que discretamente cuidavam da própria vida. "Vós vos levantais contra meu povo como se fosse um inimigo", declara Miquéias. "Vós tirais a capa dos que estão tranqüilos, daqueles que passam confiantes sem pensar em guerra" (8, RSV; cf. NTLH).

Lançastes fora as mulheres do meu povo (9). Fizeram com que mulheres e crianças fossem afastadas de suas casas e levadas em cativeiro para longe de sua herança legítima sob o governo de Deus, para longe do templo e de suas ordenações pelas quais aprenderam sobre o Senhor e viram sua glória. Miquéias exorta seus compatriotas a se levantarem e mudarem de comportamento. Adverte-os a não esperar descanso, pois o pecado que corrompeu a terra seguramente os destruirá (10).

Esta declaração profética nos coloca à frente do fato triste de que é o homem que corrompeu e ainda contamina o mundo, e não o mundo que corrompe o homem. E a lei da vida exara que quem corrompe o mundo ao redor, cedo ou tarde, será contaminado pela corrupção que promulgou. "Não se iludam", disse Paulo. "Lembrem-se de que vocês não podem desprezar a Deus, e escapar; um homem sempre colherá justamente o produto da semente que plantou! Se plantar a fim de agradar aos seus próprios desejos maus, plantará as sementes do mal e logicamente fará uma colheita de ruína espiritual e morte" (Gl 6.7,8a, BV).

Os cidadãos de Judá não queriam um profeta íntegro. Sua determinação era ouvir somente as pessoas que, ao afirmarem ser profetas de Deus, tolerassem a vida sem princípios e disciplina que levavam, e lhes pregassem **acerca do vinho e da bebida forte** (11). "Esta era uma daquelas épocas", declara Rolland Wolfe, "em que a congregação manda no púlpito. O principal critério na escolha de um profeta ou ministro era que dissesse o que agradasse os ouvidos das pessoas, e espalhasse mentiras alegres e não a verdade muitas vezes amarga".[6]

O homem de Deus que prima pela fidelidade é menos popular do que o que, de boa vontade, transige os quesitos verdadeiros por perturbarem os pecadores e meramente ecoa as opiniões do dia. Proclamar o verdadeiro Evangelho que exige arrependimento, abandono do pecado e vida íntegra quase sempre encontra oposição.

Os falsos cultos de hoje prometem conceder o favor divino sem exigir obediência aos ensinos íntegros de Deus. Pusey explica por que tais cultos atraem tantas pessoas:

> O homem quer ter um deus. O Senhor fez nossa natureza com a necessidade de desejá-lo. O desejo espiritual, como a fome natural que é privada de alimento saudável ou que o detesta, deve ser sossegado, abafado com o que satisfará seu suplício. Nosso intelecto natural o deseja, pois não pode entender a si mesmo sem ele. Nossa inquietação o deseja para nele descansar. Nosso desespero o deseja para escapar da pressão insuportável de nossa futuridade desconhecida. Nossa imaginação o deseja, pois tendo sido feita para o Infinito não consegue se contentar com o finito. Os sentimentos doloridos o desejam, pois não há criatura que os acalme. Nossa consciência insatisfeita o deseja para ensiná-la e torná-la uma consigo mesma. Mas o homem não quer ser responsável nem dever obrigações; muito menos ser passível de pena por desobediência. [...] O homem natural quer ser totalmente livre do que o deixa desconfortável para não pertencer a Deus. E a sutileza terrível dos falsos ensinos em cada época e nação é satisfazer suas exigências prediletas sem pedir abnegação ou auto-sacrifício, para darem um deus, como se o tivessem, como se pudessem contentá-lo.[7]

3. *Previsão de Libertação* (2.12,13)

Miquéias, como outros profetas do Antigo Testamento, via o futuro como um todo, sem perspectiva de tempo. Contemplava importantes acontecimentos futuros no procedimento de Deus com o povo, mas não tinha discernimento sobre o tempo do cumprimento. O profeta não sabia se longos anos ou milênios separavam uma mensagem da outra. Sua visão era como a nossa ao vermos estrelas no céu. Vemos os corpos celestes, mas não temos perspectiva espacial; nada contemplamos que indique que umas estão imensamente mais longe que as outras.

Portanto, não nos surpreendamos ao descobrir que o registro que Miquéias fez das coisas que contemplou não está na forma de narrativa cronológica. Não fiquemos perturbados por notar que o relato da restauração futura está no meio da previsão dos julgamentos mais imediatos de Deus. Nem estranhamos que, nos capítulos 4 e 5, os versículos que tratam da vinda de Cristo para redimir estejam misturados com os que falam de sua vinda para reinar.

Ao mesmo tempo em que Miquéias contava sobre o julgamento iminente, sabia que um remanescente do povo de Deus voltaria para a Palestina. Ele fala sobre isso em 2.12,13, ao declarar que os fiéis dentre as 12 tribos serão reunidos do cativeiro e instalados novamente em sua pátria. Ao falar pelo Senhor, Miquéias diz: "Certamente ajuntarei todos vós, ó Jacó; certamente congregarei o restante de Israel; Eu os reunirei (Israel) como ovelhas no aprisco, como rebanho no meio do pasto. Eles (o aprisco e o pasto) fervilharão de homens e zumbirão pelo muito barulho que farão" (12, ATA). O seu Rei divino, o **arroteador** (13; "o que abre caminho", ARA), não só lançará a porta ao chão, mas fará uma brecha na parede da prisão do exílio israelense para acelerar a fuga. Como um rebanho de ovelhas inquietas "sairia às pressas" (LXX) e ruidosamente pelas aberturas feitas para elas, assim Deus, o Bom Pastor, marcharia diante dos israelitas, para guiá-los rumo à pátria para o aprisco.

É claro que esta previsão se refere diretamente à restauração de considerável número de cativos sob os decretos de Ciro e Artaxerxes, respectivamente, nos séculos VI e V a.C. Também pode ser um prenúncio dos milhares de judeus e gentios que, ao aceitarem a Cristo, tornaram-se verdadeiros filhos de Abraão (Gl 3.7), e foram reunidos no aprisco da igreja (Rm 11.1-5). Ou talvez seja previsão daquele dia ainda mais glorioso que João viu, no qual "uma multidão, a qual ninguém podia contar", se une a uma voz de louvor ao Bom Pastor que a trouxe ao redil seguro na presença imediata de Deus (Ap 7.9,10).

Todo inteiro (12) não quer dizer que todos os cativos na Babilônia voltarão. **Todo inteiro** significa Israel e Judá. Deus afirma que os que desejarem voltar, quer originalmente de Israel ou de Judá, serão reunidos como um grupo. Já não serão duas nações. "É certo que reunirei novamente todos vós, ó Jacó; com certeza levarei para casa os sobreviventes de Israel" (12, Phillips). **Bozra** quer dizer "curral de ovelhas" e talvez esta seja a tradução melhor, como ocorre em versões mais recentes (cf. ARA; ATA; BV; ECA; NTLH; NVI; Phillips; VBB).

Miquéias tinha acabado com as falsas esperanças do povo em resultado dos ensinos errados dos falsos profetas que anunciaram não haver necessidade de temor. Mas ele também é fiel em mostrar que depois do castigo Deus pretende mostrar sua misericórdia ao seu povo.

4. Líderes Vis (3.1-12)

O julgamento virá, declarou Miquéias, por causa da total injustiça na terra, e porque as pessoas influentes, que eram especialmente culpadas, quiseram que as coisas fossem desse jeito. Os líderes se aproveitavam dos seus privilégios e responsabilidades.

a) *Os soberanos são denunciados* (3.1-4). Os líderes políticos responsáveis pelo povo de Deus – os **chefes de Jacó** (1) e os **príncipes da casa de Israel** – tinham de **saber o direito** e praticá-lo. Eles deveriam ser os guardiões da justiça, os protetores sensatos do povo. Se desconhecessem algum aspecto de seu dever, possuíam meios para averiguar o **direito** que deveriam administrar com justiça imparcial. Então, eles não tinham desculpas (1 Rs 3.9-12; Jr 5.3-5).

Mas, ao invés disso, reclama Miquéias, eles são homens maus que **aborrecem o bem** (2) **e amam o mal**. Em vez de serem bons pastores que alimentam o rebanho, tosquiam e comem as ovelhas. Insensíveis e sem piedade, por assim dizer, arrancam a pele e cortam a carne das pessoas. "Quebram os ossos e cortam em pedaços os corpos do povo como se fossem carne para a panela, como carne num grande caldeirão" (3, ATA; cf. Ez 34.2-4).

É muito ruim quando cidadãos comuns se lançam em oposição ignorante ou negligente à justa vontade de Deus, mas é muito pior quando os líderes agem assim. Sem senso de mordomia sacra, removem intencionalmente os controles designados para restringir a corrupção e, desse modo, incentivam as pessoas à iniquidade. Miquéias adverte duramente que haverá uma reversão radical na sina. Chegará o dia em que os líderes se encontrarão em situação semelhante à que colocaram as vítimas. Dias desesperados jazem à frente e, quando chegarem, clamarão a Deus em busca de ajuda. Mas o Senhor, ao lembrá-los do tratamento cruel que dispensaram aos outros, **não os ouvirá** (4). Com o intratável (o desobediente e perverso), Deus se mostrará irredutível (2 Sm 22.27; Sl 18.26). O castigo mais duro para estes líderes não será o furor das pessoas que maltrataram, nem mesmo a crueldade dos inimigos que os derrotarão. Será o silêncio impenetrável do Senhor a quem afrontaram. A oração feita indignamente sempre permanece sem resposta. "O que tapa o seu ouvido ao clamor do pobre também clamará e não será ouvido" (Pv 21.13). E Tiago avisa: "O juízo será sem misericórdia sobre aquele que não fez misericórdia" (Tg 2.13; cf. Is 1.12-15).

b) *Os falsos profetas são denunciados* (3.5-8). Esses homens que professam ser chamados e iluminados para falar a mensagem de Deus ao povo deveriam ser exemplos destacáveis de lealdade e devoção à causa divina. Deveriam advogar a justiça e a misericórdia. Mas os profetas proeminentes nos dias de Miquéias desviavam as pessoas. Não há erro mais incorrigível do que o ensinado em nome de Deus.

Isaías descreveu estes profetas, quando lamentou: "Oh! Povo meu! Os que te guiam te enganam e destroem o caminho por onde deves seguir" (Is 3.12, ARA; cf. Jr 9.16). Foram tão gananciosos quanto os líderes políticos; foram pessoas que sempre concordaram com seus superiores, cujos motivos eram mercenários. Seus pronunciamentos traziam uma etiqueta de preço e adequavam seus oráculos de acordo com o pagamento. Quando bem pagos, quando tinham comida saborosa para morder **com os seus dentes** (5), prometiam **paz** e segurança, "mas apregoam guerra santa contra aqueles que nada lhes metem na boca" (5c, ARA; cf. NVI). Eram exploradores sem escrúpulos (ver Ez 13.19,22,23).

MIQUÉIAS 3.6-10   O JULGAMENTO DE DEUS ESTÁ PERTO

O servo de Deus deve viver pelo Evangelho (1 Co 9.13,14), mas não precisa viver com luxo, nem modificar a mensagem de acordo com o sustento.

Miquéias expõe os falsos profetas pelo que realmente são. Afirma que **suas visões** (6, a palavra revelada do Senhor para eles) serão tiradas. Os que, por dinheiro, deram orientações errôneas às pessoas serão abandonados em suas próprias ilusões sombrias. Pelo fato de eles mesmos estarem na noite espiritual, não poderiam fazer **predições** ou tornar a vontade de Deus conhecida. Em conseqüência disso, as trevas espirituais infestarão toda a nação. Elas caem sobre todo homem, ou grupo de pessoas, que, por fins ignóbeis e egoístas, fecham os olhos à verdade. Agir irresponsavelmente com a justiça, faz os homens perderem todo o senso de princípio; "direitos" e "deveres" tornam-se meras palavras (ver Mt 7.22,23; 1 Jo 1.7).

É muito ruim estar sob o governo de líderes que não temem a Deus, mas é pior ser guiado por falsos mestres. Jesus falou sobre eles quando se referiu a cegos que guiam cegos (Mt 15.14) e mencionou a necessidade de andarmos na luz para que não sejamos surpreendidos (Jo 12.34-36). Se por um ganho monetário ou por outro motivo vil, os líderes da igreja torcem o Evangelho, quando as pessoas lhes pedem conselhos, não têm a resposta do Senhor para dar. E como são densas essas trevas! (Mt 6.19-23; cf. Is 5.20,21).

Esses profetas ou **videntes** (7; cf. 1 Sm 9.9) e **adivinhadores** (pessoas que lançam sortes e servem-se de outros expedientes para determinar o futuro) tinham abusado da confiança das pessoas para alcançar seus fins egoístas. Embora Deus os tivesse abandonado, preconizavam ter a mensagem divina. Mas ficariam confusos, porque suas palavras não eram genuinamente divinas. Logo o povo teria provas de que esses indivíduos eram fraudulentos e impostores. A Septuaginta diz: "Os videntes de visões noturnas ficarão com vergonha, e os profetas serão escarnecidos às gargalhadas; e todas as pessoas falarão contra eles, porque ninguém lhes dará ouvidos". **Cobrirão os seus lábios** diz respeito a pôr a barba para cima até cobrir a cabeça de forma a esconder o rosto por sentir vergonha e humilhação. Este procedimento era exigido dos leprosos (Lv 13.45). Era sinal de luto (Ez 24.17,22). Os falsos profetas tinham mentido com os lábios; agora deveriam cobri-los como homens envergonhados e sem ter o que dizer.

Miquéias, em contraste com os falsos profetas a quem acabara de desmascarar, estava confiante no favor divino. Declarou solenemente: **Decerto, eu sou cheio da força do Espírito do SENHOR** (8). Era por causa disto que tinha luz para julgar com justiça, e ousadia moral para reprovar a maldade das pessoas. A sua suficiência estava no Senhor (cf. Ez 2.7,8; 2 Co 3.4-6). Miquéias manifesta as qualidades da liderança espiritual, as quais também foram mencionadas por Paulo quando escreveu a Timóteo: ousadia, poder, amor e moderação (2 Tm 1.7, ARA; cf. NVI). Como Miquéias, quem age honestamente sempre pode agir ousadamente; e quem está seguro de que possui a comissão do Senhor não precisa ter medo das opiniões e oposições de homens.

c) *Mais líderes são denunciados* (3.9-12). Os líderes da nação secular e religiosa tinham perdido o senso de eqüidade e justiça. A cobiça os consumia tanto que todos os expedientes que lhes garantisse o desejado ganho eram considerados aceitáveis. Miquéias os desafia: **Ouvi agora isto**, vós, líderes, **que abominais o juízo e perverteis tudo o que é direito** (9). Eles odiavam toda investigação judicial que impedisse suas práticas, e torciam as leis para satisfazerem seus desígnios astuciosos.

Jerusalém (10), e a nação da qual era a capital, estavam sendo erguidas pelo zelo e pretensão religiosa de trapaceiros ricos. De certo modo, o pão dos necessitados era a vida da cidade. Como Habacuque (IIc 2.12) e Isaías (Is 22.13-19), Miquéias sabia que este era um fundamento instável. Os habitantes de Jerusalém, mal-ensinados pelos falsos profetas, mantiveram o tempo todo um senso de segurança. Reputavam que sua cidade era antiga e sagrada; portanto, inviolável. Tinham religião suficientemente justa para pensar que em tempos de dificuldade Deus lutaria por eles. Por isso, haviam tratado com desconsideração a mensagem de advertência do verdadeiro profeta do Senhor. Mas, a falta de espiritualidade sempre ocasiona julgamento; ninguém está isento. Sem Deus, todos os imponentes planos políticos e sociais, com os quais os homens buscam estabelecer segurança, falharão. O Senhor ainda domina os assuntos humanos. Com Ele, a fé, a integridade e o amor têm grau elevado.

As coisas estavam em mal-estado tal que até os homens mais velhos da comunidade, os **chefes** (11), que serviam como juízes e em quem, em outros períodos, as pessoas podiam implicitamente confiar, agora eram manipulados com subornos. Os **sacerdotes** e os **profetas** também tinham seu preço. Eram instrumentos dos ricos inescrupulosos, e não mentores espirituais e morais do povo. Usavam seus cargos como oportunidades de exploração, em vez de serem canais de serviço. A cobiça permeava tudo o que faziam. O lucro era seu alvo supremo, e, assim, tornou-se o seu deus.

Apesar de toda sua ética pervertida, estes líderes tiveram a petulância de fingir que **dependiam do SENHOR**. (11; "se apóiam no Senhor", NIV). Em sua cegueira espiritual e estupor moral, imperturbavelmente afirmavam que tudo estava bem. Deus, diziam, estava no meio de seu povo; portanto, não havia infortúnio que os acometesse.

Em face desta hipocrisia descarada, Miquéias declarou ousadamente que era a corrupção que estes líderes de fala mansa e piedosa tinham levado para o povo, que resultaria na destruição da nação. **Portanto, por causa de vós, Sião será lavrado como um campo** (12). "Embora o que é pecaminoso nunca possa ser consagrado por um zelo para a igreja, contudo o que é sacro pode ser – e freqüentemente é – profanado pelo amor do mundo. Quando os homens fazem o que em si é bom, mas o fazem por lucro sórdido, o ato perde seu mérito e torna-se uma abominação para Deus e para si próprios". [8]

Miquéias e outros dos antigos profetas de Deus nos deixam pasmos com sua ousadia. Como diz Raymond Calkins: "Parece que não se preocupavam com o que poderia lhes acontecer. Entregavam a mensagem com total desatenção pelas conseqüências. Neste aspecto, são modelos para o pregador hodierno. Tornam-no sóbrio. Fazem-no perguntar se é ou não fiel ao seu chamado como o foram com o deles, ou se simplesmente ecoam, mais ou menos inconscientemente, as opiniões do dia".[9]

Jerusalém, a outrora cidade próspera, outrora abençoada por Deus, se tornaria em **montões de pedras** ("montões de ruínas", ARA). O recinto mais sagrado, o **monte desta casa**, o cume de onde a glória de Deus irradiou no templo de Salomão, não passaria de "um emaranhado de arbustos no topo de uma colina" (Phillips).

As palavras de James Wolfendale continuam a espelhar a verdade: "Quando os mestres corrompem a doutrina e os pregadores retêm o Evangelho; quando reis e príncipes pervertem a eqüidade e negligenciam os deveres especiais para cuja defesa foram empossados, envenenam o curso da vida e o transformam em fonte de morte".[10]

É interessante observar que este versículo foi lembrado um século depois. No julgamento de Jeremias, que transmitira uma mensagem semelhante, o versículo foi citado por quem o defendia da acusação de traição (Jr 26.18). O referido texto fala com todas as letras que a profecia de Miquéias durante o reinado de Ezequias causou tamanho impacto que desencadeou um verdadeiro arrependimento. E é lógico que o Senhor poupara a cidade até ao tempo de Jeremias. A passagem não só ocasionou avivamento em Judá, mas foi o meio de poupar a vida deste profeta cem anos mais tarde durante o reinado de Jeoaquim. Contudo, a cidade foi destruída como Miquéias profetizara.

Por outro lado, este capítulo ressalta certas qualidades do líder espiritual: 1) Ele serve: Entrega-se em vez de exigir receber dos outros (cf. Mt 20.26; Jo 13.14-17). 2) Vive na luz: Sua mente está iluminada pelo conhecimento pessoal de Deus e pela comunhão com o Senhor. Os apóstolos de Cristo foram os primeiros a estar "com ele" para depois irem por Ele (Mc 3.13,14). Paulo também salientou este princípio entre seus colegas de ministério (2 Tm 2.2). 3) Serve em poder: Cheio do Espírito Santo, trabalha com poder que não é seu. 4) Serve com ousadia: Sabe que suas diretivas são do Senhor e não de homens influentes. Sabe o que fala: "Assim diz o Senhor". Não fala meras filosofias humanas ou procura chamar a atenção para si (2 Pe 1.16). 5) Serve em amor: Não visa lucro ganancioso (1 Tm 3.3; Tt 1.7).

Ao repreender os líderes vis dos seus dias, Miquéias salienta a importância dos que realmente lideram. O verdadeiro líder pode não ter a resplandecência de um político, mas é caracterizado por perspicácia, sabedoria, magnanimidade, audácia e integridade. Discerne as necessidades vigentes das pessoas. Sabe como satisfazer estas necessidades. Coloca o bem das pessoas acima dos desejos pessoais. Se a ocasião exigir, ousa opor-se à maioria para dirigir o grupo todo ao alvo correto. Encara honestamente as questões pertinentes. Sua transparência gera confiança, de forma que inspira as pessoas a lidar seriamente com seus problemas e a permanecer firmes até o fim, ainda que lhes custe "sangue, suor e lágrimas".

A situação em Israel destaca a responsabilidade mútua entre os líderes e o povo, que se tornou como os seus superiores. Nos dias de Miquéias, a comunidade corrompeu-se pelo mau exemplo dos líderes. Eram autênticos cegos que lideravam cegos e faziam a nação inteira cair "na cova". Mas também é verdade, sobretudo em nossos dias, que o povo pode exigir que seus líderes sejam justos e íntegros. Pela profecia de Miquéias, percebemos nitidamente que o povo também era responsável pelos julgamentos que viriam sobre a nação.

Esta responsabilidade mútua está clara no trabalho da igreja. O falso pregador que, no púlpito, desvia a congregação será julgado na presença de Deus. Mas, por outro lado, a comunidade pode exercer muita influência em seus ministros. As pessoas que ocupam os bancos da igreja serão julgadas pelo Senhor no quesito de terem melhorado ou piorado seus ministros. Certas igrejas erguem os pregadores; outras os destroem. Indiferença, inércia, mesquinhez e exagero podem acabar com a vida de um pregador. Como disse alguém: "Não se pode pôr *icebergs* na congregação e esperar que o ministro transpire!" Os melhores ministros fazem a melhor congregação. Mas também é verdade que a melhor congregação faz os melhores pregadores. Tal ministro, tal congregação. Tal congregação, tal ministro.

SEÇÃO II

O POVO DE DEUS TEM UM FUTURO

Miquéias 4.1—5.15

A. A GLÓRIA FUTURA DA CASA DO SENHOR, 4.1-8

Em dias maus de discórdia e guerra, Miquéias falava de um tempo de paz entre as nações. Porque contemplou a vinda de Cristo para estabelecer seu reino terrestre entre os homens. Em contraste com as situações sórdidas que o cercavam e apesar do medo dos julgamentos que sobreviriam sobre o povo de Deus, Miquéias ergue o olhar e vê um quadro luminoso de glória futura.

1. Um Futuro Glorioso (4.1-4)

Nos últimos dias (1) anuncia que o povo de Deus, agora destinado ao cativeiro, será livre, feliz e preeminente entre as nações. Com esta visão, Miquéias incentiva seus compatriotas a olhar para frente, para um futuro tempo dourado no qual a justiça e a paz prevalecerão por todo o mundo.

Miquéias declara que nesses **últimos dias**, no tempo do Messias, o **monte da casa do SENHOR** (o monte Sião), o local do santo templo em Jerusalém, "será o mais alto de todos [...] os montes" (NVI). Nesses dias, as nações da terra se voltarão para esta cidade exaltada. Ali, buscarão a orientação da lei de Deus. **Monte** simboliza nação. A idéia essencial é que a adoração de Jeová, o único Deus verdadeiro, será estabelecida como ponto supremo em toda a terra.

Há uma dupla ênfase nas palavras **para que nos ensine os seus caminhos** e **andemos pelas suas veredas** (2). Uma coisa é ensinarmos e aprendermos sobre a vontade de Deus. Outra, é cumprirmos essa vontade em todos os detalhes de nosso viver diário.

O texto de Zacarias 8.20-23 é um comentário desta passagem. Sião será não só o lugar de adoração universal, mas também o centro de instrução internacional. Até certo ponto, esta profecia cumpriu-se com a expansão do Evangelho, do minúsculo país da Palestina para todas as regiões do mundo. Mas a passagem também tem conotações messiânicas definidas que relembram o quadro do Milênio desenhado em Apocalipse 20. Esse dia ainda está no futuro. Esperamos ansiosamente pelo cumprimento destas coisas quando Cristo vier para aperfeiçoar seu Reino justo e íntegro na terra e pessoalmente reinar entre os homens.

Quando Cristo reinar, **de Sião sairá a lei**. As disputas não serão mais resolvidas pela espada, mas à luz da verdade de Deus. Até as nações fortes serão mantidas sob controle pelos justos julgamentos do Senhor, porque Jeová **julgará** (3; "vai decidir", BV) as questões que lhes interessam. Tamanho e força não mudam as decisões de Deus. O Senhor não é influenciado por exércitos em ordem de marcha. Ele julga os homens pela retidão de suas causas. Não haverá mais guerras. Os armamentos serão transformados em ferramentas de paz. Tempo, energia e riqueza, que outrora eram dedicados no desenvolvimento da guerra, serão destinados a ocupações mais construtivas.

Esta passagem em Miquéias é quase idêntica a Isaías 2.2-4. Não sabemos se um destes profetas contemporâneos citou o outro. Não obstante, o fato de ter sido registrado duas vezes sob a inspiração do Espírito Santo sugere sua importância.

Naquele dia glorioso sobre o qual Miquéias escreve, a Palavra de Deus será obedecida tão universalmente que as pessoas viverão com segurança em todo o tempo e em todos os lugares. Não haverá interesses predatórios, nem nação destruidora. Sem medo de serem importunados e hostilizados, cidadãos obedientes à lei desfrutarão de suas casas e posses – **assentar-se-á cada um debaixo da sua videira e debaixo da sua figueira** (4). Segurança e satisfação caracterizarão o período. A base para este estado é a propriedade privada – não o comunismo – entre as pessoas que temem a Deus. A prosperidade e bênçãos que houve em Israel no reinado de Salomão (1 Rs 4.25) eram prenúncios do que está reservado para o futuro. Mas note a diferença: que nos dias de Salomão, o pecado ainda existia em abundância. No milênio profetizado aqui, Satanás será preso e Cristo e seu povo reinarão em justiça. Os homens não têm força para fazer isso. Trata-se de uma condição que o próprio Deus estabelecerá, **porque a boca do SENHOR dos Exércitos o disse**.

2. A Motivação para Hoje (4.5-8)

Por causa desta glória futura que Jeová prepara para o seu povo, Judá é incentivado a andar com o Senhor. Ninguém conseguirá mudar o fim de Israel, embora as outras nações sigam o caminho de seus deuses: "Porque hoje todos os povos andam cada um no nome do seu deus, mas nós andaremos no nome do Senhor, nosso Deus, para todo o sempre" (5, ATA).

O povo de Deus, que nessa época passava por aflição e era oprimido, tinha motivos para se animar. **Naquele dia** (6), o período do reinado do Senhor, o seu povo será consolado e exaltado, governado por um Rei-Pastor compreensivo e amoroso. O idioma hebraico aqui sugere ovelhas cansadas e mancas depois de terem percorrido um trajeto difícil. Não há que se duvidar que Deus aplicou esta condição aos israelitas, que muitas vezes são chamados ovelhas do Senhor. Como castigo pela desobediência, Israel sofreria muito. Mas esta passagem em estudo dá a entender que uma **parte restante** (7) dos judeus durante o Milênio receberá atenção especial e será restabelecida ao favor divino sob os cuidados paternais de Jeová (ver tb. Is 40.9-11; Ez 34.11-16; 37.24-28; Sf 3.19; Rm 11.26-29).

A cidade de Jerusalém, embora sentenciada à destruição, é exortada a erguer a cabeça com esperança. Naquele dia futuro, Jerusalém será extremamente exaltada entre as nações da terra. Miquéias diz: **E a ti, ó torre do rebanho, monte da filha de Sião, a ti virá; sim, a ti virá o primeiro domínio, o reino da filha de Jerusalém.**

B. As Tristezas do Tempo Presente, 4.9—5.1

Antes que o dia da libertação chegue, o povo de Deus tem de passar pelo fogo do julgamento. Nos versículos 9 e 10, Miquéias faz outra referência ao cativeiro que virá como julgamento sobre os israelitas, e fala como o Senhor os tratará naquela terra. Menciona as dificuldades pelas quais os habitantes de Jerusalém passavam e teriam de passar. Rejeitaram a dignidade do governo de Jeová e recusaram seus conselhos; assim, na realidade, estavam sem rei e conselheiro. "Partido em pedaços" (9, Phillips), ou seja, já não eram um povo forte e unido e estavam, portanto, à mercê dos inimigos. A dor e a angústia serão tão grandes que Miquéias compara a condição do povo com a **que está de parto** (10; "uma mulher em trabalho de parto", NVI). Em seu sofrimento, os hierosolimitas seriam da **cidade**, ou seja, serão afastados do abrigo de sua cidade querida e santa. Seriam forçados a morar no **campo**. Lá, sem as conveniências e proteção da cidade, suportarão os elementos e a deslealdade dos desígnios dos inimigos. Seriam levados **até Babilônia**. Mas é lá, acrescenta Miquéias, nessa terra estranha, que Deus trabalharia entre eles. No devido tempo, seriam libertos, salvos das mãos dos que os oprimiam. Tendo em vista que Miquéias viveu durante os dias da supremacia assíria com o capital em Nínive, esta referência à Babilônia como lugar de exílio é exemplo interessante de inspiração divina e perspicácia profética com as quais o profeta exerceu seu ministério. O cativeiro na Babilônia previsto por ele aconteceu uns cem anos depois.

Judá era acossado. Jerusalém estava sob pressão de nações fortes que esperavam ansiosamente por sua queda (11). Mas essas forças adversárias desconheciam que **pensamentos** (12) o **SENHOR** tem por seu povo. Não sabiam que também estavam nas mãos do Deus de Judá, e que depois de tê-las usado para julgar a nação escolhida, também seriam condenadas. Miquéias escreve sobre este julgamento: "O Senhor reunirá os inimigos de seu povo como feixes de cereal num campo, sem defesa diante de Israel. Levante-se e debulhe, filha de Sião. Eu darei a você chifres de ferro e cascos de bronze. Você pisará as nações e as fará em pedaços, oferecendo as riquezas delas ao Senhor, o Senhor de toda a terra" (12,13, BV).

Mas antes de chegar esta redenção de Israel, há perigo. O profeta avisa o povo outra vez sobre a invasão iminente dos assírios, e o exorta a permanecer firme contra o ataque violento. Phillips traduz 5.1 assim:

> *Agora, chama as tropas, ó filha de tropas!*
> *Pois o cerco foi levantado contra nós,*
> *E no insulto tomarão uma vara*
> *E golpearão a face do juiz de Israel!"*

C. A Vinda de Cristo para Remir, 5.2-15

1. *O Local do Nascimento do Messias* (5.2-5a)

Miquéias contemplou Deus tratar com um povo cativo, o qual o Senhor depois libertaria; teve também um vislumbre do Salvador-Rei há muito prometido. Era este que as pessoas tementes ao Senhor desejavam e esperavam desde que Adão perdeu o paraíso (Gn 3.15). O profeta viu que o Messias não nasceria nos imponentes ambientes da realeza de Jerusalém, mas em **Belém** (2), entre os clãs insignificantes de **Judá**. **Efrata**, aqui relacionado com **Belém**, era na verdade um povoado antigo que foi englobado por essa cidade (Gn 35.19). Era a casa original de Davi, o primeiro rei conquistador de Israel, o qual quase sempre é mencionado como precursor do maior Rei de Israel (Sl 89.19-37). O texto de Rute 1.2 e 1 Samuel 17.12 fala que os indivíduos relacionados com a família de Davi são efrateus.

A profecia de Miquéias teve seu cumprimento literal e espiritual no nascimento de Jesus. E esta previsão detalhada ajudou a manter viva a esperança no coração do povo de Deus durante os longos séculos de espera pelo Messias. Os líderes judeus nos dias de Herodes conheciam bem esta passagem e a citaram de cor quando ele, interessado, indagou onde o rei de Israel nasceria (Mt 2.4-6; ver tb. Is 7.14; 9.6,7).

Deus, ao falar por Miquéias, declarou que o Messias sairia "para mim" (NVI) como **Senhor em Israel** ("governante sobre Israel", NIV). Este Servo especial de Jeová viria da antiga linhagem de Davi. Mas o Rei prometido não seria homem terrestre comum, pois "suas saídas eram desde o princípio, até mesmo desde a eternidade" (LXX). Estas palavras nos falam da encarnação, pois só o próprio Deus é desde a eternidade.

Sobre o versículo 3, Adam Clarke escreve: "Jesus Cristo entregará os judeus desobedientes e rebeldes nas mãos de todas as nações da terra, **até o tempo em que a que está de parto tiver dado à luz**, quer dizer, até que a igreja cristã, representada em Apocalipse 12 [...] como uma *mulher com dores de parto*, tenha completado a plenitude dos gentios. **Então, o resto de seus irmãos voltará**, ou seja, os judeus também se converterão ao Senhor; e *assim, todo o Israel será salvo*, conforme afirma Romanos 11.26".[1]

Ele permanecerá (4) insinua "cuidado, confiança e força". O significado de **apascentará o povo** é: "Ele alimentará seu povo, conduzindo-o a pastos de grama tenra e ao lado de águas tranqüilas, pela graça e poder de Deus. Será visto com temor e reverência, porque é majestoso e tem o nome do Senhor, e sua fama se espalhará amplamente até aos confins da terra".[2]

De acordo com Adam Clarke (cf. VBB), a primeira parte do versículo 5: **e este será a nossa paz** pertence corretamente à profecia do versículo 4. Estes dizeres nos lembram que os anjos que anunciaram o nascimento do Salvador cantaram sobre a paz e a boa vontade (Lc 2.14). Talvez esta seja referência à paz interior que as pessoas de todas as gerações conhecem por terem colocado a confiança em Cristo. Foi o próprio Deus que declarou: "Deixo-vos a paz, a minha paz vos dou; não vo-la dou como o mundo a dá. Não turbe o vosso coração, nem se atemorize" (Jo 14.27). Ao longo de suas páginas, o Novo Testamento menciona essa paz de mente e espírito (ver esp. At 10.36; Rm 5.1; 14.17; Fp 4.7).

A paz de Cristo também fala da boa vontade que é gerada quando os homens vivem dignamente. Os verdadeiros cristãos são indivíduos de boa vontade, e por onde quer que vão, mudam o ambiente para melhor. É fato comprovado pela história que a justiça e a paz social predominam na medida em que as pessoas na ordem social aceitam Jesus e vivem com sua paz no coração e de acordo com os seus ensinos justos. Aonde quer que Jesus vá, na vida do seu povo crente, desaloja a injustiça e todas as formas do mal.

Não só isso, mas os temores que atacam o povo em geral são, em grande parte, eliminados pela fé cristã vital. As fortes nações democráticas da terra que tão favoravelmente influenciam a totalidade do gênero humano foram estabelecidas em princípios cristãos por homens que avaliavam em alta conta o direito dos indivíduos. Somente em tais princípios é que a verdadeira democracia se desenvolve. Assim que são desconsiderados, nosso mundo se torna lugar instável e indigno de confiança. Thomas Melton disse a verdade quando escreveu: "Não podemos estar em paz conosco mesmos, porque não estamos em paz com Deus". Esforços em alcançar a paz mundial e legislar a justiça internacional são ineficazes em grande parte porque as considerações de Deus e do Evangelho são ignoradas. Estas boas novas, com sua fórmula simples de paz e justiça individual, estão visíveis e tragicamente ausentes nas conversações estratégicas dos altos escalões de políticos e estadistas de hoje que buscam o caminho para a paz.

O fato de Miquéias mencionar que Cristo é a fonte da paz também tem referência a uma paz universal que Deus deseja estabelecer entre todos os homens. Mas esse "reino da paz" não virá até que o Príncipe da Paz venha à terra para reinar. Miquéias também abordou este acontecimento.

2. *A Libertação do Inimigo* (5.5b,6)

O profeta descreve a libertação que virá dizendo que **sete... e oito** (5) líderes serão levantados contra os invasores; são líderes competentes a enfrentar o poder dos inimigos. **Sete** ou **oito** significa um número indefinido, como é usado em outras ocasiões (ver Ec 11.2; Jó 5.19). **Esses consumirão** (6, "cuidarão de", LXX; "governarão", BV) **a terra da Assíria à espada e a terra de Ninrode** (sinônimo da Assíria, Gn 10.9,11) **nas suas entradas** (dentro das portas, onde o conselho e o tribunal da cidade mantinham sessões). Era assim que o Senhor Deus livraria seu povo.

Não há como saber se esta passagem diz respeito a um único incidente específico ou a uma série de acontecimentos durante certo tempo. Porém, sabemos que durante a invasão de Senaqueribe em fins do século VIII a.C., Judá, então regido pelo justo Ezequias, foi liberto milagrosamente. Jerusalém ganhou novo arrendamento em vida e continuou por mais um século. Enquanto isso, os assírios com a capital em Nínive foram derrotados pelos caldeus, e a cidade da Babilônia tornou-se a nova capital mundial.

3. *A Purificação do Remanescente* (5.7-15)

Miquéias fala para seus compatriotas que, no futuro que Deus lhes preparou, serão uma bênção na terra **como orvalho do SENHOR** (7) e como chuva de verão: suave, refrescante, abundante e constante. O **resto de Jacó** (8) também será uma força governante: forte, majestosa e irresistível. Seus **inimigos serão exterminados** (9).

As duas vindas de Cristo são fundidas e descritas por Miquéias em passagens revezadas – a sua manifestação como Redentor para redimir e sua revelação como Rei para governar. De modo semelhante, estas duas vindas estão claramente mostradas em Hebreus 9.26-28. Aqueles que se beneficiam das bênçãos da manifestação de Jesus para redimir esperam, com avidez e confiança, desfrutar os benefícios da revelação de

Cristo para reinar. Mas também é verdade que, a despeito do interesse que o indivíduo tenha na Segunda Vinda, não lhe será permitido tomar parte nas coisas boas oriundas dessa revelação, se negligenciou a redenção de Cristo e não viveu retamente na força do Senhor.

A profecia de Miquéias nos oferece hoje grande esperança. As condições são contundentes em muitos aspectos. Às vezes, a vida religiosa, política e social em tudo que nos diz respeito encaixa-se nos julgamentos preventivos de Miquéias. Os males pessoais destróem homens e mulheres. Tensões internacionais e raciais enchem o mundo de medo e insegurança. Mas temos fé para crer no profeta de Deus e nas palavras certas de nosso Senhor Jesus que declarou: "Passará o céu e a terra, mas as minhas palavras não passarão" (Mc 13.31). Sabemos que, no final das contas, Deus e o direito prevalecerão. Quem de nós, então, prestará atenção à viagem, visto que a estrada nos leva para casa?

O profeta prevê (10-15) que o povo de Judá será levado para o exílio, mas afirma que, mesmo lá, Deus estará com os judeus. No cativeiro, serão separados das mesmas coisas em que confiaram: **cavalos** e **carros** (10), **cidades** e **fortalezas** (11), **feitiçarias** e **agoureiros** (12), **imagens de escultura** e **estátuas** (13), **bosques** (14; postes-ídolos [cf. ARA] usados na adoração dos baalins cananeus). Até os povos pagãos, cujo modo de vida os israelitas imitaram, seriam assolados (15).

Deus cumpriu seus propósitos com e por meio dos israelitas quando eles, na função de povo de Deus, estavam separados do apego às coisas em que confiaram. Foi tão-somente na ausência dos bens materiais, nos quais os israelitas apóstatas tinham colocado a esperança, que grande parte do povo foi trazido de volta à confiança em Jeová. Depois do cativeiro, os israelitas nunca mais serviram a ídolos ou se comprometeram em práticas pagãs hediondas que tanto tinham ofendido o Senhor. Deus usou os inimigos de Israel para purificar o seu povo da idolatria e incredulidade. É muito comum o Senhor virar as intenções más dos homens para o seu bom propósito e glória (Sl 76.10).

Seção III

A CONTROVÉRSIA DE DEUS COM O SEU POVO

Miquéias 6.1—7.20

A. Deus faz um Apelo Supremo, 6.1-8

Ao usar a terminologia legal, Miquéias convoca Deus para levantar-se e defender sua causa contra um povo culpado e rebelde. O Senhor tinha uma disputa com o Judá pecaminoso, pois o pecado sempre ocasiona tensão entre Deus e o homem (cf. Is 1). O Senhor nunca deixa de ser fiel em esclarecer em que acarreta pecar. Espera para apresentar suas razões, e defende ternamente a volta dos pecadores para que sejam justificados e entrem novamente em comunhão com Ele.

1. *As Testemunhas e a Acusação* (6.1-5)

Os **montes** (1; "montanhas", NTLH), as elevações mais altas da Natureza e símbolos comuns de permanência, junto com os **outeiros** e os próprios **fundamentos da terra** (2), são convocados para serem jurados. Deus defende sua causa diante destes acidentes naturais por serem testemunhas da longa história das relações de Jeová com seu povo. Com palavras cheias de ternura, ele indaga: **Em que te enfadei?** (3). Deus quer saber o que fez para tornar sua vontade enfadonha e colocar os israelitas contra os caminhos divinos (cf. Jr 2.5-8).

Em sua defesa, o Senhor conta os atos poderosos que misericordiosamente fez para resgatar seu povo da escravidão no Egito. Identificamos aqui a base principal do apelo de Deus ao seu povo, a fim de que confiassem e obedecessem. O Senhor os resgatou. Não pertencem mais a si mesmos. São de Deus. O Senhor cita a nomeação de pastores fiéis e tementes – **Moisés, Arão e Miriã** (4) – para guiá-los em sua vontade e propósito amoroso.

Aplicado em mostrar como fora justo ao tratar dos interesses do povo, Deus usa a expressão **as justiças do SENHOR** (5). O termo hebraico ocorre somente aqui e em Juízes 5.11. Sugere que cada ato de misericórdia era uma manifestação distinta da justiça divina.

Deus escolheu o episódio no qual Ele, por meio de Balaão, mudou em bênção o que o inimigo, **Balaque, rei de Moabe**, planejou que fosse maldição (Nm 22–24). Para tocar a razão e os sentimentos do povo, recordou os acontecimentos notáveis ocorridos entre o acampamento de Israel, em **Sitim**, situada imediatamente a leste do rio Jordão, nas planícies de Moabe, logo a nordeste do mar Morto, e o acampamento em **Gilgal**, do outro lado do Jordão, em Canaã (Nm 22–27; Js 1–4).

Este apelo de Deus ao povo ilustra a racionalidade da verdadeira religião.

> [O apelo] ressaltava que a religião é racional e moral e mantinha, ao mesmo tempo, a racionalidade de Deus e a liberdade do homem. O Senhor falava com o povo que educara: Pleiteou com eles, ouviu suas declarações e perguntas, e produziu suas evidências e razões. A religião – como afirma passagens como esta – não é algo de autoridade, nem de cerimonial, nem de mero sentimento, mas de argumento, apresentação racional e debate. A razão não é retirada do tribunal: a liberdade do homem é respeitada; ele não é pego de surpresa por seus temores ou sentimentos. [...] Mas é somente com o ministério terreno do Filho de Deus, seus argumentos com os doutores, suas parábolas ao povo comum, sua educação nobre e prolongada transmitida aos discípulos, que vemos a racionalidade da religião em toda sua força e beleza.[1]

2. O que Deus Exige? (6.6-8)

Os estudiosos dão duas interpretações aos versículos 7 e 8. Uma diz respeito ao efeito que o profeta inquire do Senhor concernente à base de aceitação com Deus. A outra opinião diz que Israel responde ao Senhor com um desafio. "Que adoração e que culto o Senhor realmente exige? Deus quer uma observância meticulosa da lei levítica? (6b). Quer que seja cumprida de maneira excessiva e pródiga mediante holocaustos de rebanhos e **ribeiros de azeite**? (7a). Quer que as pessoas lhe mostrem uma devoção frenética e não-moral comparável ao fanatismo de certos povos pagãos das vizinhanças, cujos adoradores chegam a oferecer sacrifícios humanos? (7b). [...] A controvérsia é encerrada pela própria resposta declarada do Senhor (8)".[2]

Como muitos outros desde então, o povo de Judá esperava obter o favor divino, ao cumprir obrigações externas. Estavam dispostos a comprar o perdão sob qualquer condição, exceto a mudança de vida. As pessoas, obcecadas em fazer atos religiosos externos, desprezavam "o mais importante da lei" (Mt 23.23). Deus lhes dizia: "Não é vossos pertences que busco, mas a vós". Interessava-se mais pelo espírito das pessoas do que por suas riquezas. Preocupava-se muito mais com o coração delas do que com sacrifícios de bois e ovelhas.

Miquéias, ao falar pelo Senhor, lhes responde as perguntas. Em uma única frase resume as exigências legais, éticas e espirituais da verdadeira religião e destaca os principais ensinos de Isaías, Amós e Oséias (Is 30.15; Am 5.24; Os 2.19,20; 6.6). Estas são exigências da verdadeira religião que todo ser humano pode satisfazer, se desejar. Os homens são inclinados a tornar a religião "muito complicada, muito intrincada, muito enigmática", como salienta Raymond Calkins. "Mas este versículo nos corrige. O Senhor não exige de nós algo que não possamos fazer imediatamente. Não existe alguém, qualquer que seja sua capacidade intelectual, que não possa entrar de forma imediata e total e com inteira convicção na bem-aventurança da vida da verdadeira religião".³

Ele te declarou, ó homem, o que é bom (8). O termo hebraico traduzido por "homem" refere-se a toda a humanidade; portanto, esta passagem tem significação universal. O próprio Deus pela lei e pelos profetas já revelara o que era realmente essencial concernente à adoração. O Senhor fora claro em apresentar sua exigência última para ganhar e manter o favor divino (Dt 1.12,13; 30.11-14).

Estas exigências morais e espirituais são ainda mais importantes para nós, hoje, do que para as pessoas dos tempos de Miquéias. Com a revelação de Deus em Cristo, conforme o Novo Testamento nos conta, estamos mais conscientes da vontade de Deus do que elas. Em meio à atual confusão de vozes que advogam o que o Senhor exige, é bom saber o que Deus falou. Na complexidade de uma profusão de teologias e filosofias propostas, confiamos no que o Senhor fez para tornar nosso dever simples e claro. Todos podem entender.

John Knox expressou esta idéia em certa ocasião quando falava na presença de Mary, a rainha da Escócia. A dama da realeza sentiu-se grandemente emocionada pelo Espírito Santo, mas ficou confusa quanto em que acreditar. "Tu me ensinas uma coisa", reclamou ela para Knox, "e a Igreja de Roma me ensina outra. Em qual acreditarei?" Knox respondeu: "Não acreditarás em nenhuma, senhora: tu acreditarás no Deus que fala em sua Palavra. E a menos que concordamos nesse ponto, tu não acreditarás em nenhum de nós".

A Palavra de Deus é a base e autoridade final para nossa fé. Não consultamos a nós mesmos, nem precisamos de suposição e fantasia. O Senhor poderia ter falado em linguagem muito elevada para entendermos. Mas em consideração amorosa, desceu, por assim dizer, das montanhas da eternidade e nos encontrou ao sopé da monte para nos garantir que falará em nossa língua para que possamos entendê-lo.

Ao longo dos séculos tem havido tempos de densas trevas e períodos em que os homens ficaram cegos por falsas luzes. Mas hoje somos grandemente abençoados por termos meios seguros de instrução espiritual. Atualmente, se as pessoas permanecem alheias ao seu dever com Deus é, em grande parte, por serem teimosas ou indiferentes.

A Bíblia declara que temos de praticar a **justiça**. Devemos ser verdadeiros, honestos e sinceros conosco mesmos, com Deus, com nossas obrigações civis e econômicas, e em todas as outras relações com os seres humanos (cf. Pv 21.3; Am 5.23,24; Zc 8.16).

Temos de amar a **beneficência** ("misericórdia", ARA). Esta é qualidade mais sublime que a justiça. Ser justo significa dar a todos o que lhes é devido, ao passo que misericórdia (**beneficência**) indica bondade, compaixão e amor até por quem não estamos diretamente em dívida. Na verdade, inclui questões como consideração e ajuda prática aos pobres, oprimidos, deficientes físicos e mentais e privados de certos direitos socioeconômicos. Mas implica em muito mais que simplesmente dar nossas posses. Em misericórdia, nos damos para erguer e resgatar o próximo.

A misericórdia sempre tem de temperar a justiça. Tiago nos fala que o julgamento é sem misericórdia para quem não mostrou misericórdia (Tg 2.13). Contamos com a misericórdia de Deus somente na proporção em que mostramos bondade e consideração pelos outros.

Shakespeare refletiu estes sentimentos bíblicos quando escreveu o *Mercador de Veneza*:

A qualidade da misericórdia não é forçada;
É salpicada como o orvalho suave do céu
Sobre o lugar designado:
É duplamente santificada;
Abençoado é aquele que dá e aquele que recebe. (N. do T.)

Nestas primeiras duas exigências, que tratam de nossas relações com nossos companheiros, temos um resumo da segunda tábua do Decálogo. Com a terceira exigência: Andar **humildemente com o teu Deus**, temos o resumo da primeira tábua dos Dez Mandamentos, que lida com nossa relação com Deus.

Esta exigência é maior que as outras duas. É o motivo do qual as outras emanam. O original hebraico diz literalmente: "Curva-se para andar com Deus". "Curvar-se" indica que o primeiro passo na vida de comunhão com Deus é reconhecer nossa iniqüidade e insuficiência. Temos de abater todo pensamento altivo e colocá-lo em submissão à vontade divina, e pela fé depender do amor e graça de Deus para sermos salvos. Andar com Deus requer acordo e comunhão com Ele (Am 3.3).

Não há quantidade de mera justiça e misericórdia humana que baste. "O melhor dos homens é, na melhor das hipóteses, apenas homem". Os seres humanos têm de ter a vida divina implantada em seu coração por Cristo. Jesus indicou a significação desta verdade, quando disse que esse andar está baseado na fé e é manifestado pelo amor (Mt 23.23; Lc 11.42; cf. Tg 1.27).

Este triplo mandamento – praticar a **justiça**, amar a **beneficência** ("misericórdia", ARA) e andar **humildemente com... Deus** – não deve ser desmembrado. É possível praticar justiça severa e inflexível sem misericórdia (**beneficência**). Também pode haver misericórdia sem justiça, como quando a pessoa faz empreendimentos dignos com dinheiro desonestamente adquirido. E as pessoas são justas e misericordiosas quando visam pôr de lado as afirmações de Deus em Cristo. Ademais, não é raro o indivíduo professar que anda com o Senhor até de modo cristão, mas dá à justiça e misericórdia pouco espaço em sua vida.

Os três mandamentos devem ser considerados juntos. Desta forma, fornecem uma descrição esplêndida da verdadeira religião, ultrapassada somente pelo resumo que Jesus fez de "a lei e os profetas" conforme registrado em Mateus 22.36-40.

Ao ensinar a futilidade da adoração meramente ritualista, Miquéias afirma que os mandamentos de Deus são morais e espirituais. Diz também que a adoração aceitável implica em uma existência vivida em obediência a ambos os aspectos desses mandamentos. Até o ritual e a forma divinamente ordenados, embora façam parte da adoração, devem ser acompanhados pelo movimento sincero do coração em direção a Deus. As formas da verdadeira adoração devem ser a expressão do homem "pronto para andar com o Senhor" (LXX). Esta prontidão nos lembra o chamado de Jesus narrado em Mateus 11.23-30, e suas declarações encontradas em Mateus 7.21-23 e João 4.23-24. A verdadeira religião não é encontrada no cumprimento árduo do dever, nem em um ritual de êxtase desconcertante, mesmo que haja, nisto, um grande investimento (cf. Sl 51.16-19).

"O profeta apenas coloca as coisas em ordem de prioridade, e mostra que, no fim das contas, o andar santo com Deus é a melhor prova da genuína religião. O sistema sacrifical nunca teve o propósito de ser um fim em si mesmo. Foi estabelecido com a finalidade de ajudar na resolução interior da mente humana mediante uma série de atos específicos e públicos. Para torná-los eficazes, tais atos têm de ter sua significação interpretada em termos do verdadeiro viver santo. [...] Junto com o ensinamento de Cristo, esta palavra de Miquéias é uma regra de vida suficiente para os cristãos".[4]

Samuel Chadwick resumiria certas implicações especiais em tudo que é pertinente para os nossos dias. "A solução de nossos problemas hoje, como se deu nos dias de Miquéias, não está na legislação ou na maquinaria, mas na percepção da suficiência de Deus. Não há solução grande e permanente dos problemas sociais que tenha dado certo sem a influência religiosa. O único meio é voltar-se para Deus, ir para a casa do Senhor e lá encontrar o poder para praticar a justiça, amar a misericórdia e andar humildemente com o nosso Deus. Então encontraremos o verdadeiro vínculo da fraternidade".[5]

Nos versículos 6 a 8, temos a pergunta "O que o Senhor pede do Homem?" E sua respectiva resposta: 1) Não pede uma religião formal de sacrifícios ou obras, 6,7; 2) Pede justiça, que observe as leis de Deus para as relações humanas, 8; 3) Pede misericórdia, benignidade e justiça, 8; 4) Pede que ande diariamente sob a liderança do Espírito de Deus, 8 (A. F. Harper).

B. Deus Condena o Mal, 6.9-16

Nesta subdivisão, Miquéias anuncia que Deus está pronto a falar uma palavra urgente e final com seu povo impenitente. O profeta aconselha os habitantes de Jerusalém, sobretudo os líderes da cidade, a prestarem muita atenção no que o Senhor tem a lhes dizer. **Verá o teu nome** (9) é traduzido melhor por "temer-lhe o nome" (ARA; ECA; NVI). Assim, o significado fica mais inteligível. Na Septuaginta, lemos: "A voz do Senhor será proclamada na cidade, e ele salvará aqueles que temem o seu nome; ouvi, ó tribo; e todos vós que poreis a cidade em ordem".

1. *Os Pecados de Judá* (6.9-12)

Pelo profeta, provinciano e inculto, Deus condena os moradores da sofisticada cidade de Jerusalém, porque estão no centro dos pecados da nação. "Ele não se refere apenas à idolatria, mas também à irreligiosidade dos políticos e à injustiça cruel dos ricos na capital. O veneno que debilitou o sangue da nação conseguira entrar em suas veias e chegara até ao coração. Ali, o mal se concentrou e abalou o Estado e levou-o sem perda de tempo à ruína".[6]

Ao anunciar a aproximação de Deus, Miquéias destaca a seus ouvintes que a "verdadeira sabedoria [é] temer [...] o nome [do Senhor]" (ARA). Quem é sábio, discerne a mão de Deus nas providências da vida. Tais pessoas se beneficiam com os julgamentos corretivos. Os habitantes de Judá seriam salvos somente se voltassem a reverenciar sinceramente o Senhor e a obedecer às exigências morais divinas. Mas ainda havia tempo: Se voltassem a confessá-lo e temê-lo, o Senhor seria gracioso para salvar.

Em palavras solenes de julgamento, o próprio Deus fala: "Ouvi isto, vós, povo e conselho da cidade!" (Phillips). E passou a fazer certas perguntas perspicazes que imediatamente realçaram as práticas más de Judá. Ele pergunta: Apesar de todos os meus avisos e de minha longanimidade, **ainda há na casa do ímpio, tesouros de impiedade? E efa pequeno, que é detestável?** (10; cf. Dt 25.13; Pv 11.1; 16.11; Am 8.5).

Deus não esqueceria nem faria vista grossa à riqueza acumulada que os **ricos** (12) de Jerusalém amontoaram para si. Tratava-se de abundância de bens adquiridos mediante opressão, trapaça com pesos e medidas desonestos, vanglória arrogante e mentira (11,12). Miquéias já tinha descrito estes males com mais detalhes (3.1-3), mas ainda vigoravam.

Os pecados reprovados aqui são, hoje, proeminentes em países sem os benefícios transformadores do Evangelho de Cristo. Não obstante, também é verdade que estes males são muito comuns na nossa civilização cristã moralmente iluminada. Almejamos segurança material pessoal e teimamos em ter conforto físico e lazer. Nosso firme propósito em manter um alto padrão de prosperidade a qualquer preço gera uma rivalidade impiedosa entre nós. Nessa competição, tendemos a desconsiderar os direitos dos outros e a engajar-nos em subterfúgio e intriga. Os trabalhadores buscam o salário mais alto pela menor porção de trabalho, ao passo que os empregadores esmeram-se em dar o salário mais baixo que os trabalhadores nem sempre estão dispostos a aceitar. As palavras do profeta são mesmo relevantes na atualidade. E é fato pertinente que o povo tratado aqui era, como nós, uma sociedade declaradamente religiosa.

2. A Promessa de Castigo (6.13-16)

Nestes versículos, o Senhor proclama princípios imutáveis: O ganho adquirido perversamente é perda; a prosperidade adquirida injustamente não subsiste; o bem-estar obtido por coação não é desfrutado por muito tempo. A felicidade e poder buscados por pecadores sempre os iludem, porque os meios pelos quais os buscam não são congruentes com os fins. O julgamento divino é uma conseqüência inevitável (ver Lv 19.35; Tg 5.1-6). "O que eles diminuem da medida é aumentado na ira de Deus, e o acerto de contas desse ato virá sobre eles; o que faltar na medida será completado pela ira de Deus".[7]

Os moradores de Jerusalém não teriam permissão de beneficiar-se de suas posses acumuladas (13-15). E pior que isso, a profecia lhes anuncia: "Haverá fome em teu coração" (14, Phillips; cf. Sl 106.15).

Deus fala aos habitantes de Judá que caíram tanto na vida espiritual e moral que, na verdade, seguiam os caminhos daquela dinastia notoriamente má e apóstata de Israel chefiada pelo conspirador **Onri** (16), e seu filho **Acabe**, contra quem Elias lutara uns 200 anos antes (1 Rs 16–22). Seguiam os procedimentos de Acabe, como ilustra o ato insensível deste rei ao tomar a vinha de Nabote.

Pelo motivo de ser verdadeira esta situação, os moradores de Judá só tinham de esperar ruína às mãos dos inimigos. Deus os avisou mais uma vez: **Trareis sobre vós o opróbrio do meu povo**. O próprio fato de serem o povo de Deus só aumentava a gravidade do pecado. "Sendo vós o povo de Deus no nome, enquanto andáveis em seu amor, era uma honra; mas agora o nome sem condizer com a realidade vos é somente uma repreensão."[8] Só lhes restava suportar "a zombaria das nações" (16, NVI) entre as quais Deus quisera que fossem honrados e exaltados (ver Dt 28.1-14).

C. Miquéias Lamenta a Corrupção da Nação, 7.1-6

Miquéias, depois de entregar fielmente a mensagem de Deus, procura em vão por sinais de arrependimento e mudança em Judá. O que vê lhe enche de tristeza. Poucas pessoas (talvez nenhuma) reagiram favoravelmente à pregação. O profeta compara sua busca ansiosa e desconcertante por justiça ao homem que, faminto por frutas frescas, vai ao vinhedo depois da colheita na esperança de achar, por acaso, algum cacho de uva restante. Encontra uma exuberância de folhas, mas **não há cacho de uvas para comer** (1). Descobre que Judá é moralmente estéril. A pungência de sua angústia fica clara na Septuaginta, onde lemos: "Ai de mim! Porque sou como alguém que junta palha na colheita e como alguém que colhe os respigos de uva na vindima, quando não há cacho para eu comer os primeiros frutos maduros; ai de minha alma!" (cf. NTLH).

Como Diógenes, em Atenas, e Jeremias, em Jerusalém (Jr 5.1), Miquéias procura uma pessoa honesta em Judá (cf. 1, BV). Mas não encontra. Pelo visto, o **benigno** (2) desapareceu totalmente. Todos estão cheios de ódio e são inteiramente egoístas em suas intenções. Cada indivíduo é por si, e busca enlaçar o companheiro – **caça cada um a seu irmão com uma rede**. Até fazem de conta que não vêem o assassinato se, com isso, conseguem o que querem.

O **príncipe** (3) e o **juiz**, que deveriam ser confiáveis, perderam todo o senso de responsabilidade em orientar e proteger as pessoas. Caíram tanto que chegaram a buscar suborno e atender os caprichos dos bajuladores. Estes líderes não se entregavam à tentação ocasionalmente, mas deliberadamente tornaram a desonestidade seu programa de ação. Estão em conluio contra as massas. **As suas mãos fazem diligentemente o mal**. Note como Moffatt interpreta esta frase: "Eles têm dedos ágeis para o jogo sujo".

Fausset diz que tão logo os funcionários públicos expressavam seus desejos ignóbeis, os juízes corruptos estavam prontos a julgar os casos de acordo com as instruções recebidas.[9] Deste modo, "entre si frustram a justiça" (Moffatt).

Os indivíduos que deveriam ser os mais dignos de confiança mostraram-se inflexíveis e frios em seus procedimentos – **O melhor deles é como um espinho** (4). A confiança mútua já não é possível. Não podiam confiar sequer nos amigos mais chegados e na família. A confusão prevalece por toda a nação. A ordem social se desintegra. O salário do pecado é cobrado e, pelo visto, a morte para a nação era inevitável. "O dia que os vigias previram, o dia do castigo chegou; agora vem a destruição absoluta" (4, Phillips; cf. NVI). Estas relações entre pecado e julgamento são mostradas em outras passagens, como Salmo 37.35-38; Provérbios 14.34; Isaías 5.15; Jeremias 17.10,11. O princípio de causa e efeito moral aplicado às pessoas e nações do tempo de Miquéias aplica-se hoje em dia também. Trata-se de princípio verdadeiro em toda e qualquer época.

Jesus citou esta passagem de Miquéias (Mt 10.34-36; Lc 12.51-53) para mostrar que a pregação do Evangelho pode gerar a mesma hostilidade descrita pelo profeta. É tão grande o mal do coração do indivíduo não regenerado que é comum a declaração da verdade de Deus evocar ódio e perseguição a quem a proclama.

Para todo homem casado e para todo jovem que espera ter uma família, há significação particular neste trecho bíblico. Repare que práticas más, feitas fora do âmbito familiar, destruíram a confiança na família nos dias de Miquéias. Da mesma forma hoje, ninguém que se engaje em atividades desonestas e egoístas pode pensar que sua família fique intacta. Até a esposa e os filhos perdem o respeito pelo marido e pai que é infiel em suas relações com os outros. Como é que vão saber quando podem confiar nele ou não? O pai que deseja a honra dos filhos tem de ser o primeiro em honestidade e decência.

D. A Fé de Miquéias em Deus, 7.7-13

Considerando o estado da nação, Miquéias vislumbra um panorama sombrio. Mas se recusa a ser vencido pela corrupção sórdida que o cerca. **Eu, porém, esperarei no SENHOR** (7). "E, confiante nele, eu manterei rigorosa vigilância" (ATA; cf. NVI). Não se pode confiar em homens, mas pode-se acreditar inteiramente em Deus. Como o salmista, Miquéias estava ciente que, mesmo quando já não se pode contar com pais e mães, pode-se acreditar em Deus (Sl 27.10). Nesta certeza, o profeta se animou.

Mesmo nas trevas, o profeta olharia para o Senhor (7; cf. ARA). **Esperei** com confiança e perspectiva, pois o **Deus da minha salvação; o meu Deus me ouvirá**.

Todos os homens de Deus deveriam tomar a tripla resolução de Miquéias, sobretudo em tempos difíceis. Ela foi: 1) Uma resolução de fé: "**Olharei**" (ARA); 2) Uma resolução de paciência: **Esperarei**; 3) Uma resolução de esperança: **Deus ouvirá**.

Pelo fato de Miquéias ter crido que Deus ainda manifestaria seu amor firme pelo seu povo, o profeta ousou falar em nome da nação. Bravamente enfrentou os inimigos que queriam destruir Judá, e, firmemente, asseverou sua convicção de que a luz de Deus ainda brilharia. O povo de Judá veria e reagiria obedientemente à verdade e, assim, estaria de acordo com a fidelidade de Deus (8). Christian, personagem de Bunyan, ao enfrentar Apoliom, que o lançara ao chão no vale da Humilhação, sacou da espada contra quem o atacara, ao mesmo tempo em que citava as palavras confiantes de Miquéias: **Ó inimiga minha, não te alegres a meu respeito; ainda que eu tenha caído, levantar-me-ei** (8). Que da mesma forma todo crente enfrente o inimigo na hora sombria da tentação e dificuldades.

Em vista dos acontecimentos, Miquéias perdera a batalha no esforço de construir o Reino de Deus. Mas ficou evidente para ele que Deus não perdera a guerra. As pessoas que desejam lutar as batalhas do Senhor ficam empolgadas com a descoberta de Miquéias. Os versos de Maltbie Babcock espelham a verdade eterna:

> *O mundo é teu, Senhor.*
> *Jamais esquecerei*
> *Que embora existam erro e mal*
> *Tu és o eterno Rei*
> *O mundo é teu, Senhor,*
> *Pois Cristo já venceu*
> *Inimizades destruiu,*
> *Unindo terra e céu**

---

* "O Mundo é Teu, Senhor", *Cantor Cristão*, nº 45, verso 3, letra em inglês de Maltbie Babcock e em português de João Wilson Faustini (São Paulo: Bom Pastor, 2003, 3ª reimpressão).

O Povo de Deus Tem um Futuro   Miquéias 7.8-18

Quando o Senhor Jesus estava na terra demonstrou muitas vezes a habilidade divina de trazer livramento quando os homens atingiam o limite de suas forças. Os discípulos, fustigados pela tempestade no mar, alegraram-se por Cristo ter ido salvá-los (Mc 6.48). O apóstolo, preso e temendo por sua vida, ouviu as palavras inspiradoras de confiança: "Paulo, tem ânimo!" (At 23.11). Certa noite, enquanto Pedro sofria na prisão, um anjo se postou ao lado dele (At 12.5-10). E hoje, nas horas mais difíceis da vida, o povo de Deus pode testemunhar: **O SENHOR será a minha luz**.

Nesta subdivisão do livro, Miquéias se identifica com o povo e reconhece a justiça e propósito dos castigos de Deus. Penitentemente, os suporta até o dia em que Deus **me trará à luz, e eu verei a sua justiça** (9). O profeta declara que os inimigos zombadores de Judá serão, no devido tempo, cobertos de **confusão** (10; "vergonha", ARA). Vê o dia quando os **muros** (11) de Jerusalém **serão reedificados** e os exilados que foram espalhados para muitas partes da terra serão reunidos à sua pátria (12). "Eles virão da Assíria, do Egito e até da região do rio Eufrates" (12, NTLH; ver Mapa 1), e de todas as nações para as quais fugiram ou foram levados cativos.

Mas antes que cheguem esses dias, a situação ficará difícil – **esta terra será posta em desolação** (13). O povo ainda colherá os frutos da iniqüidade. Pois, ainda que os pecados sejam perdoados e esquecidos, mesmo assim, Deus não impedirá a colheita subseqüente que segue toda semente semeada (Gl 6.7).

E. A Oração de Miquéias pelo Povo, 7.14-20

1. *Súplica pelo Cuidado Amoroso* (7.14-17)
Como agricultor, Miquéias sabia como era essencial um pastor fiel ao bem-estar do rebanho. Por isso, ele ora:
> *"pastoreia o teu povo com o teu cajado,*
> *o rebanho da tua herança*
> *que vive à parte numa floresta,*
> *em férteis pastagens;*
> *Deixa-o pastar em Basã e em Gileade,*
> *como antigamente" (14, NVI).*

Carmelo era conhecido por seus vinhedos, ao passo que **Basã e Gileade** eram notoriamente conhecidas como terras pastoris férteis.

Com a restauração de Israel, Miquéias previu as manifestações do poder e liderança de Deus como as ocorridas no mar Vermelho, no monte Sinai e em outros locais ao longo da rota do Êxodo israelita da **terra do Egito** (15). Em face de tais acontecimentos, as **nações** (16) circunvizinhas **verão e envergonhar-se-ão**. Elas se humilharão e reconhecerão o Deus de Israel. Pôr a **mão sobre a boca** era gesto comum de prova de culpabilidade e aquiescência.

O pensamento destes acontecimentos maravilhosos leva Miquéias a alegrar-se; expressa seu entusiasmo num salmo de louvor pela misericórdia e fidelidade de Deus.

2. *Louvor pelo Amor Firme de Deus* (7.18-20)
Quem, ó Deus, é semelhante a ti? (18) é uma pergunta repetida numerosas vezes

na Bíblia (Êx 15.11; Sl 89.6; Is 40.18-25; 46.5), mas, em geral, em reconhecimento do poder e glória divinos. Aqui, o profeta fala da graça e misericórdia ilimitadas de Deus pelos pecadores.

Wolfendale faz um comentário sobre a frase **que perdoas a iniqüidade**: "O perdão que Deus tem é de qualidade tão excelente quanto a satisfazer sua grandeza, bondade e todos os outros atributos de sua natureza; como por exemplo aquele pelo qual Ele é conhecido como Deus. Não é como o perdão limitado, difícil, parcial e amarrado que encontramos entre os homens; mas é pleno, livre, irrestrito, ilimitado, absoluto; como é a natureza e excelências divinas".[10]

O salmo de Miquéias é oportuno e não se restringe a épocas, pois fala da própria essência da salvação, no passado, presente e futuro. Os santos de todos os tempos unem-se com o profeta no seu refrão alegre da redenção. O salmo diz respeito à mensagem evangélica de esperança que se cumpriu com a salvação provida pelo recém-nascido de Belém, sobre quem Miquéias já falara em 5.2. Todos os que são da fé juntam-se com a confiança firme de Miquéias: **Darás... a fidelidade e... a benignidade que juraste a nossos pais, desde os dias antigos** (20).

Esta é visão inigualável de "nosso Deus incomparável". **Quem, ó Deus, é semelhante a ti**, que: 1) Perdoas a iniqüidade e a transgressão, 18; 2) Concedes misericórdia e compaixão, 18,19; 3) Dás poder sobre o pecado, 19; 4) Cumpres tuas promessas antigas, 20 (W. T. Purkiser).

Notas

INTRODUÇÃO

[1] "Chamada Moresete-Gate (14), provavelmente por estar perto de Gate, mas dentro das fronteiras de Judá" (VBB, nota de rodapé em 1.1; ver mapa 2).

SEÇÃO I

[1] Matthew Henry, *Commentary on the Whole Bible*, vol. IV (Nova York: Fleming H. Revell Company, s.d.), p. 1.304.

[2] Henry, *op. cit.*, vol. IV, p. 1.308.

[3] A. Fraser e L. E. H. Stephens-Hodge, "Micah", *The New Bible Commentary*, editado por Francis Davidson *et al.* (Grand Rapids: William B. Eerdmans Publishing Company, 1953), p. 72.

[4] E. B. Pusey, *The Minor Prophets*, vol. II (Grand Rapids: Baker Book House, 1962), p. 35.

[5] S. C. Yoder, *He Gave Some Prophets* (Scottsdale, Pensilvânia: Herald Press, 1964), p. 115.

[6] Rolland E. Wolfe, "Micah" (Exegesis), *The Interpreter's Bible*, editado por George A. Buttrick *et al.*, vol. VI (Nova York: Abingdon Press, 1956), p. 915.

[7] Pusey, *op. cit.*, p. 35.

[8] Henry, *op. cit.*, p. 1.316.

[9] Raymond Calkins, *The Modern Message of the Minor Prophets* (Nova York: Harper & Brothers, 1947), p. 57.

[10] James Wolfendale, "Minor Prophets", *The Preacher's Homiletical Commentary* (Nova York: Funk & Wagnalls, 1892), p. 411.

SEÇÃO II

[1] Clarke, *op. cit.*, p. 720.

[2] Fraser e Stephens-Hodge, NBC, p. 724.

SEÇÃO III

[1] George Adam Smith, "The Book of the Twelve Prophets", *The Expositor's Bible*, editado por W. Robertson Nicoll, vol. 1 (Nova York: A. C. Armstrong & Son, 1889), p. 421.

[2] Fraser e Stephens-Hodge, *op. cit.*, p. 725.

[3] Calkins, *op. cit.*, p. 63.

[4] Fraser e Stephens-Hodge, *op. cit.*, p. 725.

[5] Samuel Chadwick, "Micah", *The Expositor's Dictionary of Texts*, editado por W. Robertson Nicoll, Jane T. Stoddard e James Moffatt, vol. I (Nova York: George H. Doran Company, s.d.), p. 748.

[6] Smith, *op. cit.*, p. 426.

[7] Pusey, *op. cit.*, p. 85.

[8] A. R. Fausset, *A Commentary on the Old and New Testaments*, vol. IV (Grand Rapids: William B. Eerdmans Publishing Company, 1948, reimpressão), p. 606.

[9] *Ib.*, p. 607.

[10] Wolfendale, *op. cit.*, p. 461.

O Livro de
NAUM

H. Ray Dunning

Introdução

A. O Profeta

Naum faz parte daquele grupo de profetas que não apresentam uma biografia. Uma referência escassa (1.1) é o único registro que temos de sua vida; e seu nome, escrito assim, não ocorre em outra parte do Antigo Testamento. Há outros nomes semelhantes com os quais está provavelmente relacionado (cf. 1 Cr 4.19; Ne 7.7), e seu significado é quase idêntico a Neemias. Conjectura-se, baseado em inscrições descobertas em fragmentos de cerâmica achados no sul da Palestina, que Naum era de uma família cuja tradição profissional era a olaria.

O título do livro diz que Naum é "elcosita" (1.1). Por esta informação, deduzimos que era de uma localidade chamada Elcós. Não se conhece lugar com esse nome na Palestina. Certos estudiosos acreditam que a cidade estava situada na Mesopotâmia e que o profeta era um dos descendentes dos israelitas cativos.[1] O fato de Naum estar tão familiarizado com a cidade de Nínive dá apoio a este ponto de vista (ver mapa 1). Há argumentos a favor de um local na Galiléia e em Judá baseados em certas referências não-canônicas.[2] Há quem sugira que Cafarnaum era a cidade em questão, visto que seu nome significa "cidade de Naum".

O nome do profeta significa "cheio de consolo", formado pela palavra hebraica similar a outras que significam "cheio de graça" e "cheio de compaixão". Certos estudiosos não vêem a conveniência desta designação, visto que Naum proclama uma mensagem de destruição e devastação. Mas um exame mais detido revela que a natureza de sua profecia está no cerne do consolo – para o povo de Deus.

B. O Livro

Atualmente, a profecia de Naum é criticada com base em certas pressuposições sobre Deus. Há quem diga que o livro carece de valor e que sua mensagem é ética e teologicamente deficiente. Este raciocínio fundamenta-se no parecer de um Deus que exclui todo senso de ira ou justiça e que declara que a natureza do Senhor é não-punitiva. O ponto de vista bíblico mostra que o antagonismo ao pecado e o seu devido castigo são compatíveis com a natureza divina, e é, na realidade, de sua própria essência.

Além das críticas citadas, os estudiosos criticam Naum por: 1) ser cegamente patriótico e nacionalista ao ignorar o pecado de Israel; 2) manifestar aversão maliciosa e alegria mal-intencionada com a destruição de Nínive; 3) ser profeta do judaísmo principiante; 4) ser falso profeta em comparação aos outros mensageiros de Deus; e 5) refletir uma escatologia "pan-babilônica".[3]

A acusação relativa a Naum ignorar os pecados do seu povo está implicitamente em 1.12 e também se relaciona com as considerações sobre a data do livro.

C. A Data

Há três fatores a serem levados em conta ao fixarmos a data da profecia de Naum. Estes fatos também proporcionam um cenário histórico para o livro. Nenhum deles, declaremos com antecedência, porá a questão cronológica fora de dúvida.

Há, em primeiro lugar, a referência em 3.8-10 à destruição assíria da cidade egípcia de Tebas (conforme as traduções mais recentes; "Nô-Amom" na ARA; ECA; RC). O texto diz claramente que o acontecimento está no passado. A data da queda dessa cidade foi em 663 a.C. Este fato poria o oráculo subseqüente a essa data.

A principal consideração é a queda de Nínive, que é o propósito principal que o livro tem a predizer. Esta cidade era a poderosa capital do Império Assírio. Alcançou grande glória quando Senaqueribe a restabeleceu por sua capital. Esar-Hadom e Assurbanipal, seus dois sucessores, prosseguiram com o seu desenvolvimento. Em torno dela havia um sistema de fortificações que a tornava praticamente inexpugnável. Supunha-se que três carros podiam transitar, lado a lado, em cima dos muros. Dentro da cidade havia edifícios esplendorosos, ornamentos volumosos de obras arquitetônicas e monumentos maciços, uma grande biblioteca, ruas e jardins. Há pouca discordância sobre a data de sua queda. Os registros arqueológicos a estabelecem firmemente em 612 a.C.

A Assíria era a conquistadora e o terror das nações. Sua maldade, sobretudo sob o reinado de Assurbanipal, era agravante, como atestam seus próprios registros: "As vítimas eram trancadas em gaiolas, expostas à derrisão de espectadores zombeteiros, forçadas a levar em procissão as cabeças de seus companheiros de farda. As casas eram queimadas e os tesouros, saqueados".[4] Não admira que Naum tenha concluído sua profecia com as palavras: "Todos os que ouvem a notícia a teu respeito batem palmas sobre ti" (3.19, ECA).

Tamanha maldade carregava consigo as sementes da destruição. Este conhecimento incontestável junto com o poder ascendente dos babilônios e dos medos deram apoio externo ao lampejo profético de Naum. Outro arauto da ruína iminente foi a queda, em 614 a.C., da cidade de Assur diante dos medos. No local das ruínas desta cidade, estes e os babilônios se uniram em aliança. Talvez, os referidos acontecimentos tenham desencadeado as declarações proféticas de Naum. É bem provável que o profeta recebera visões de Deus, ao começar a agir, a fim de que seu povo recebesse os benefícios pertinentes. A descoberta de alguns anais de Nabopolassar, na ocasião rei da Babilônia, revela o fato de que ele e Ciaxares, rei dos medos, já estavam em conflito aberto com a Assíria em 616 a.C., embora separadamente. A própria cidade de Nínive chegou a ser atacada, em 614 a.C., pelos medos, sob o comando deste monarca, os quais foram derrotados.[5]

O terceiro fator previamente mencionado é o silêncio de Naum em relação aos pecados de sua gente. Se esta não for mera reflexão de sua preocupação por outros assuntos, pode indicar uma perspectiva esperançosa por causa das reformas religiosas do rei Josias. Estas mudanças ocorreram em 621 a.C., e ele estava no trono, no prosseguimento da reforma, até morrer em 609 a.C. Talvez Naum não tenha percebido o caráter temporário e os problemas encobertos do movimento como Jeremias compreendeu. A comparação entre Naum 1.15 e 2 Reis 23.21 dá certo apoio à opinião de que ele era favorável aos esforços de Josias.

De qualquer modo, Naum era contemporâneo de Jeremias e Sofonias. Semelhantemente, a tendência geral do texto o coloca no limiar dos acontecimentos que prediz, desta forma, para dar crédito a uma data anterior, entre 616 e 613 a.C. Se esta for adotada, Naum também é contemporâneo de Habacuque.

D. O Estilo Literário

O livro de Naum é exemplo da melhor literatura hebraica. É poesia do mais alto grau de perícia literária inteligente. O professor Brewer, ainda que não aprecie a mensagem do profeta, exalta em termos entusiásticos a habilidade poética dele: "Suas palavras são soberbas, sua capacidade retórica está acima do elogio. Na descrição do ataque, destruição e saque da cidade, mostra imaginação vívida e grande poder de expressão poética".[6]

Vemos melhor o estilo poético de Naum nas traduções mais recentes (*e.g.*, NVI) do que no formato em prosa.

Todo empenho em discutir a estrutura literária do livro levanta problemas que estão fora do âmbito proposto por esta série de comentários.[7] Por conseguinte, um esboço literário é pouco inteligente. Resta-nos, pois, tomar providências para fazer uma divisão essencial altamente generalizada da obra.

E. O Valor

Esta curta profecia é apenas um texto de interesse histórico? É mera lembrança que Deus pode revelar acontecimentos aos seus profetas antes de acontecerem? Ou há outra mensagem permanente a extrair deste oráculo de vingança?

Talvez seja verdade que Naum estava tão preocupado com o bem-estar social que sua mensagem espelhou seus interesses políticos mais que suas convicções religiosas e teológicas que os apoiavam. Não obstante, havia certas verdades proféticas fundamentais que moldaram suas declarações. Duas, pelo menos, são evidentes. Uma é a soberania final de Deus sobre a história. A outra é que o universo está tão moralmente estruturado, que quem viola sua constituição é destruído por ele. Quem opta viver pela espada pela espada morrerá (Mt 26.52).

Esboço

I. **O Governo de Deus**, 1.1-6

    A. Títulos, 1.1
    B. A Natureza de Deus, 1.2,3a
    C. O Poder de Deus, 1.3b-6

II. **A Aplicação da Soberania de Deus**, 1.7—2.13

    A. Aplicações Diversas, 1.7,8
    B. Discursos a quem Recebe a Justiça, 1.9-15; 2.2
    C. A Queda de Nínive, 2.1,3-13

III. **Deus Destruirá o Mal**, 3.1-19

    A. A Maldade de Nínive, 3.1-4
    B. A Oposição de Deus à Maldade, 3.5-7
    C. A Inevitabilidade da Derrota do Mal, 3.8-13
    D. O Canto Fúnebre, 3.14-19

Seção I

O GOVERNO DE DEUS

Naum 1.1-6

A. Títulos, 1.1

É extremamente provável que esta declaração introdutória tenha sido acrescentada por um editor com a finalidade de identificar a obra. Está composta de duas partes: a primeira apresenta o propósito da mensagem, e a segunda determina o autor. Há quem afirme que a parte dois foi declarada especificamente com o fim de catalogar o livro entre os rolos do Templo. Ele era indubitavelmente usado na adoração do Templo tempos mais tarde, e também lá pelo ano de 612 a.C. Mas o livro não era primariamente uma produção litúrgica como muitos têm defendido com veemência.[1]

Certo ponto de vista declara que a porção básica do escrito (1.9–2.13) era uma mensagem ou debate público, no qual o profeta argumentava com pessoas de opiniões divergentes sobre os acontecimentos graves e significativos da época.[2] Se esta opinião estiver correta, abre a probabilidade de esta profecia ter sido entregue em Jerusalém.

Peso (1; "oráculo", ECA; "sentença", ARA; "mensagem", NTLH; "advertência", NVI) é termo técnico que denota a mensagem de um sacerdote-profeta em nome de um deus. Significa literalmente "o levantamento" da voz. É lógico que o oráculo era *sobre* Nínive e não *para* Nínive, capital do Império Assírio. Por quase dois séculos, este poder tirânico fora a grande força política e militar no mundo conhecido dos hebreus. Foi sob o reinado de Sargão II que, em 722 a.C., Israel (o Reino do Norte) foi extinto. Mais tarde, sob o reinado de Senaqueribe, Judá ficou, por tolice de Acaz, sujeito ao domínio da Assíria e começou a pagar anualmente pesados tributos. Assurbanipal foi o último grande rei do império, e reis menos importantes ocuparam o trono na época da profecia de Naum. Mas Judá ainda estava sob o domínio do vasto império. A capital Nínive, sede do governo assírio, situava-se junto ao rio Tigre (ver mapa 1).

O segundo título (1b) é único na literatura, visto que o habitual era ter apenas um. Também é único no uso da palavra **livro**. **Visão** é termo técnico e denota que a fonte da inspiração profética era o discernimento divino. **Naum**, que significa "o consolador", é muito apropriado à mensagem quando corretamente entendido, pois certos intérpretes pensam tratar-se de adição fictícia, mas há escassa base que apóie esta suposição.

A maioria dos estudiosos encontra provas de um poema acróstico que começa no versículo 2 e usa a primeira metade do alfabeto hebraico. Trata-se de forma literária que de modo nenhum compromete o conteúdo da mensagem. Há muita discordância sobre este ponto, pois o acróstico está incompleto. Por esta causa, muitos dos que desejam defender esta teoria do poema são obrigados a considerar que o próprio texto está excessivamente adulterado. Semelhantemente, há discordância considerável quanto à extensão desta construção em particular. O rabino Lehrman afirma: "Os esforços em prover as letras que faltam não justificam as muitas correções propostas".[3]

B. A Natureza de Deus, 1.2,3a

O versículo 3 é o texto áureo do livro. Traduzido assim fica mais claro: "O Senhor demora para irar-se e é grande em poder, mas o Senhor de maneira nenhuma deixará o pecado sem punição".

O profeta não fala de uma raiva petulante que é provocada por assuntos incidentais. Ele se refere à santidade completa de Deus que mantém o amor e a justiça em tensão criativa. O texto profético fala da paciência de Jeová, mas Naum sabe que a penalidade é inevitável. A natureza de Deus requer que o Senhor puna o pecado, porque a natureza do pecado exige essa punição. Esta ação não indicia a bondade de Deus. Mas, caso não se opusesse ao mal, indiciaria a santidade divina.

Paulo proclama a mesma mensagem em Romanos 2.3-5: "E tu, ó homem, que julgas os que fazem tais coisas, cuidas que, fazendo-as tu, escaparás ao juízo de Deus? Ou desprezas tu as riquezas da sua benignidade, e paciência, e longanimidade, ignorando que a benignidade de Deus te leva ao arrependimento? Mas, segundo a tua dureza e teu coração impenitente, entesouras ira para ti no dia da ira e da manifestação do juízo de Deus". É deste modo que Deus governa o mundo: Recompensa a justiça, é paciente com a maldade, mas no fim a pune.

É apropriado lembrarmos aqui que, certo tempo atrás, Deus enviara um profeta a Nínive para pregar o arrependimento. Sob o ministério relutante de Jonas, os ninivitas se arrependeram com pano de saco e cinza (Jn 3.5-10). Não sabemos quanto tempo durou este arrependimento, mas agora eles se arrependeram de terem se arrependido. Se Jonas é exaltado como profeta missionário, Naum não deveria ser refutado por proclamar julgamento sobre o povo que recebeu a mensagem missionária, sobretudo levando em conta que ele baseia a proclamação em tal conceito fundamental da natureza de Deus.

O profeta menciona três características de Deus que precisamos explicar. **O SENHOR é um Deus zeloso** (2; "tem ciúmes", BV), vingativo e cheio de ira. Não se trata de emoções humanas. Se a teologia moderna nos ensinou algo, é que não há linguagem unívoca sobre Deus. Atribuir paixões humanas ao Senhor é, na melhor das hipóteses, usar de analogia. A transcendência de Deus anula todo esforço em entendê-lo em termos humanos. A crítica com base nesta linguagem não percebe o significado das referências bíblicas à deidade.

O termo **toma vingança** (*nokem*, "vingador") é usado três vezes nesta passagem. Talvez esta repetição dê a entender que a Assíria exilara Israel três vezes e, portanto, receberia três punições adequadas aos seus crimes.

C. O Poder de Deus, 1.3b-6

O homem sempre teve muito medo das forças da Natureza. É natural associar o poder da deidade com a manifestação da grandiosidade do poder de Deus. Era de se esperar que a humanidade obscurecida pelo pecado exaltasse a força da Natureza à estatura de deuses e fizesse cultos e sacrifícios de conciliação. Esta passagem não afirma que Deus faz parte da Natureza (no sentido de ser uma de suas deidades). O profeta mostra que o Todo-poderoso é o dominador das forças e entidades da ordem natural. Ele é o Senhor dos mares, dos rios, das montanhas e das pessoas. Há dois movimentos que simbolizam o poder de Jeová: o furacão no mar e o *simum*[4] na terra.

A parte "a" do versículo 4 refere-se possivelmente ao recuo do mar Vermelho e à divisão do rio Jordão. É esta a interpretação mais natural e adotada por Adam Clarke. **Basã**, **Carmelo** e **Líbano** (4) são algumas das regiões mais férteis da Palestina, as últimas a serem afetadas pela seca. Os versículos 5 e 6 descrevem a ira de Deus na linguagem de terremoto, vulcão e tempestade violenta e devastadora.

Adorai o Rei, gloriosíssimo,
E com gratidão cantai o seu amor maravilhoso:
Nosso Escudo e Defesa, o Ancião de Dias,
Encerrado em pavilhão esplendoroso e cingido com louvores.

Cantai o seu poder e cantai a sua graça,
Cujo manto é luz, cujo espaço é abobadado.
Seus carros de ira que as densas nuvens formam,
E as trevas são o seu caminho nas asas da tempestade.

Robert Grant

(Ver "Adorem o Rei", *Hinário para o Cantor Cristão*, nº 233, verso 1, linha 1 do verso 2 e linhas 2 a 4 do verso 3, letra em inglês de Robert Grant e em português de Werner Kaschel [São Paulo: Bompastor, 2003, 3.ª reimpressão]). (N. do T.).

Seção II

A APLICAÇÃO DA SOBERANIA DE DEUS

Naum 1.7—2.13

A. APLICAÇÕES DIVERSAS, 1.7,8

Depois de ter falado sobre a natureza de Deus que forma a base do governo do mundo, o profeta passa a mostrar sua dupla aplicação. Estas passagens são "teológicas e afirmam os princípios gerais da providência divina, pela qual a subversão do tirano é certa e a libertação do povo de Deus é garantida". [1]

1. *Deus é uma Fortaleza para os Fiéis* (1.7)
O texto profético declara que Jeová é bom. Não se trata de favor caprichoso da mesma maneira que sua ira não é julgamento petulante. O profeta quer dizer que Deus é fiel na administração da justiça. Àqueles que o servem, **o SENHOR é... uma fortaleza no dia da angústia**. Talvez haja aqui alusão às cidades de refúgio (cf. Êx 21.13; Nm 35.9-14; Js 20.7-9). Mas considerando as circunstâncias da ocasião, é mais provável que o profeta queira transmitir a idéia de trincheiras de proteção. Neste caso, desejava fazer uma comparação com os muros de Nínive. Pareciam inconquistáveis, mas no dia da provação dariam pouca proteção a quem confiou neles. Por outro lado, Deus é uma fortaleza que não deixa na mão quem nele puser a confiança.

Ao considerarmos a extrema aflição daqueles dias, esta era uma promessa maravilhosa à pequena nação de Judá. Um grande império estava a ponto de esfacelar-se, e outras potências emergiam. Era iminente uma batalha de gigantes, cujo confronto colocava as minúsculas nações vassalas em um **dia de angústia**.

É verdade que o cumprimento desta promessa não ocorreu na história subseqüente de Judá. Após a reforma de Josias (ver Introdução), o povo judeu caiu de novo na idolatria. Mas a natureza geral da asseveração é tamanha que não há necessidade de argumentação em prol de prosperidade material como sinal do favor de Deus. Não obstante, é reconfortante lembrar que o **SENHOR... conhece** – cuida dos **que confiam nele**.

2. *Deus se Vinga dos Seus Inimigos* (1.8)

A **inundação transbordante** é referência tão clara às circunstâncias pertinentes à queda de Nínive que certos estudiosos questionam o texto. Mas, ao pormos de lado a análise textual, quem crê na inspiração divina não acha mais difícil acreditar em tal predição específica do que crer que Isaías predisse a proteção de Jerusalém quando o exército assírio, sob o comando de Senaqueribe, estava diante das portas da cidade (Is 37.33,34). O Antigo Testamento menciona muitas vezes a destruição por inundação, literal (Jó 38.25; Sl 32.6; Is 54.9) e figurativamente (Is 8.7; Dn 9.26; 11.22).

Conforme o original hebraico, **o seu lugar** (*i.e.*, "o lugar de Nínive", ECA; cf. ARA; BV; NVI) é alusão tão específica que os termos mais apropriados foram adotados na maioria das traduções, sobretudo desde que a Septuaginta traduziu por "adversários" (cf. NTLH). J. H. Eaton sugere que a melhor tradução é "o seu santuário" e faz um comentário incisivo:

> A rapidez desta alusão a uma inimiga [*cidade*] específica causa surpresa, e levou muitos intérpretes a evitarem o significado óbvio do texto tradicional. Contudo, a referência, em essência e modo, é típica de Naum; ela nos prepara para o discurso direto com a mesma inimiga no versículo 11; e corresponde exatamente a 2.5-7, onde o seu templo é devastado pela inundação ao mesmo tempo em que ela é feita cativa.[2]

Sugeriu-se também que o uso do gênero feminino indique algo por trás da capital em si – à deusa de Nínive, Istar. Por isso, o conflito é elevado a uma guerra entre deidades adversárias. Este significado também está na base dos versículos 11 e 14 (ver comentários ali).

As duas últimas frases deste versículo declaram a totalidade da destruição, e a passagem sucessiva a reforça. **As trevas perseguirão os seus inimigos** é mais correta e comoventemente traduzido por "[O Senhor] perseguirá os seus inimigos [...] para dentro das trevas" (ECA).

Nos versículos 1 a 8, temos um quadro notável do "Deus da ira e misericórdia": 1) A ira de Deus expressa: a) sua justiça, 3; b) seu poder, 4-6; c) sua soberania tremenda, 2,8; 2) A misericórdia de Deus é revelada na bondade, proteção e interesse por quem confia nele, 7 (W. T. Purkiser).

B. Discursos a quem Recebe a Justiça, 1.9-15; 2.2

A partir do versículo 9, há mudança abrupta e o discurso é dirigido aos ninivitas. Uma série de declarações diretas torna muito difícil acompanhar o texto, porque a troca de destinatário é feita de um momento para o outro. Primeiro fala com Nínive e depois com Judá, e, de um lado para o outro, o orador desponta em eloqüência veemente. A sucessão rápida de discursos nestes versículos levou muitos a acreditar que a recitação deste poema era acompanhada por ação dramática para tornar o significado claro aos ouvintes.

1. Desafio à Assíria (1.9-11)
O profeta faz um desafio aos assírios: **Que pensais vós contra o SENHOR?** (9), talvez para dizer: "Quem vocês pensam que Deus é?" É um brado de menosprezo, visto que "o profeta zombeteiramente lhes pergunta o que eles podem fazer em face de Deus ter decretado a destruição".[3]

O versículo 10 é difícil de traduzir, mas o sentido está razoavelmente claro. Nínive é comparada a **espinhos**, que são difíceis de eliminar da terra e queimam com dificuldade quando estão molhados, mas que se consomem como palha diante do fogo do julgamento divino. Esta era uma ilustração que os israelitas de mente agrícola facilmente entenderiam.

A significação plena desta passagem é que a destruição da cidade seria completa. Naum declarou: **Não se levantará por duas vezes a angústia**. Não haveria necessidade de outro castigo divino. A história atesta essa verdade.

Ainda que... se saturem de vinho como bêbados é frase que indica que a maioria dos tradutores tem uma visão mais específica do versículo 10. Trata-se de uma amplificação do texto, o que envolve uma interpretação bem como uma tradução. Há versões que a omitem e traduzem o versículo inteiro simplesmente assim: "Como uma moita de espinheiros, como a palha seca, vocês serão completamente destruídos" (NTLH). Contudo, Lehrman e Maier concordam com as traduções que fazem esse tipo de interpretação do hebraico. Quanto ao que significa exatamente, Maier oferece duas alternativas. A primeira, fala que os ninivitas se sentiam tão seguros atrás de suas defesas que bebiam e farreavam, e esqueciam-se do perigo iminente. O rabino Lehrman concorda com este ponto de vista. A segunda opção diz que o profeta prediz a impotência dos assírios, ao declarar que são tão fracos quanto um soldado bêbado. O próprio Maier parece advogar esta interpretação e afirma: "De acordo com a tradição, Nínive foi tomada quando os defensores estavam em meio a uma festa animada regada por bebidas".[4]

O **alguém** mencionado no versículo 11 é aplicado a Senaqueribe, que era o inimigo mais agressivo de Judá e o invadiu quando Ezequias era rei (2 Rs 18.13ss). O hebraico traduzido por **saiu** é um termo técnico usado para referir-se a expedições e invasões militares (cf. 1 Sm 8.20; Is 42.13; Zc 14.3). As pessoas consideravam as invasões atos dirigidos contra o próprio Jeová, visto que estava associado ao povo pela relação de concerto. A deportação também dera golpe terrível contra o Templo e sua adoração. Em 2 Reis 18.29-35, repare no escárnio que Rabsaqué, general de Senaqueribe, fez de Deus.

No plano de fundo há uma referência mais sinistra. **Conselheiro de Belial** é expressão traduzida de diversas maneiras. A palavra **Belial** é repetida no versículo 15, onde é traduzida por **ímpio**. A interpretação freqüente é que significa uma figura correspondente a Satanás ou o diabo no pensamento cristão, uma personificação do mal. Por trás do poder da Assíria estava o poder das trevas. Sua impotência se tornará evidente diante da onipotência de Jeová.

2. Consolação para Judá (1.12,13)
O original hebraico nestes versículos é ambíguo, e a palavra é consolo para os oprimidos que por muito tempo foram pisoteados pelo inimigo. A frase enigmática: **Por mais seguros que estejam e por mais numerosos que sejam**, é traduzida por: "Embora sejam fortes e muitos" (VBB; cf. NTLH; NVI). A despeito da força do inimigo, este jugo de

escravidão será quebrado. O profeta entende que os acontecimentos da história são obra de Deus, e que a aflição de Judá está sob controle divino: **Eu te afligi, mas não te afligirei mais** (12).

3. *Aniquilação da Assíria* (1.14)

O profeta chama a atenção à natureza religiosa do conflito e ao triunfo de Jeová sobre os deuses vis de Nínive. Os assírios tinham zelo particular por seus templos, que estavam repletos de esculturas esculpidas e baixos-relevos talhados em pedra. [5] A finalidade da destruição é predominante na profecia. **Mais ninguém do teu nome seja semeado** pode ser traduzido por "o teu nome não será mais lembrado" (Moffatt; cf. NTLH).

4. *Previsão de Libertação* (1.15; 2.2)

Naum copia uma passagem linda e famosa de Isaías: **Eis sobre os montes os pés do que traz boas-novas, do que anuncia a paz!** (15). É assim que o profeta ilustra os mensageiros que trilham os caminhos monteses, a fim de levar aos habitantes de Jerusalém as boas notícias da destruição do inimigo. Em sua perspectiva otimista, vê que estes acontecimentos e situações são os primeiros lampejos de um período de ouro. Nesse tempo, toda a nação de Israel voltará a ter uma relação produtiva com Jeová e a paz será estabelecida. O versículo 2 do segundo capítulo dá continuidade a este discurso. Maier faz extensa defesa desta posição, mas o peso da erudição bíblica balança para o outro lado. Quando colocamos 2.20 imediatamente após 1.15, teremos a seguinte leitura: **Eis sobre os montes os pés do que traz boas-novas, do que anuncia a paz! Celebra as tuas festas, ó Judá, cumpre os teus votos, porque o ímpio não tornará mais a passar por ti; ele é inteiramente exterminado. Porque o SENHOR trará outra vez a excelência de Jacó, como a excelência de Israel; porque os que despejam os despejaram e corromperam os seus sarmentos**.

"As boas novas dos altos céus" é o tema dos versículos 12 a 15. O Evangelho é, por definição, as **boas-novas**, 15, as boas notícias de: 1) Libertação, 13; 2) Consolo, 12; 3) Paz, 15; e 4) A defesa da justiça, 14,15b (W. T. Purkiser).

C. A QUEDA DE NÍNIVE, 2.1,3-13

1. *A Destruição* (2.1,3-9)

Na descrição da batalha iminente, a mensagem de Naum sobe a um crescendo trovejante como o som de uma grande orquestra. Ainda que seja um acontecimento esperado, a cena é pintada com cores assombrosas e detalhes sangrentos. Até que ponto isto é exato? É lógico que era o quadro típico de guerra daqueles tempos em que predominavam carros e soldados a pé. Quanto à descrição real da queda da cidade, há pouco registro na literatura contemporânea. O Tablete Babilônico, descoberto por C. J. Gadd, do Museu Britânico, é a fonte de informação de maior autoridade. Fixa a data da destruição de Nínive em 612 a.C., e relata a queda de outras fortalezas assírias.

Infelizmente, só duas linhas do texto no Tablete Babilônico são dedicadas à vitória em Nínive, e estas estão em grande parte mutiladas. O cerco durou do começo de junho até agosto, aproximadamente dois meses e meio. [6] Não há registro na crônica que comprove ou conteste as histórias relacionadas com a derrota da cidade, e Gadd sugere que nada há de improvável sobre estas narrativas.

A história relata que a captura da cidade foi possível, porque uma grande tempestade de chuva e trovão fez o rio inundar e devastar grande porção dos muros (cf. 1.8). A ocasião da invasão está em perfeita harmonia com tal ocorrência. As chuvas mais pesadas no distrito do Tigre ocorrem geralmente em março e, junto com o degelo da neve armênia, fazem com que o rio atinja seu maior volume em abril e maio. "A verdade indubitável é que Ciaxares se aproveitou da devastação causada pelo rio Tigre, anormalmente alto na primavera precedente, para desencadear seu ataque no único lugar dos muros em que o desastre da natureza os tornara vulneráveis".[7]

Veremos, contudo, que o rio Tigre não foi o instrumento de vitória e que a inundação não foi acidental (cf. mais adiante).

Naum não fez um relato cronológico do cerco, mas narra "impressões" pré-invasão, como sugere G. A. Smith.[8] Existem três destas impressões: 2.5ss; 3.2ss e 3.12ss.

a) *Insultos aos sitiados* (2.1). Às vezes, a palavra hebraica traduzida por **destruidor** é associada com o termo que significa "martelo". É óbvio que Naum tem em mente Ciaxares que liderara sem sucesso o cerco anterior contra Nínive (ver Introdução). Nesta ocasião antevista, os medos, sob o comando deste rei, uniram forças com os babilônios e sitiaram a cidade. O cerco durou três meses, o que resultou praticamente no fim do Império Assírio.[9] "O sitiador do mundo é, afinal, sitiado; toda crueldade que infligira nos homens agora se volta para ele".[10]

Com fé numa conquista bem-sucedida, Naum convoca com ironia os ninivitas, a fim de se prepararem para o ataque, ao usar uma forma do verbo que expressa sua força com ênfase máxima: "O destruidor sobe contra ti, ó Nínive! Guarda a fortaleza, vigia o caminho, fortalece os lombos, reúne todas as tuas forças!" (ARA).

Ver a análise de 2.2 com relação a 1.15.

b) *Descrição do invasor* (2.3). A profecia descreve os invasores em ordem de batalha primorosa, trajados com roupas **escarlates**, como era a prática. Os escudos eram revestidos de peles tingidas de **vermelho**. Segundo descrição de Heródoto, parte do exército de Xerxes usava roupas laboriosamente coloridas; alguns soldados "pintavam o corpo, a metade com giz e a metade com cinabre".[11]

Nesta subdivisão e na seguinte, o texto é um tanto quanto difícil, e gera inúmeras variações nas traduções. A referência a **fogo de tochas** é ambígua. A sugestão mais provável é que a descrição se refira a "as chapas de metal polido com que os carros eram montados ou encourados, e ao brilho das armas dependuradas neles".[12] Estas superfícies polidas cintilavam como tochas ao sol.

As lanças se sacudirão terrivelmente. A palavra **lanças** no original hebraico é, mais literalmente, traduzida por "ciprestes", numa alusão ao cabo das **lanças** que eram feitas de madeira de cipreste. Porém, "autores clássicos antigos se referem a lanças como 'abetos [ou pinheiros; cf. NVI]' e 'freixos'".[13]

A interpretação que recebe maior apoio está baseada na Septuaginta, que traduz a palavra "cipreste" por "cavalos de guerra" ou "cavaleiros" (cf. NVI, nota). Neste caso, a referência seria ao sinal de ataque da cavalaria. De acordo com um radical árabe, a frase

se sacudirão terrivelmente é traduzida por "reunirão as tropas em ordem de batalha", ou, se for deixada como está, refere-se aos cavalos que tremem de inquietação. Por conseguinte, "os escudos dos seus heróis são carmesins, os soldados estão vestidos de escarlata, seus carros armados cintilam como fogo e seus cavalos se empinam no ajuntamento das tropas" (Moffatt).

c) *O ataque pela periferia da cidade* (2.4). Primeiro, examinemos a tradução pitoresca e adequada desta cena feita por Moffatt:

> *Os carros de batalha cortam pelos campos abertos*
> *E galopam pelos espaços amplos,*
> *Percorrendo velozmente como tochas,*
> *Correndo bruscamente como raios.*

Nínive situava-se ao longo da margem oriental do Tigre, no ponto em que este rio recebe as águas do Khoser, o qual atravessava a cidade de um extremo ao outro (ver diagrama). Montes baixos descem desde o extremo norte da fortaleza, contornam os muros leste e sul e voltam-se para o rio ao sul da cidade. No leste, há uma planície grande e plana de uns quatro quilômetros por dois e meio. Os muros externos da cidade tinham uma circunferência de 12 quilômetros e, segundo estimativas, poderiam acomodar de 175.000 a 300.000 habitantes. Em torno dos muros, exceto no lado ocidental, afastado uns 18 metros, existiam fossos de cerca de 45 metros de largura. As águas do Khoser enchiam os fossos que estavam ao sul do rio, ao passo que os canais que estavam ao norte do rio eram abastecidos de água por um duto que saía da cidade no lado norte.

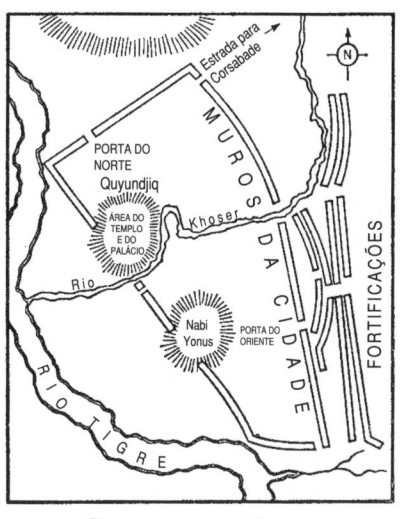

CIDADE DE NÍNIVE

A água dessas represas era controlada por diques e comportas. Depois do canal no lado oriental, havia dois baluartes: um ao norte e o outro ao sul do rio Khoser. O que ficava no sul tinha a forma de segmento de círculo e era composto de duas linhas de fortificação. Em frente existia uma terceira linha de fortificação, a qual era fechada no sul por uma grande fortaleza.

Os medos vieram do leste e do norte, a fim de evitar as fortalezas; capturaram outras fortificações que Naum predissera que cairiam nas mãos deles como "figos maduros" (3.12, NVI). É a opinião de autoridades militares que atacaram a cidade pelo lado nordeste, onde a altura do chão os colocaria em nível com o muro. Neste ponto, poderiam controlar o sistema de abastecimento de água que alimentava a maioria dos fossos. Ademais, ao atacar no lado nordeste, o flanco dos sitiadores estaria protegido pelos desfiladeiros do rio Khoser.

O versículo 4 alude à batalha que houve nos bairros luxuosos da cidade. De acordo com Naum, este confronto ocorreria antes que os muros fossem atacados. Era na zona norte que ficavam as famosas residências de Nínive, ao longo do canal e da estrada para Corsabade. Derrotados ali, os assírios retiraram-se para trás dos pesados muros, e entregaram aos atacantes o sistema de abastecimento de água.

d) *O ataque aos muros* (2.5). Depois que os bairros residenciais caíram, as **riquezas** (as melhores unidades militares; as "tropas de elite", NVI) foram convocadas para o ataque. É ponto de debate ente os estudiosos se este versículo se aplica aos atacantes ou aos defensores. Afigura-se mais provável aos atacantes, como optam certas traduções (cf. ECA; NTLH; RC). Entender que o versículo 5 é uma descrição dos defensores torna ambíguo seu significado.

"Ele reúne em massa homens escolhidos, que atacam à frente, correm a toda contra os muros e o mantelete é fixado" (5, Moffatt). Tratam-se dos soldados encarregados dos aríetes e, talvez por isso, tropeçam **na sua marcha** quando batem estes instrumentos de guerra nas portas. Supõe-se que depois de terem tomado posse das comportas e do sistema de abastecimento de água, não os destruíram imediatamente. Por isso, tiveram de fazer fortes barragens para represar a água dos fossos. De fato, o canal oriental encontrado em escavações estava cheio de entulho bem em frente de uma grande brecha no muro. O "mantelete" (**amparo**; "barreiras", NTLH; "escudo protetor", ECA) era uma estrutura de madeira revestida de pele para proteger os guerreiros enquanto operavam os aríetes.

e) *A cidade cai* (2.6-8). Nínive, que usou o cerco com grande sucesso em suas operações militares, agora sente a força de sua própria arma. E Naum percebe a exultação do mundo que vivera em constante horror por causa dos ataques assírios. "Ele ouve os estalidos das rachaduras se abrirem sob os muros e o ruído causado pelos carros de guerra que saltam; o fim é a carnificina, tristeza e devastação total".[14]

As brechas do muro foram causadas pelos aríetes ou pelo direcionamento da água dos canais contra os muros, que eram feitos de tijolos de lama e terra. As **portas do rio** (6) talvez seja referência ao Khoser que inundava na primavera. Pode ser que os atacantes o tivessem represado e depois soltado o volume retido nos diques que canalizavam a passagem do rio debaixo do muro oriental, a fim de, desta forma, quebrá-lo. A inundação de água minaria a fundação dos edifícios e o **palácio** ruiria (**se derreterá**).

Há várias possibilidades de interpretação para o versículo 7 (a tradução da RC torna difícil de entender), e a mais importante é a que diz que Naum se refere à rainha. Se as interpretações sugeridas para 1.8,11,14 estiverem corretas – que há um conflito espiritual por trás dos acontecimentos –, então a opinião que advoga que **Huzabe** é outro nome para aludir a Istar, a deusa da Assíria, tem muita crédito. Esta nação tinha o costume de levar cativos os deuses das nações vitimadas. Agora, sua própria deusa será **descoberta** e **levada** sem dignidade. Neste caso, **as suas servas** seriam as prostitutas "sacras" que gemem como **pombas** e batem no **peito** angustiadas.

As pessoas, mais particularmente os soldados, **fogem** (8) em confusão indisciplinada e esbaforida. A ordem dos oficiais: **Parai, parai**, não é atendida. Por conseguinte, a derrota é total.

f) *O saque dos tesouros* (2.9). Os grandes tesouros de Nínive, os espólios de suas conquistas, tornam-se despojo dos vencedores. O versículo foi parafraseado com dramaticidade: "Tomem posse da prata! Tomem posse do ouro! Há tesouros sem fim. A riqueza incalculável de Nínive será dividida entre muitas pessoas" (BV).

2. A Desolação (2.10-13)

Em linguagem poética, o versículo 10 (NVI) descreve a cidade saqueada.

> *Ah! Devastação! Destruição! Desolação!*
> *Os corações se derretem, os joelhos vacilam,*
> *Todos os corpos tremem*
> *E o rosto de todos empalidece!*

Em sua descrição, Naum fala que a cidade é **covil dos leões** (11). O **leão velho** trouxera vítimas, mutiladas e sangrentas, em abundância para alimentar a família esfomeada. Enchera **de presas as suas cavernas e os seus covis, de rapina** (12; carne esmigalhada, cf. BV). Agora estão desamparados, foram "apanhados como presa". Grande medo e convulsões de terror aparecem de todos os lados. É o Senhor que está por trás da cena – **Eis que eu estou contra ti** (13). Sua palavra é colocada em ação. Os leões serão liquidados e Nínive nunca mais existirá.

Seção III

DEUS DESTRUIRÁ O MAL

Naum 3.1-19

No capítulo 3, a descrição veemente da queda da cidade oferece uma explicação racional dos motivos de ter sido necessária.

A. A Maldade de Nínive, 3.1-4

Nínive é condenada por três razões: saque, destrutibilidade (*i.e.*, propensão para matar e destruir) e má influência. Os assírios estavam entre os povos mais cruéis da história. As crônicas de Assurbanipal II (885-860 a.C.) narram suas próprias atrocidades:

> Esfolei todos os homens importantes (da cidade de Suru) que tinham se revoltado, e revesti o pilar com a pele deles; alguns eu emparedei no pilar, outros empalei no pilar em estacas e uns prendi com estacas em volta do pilar; muitos, já na fronteira de minha terra, esfolei e estendi a pele pelos muros; e cortei os membros dos oficiais, dos oficiais do rei, que tinham se rebelado. Levei Aiababa para Nínive. [...]
> [...] No meio da grande montanha, matei-os, com o sangue tingi de vermelho a montanha, que ficou como lã vermelha, e com o que restou deles manchei as valas e precipícios das montanhas.[1]

É por isso que Naum disse que Nínive era **cidade ensangüentada** (1). Ela despojara outras nações de sua riqueza e saqueara muitas cidades para mostrar que "da presa não há fim!" (ECA).

O versículo 3 refere-se ao hábito cruel de cortar as cabeças dos cativos e amontoá-las com outros corpos em frente das portas da cidade. Lemos da crônica do rei: "Formei um pilar dos vivos e das cabeças bem em frente da porta da cidade e empalei 700 homens em estacas. [...] Os jovens e suas donzelas queimei em fogueiras". ²

A profecia personifica Nínive como a **mui graciosa meretriz** (4), que atrai suas vítimas à ruína mediante exibições de poder e propostas aparentemente favoráveis. Ao atenderem seus encantos, caem presas de sua ganância. O que ela não tomava pela força roubava por **malefícios** (engano).

B. A Oposição de Deus à Maldade, 3.5-7

A metáfora da meretriz continua nestes versículos. A condenação descrita diz respeito à prática de expor ao olhar público a mulher condenada de impudência (cf. Ez 16.37-39; Os 2.3). **Descobrirei** (5) significa despir, retirar aquilo que cobria, aquilo que servia de coberta. Ao julgar que Nínive fez o papel de meretriz, a cidade tinha de sofrer o destino de ser exibida em desgraça. Ninguém sentirá dó; pelo contrário, as nações se alegrarão por causa de sua destruição.

C. A Inevitabilidade da Derrota do Mal, 3.8-13

A própria Assíria, sob o reinado de Assurbanipal, tinha derrotado a populosa cidade de **Nô-Amom** ("Tebas", a capital egípcia, cf. BV; NTLH; NVI). Desta forma, suas fronteiras chegaram até ao mais extremo limite sul do mundo habitado. Por que esta metrópole foi mencionada? Primeiramente, porque também fora uma importantíssima cidade; e em segundo lugar, porque Naum talvez achasse que dependia do rio Nilo para sua defesa, da mesma forma que Nínive confiava no Tigre. O Nilo, como outros grandes rios da Bíblia, é chamado **o mar** (8).

O relato de Assurbanipal fala da queda de Tebas: "A cidade inteira [...] minhas mãos capturaram – prata, ouro, pedras preciosas, todo o conteúdo do palácio, tudo que havia [...], [roupas] coloridas, tecidos, cavalos e pessoas, homens e mulheres".³

O país da **Etiópia** (9) e do **Egito** estavam estreitamente relacionados, junto com outros ajudadores que aumentaram o poder militar de Tebas. Contudo, Eaton tem razão em observar que "Naum não considera a queda de Tebas prova da força assíria, mas sim da fragilidade de todo o império humano. Em última análise, esta cidade caíra porque Deus decretara seu fim".⁴

O versículo 11 descreve o choque que o ataque do invasor causou na cidade: "Nínive, você também vai ficar bêbada e vai andar atrapalhada, à procura de fugir do inimigo" (NTLH).

Todas as tuas fortalezas (12) referem-se às fortificações periféricas, que caíram como **figos temporãos** nas mãos dos invasores em sua marcha rumo ao centro da cidade.

Não nos esqueçamos de que Naum não escrevia a história de acontecimentos passados, mas predizia uma crise iminente. Embora não fosse seu propósito fazer predição detalhada, é notável a exatidão dos acontecimentos em comparação com suas descrições. Os defensores da cidade lutaram desesperadamente. Mas, apesar da defesa corajosa que fizeram, eram tão fracos quanto **mulheres** (13) diante do ataque violento. Naum destaca novamente que, quando Deus julga, os homens não têm forças para se opor ao julgamento.

D. O Canto Fúnebre, 3.14-19

Pela última vez, Naum dedica a atenção ao ataque. Novamente lança suas críticas violentas e mordazes contra a cidade condenada. Retrocede às mesmas formas verbais que antes, ao dar instruções concisas e pungentes no preparo do destino inevitável.

Primeiramente, exorta-os a tirar **águas para o cerco** (14). Certos arqueólogos advogam que a água do rio Khoser era controlada por uma grande represa fora da cidade, que proporcionava um meio de controle de inundação e um reservatório. Este era contido por uma magnífica represa dupla com paredes de rio volumosas. Os arqueólogos acharam nas ruínas vestígios das comportas ou eclusas da represa original.[5] Neste ponto, é possível que Naum previsse que os invasores fechariam estas comportas, a fim de cortarem o abastecimento de água para a cidade, visto que a do rio Tigre era poluída.

O profeta os convoca a fazer tijolos para consertar as fortificações estraçalhadas. **Repara o forno para os ladrilhos** é mais bem traduzido por "pega na fôrma para os tijolos" (ECA). Mas esta preparação para nada servirá. O **fogo** (15) e a **espada** prevalecerão. De fato, a cidade foi arrasada pelo fogo, como atestam as escavações. De acordo com a tradição, o rei Sardanapalo, ao reconhecer seu destino, mandou queimá-lo vivo no palácio.[6] Enquanto a cidade era destruída pelas chamas, os habitantes foram mortos à espada.

A multidão dos assírios, tão numerosa quanto **gafanhotos**, não amenizará a destruição, mas como uma praga de gafanhotos será aniquilada. A destruição é considerada completa, o silêncio da morte reina, a cidade está devastada. As palavras da Crônica Babilônica em seus restos fragmentados contam a história final e escrevem um epitáfio adequado para a grande cidade de Nínive:

38. [No décimo quarto ano], o rei de Akkod reuniu seu exército [...] os homens (?) do rei de Umnan-Mandu para combater o rei de Akkod.
39. [...] eles batalharam uns contra os outros.
40. O rei de Akkod [...] e [Ciaxa]res [...] ele fez atravessar
41. Pela margem do Tigre eles marcharam [...] contra Ní[nive] [...] eles [...]
42. Do mês de sivã ao mês de ab três batalhas (?) [...]
43. Atacaram violentamente a cidade e no mês de ab, [o dia... em que a cidade foi capturada], [...] fizeram um grande [massacre] dos [homens] mais importantes.
44. Naquela época, Sinshanishkun, rei da Assíria [...]
45. O espólio da cidade; uma quantidade muito maior que o país que eles saquearam, e [tornaram] a cidade num montículo e numa ru[ína] [...][7]

Mas os registros da história dificilmente são mais exatos que a visão inspirada de Naum. Confira os versículos 18 e 19 traduzidos por Moffatt:

Assíria, os teus governantes estão dormindo,
  Os teus soberanos tiram uma soneca na morte!
O teu povo foi espalhado por todos os montes,
  Não há ninguém que o reúna.
Tu foste despedaçada sem cura, ferida de morte.

Notas

INTRODUÇÃO

[1] Julius A. Brewer, *The Literature of the Old Testament* (Nova York: Columbia University Press, 1962), p. 147.

[2] Walter A. Maier, *The Book of Nahum* (St. Louis: Concordia Publishing House, 1959), pp. 24-26.

[3] Ver Maier, *op. cit.*, pp. 70-84, onde estas críticas são examinadas e refutadas.

[4] S. M. Lehrman, "Nahum", *The Twelve Prophets*, editado por A. Cohen (Londres: The Soncino Press, 1948), p. 191.

[5] C. J. Gadd, *The Fall of Nineveh* (Londres: Department of Egyptian and Assyrian Antiquities, British Museum, 1923).

[6] Brewer, *op. cit.*, p. 148.

[7] Existem diversas monografias altamente técnicas escritas sobre o problema do texto, sua adulteração e natureza, como, *e.g.*, Alfred Haldor, *Studies in the Book of Nahum* (Uppsala: A. B. Lundequistreka Bokhandein, 1946).

SEÇÃO I

[1] Ver, *e.g.*, Paul Haupt, *The Book of Nahum* (Baltimore: Johns Hopkins Press, 1907).

[2] William C. Graham, "Nahum", *Abingdon Bible Commentary*, editado por Frederick Carl Eiselen *et al.* (Nova York: Abingdon-Cokesbury Press, 1929), p. 798.

[3] Lehrman, *op. cit.*, p. 194.

[4] Vento abrasador, seco, violento e carregado de pó, que sopra ocasionalmente naquela região do mundo.

SEÇÃO II

[1] George Adam Smith, "The Book of the Twelve Prophets", *The Expositor's Bible*, editado por W. Robertson Nicoll, vol. II (Nova York: A. C. Armstrong & Son, 1903), p. 91.

[2] J. H. Eaton, *Obadiah, Nahum, Habakkuk and Zephaniah* (Londres: SCM Press, 1961), p. 60.

[3] Lehrman, *op. cit.*, p. 196.

[4] Maier, *op. cit.*, pp. 191, 192.

[5] *Ib.*, p. 212.

[6] Gadd, *op. cit.*, p. 17.

[7] *Ib.*, p. 18.

[8] G. A. Smith, *op. cit.*, p. 103.

[9] Alguns que conseguiram furar o cerco mudaram a capital para outra cidade, mas o império ruiu.

[10] G. A. Smith, *op. cit.*, p. 102.

[11] Herótodo, *História*, vol. VII, pp. 61, 69.

[12] A. B. Davidson, "Nahum, Habakkuk and Zephaniah", *The Cambridge Bible for Schools and Colleges*, editado por J. J. S. Perowne (Cambridge: University Press, 1896).

[13] Lehrman, *op. cit.*, p. 200.

[14] Smith, *op. cit.*, p. 102.

SEÇÃO III

[1] Citado em Maier, *op. cit.*, p. 291.
[2] *Ib.*, p. 292.
[3] Citado em Lehrman, *op. cit.*, p. 205.
[4] Eaton, *op. cit.*, p. 75.
[5] Maier, *op. cit.*, p. 253.
[6] F. W. Farrar, *The Minor Prophets* (Nova York: Fleming H. Revell Company, s.d.), p. 152.
[7] *Ib.*, pp. 39, 40.

O Livro de
HABACUQUE

H. Ray Dunning

Introdução

A. O Profeta

O conhecimento que possuímos sobre a pessoa de Habacuque é muito pouco. O livro menciona apenas o nome do profeta e, na Bíblia, ocorre somente aqui. Há tradições que em grande medida são fantasiosas, mas, talvez, haja alguma partícula de verdade histórica. Até a derivação de seu nome admite várias possibilidades.

Primeiramente, o nome é bem parecido com a palavra assíria *humbalcuku*, que é o nome de uma flor. Também está relacionado com a palavra hebraica que significa "apertar" ou "abraçar". Este ponto de vista foi sustentado por Jerônimo e mantido por Martinho Lutero, que o verteu a uma interpretação interessante: "Ele abraça o seu povo e o leva nos braços, ou seja, o consola e o levanta, como alguém que abraça a criança ou pessoa chorona para acalmá-la com a garantia de que, se Deus quiser, tudo vai melhorar". [1]

Jerônimo interpretou o nome de forma a indicar o amor do profeta por Deus ou que discutiu com Deus para fazer alegações lógicas e persuasivas. A tradição rabínica também é de opinião que "abraçar" é o sentido do radical de seu nome, e apresenta Habacuque como filho da mulher sunamita que Eliseu restaurou à vida (2 Rs 4.16-37). Isto está parcialmente baseado na possibilidade de que a forma abstrata do nome signifique "querido", "pessoa bem amada". Mas aqui estamos no reino da imaginação.

De 3.19, conjectura-se que Habacuque tinha qualificações oficiais para tomar parte no canto litúrgico do Templo, ou seja, era integrante do coro do Templo. O arranjo musical do capítulo 3 apóia esta opinião. Neste caso, pertencia a uma das famílias dos levitas que tinha a incumbência de cuidar da música do Templo.

Habacuque é exemplo da ocorrência rara em que um dos profetas é chamado "o profeta" (1.1, *nabi*). Este título nos leva a crer que as pessoas reconheciam que era um profeta profissional.

Há outra fonte de informação intitulada *Leis dos Profetas*. Data de cerca de fins do século IV, mas de autoria incerta e de texto considerado bastante ambíguo. Esta obra relata que, quando Nabucodonosor veio contra Jerusalém, Habacuque fugiu para um lugar chamado Ostraquine, no litoral egípcio. Depois que os caldeus foram embora, voltou para sua pátria, onde morreu e foi enterrado, dois anos antes dos judeus exilados voltarem da Babilônia em 537 a.C.

B. O Período

A mensagem de Habacuque não está limitada a tempo; contudo, sua época levanta as perguntas que ele faz. Era contemporâneo do profeta Jeremias, cujo livro é datado tradicionalmente ao redor de 600 a.C., não muito tempo antes do cativeiro babilônico em 586 a.C. A questão da data é mais importante no estudo deste livro do que em muitos outros. Na realidade, está estreitamente relacionada com a interpretação da mensagem. Se conseguíssemos determinar conclusivamente quem eram os povos que preocupavam Habacuque, poderíamos situá-lo historicamente com mais precisão. Este é um dos problemas complicados do Antigo Testamento. Não há fonte extrabíblica pela qual possamos definir quem eram os inimigos. Esta falta obriga o estudante a depender totalmente do teor da profecia, o que está longe de ser conclusivo. O principal problema é identificar o "ímpio" a quem denuncia no primeiro parágrafo (1.4). O único consenso geral sobre a data é que o livro está situado entre 697 e 586 a.C.

Os rolos do mar Morto, coletânea de escritos descoberta em 1947/1948 nas proximidades do mar Morto, exercem muita influência em grande parte do estudo do Antigo Testamento. Entre os documentos, há um comentário sobre o livro de Habacuque. Este comentário é considerado a prova mais antiga "do texto de Habacuque talvez por muitos séculos".[2] Os estudiosos o datam no século I a.C. Por conseguinte, tem grande peso nas interpretações mais recentes de Habacuque.

Taylor[3] destaca três questões, as quais afirmam que os rolos do mar Morto elucidaram:

1) *O capítulo 3 não era parte original do livro.* O comentário só tratou dos capítulos 1 e 2; nada fala sobre o capítulo 3. A maneira como o livro foi enrolado invalida a objeção de que o capítulo 3 tenha sido arrancado. Isto não quer dizer que Habacuque não foi o autor do capítulo 3. A posição de J. H. Eaton é que o profeta o compôs mais tarde como salmo litúrgico e, subseqüentemente, o acrescentou à obra original. É plausível.

2) *O uso do nome "caldeus" em 1.6 é genuíno.* Este era um dos principais pontos de debate. Ao considerar uma palavra estreitamente relacionada como substituto (*chittim*), certos expositores esforçaram-se em interpretar que os vingadores que o Senhor utilizava eram os gregos de Alexandre, o Grande. O comentário encontrado entre os rolos do mar Morto teria tido toda razão em usar esta palavra substituta, mas retém a leitura tradicional. Pelo visto, isto é bastante decisivo em limitar a interpretação da passagem ao período dos caldeus.

3) *O livro de Habacuque teve muitos textos variantes até o século I a.C.* Isto permite que as numerosas pretensas composições ao longo dos anos foram examinadas exaustivamente por muitos estudiosos. É óbvio que este texto variou ao ser copiado, mas grande parte das alterações nas passagens para se ajustar às várias teorias é bastante arbitrária e imaginativa.

C. Os Problemas

Dois problemas incomodam o profeta. Ambos têm a ver com a maneira com que Deus lida com os homens. Habacuque é um dos poucos que foram ousados em argumentar e discutir com Deus. Talvez o versículo fundamental seja 2.1: "Sobre a minha guarda estarei, e sobre a fortaleza me apresentarei, e vigiarei, para ver o que fala comigo e o que responderei, quando eu for argüido".

A resposta crucial está em 2.4b: "Mas o justo, pela sua fé, viverá".

Esboço

I. **A Queixa de Habacuque**, 1.1-4

    A. Título, 1.1
    B. O Problema do Profeta, 1.2-4

II. **A Resposta de Deus**, 1.5-11

    A. A Obra de Deus, 1.5
    B. O Instrumento da Obra de Deus, 1.6-11

III. **Habacuque Replica a Deus**, 1.12-17

IV. **A Vigília de Oração**, 2.1-6a

    A. O Monólogo do Profeta, 2.1
    B. A Visão Permanente, 2.2,3
    C. A Resposta Divina, 2.4
    D. O Destino do Ganancioso, 2.5,6a

V. **Os Cinco Ais**, 2.6b-20

    A. O Capitalista Impiedoso, 2.6b-8
    B. O Vilão Rico, 2.9-11
    C. O Governante Fraudulento, 2.12-14
    D. O Explorador Bêbedo, 2.15-17
    E. O Idólatra Tolo, 2.18-20

VI. **Hino Litúrgico**, 3.1-19

    A. Introdução, 3.1
    B. A Oração, 3.2
    C. A Obra, 3.3-16
    D. A Afirmação de Fé, 3.17-19

Seção I

A QUEIXA DE HABACUQUE

Habacuque 1.1-4

A. Título, 1.1

Embora Habacuque seja chamado **profeta** (*nabi*), não é um mensageiro no sentido tradicional. A função do profeta era falar com o povo em nome de Deus para proclamar a vontade divina que foi recebida em revelação especial. No caso dele, vemos justamente o inverso: Fala com o Senhor em nome do povo. Mantém um discurso com Deus e o faz de maneira tal que quase chegamos a classificá-lo de cético em vez de profeta. "Este é o começo da especulação em Israel".[1]

É possível que o que realmente temos aqui seja um vislumbre da vida interior de um profeta; os conflitos secretos antes da proclamação. De certo modo, um tanto quanto diferente, temos a mesma coisa no caso de Oséias, cujos problemas matrimoniais lhe prepararam o coração para a mensagem que tinha de anunciar. Com Habacuque, pode ser a elaboração trabalhosa, na bigorna da vida, de um ponto teológico fundamental de sua pregação pública. Esta idéia estaria de acordo com a argumentação de Davidson,[2] a qual defende que o verdadeiro tema do livro é a destruição dos caldeus narrada no capítulo 2.

Peso (1; "oráculo", ECA; "sentença", ARA; "mensagem", NTLH; "advertência", NVI) implica revelação. Refere-se muitas vezes a acontecimentos futuros e também é usado com relação ao pronunciamento de destruição (cf. Ob 1).

B. O Problema do Profeta, 1.2-4

É precisamente no ponto de identificar a ocasião da queixa que surge a maior diversidade de interpretações. Há pelo menos cinco opiniões nitidamente diferentes, cada qual com uma defesa elaborada de sua posição. A interpretação que requer mais malabarismo do texto é a que identifica o **ímpio** (4) com os próprios caldeus. Porém, o estabelecimento da veracidade da leitura do versículo 6 no tempo futuro, sensatamente elimina esta identificação. O candidato mais provável, ainda que com pouca probabilidade, é o Egito. Se a profecia for colocada durante o primeiro reinado de Jeoaquim, há boas razões para o Egito ser o objeto da queixa de Habacuque. O referido rei de Judá era vassalo do Egito durante o reinado de Faraó-Neco, que há pouco matara Josias e estabelecera posição segura na Ásia a leste da Palestina.

Outra resposta mais provável e que recebe apoio considerável é identificar o **ímpio** com a Assíria, que fora o foco da atenção de Naum. Este terror das nações oprimia Judá e exercia grande influência em seus assuntos internos. Igualmente foram os caldeus que deram um fim a esta grande e temível nação.

Há um argumento a favor da opinião de que a queixa é dirigida à interferência estrangeira: a ausência de exortação ao arrependimento. Supõe-se que haveria tal exortação se a queixa fosse por causa das "maldades nacionais".[3] Seguir esta linha de argumentação leva à conclusão de que 1) a profecia foi escrita durante os dias de Josias, quando a idolatria era proibida; e que 2) o profeta levantava um lamento por seu povo em virtude da opressão imerecida que os estrangeiros exerciam sobre eles.

Contudo, é muito provável que esta queixa seja ocasionada pelo mal dentro da própria nação do profeta de Judá. Esta é a interpretação tradicional e a que faz mais sentido no quadro geral, como revela a natureza da segunda queixa.

Até quando? (2), o profeta clama, mas Deus não ouve. Então questiona o Senhor. Por que é que Deus nada faz? Trata-se do problema clássico: "A verdade está sempre no patíbulo. O mal está sempre no trono". A situação excruciante surge da vasta discrepância entre fé e fato. Se Deus é justo e soberano, por que o justo sofre enquanto o ímpio prospera? Esta é a pergunta feita por milhares de pessoas de todas as épocas. O problema que Habacuque trata em nível nacional é o mesmo que o livro de Jó menciona na esfera pessoal. É mais fácil lidar com o problema em nível pessoal; portanto, a prova para a fé de Habacuque é muito mais severa.

Só quem possui fé em um Deus bom tem problema com relação ao governo do mundo. Quem acredita em politeísmo ou numa deidade indiferente ou má, não tem problema com as injustiças flagrantes no mundo. É a fé monoteísta que tem de lutar por sua existência em face dos fatos que a desafiam.

Muitos julgam que é um atrevimento questionar a operação de Deus. Esta posição é falsa e a prova é a inclusão das reclamações de Jó e Habacuque na Bíblia. Se precisarmos de mais provas, ouçamos o grito do Calvário: "Deus meu, Deus meu, por que me desamparaste?" (Mt 27.46; Mc 15.34). Provavelmente, é mais errado abafar as dúvidas sinceras do que dar expansão a elas no esforço sério de achar uma pista para o significado da vida. G. A. Smith tinha razão quando observou em um dos seus comentários incisivos: "Não são os temperamentos mais rudes, mas os mais excelentes que são expostos ao ceticismo".

No versículo 2, o profeta usa dois verbos para denotar clamor. O primeiro (**clamarei**) é usado especialmente como clamor de ajuda; o segundo (**gritarei**) significa gritar quando a pessoa leva um susto. Ambos os verbos também são empregados em Jó 19.7.

As injustiças civis eram abundantes (3), situação também prevalecente no século VIII a.C., nos dias de Amós e Oséias que clamaram com veemência contra tais perversões. Há três pares de substantivos usados para destacar a situação: **iniqüidade** e **vexação** (perversão), **destruição** e **violência**, e **contenda** e **litígio** (cf. Is 58.4). Esta é a paráfrase do versículo: "Será que eu tenho de assistir a todo esse pecado e a toda essa tristeza à minha volta para sempre? Para qualquer lugar que olhe, existe violência e chantagem. Homens que dão a vida por uma discussão e uma briga" (BV).

A **lei** (4) é a Torá, o termo judaico para referir-se à lei de Moisés. **Sentença** e **juízo** (ambos tradução de *mishpat*) dizem respeito à prática ou costume estabelecido. ⁴ A Torá era o manancial de toda a justiça legal, mas aqui as pessoas eram despojadas de seus benefícios, principalmente porque o **ímpio cerca o justo**. O verbo hebraico traduzido por **se afrouxa** quer dizer "fica entorpecida" ou "fica paralisada" (cf. Gn 45.26, onde é traduzido por "desmaiou"). Esta era a situação que vigorava durante o reinado de Manassés, com um partido governante que não temia a Deus. A verdadeira liberdade e justiça estão firmemente baseadas na religiosidade e na retidão. Sempre que estas características estão ausentes, a justiça é pervertida. Habacuque deduz que mesmo onde haja algo semelhante à justiça, **sai o juízo pervertido** (o julgamento "sai pervertido", Smith-Goodspeed; cf. "a justiça é torcida", ARA). O ímpio torce o julgamento "justo" para seus próprios fins.

Seção **II**

A RESPOSTA DE DEUS

Habacuque 1.5-11

A. A Obra de Deus, 1.5

A resposta de Deus para Habacuque é esta certeza consoladora: Eu estou emepenhado. A frase **vede entre as nações** mostra o lugar onde o Senhor trabalha. A mesma palavra é traduzida no versículo 13 por "os que procedem aleivosamente". Diversos expositores sugerem que o versículo 5 deveria ter a leitura: "Vede, incrédulos" (*i.e.*, judeus incrédulos; [1] cf. At 13.41: "Olhem, escarnecedores", onde a NVI segue a LXX). [2]

No original hebraico, o aviso: **maravilhai-vos, e admirai-vos** contém duas formas do mesmo verbo. Taylor sugere a seguinte reprodução: "Estremecei e ficai horrorizados". [3]

O profeta declara: **Vós não crereis** no que Deus fará. Era inacreditável que a colossal estátua de ferro da Assíria tivesse pés de barro e logo estatelaria no chão.[4] Ou, talvez fosse incrível aos judeus que Deus lhes entregasse nas mãos uma nação estrangeira – que tinha o Templo, os sacrifícios e a cidade de Davi.

A frase **em vossos dias** limita a profecia à vida das pessoas a quem o profeta se dirigia, se quisermos manter a integridade do livro.

B. O Instrumento da Obra de Deus, 1.6-11

O vocábulo **caldeus** (6) é derivado da palavra hebraica *kasdim*, que é o termo babilônico e assírio *kaldu* mencionado nas inscrições assírias de cerca de 880 a.C. Os kaldu habitavam na região mais baixa da Babilônia. Em 721 a.C., Merodaque-Baladã tornou-se rei e reinou por 12 anos (Is 39.1). De acordo com as inscrições, foi chamado rei da terra dos kaldu. Sob o reinado de Nabopolassar e Nabucodonosor, os kaldu tornaram-se a classe governante na Babilônia. A princípio, há indícios de que Nabopolassar foi vice-rei da Babilônia durante o reinado de Assurbanipal da Assíria e seu sucessor. Durante uma insurreição de povos vassalos do sul, provavelmente em 612 ou 611 a.C., juntou forças com os rebeldes e declarou independência da Assíria.

Pela época da data tradicional de Habacuque, já fazia 20 anos que Nabopolassar estava no trono e era bem conhecido em Judá. Esta data limita a significação profética da primeira visão. No esforço de explicar isto, Driver sustenta que a palavra **suscito** significa: "Estou suscitando para estabelecer e confirmar", para dizer que a Babilônia ainda não estava em posição de desafiar o domínio da Assíria.

Em seguida, Habacuque passa a fazer uma descrição dos invasores caldeus.

1. *Seu Caráter* (1.6)

Os caldeus eram **nação amarga e apressada**, "uma nação selvagem e ameaçadora dominada por impulsos violentos, que sem pensar cometiam ações terríveis".[5]

2. *Sua Arrogância* (1.7)

A declaração: **Dela mesma sairá o seu juízo e a sua grandeza**, é mais bem traduzida por "criam eles mesmos o seu direito e a sua dignidade" (ARA). Os caldeus tornaram-se "lei para si mesmos" (cf. NTLH), ao presumirem superioridade política. **Juízo** é *mishpat*, que ocorre no versículo 4 (ver comentários ali; aqui indica direito legal e moral. O direito internacional não era um conceito para tais tribos bárbaras, nem havia a idéia de lei natural que estipulasse os cânones universais da justiça. O poder era o que determinavam, e os padrões de justiça eram erigidos em sua supremacia militar.

3. *Sua Tática* (1.8)

Os **leopardos** estão entre os animais mais velozes de todos e que ficam à espreita de suas presas, sobre as quais pulam inesperadamente. Os **lobos à tarde** são mencionados duas vezes nas Escrituras (cf. Sf 3.3). Eram símbolos de ferocidade "por causa das súbitas destruições que, na avidez da fome, cometiam nos rebanhos naquela hora do dia".[6] **Os seus cavaleiros espalham-se por toda parte** tem esta interpretação: "As suas tropas de cavalos marcham orgulhosamente" (BV). As **águias** referem-se aos abutres, não aos urubus que se alimentam de carne putrefata; trata-se do abutre que, em vôos ou de pontos altos, vasculha o território em busca de presas vivas.

4. *Suas Conquistas* (1.9)

Este é um dos versículos mais difíceis do livro. A primeira frase está devidamente inteligível, mas a seguinte é dúbia, e deixa o texto ambíguo. Esta tradução: "O terror deles vai adiante deles" (RSV), é reconhecidamente uma emenda do texto. Certos comentaristas dão o significado de que a conquista do território é tão veloz e ávida que parece que o engolem. Esta interpretação apóia-se na palavra hebraica traduzida por **buscará**. Está relacionada a um verbo que em Gênesis 24.17 é traduzido por: "Deixa-me beber", ou literalmente, "obriga alguém a engolir eles". Como o vento oriental, cujo poder de secar é tão eficaz que parece beber a umidade, "sorvem" suas vítimas.

A interpretação mais consistente diz que esta passagem refere-se às conquistas, que se assemelhavam ao forte vento oriental que irredutivelmente avançava.

5. Sua Invencibilidade (1.10)

Não há poder que resista à vitória arrasadora dos caldeus. Eles marcharão com menosprezo sobre todos que ousarem resistir. **Amontoando terra** diz respeito à tática militar de fazer montículos até à altura do muro dos defensores. Assim, os guerreiros atacantes estavam em nível com os defensores e anulavam a proteção dos muros.

6. Sua Exaltação (1.11)

A primeira frase é excessivamente difícil.[7] Pelo visto, há três etapas na auto-exaltação dos caldeus: 1) Estavam tão cheios de orgulho por terem tomado as fortalezas que mudaram de direção e passaram para novas conquistas, talvez para Judá. 2) **E se farão culpados** é tradução apoiada por Lehrman. 3) O terceiro passo é fortalecer o seu deus. Este é o consenso, em oposição a **atribuindo este poder ao seu deus**. Em todo caso, significa que, ao divinizar seu próprio poder, se tornaram culpados de negar a Deus.

Eaton argumenta que esta descrição (6-11) não estabelece com precisão o avanço dos exércitos babilônicos. Se este julgamento for aceito, não há porque nos inquietar. A visão de Habacuque é uma descrição do tipo apocalíptico de uma visitação de julgamento. Certos expositores defendem que estes invasores são figuras apocalípticas sem terem contrapartes históricas em particular. Talvez, a posição aceitável seja que, mesmo que esta não seja descrição histórica detalhada, é referência a um determinado povo e sua tarefa como instrumento de Deus.

Temos aqui, implicitamente, uma filosofia da história que se harmoniza com os vislumbres dos grandes profetas, como Isaías. Deus é o Senhor da história, que transforma a fúria dos homens em Seu louvor. O Todo-Poderoso usa os homens que têm outros objetivos e atribuem seu poder a outras fontes para atingir seus propósitos na história. Assim, seu governo está seguro e, ao mesmo tempo, as nações permanecem responsáveis por suas ações. Contudo, esta fé levanta outro problema, talvez até mais grave para Habacuque, o qual ele continua a questionar.

Seção III

HABACUQUE REPLICA A DEUS

Habacuque 1.12-17

Agora, a pergunta de Habacuque não é: Por que este tipo de mundo?, mas: Por que o Senhor é como é? Este é um novo tipo de especulação em Israel. O profeta tem uma fé básica no tipo de Deus conhecido por Israel, e soa-lhe incompatível que o Todo-poderoso use um instrumento tão injusto como os caldeus. **Nós não morreremos** (12) pode ter a leitura: "Tu não morrerás" (Moffatt; cf. NVI; NTLH). Se esta leitura for mantida, torna-se expressão de fé apesar das dúvidas do profeta. O significado também se ajusta à última parte do versículo que relata por que Deus estabeleceu a nação caldéia – **para castigar**, ou seja, para corrigir seu povo.

Habacuque não tem dúvida sobre a santidade de Deus. Esta característica divina é de natureza absoluta e moral: **Tu és tão puro de olhos, que não podes ver o mal e a vexação** ("maldade", NVI) **não podes contemplar** (13). A santidade de Deus não pode tolerar o pecado e qualquer forma de mal. Mas o problema é que o povo escolhido para ser castigado **é mais justo** que o povo que administra o castigo. O medo toma conta do coração do profeta ao ver o avanço voraz dos caldeus e perceber que logo o seu povo, até o remanescente fiel, será apanhado na rede.

Os homens tornam-se como os desgraçados **peixes do mar** (14), ou as minhocas (cf. "cardumes", BV), sem líder diante do avanço inexorável. O quadro da pesca é desenvolvido. O pescador (a Caldéia) os apanha com o **anzol** (15) e atrai muitos peixes do mar com a **rede** e a **rede varredoura** ("arrastão", ECA). Este processo continua até encher as redes. Depois, amontoa os peixes na praia para que morram.[1]

Sacrificar **até sua rede** (16) deve ser comparado ao versículo 11, e indica que adoravam sua força e poder. Queimar **incenso** ao seu arrastão sugere que viviam no luxo, regozijando-se em auto-adoração, fazendo da força seu deus.

Desesperado, Habacuque conclui seu lamento no versículo 17 com estas palavras comoventes (tradução de Smith-Goodspeed):

> *Continuará ele esvaziando sua rede para sempre,*
> *E nunca cessará de aniquilar as nações?*

Seção **IV**

A VIGÍLIA DE ORAÇÃO

Habacuque 2.1-6a

Esta passagem é a parte mais bem conhecida da profecia de Habacuque. Há dois versículos, pelo menos, freqüentemente citados, que estão cheios de significado para os dias de Habacuque e a atualidade. Sem dúvida, é a passagem principal do livro. Perplexo pelo próprio rompante de precipitação em contestar Deus no tribunal da justiça humana, o profeta tem certeza de que a resposta do Senhor desta vez será na forma de repreensão. Como deve ter ficado surpreso quando recebeu a resposta, pois Deus não se perturbou com a revolta deste pobre mortal!

A. O Monólogo do Profeta, 2.1

Agora o profeta não fala com Deus, mas medita sobre o resultado dos acontecimentos passados. Ele propõe abrigar-se em sua **torre** ("torre de vigia", ECA). Trata-se de termo figurativo, e, talvez, seja seu lugar de oração. Ali se postará "como a sentinela que da torre de vigia olha à distância"[1] (cf. 2 Sm 18.24; 2 Rs 9.17). Esta expressão refere-se figurativamente a certa parte da **fortaleza** em que a sentinela se postava (cf. Na 2.1). Driver sugere a palavra "documento". Isto dá a entender que o profeta instaurou processo judicial (**fortaleza**) contra Deus para ver como o Senhor resolveria o problema. Por outro lado, indica também que tinha uma trincheira a guardar a herança da verdade do passado que agora precisa ser esclarecida por causa desta reviravolta dos acontecimentos. **Vigiarei, para ver** significa que o profeta "olhará para frente", a fim de ver melhor.

Quando eu for argüido é literalmente "a queixa de mim", o que é ambíguo. À luz do contexto, Douglas, Driver e colegas pensam que significa a queixa *do* profeta e não *contra* o profeta. Exatamente o inverso é compreendido pela maioria das traduções americanas. As palavras lancinantes de Taylor dão apoio a essa maioria: "Não se pode negligenciar o elemento de arrogância implícito na exigência de que Deus respondesse ao homem pelo comportamento deste".[2]

Tratava-se de tempo de retiro, no qual o profeta, em quietude de alma, veria o que estava indiscernível na agitação da vida. Em tempos de crise, precisamos nos desprender por certo tempo para comungar com Deus; termos nossa visão elucidada e nossas perspectivas ajustadas.

B. A Visão Permanente, 2.2,3

O Senhor respondeu sem reprovar Habacuque por sua queixa. A resposta veio-lhe na forma de **visão** (2), ou seja, uma profecia ou revelação. Tinha de ser escrita em tabletes, não em **tábuas** – primeiro, para que todos pudessem ler; e segundo, porque era para o futuro. Os tabletes eram de barro cozido, e tinham grande qualidade duradoura. Já houve quem sugerisse que o uso habitual de tais tabletes era para notificações públicas (cf. Is 8.1). [3]

Torna-a bem legível é referência a Deuteronômio 27.8. Diz respeito a "escrita clara é precisa" **para que a possa ler o que correndo passa**. Lehrman traduz esta frase assim: "Para que a possa ler num instante". Adam Clarke contesta esta idéia com base em que Deus nunca quis que suas palavras fossem entendidas pelos indiferentes e negligentes. Argumenta que a Bíblia não deve ser lida como uma tabuleta, mas com estudo, meditação e oração. Na sua interpretação, as palavras dizem que quem lê atentamente faz com que sua vida seja salva sem demora do ataque caldaico. Outros entendem que o texto significa que quem lê pode correr e anunciar a mensagem a todos que estiverem ao seu alcance. Há estudiosos que dizem que é uma expressão idiomática do hebraico.

Porque a visão é ainda para o tempo determinado (3). A visão é para o futuro e é direcionada para o **fim**. A visão propriamente dita é personificada, a segunda frase é traduzida literalmente: "Anela em direção ao fim". O verbo na frase **não mentirá** é o mesmo usado para referir-se aos rios que secam no verão.[4] Esta profecia avança avidamente para sua realização, e não "secará" até que seja cumprida.

O profeta acrescenta ânimo à paciência para que o leitor não desfaleça na espera, mesmo que demore. Compare a proclamação aos santos na tribulação, a quem o anjo bradou literalmente: "Não haverá mais demora!" (Ap 10.6, NVI).

De acordo com Driver, a palavra **tardar** significa, literalmente, "estar atrás", para confirmar que o cumprimento chegará na hora certa, não se atrasará. "Virá, se não na época de Habacuque, no tempo de Deus".[5]

Vislumbramos novamente que a filosofia profética da história é linear, com um ponto terminal. Os gregos antigos julgavam que a história era circular, e constituía "a imagem movente da eternidade" (Platão). Muitos, na atualidade, acham que a história não tem sentido, porque não vai a parte alguma. Ao contrário destes, o profeta crê que a história está sob o controle divino e move-se em direção a um ponto culminante, quando "o julgamento justo de Deus será revelado". Ainda que o pensamento apocalíptico, ao qual isto alude, surja especialmente em períodos de perseguição, a tradição hebraico-cristã é de essência inteiramente apocalíptica.[6]

C. A Resposta Divina, 2.4

Este versículo é o clímax do livro, pois nele temos a apogeu da procura do profeta. Infelizmente, o texto está bastante mutilado.

Eis que a sua alma se incha, não é reta nele. Há leituras alternativas, ambas adotadas pela maioria das traduções, para dar esta versão literal: "Eis que está inchada; não é reta sua alma nele". O comentário Ain Feshka apóia "inchada" em lugar de "não endireitada". [7] Mudando uma letra na palavra hebraica para a segunda leitura, temos esta tradução muito boa: "Aquele, cuja alma não é reta nele, fracassará" (RSV). Esta versão tem força, porque assim assume a forma de paralelismo antitético com dois assuntos em contraste: o "ímpio" (conforme paráfrase aramaica) e o **justo**.

A Septuaginta dá espaço para uma conclusão um tanto quanto diferente, e a citação do Novo Testamento deste versículo em Hebreus 10.38 segue esta tradução: "Mas o justo viverá da fé; e, se ele recuar, a minha alma não tem prazer nele". É isto que Smith-Goodspeed segue em sua tradução: "Na verdade, o ímpio – não tenho prazer nele".

Qualquer que seja a forma em que o versículo seja fraseado, o significado é claro. Indivíduos como os caldeus que são inchados com o senso de valor próprio, mas não são retos aos olhos de Deus, logo perecerão. Eles "são como a moinha que o vento espalha" (Sl 1.4). Esta é a resposta de Deus ao primeiro problema de Habacuque. Cook faz um excelente resumo: "Em uma declaração curta, dois aspectos gerais da inquirição do profeta são tratados: o orgulho e a injustiça dos invasores e a segurança da vida dos justos; em outras palavras, a proteção contra o mal e a salvação, com a condição de que a pessoa se mantenha firme ao princípio da fé".[8]

O justo, pela sua fé, viverá. A palavra traduzida por **fé** é o hebraico *emunah*, derivado de um verbo que, originalmente, significa "ser firme", usado no Antigo Testamento no sentido físico de firmeza, imobilidade, imperturbabilidade, constância.[9] Portanto, a melhor tradução é "fidelidade" (cf. NVI). Fé é uma palavra para qual, no sentido ativo do Novo Testamento, o hebraico não tem equivalente – embora o termo "crer" seja derivado do mesmo radical que *emunah*.[10]

Emunah é a palavra usada para descrever as mãos levantadas de Moisés que estavam firmes (Êx 17.12). É também utilizada para dizer que os homens encarregados de tomar conta do dinheiro "procediam com fidelidade" (2 Rs 12.15). Dá a entender que se a pessoa não "sair correndo", as circunstâncias que a cercam vão se modificar. É bom o significado sugerido por Lehrman sobre a intenção desta exortação: "Os israelitas justos, que permanecem inabalavelmente leais aos preceitos morais, resistirão, ainda que tenham de sofrer por seus princípios; ao passo que os ímpios, que desfrutam uma supremacia temporária por violarem o direito, no fim serão derrotados e humilhados".[11]

Assim, como diz Farrar, este oráculo "contém tudo que é necessário para a justificação de Deus e a consolação do homem".[12]

A Septuaginta traduziu *emunah* por *pistis* (fé). Foi esta tradução que os escritores do Novo Testamento usaram e, assim, incorporaram a visão de Habacuque no âmago da pregação (*kerygma*) cristã. Paulo cita esta frase duas vezes (Rm 1.17; Gl 3.11) em defesa de sua doutrina da justificação pela fé. Com isto, ele "quer dizer o único ato de fé pelo qual o pecador obtém perdão e justificação". Também é citado junto com a última frase do versículo 3 em Hebreus 10.37,38, para ilustrar os benefícios da fé.

Em 1.12 e 2.1-4, temos o que é "viver pela fé". O texto é: **O justo, pela sua fé, viverá.** 1) Fé na santidade, justiça e poder de Deus, 1.12; 2) Fé mostrada e recompensada em oração vigilante, visão mais clara e obediência, 2.1-3 (G. B. Williamson).

D. O Destino do Ganancioso, 2.5,6a

Esta passagem tem uma dificuldade dupla: a qual parágrafo deve ser acoplada? E como deve ser traduzida? Certos expositores têm a impressão de ser uma descrição culminante do caráter dos caldeus. Outros desejam associá-la aos *ais* que vêm a seguir, tornando-a sua introdução.

Pelo visto, o **vinho** (5) é o assunto. "Tanto mais que, o vinho é enganoso; o homem soberbo, que não fica em casa, que alarga o seu desejo como o sepulcro [*sheol*, inferno]" (ASV). O homem dado a beber vinho raramente fica em casa, por estar sujeito aos desejos e paixões inflamadas.

Eaton declara que esta tradução (ASV) tem pouco significado, mas defende este tipo de "personificação". Afirma que o profeta cultual quase sempre utilizava o recurso de falar por enigmas ao proferir uma condenação, visto que não podia falar claramente por arriscar sua segurança. Este seria um oráculo em código secreto, dirigido como "parábola difícil de entender" para o inimigo. É a adoção de um provérbio sobre a natureza enganosa do vinho que, na verdade, se torna descrição dos conquistadores gananciosos.

Como muitos outros, Eaton combina a primeira parte do versículo 6 com a totalidade do versículo 5, e oferece sua própria tradução: "Não levantarão todos estes uma parábola contra ele, enigmas de fala indireta contra ele, dizendo...?" A maioria dos tradutores modernos descreve este texto como uma canção de escárnio (cf. NVI), "uma canção com insinuações ocultas e provocantes".[13] Desta forma, proporciona uma transição para a próxima seção.

SEÇÃO V

OS CINCO AIS

Habacuque 2.6b-20

Davidson considera a seção precedente a parte preliminar do livro, enquanto nesta seção está o verdadeiro tema da profecia. O escritor reputa que esta seção é subsidiária ao tema central, que é a passagem imediatamente anterior.

A maioria dos intérpretes entende que os "ais" desta seção são destinados aos caldeus, e talvez a intenção primária deste discurso seja mesmo essa. Contudo, estes princípios do mal estão sujeitos ao julgamento e ira de Deus onde quer que ocorram. Estes "ais" são paralelos aos "ais" de Isaías 5.8-25 e estão relacionados com a maldade do próprio povo de Habacuque.

A. O CAPITALISTA IMPIEDOSO, 2.6b-8

Os caldeus são comparados às pessoas que multiplicam riquezas às custas dos outros, sem ter consideração e sem se importar com o desespero das vítimas. Sua motivação é o desejo ardente e insaciável por ganho.

Dívidas (6) significam penhores. A Caldéia é usurária impiedosa, que impõe às nações pesados penhores. A palavra **multiplica** alude ao costume de cobrar juros, hábito execrado pelos judeus. "A profecia representa os caldeus como credores que extorquem pesados juros; portanto, as nações vitimadas são devedoras, mas também sabem trapacear, pois, quando sua vez chegar, castigarão os caldeus impiedosamente por suas extorsões".[1] Este dito popular talvez parafraseie a idéia: "Quem com ferro fere com ferro será ferido". O jogo logo virará e os que são vitimados se defenderão com a destruição dos opressores.

Abalar (7) é palavra muito forte no idioma hebraico. Tem o significado de "chocalhar violentamente", "sacudir tremendamente", como o vento sacode a árvore tanto que seu fruto precipita-se no chão.[2] Isto acontecerá para obrigá-los a devolver sua pilhagem, para "fazê-los se desprender" de seu ganho adquirido desonestamente.

Despojos (espólio) é plural e, portanto, intensivo para revelar a extensão da pilhagem a ser arrancada do opressor. A crença por trás deste brado é que existe a Lei de Talião na história, o princípio de retribuição de que a injustiça será punida; "quem saquear será saqueado", medida por medida (cf. Is 33.1).

B. O Vilão Rico, 2.9-11

Nesta "canção-insulto", o brado é contra a ganância e auto-exaltação dos caldeus. Esta subdivisão descreve a nação que se desenvolve mediante saque e faz esforços somente para garantir egoisticamente a segurança própria. Agir assim é ajuntar em **casa bens mal adquiridos** (9). Neste esforço, o inimigo põe "em lugar alto o seu ninho, a fim de livrar-se das garras do mal" (ARA).[3]

A primeira canção afirmou a fé de Habacuque na lei da retribuição. Esta mensagem descreve a nação que procura esquivar-se desta lei. Mas, ao garantir-se como a águia em seu **ninho** (9) entre os penhascos, e silenciar todas as testemunhas contra si, esta nação pecou contra a sua **alma** (10). A **pedra**, a **trave** e o **madeiramento** (11) da casa gritam em protestos. "Na realidade, a casa seria mal-assombrada".[4]

C. O Governante Fraudulento, 2.12-14

A mesma condenação expressa no versículo 12 é feita contra Jerusalém, em Miquéias 3.10, e contra Jeoaquim, em Jeremias 22.13,17: **Ai daquele que edifica a cidade com sangue!**

O versículo 13 tem dois significados possíveis. Um é que o povo oprimido não verá seus labores virarem fumaça para sempre. A idéia mais provável é que o resultado do empenho dos caldeus está destinado ao **fogo** (13), que destruirá as cidades que construíram. Seus trabalhos acabarão em **vaidade**. Esta mesma palavra é usada pelo *Kohelefh* ("o Pregador") para descrever a vida sem Deus (Ec 1.2). Significa "vacuidade", "vácuo", "vazio" ou, literalmente, "esforçar-se em perseguição ao vento" (cf. "correr atrás do vento", Ec 1.14, ARA). As cidades e reinos construídos com sangue são autoderrotas, que se abatem sobre os vencedores; tais conquistas são atos de suicídio histórico.

Em contraste com os reinos perecíveis da injustiça, estão as conquistas de Jeová cujo poder destruirá os governos deste mundo e se instalará sobre toda a terra. **Porque a terra se encherá do conhecimento da glória do SENHOR, como as águas cobrem o mar** (14). Os labores dos integrantes deste Reino não têm o destino final de ser queimado no fogo. Seus tesouros estão onde a traça e a ferrugem não corrompem, nem ladrões invadem e roubam (Mt 6.19).

D. O Explorador Bêbedo, 2.15-17

O versículo 15 trata dos efeitos inebriantes do álcool, que leva a pessoa a tornar-se insensível. Conseqüentemente, expõe-se à ambição e exploração de qualquer um que queira aproveitar-se dela. Pelo visto, o profeta, possivelmente, refere-se a Noé (Gn 9.21) ou a Ló (Gn 19.30-35).

A leitura vigente é de significado dúbio. A fim de usar a palavra **odre** (15), os pontos vocálicos devem ser alterados. Conforme consta no texto hebraico, a palavra é "ira" (cf. "furor", ARA; NVI), bem parecida com **odre**. O próprio texto diz que a ira foi misturada com a bebida. Por conseguinte, Douglas traduz: "Ai daquele que dá de beber ao seu companheiro, que acrescenta droga à bebida e que o embebeda para lhe olhar a nudez". Talvez o significado seja que os babilônios fazem suas vítimas beber (metaforicamente) vinho misturado com narcóticos para aumentar o estupor e a falta de força. [5]

Mas o princípio da retribuição opera. Aqueles que deram o cálice para as vítimas beberem serão forçados a tomar o **cálice da mão direita do SENHOR** (16). Ao bebê-lo, ficarão embriagados. O fato é que já estão fartos de **ignomínia**, e a conseqüente impotência resultará em desgraça para eles. O ímpio sofrerá a mesma coisa que infligiu nos outros.

O **vômito ignominioso** é uma palavra em hebraico, uma forma intensiva do termo "vergonha" (**ignomínia**). É um jogo de palavras entre a primeira frase – **farto de ignomínia em lugar de honra** ("glória", NVI) – e este segundo uso intensivo: **Vômito ignominioso cairá sobre a tua glória**. Lehrman traduz **ignominioso** por "sujidade" e cita Kimchi ao interpretá-la como palavra composta de "desgraça" e "vômito", indicativo do vômito que ocorre após a orgia do bêbedo.

De acordo com Isaías 14.8, os babilônios acabaram com as florestas do Líbano, fato que explica o significado do versículo 17. É interessante que Habacuque entenda que esta extorsão à natureza seja uma injustiça merecedora da retribuição divina. Concluímos que este parecer engloba a totalidade da vida porque está sob o governo divino. A violação indiscriminada da Natureza não deve prosseguir levianamente nem sequer para propósitos religiosos (a construção de templos, como ocorrera com o inimigo).

E. O Idólatra Tolo, 2.18-20

A denúncia destes versículos é exclusiva no ponto em que o **ai** é retido até o término da anunciação do oráculo (19). No caso dos ais precedentes, o "ai" sempre ocorre no começo. A intenção, talvez, é dar maior intensidade, porque é de natureza estritamente religiosa, a qual lida com a adoração de ídolos. A tolice da idolatria é caricaturada em linguagem comovente. O termo traduzido por **ídolos** (18) é uma palavra desdenhosa que significa "não-existências". A tradução de Smith-Goodspeed descreve nitidamente o quadro surpreendente:

> *Para que serve o ídolo quando o projetista o projeta*
> *Ou a imagem fundida e o ensinador de mentiras?*
> *Por ter projetado a imagem, confia nela,*
> *De forma que fabrica não-existências mudas!*

Pode isso ensinar? (19). Habacuque admira-se que homens invoquem matéria inerte para se comunicar. Notou também que o ídolo mudo ensina mentiras, porque diz somente o que lhe é colocado na boca. Uma natureza corrompida a ponto de adorar ídolos colocará em sua boca aprovação para coisas com as quais uma natureza pervertida deleitar-se-ia. Aqui, Habacuque mostra o absurdo de esperar revelação verdadeira destas criações humanas. A sentença informativa poderia dispor-se em forma de indagação, como: "Pode isto entregar alguma mensagem?" (NTLH).

Lembramos os insultos de Elias aos profetas de Baal que, em agonia, pleiteavam com a muda deidade que lhes respondesse (1 Rs 18.26-29), ou recordamos a paródia de Jeremias sobre idolatria registrada em seu livro no capítulo 10.3-16.

O versículo 20 é uma das passagens mais emocionantes do Antigo Testamento. Em contraste vívido com os ídolos mudos, que ficam em silêncio nos templos mórbidos cercados por adoração vil, **o SENHOR está no seu santo Templo; cale-se diante dele toda a terra**. Quem sabe esta seja uma convocação ao culto na linguagem de adoração ao Senhor no Templo. Neste caso, fornece transição adequada para o hino litúrgico do capítulo 3.

Cale-se é uma exclamação hebraica que significa "silêncio!" ou "fica quieto!" Assim a série de *ais* começa com a revelação que Deus está trabalhando. É uma convocação aos justos para que sejam fiéis. Esta afirmação de fé é o ponto crucial e apropriado ao versículo 4, o texto de ouro de Habacuque: "O justo, pela sua fé [fidelidade], viverá".

Seção VI

HINO LITÚRGICO

Habacuque 3.1-19

A. Introdução, 3.1

Esta seção é chamada de **oração**, mas a súplica propriamente dita ocorre somente no versículo 2. A petição central é: **Aviva, ó SENHOR, a tua obra** (2), e o salmo inteiro é uma amplificação desta solicitação. Portanto, pode ser chamado salmo de súplica, no qual o profeta roga pelo cumprimento de sua visão sobre a intervenção divina.

Sob a forma de canto (1; "conforme sigionote", ECA) significa, literalmente, "em ditirâmbico". A Septuaginta traduz a frase assim: "Para instrumentos de corda". Henderson a traduz pela expressão "com música triunfal", ao citar Delitzsch, o qual destaca que este tipo de música irregular serve especificamente para cânticos de vitória. A frase também é encontrada no título do Salmo 7 ("sigaiom"), onde poderia ser traduzida por: "Para a música de salmos de êxtase". "Denota um curso perambulante, tortuoso e inconstante, no qual o pensamento, o sentimento e o tempo mudam subitamente em cada estrofe". [1] Portanto, trata-se de uma instrução sobre o modo de dar musicalidade ao salmo.

O consenso dos expositores é que a chave para entender o capítulo é o Êxodo e seu efeito no pensamento de Israel. Este acontecimento histórico modela a expectativa do profeta sobre outra grande libertação divina e a oração para isso. Toma a forma de "revelação de Deus passível para a libertação de Israel". [2]

As notas musicais indicam que este era um salmo usado na liturgia do Templo. Goza também de amplo emprego na pregação e poesia da igreja cristã. Agostinho, em *A Cidade de Deus* (18.32), faz uma exposição do salmo, e espiritualiza-o, para aplicar-se à primeira e Segunda Vinda de Cristo.

Também pode representar a visão que o profeta tinha de sua posição na torre de vigia (2.2), e o que *viu*, da mesma maneira que 2.4-20 é o que *ouviu*.

B. A Oração, 3.2

Habacuque fala em nome do povo. O pano de fundo é a **tua palavra**, o relatório da fama de Jeová por ter libertado Israel do Egito (Nm 14.15; Dt 2.25). Não se trata de mera visão extática e imediata que o profeta recebe, mas tem claras raízes históricas. Entendemos que a história total do Antigo Testamento é um registro da *heilsgeschichte* (história de salvação), que mantém e interpreta os atos poderosos de Deus. Por conseguinte, as proclamações proféticas são feitas à luz dos acontecimentos, sobretudo do Êxodo. Habacuque está na corrente principal do pensamento do Antigo Testamento, ao contemplar a libertação do Egito como padrão de uma liberdade presente ou futura.

Ao ouvir isso, o profeta diz: **Temi**. O povo não tivera medo de ser ferido pela teofania anterior (Êxodo), mas pensar nela causava grande temor reverente. A oração do profeta é que Deus venha a renovar sua obra do Êxodo. **Aviva... a tua obra** não transmite toda a significação do que Habacuque quer dizer. Lehrman parafraseia a frase com exatidão: "Que Deus reproduza o seu poder redentor nos anos de dificuldade em que se encontram".[3]

No meio dos anos é uma frase difícil de interpretar e muitos simplesmente a ignoram. Davidson a entende assim: "Nestes últimos tempos de nossa história, faze tua obra conhecida", que é contextualmente correta. **Notifica** é reflexivo, que significa: "Faze a ti mesmo conhecido".

Na ira lembra-te da misericórdia. G. A. Smith defende que essa **ira** deveria ser traduzida por "tumulto". De acordo com ele, em nenhuma parte do Antigo Testamento o termo hebraico significa ira; mas rumor ou estrondo de trovão (Jó 37.2) e barulho dos cascos dos cavalos (Jó 39.24), ou a perturbação dos maus (Jó 3.17), ou a agitação do medo (Jó 3.25; Is 14.3).[4] Se o cenário histórico tradicional for o período anterior à invasão dos caldeus, esta é uma observação cortante. C. L. Taylor Junior o apóia nesta tradução.[5]

Nos versículos 1 e 2, temos a "oração por avivamento". 1) O avivamento é necessário, porque o pecado é excessivo, a religião é decadente e o julgamento é iminente, 1.4; 2.18-20; 2) O tempo do avivamento é hoje, agora – **no meio dos anos**; 3) O modo do avivamento é pela oração; 4) A esperança do avivamento está na **misericórdia** de Deus (G. B. Williamson).

Assim termina a petição. Em seguida, começa a descrição da nova manifestação de Deus aos homens, a **obra** de Jeová **no meio dos anos**.

C. A Obra, 3.3-16

O padrão para esta visitação redentora é a grande obra feita anteriormente. Habacuque vê Deus que vem, como antigamente, **de Temã** (3), no noroeste de Edom, e de **Parã**, entre o Sinai e Edom (ver mapa 1). O cântico de Débora (Jz 5.4) também descreveu Deus que procede desta região para ajudar o seu povo. Ele vem como grande tempestade nos céus. Este é o modo característico que os hebreus usavam para descrever Jeová quando visitava seu povo. Deus está oculto em nuvens escuras, eletricamente carregadas, produtoras de relâmpagos e trovões que iluminam o céu e a terra. "A terra treme, os montes afundam e as tribos do deserto olham desanimadas".[6]

Hino Litúrgico Habacuque 3.3-16

Trata-se de linguagem altamente fantástica, difícil de exprimir e até a tradução mais bem feita só oferece significação figurativa, ou seja, nem sempre admite interpretação precisa. O sentimento aterrador da presença de Deus e a certeza confiante da libertação de seu povo são de importância capital. As descrições da natureza e as alusões geográficas revelam que o profeta tinha em mente o padrão do Êxodo para esta libertação dos últimos dias.[7]

A Versão Bíblica de Berkeley transmite com sua forma poética o estado de espírito da passagem. As notas ajudam o leitor a entender as alusões históricas feitas pelo profeta.

Deus vem de Temã,[8] o Santo vem do monte de Parã.[9] Selá.
A sua majestade cobre os céus, e a terra está cheia do seu louvor.
O seu brilho é como a luz[10] raios flamejam da sua mão,
E ali está o esconderijo do seu poder.
Adiante dele sai a praga, e a febre ardente segue os seus pés.
Ele pára e vasculha a terra; olha e assusta as nações.[11]
As montanhas eternas se espalham;[12]
Os montes perpétuos se curvam; o seu procedimento é como o dos tempos antigos.[13]
Vejo as tendas de Cusã em angústia;
As cortinas da terra de Mídia[14] estão tremendo.
O Senhor está desgostoso com os rios?
A tua raiva é contra os rios,
Ou a tua ira é contra o mar,
Para que tu montes nos teus cavalos,
Em teus carros de vitória?
Tu tiraste o teu arco da bainha e colocaste setas na corda. Selá.
Tu passaste pela terra com rios;
As montanhas te vêem e sentem dores aflitivas;
Os rios espumosos passam impetuosamente.[15]
As profundezas levantam a voz e erguem as mãos para o alto.[16]
O sol e a lua ficam parados nas suas habitações;[17]
Diante da luz das tuas setas que avançam depressa,
Diante do clarão da tua lança brilhante.
Tu cavalgas na terra com indignação;
Tu espancaste as nações na tua ira.
Tu marchaste para libertar o teu povo,
Para salvar os teus ungidos.
Tu demoliste o topo da casa dos descrentes,
Ao colocar a descoberto a fundação até à pedra mais profunda. Selá.
Tu perfuraste a cabeça dos seus guerreiros com os seus próprios dardos;[18]
Aqueles que vêm como vendaval para me debandar,
Alegrando-se como se devorassem o inocente[19] em segredo.
Tu pisaste o mar com os teus cavalos;
As águas poderosas se amontoam.

Após narrar esta manifestação aterrorizante do poder divino, Habacuque diz: **Estremeci** (16). "O peito arfa, os dentes batem e ele está a ponto de desfalecer".[20] Como devem ter ficado muito mais aterrorizados aqueles que são alvos do poder de Deus! Mais do que instilar medo, a visão confirma a tranqüilidade e paciência do profeta. Ele vai esperar calmamente pelo **dia da angústia**. Embora o texto seja ambíguo, o significado provável é que a **angústia** venha a se abater sobre os invasores de Israel (*i.e.*, os caldeus).

D. A Afirmação de Fé, 3.17-19

Não há como saber com certeza se a descrição no versículo 17 diz respeito aos resultados da invasão ou a uma calamidade natural. Contudo, essa indefinição de modo algum altera a expressão básica de confiança do profeta. Diante de condições adversas, a fé de Habacuque em Jeová permanece inalterada. Estes versículos formam o clímax adequado, não só para o salmo, mas para o livro inteiro. As palavras são expressão bela, em suas ramificações mais amplas, de 2.4: "O justo, pela sua fé, viverá". A descrição de Henderson é apropriada: "A passagem contém a mais bonita exibição do poder da verdadeira religião encontrada na Bíblia. A linguagem é pertinente a uma mente desmamada dos prazeres terrenos, e acostumada a ter a mais sublime realização dos seus desejos em Deus".[21]

Esta é uma religião "mas-se-não", que não depende de prosperidade ou bem-estar para manter a fé em Deus ou a determinação de lhe ser fiel. Semelhante aos três príncipes hebreus que reconheceram a contingência da libertação (Dn 3.17,18), assim Habacuque quer permanecer íntegro a despeito da evolução gradual dos acontecimentos.

A força deste modo de entender a religião é expressa nas palavras: Deus **fará os meus pés como os das cervas** (19). As **cervas** (antílopes) são notáveis pela rapidez com que correm e pela segurança com que se movimentam em terreno acidentado. Dizem que os galgos ficam sujeitos à morte pelo esforço excessivo com que perseguem os antílopes. Nos penhascos rochosos da tribulação e da incerteza onde pôr os pés, a fé proporciona orientação infalível e estabilidade para trilhar o caminho instável. Estes lugares elevados não são os caminhos habituais, mas são procurados somente em tempos de guerra ou perigo, quando o inimigo está em perseguição acirrada. **Fará andar sobre as minhas alturas** é, talvez, a posse triunfal dos lugares celestiais (**as minhas alturas**). Portanto, há uma promessa oculta de vitória pelo sofrimento e provação. A fé que suporta é autêntica.

A frase final é mais ou menos repetição de 3.1. Mostra que este salmo era usado na adoração pública. A palavra "Selá", neste capítulo, é uma pausa musical que também ocorre em outros pontos do livro de Salmos.

Notas

INTRODUÇÃO

¹ Citado em C. F. Keil e Franz Delitzsch, "The Twelve Minor Prophets", *Biblical Commentary on the Old Testament* (Grand Rapids: William B. Eerdmans Publishing Company, 1954; reimpressão).

² Charles L. Taylor Jr., "Habakkuk" (Exegesis), *The Interpreter's Bible*, editado por George A. Buttrick *et al.*, vol. VI (Nova York: Abingdon Press, 1956), p. 974.

³ *Ib.*, p. 977.

SEÇÃO I

¹ G. A. Smith, "The Book of the Twelve Prophets", *The Expositor's Bible*, editado por W. Robertson Nicoll, vol. II (Nova York: A. C. Armstrong & Son, 1896), p. 131.

² Davidosn, *op. cit.*, p. 48.

³ T. W. Farrar, *The Minor Prophets* (Nova York: Fleming H. Revell Company, s.d.), p. 161.

⁴ Taylor, *op. cit.*, p. 981.

SEÇÃO II

¹ S. R. Driver, "The Minor Prophets", *The New Century Bible*, editado por Walter F. Adeney, vol. II (Nova York: Oxford University Press, 1906), p. 67.

² *Ib.*, p. 67, nota de rodapé.

³ Taylor, *op. cit.*, p. 982.

⁴ J. H. Eaton, *Obadiah, Nahum, Habakkuk and Zephaniah* (Londres: SCM Press, 1961), *loc. cit.*

⁵ Lehrman, *op. cit.*, p. 215.

⁶ Ebenezer Henderson, *The Book of the Twelve Minor Prophets* (Nova York: Sheldon & Company, 1864), *ad. loc.*

⁷ Ver Taylor, *op. cit.*, p. 983.

SEÇÃO III

¹ David A. Hubbard, "Habakkuk", *The Biblical Expositor*, editado por Carl F. H. Henry, vol. II (Filadélfia: A. J. Holman Company, 1960), p. 348.

SEÇÃO IV

¹ Davidson, *op. cit.*, p. 74.

² Taylor, *op. cit.*, p. 986.

³ Davidson, *op. cit.*, p. 75.

⁴ Lehrman, *op. cit.*, p. 219.

⁵ John E. McFadyen, "Habakkuk", *Abingdon Bible Commentary*, editado por Frederick Carl Eiselen *et al.* (Nova York: Abingdon-Cokesbury Press, 1929), p. 806.

⁶ Cf. H. H. Rowley, *The Relevance of Apocalyptic*, 2.ª ed. (Londres: Lutterworth Press, 1947).

[7] Taylor, *op. cit.*, p. 988.
[8] Farrar, *op. cit.*, p. 165.
[9] Smith, *op. cit.*, p. 140.
[10] IB, vol. VI, p. 989.
[11] Lehrman, *op. cit.*, p. 219.
[12] Farrar, *op. cit.*, p. 168.
[13] Taylor, *op. cit.*, p. 990.

SEÇÃO V

[1] Driver, *op. cit.*, p. 79.
[2] Lehrman, *op. cit.*, p. 220.
[3] Smith, *op. cit.*, p. 146.
[4] McFadyen, *op. cit.*, p. 807.
[5] Lehrman, *op. cit.*, p. 222.

SEÇÃO VI

[1] Ewald, citado em Farrar, *op. cit.*, p. 171.
[2] Smith, *op. cit.*, p. 149.
[3] Lehrman, *op. cit.*, p. 224.
[4] Taylormm, *op. cit.*, p. 150, nota de rodapé.
[5] Smith, *op. cit.*, p. 997.
[6] Driver, *op. cit.*, p. 87.
[7] Smith, *op. cit.*, p. 150.
[8] Temã era o distrito que ficava a noroeste de Edom.
[9] O monte de Parã situava-se entre a península do Sinai e a cidade de Cades-Barnéia.
[10] A plena luz do sol.
[11] O olhar do Juiz os fez recuar amedrontados.
[12] As rachaduras se abrem diante dele (Mq 1.4).
[13] Quando Jeová se levantou no curso da história durante o Êxodo.
[14] Midiã é o país que ficava na costa oriental do golfo de Áqaba.
[15] As vigorosas correntes de água, descendo pelas montanhas, cavaram canais na terra e encheram de terror os vádis secos.
[16] As ondas ficaram bem altas.
[17] Ver Js 10.12,13.
[18] Os inimigos ficarão em pânico e virarão as armas contra si mesmos (Zc 14.13).
[19] O povo sofredor e aflito de Deus.
[20] Driver, citado em Lehrman, *op. cit.*, p. 228.
[21] Henderson, *op. cit.*, p. 318.

O Livro de
SOFONIAS

H. Ray Dunning

Introdução

A. O Profeta

Nosso escasso conhecimento de Sofonias limita-se à informação dada na profecia que leva seu nome. Três outros homens no Antigo Testamento tinham o mesmo nome, que significa "Jeová esconde". Existe uma característica exclusiva no breve esboço biográfico apresentado em 1.1. A genealogia é remontada por quatro gerações até chegar a Ezequias. Ao considerar que semelhante árvore genealógica é bastante rara, a maioria dos estudiosos concorda que este é o rei Ezequias e que, portanto, Sofonias era da linhagem real. Há outras evidências desta descendência nobre: o profeta era cidadão de Jerusalém (1.4); mostra pouca preocupação com os pobres; não hesita em denunciar a família ou casa do rei, embora poupe o monarca.[1]

Identificamos um problema. O título do livro data a pregação de Sofonias no reinado de Josias, que era da casa de Davi; mas era a quarta geração depois de Ezequias, ao passo que Sofonias era a quinta. Este problema é normalmente resolvido, ao observarmos que o costume de casar-se muito jovem podia ocasionar esta diferença ao longo das gerações.

O ministério de Sofonias ocorreu durante o reinado de Josias, mas resta determinar a qual parte se refere. Este governo é dividido em duas partes: antes da descoberta do Código Deuteronômico, em 621 a.C., e após este fato. O conteúdo do livro indica a primeira parte. Sofonias pregou provavelmente entre 638 a.C. e 621 a.C.

Isto torna o profeta contemporâneo de Jeremias e antecessor de Naum e Habacuque. No cânon, seu livro é posicionado depois deles, porque ele "tinha a última palavra. Naum e Habacuque estavam quase que totalmente absortos com a época que se encerrava, ao passo que ele tinha uma visão do futuro".[2]

Sofonias é bem menos original que alguns dos outros profetas. Pelo que entendemos, foi muito influenciado por Isaías, que gozava de situação similar no que tange à posição na corte e relação com a realeza. Talvez fosse conselheiro de Josias. Mas quando o livro da lei foi descoberto, o rei se voltou para a profetisa Hulda e não para este profeta (2 Rs 22.8-20). Identificamos na pregação de Sofonias certo indício da influência de Amós, profeta do século VIII a.C.

A mensagem de Sofonias, como a maioria dos profetas, é moldada pela situação em que vivia. Por isso, precisamos considerar minuciosamente a sua época.

B. A Situação Política

Em Judá, o longo reinado de Manassés foi marcado por trevas espirituais. Essa cortina espessa permaneceu durante o curto reinado de seu filho, Amom, que conseguiu manter-se no trono só por dois anos.

O poder assírio começava a cambalear mesmo durante sua maior expansão sob o reinado de Assurbanipal. As últimas vezes que o exército deste império pisou na Palestina ocorreram em 655 e 647 a.C., e, mesmo assim, seu rei não tentou reconquistar o Egito que havia se revoltado. Com a morte de Assurbanipal em 626 a.C., as coisas começaram a se desdobrar rapidamente e, em 612 a.C., Nínive ficou em ruínas com o ataque combinado dos medos e babilônios (cf. introdução de o livro de Naum).

Foi durante este período que a soberania da Assíria enfraqueceu-se, e o poder do Egito se fortificou. Nessa ocasião, os egípcios conseguiram estabelecer um baluarte na Ásia ocidental, na fortaleza de Carquêmis, até serem desalojados pelos caldeus em 605 a.C. Aí chegou a vez de os babilônios se firmarem como poder mundial.

Outro fator significativo para compor a pregação de Sofonias foi o surgimento dos bárbaros procedentes do Norte conhecidos por citas. Eram tribos violentas e sanguinárias, "compostas de pessoas negras e férteis em destruição". Provenientes da região caucasiana, espalharam-se pela Ásia, atravessaram a Palestina e chegaram às portas do Egito. Heródoto, o historiador grego, registrou esta invasão. Não dependiam da infantaria e de carros bélicos, mas eram cavalarianos que, na conquista, avançavam com rapidez e impetuosidade como ninguém. De acordo com Heródoto, o Faraó egípcio foi bem-sucedido em comprar-lhes a isenção da invasão, ao detê-los de quase conquistarem o reino do Nilo. Diante disso, voltaram para a pátria tão rapidamente quanto vieram.

É provável que tenham seguido a maneira assíria de guerrear nas planícies e, por isso, Judá com sua região montanhosa escapou do ímpeto de seu ataque. Contudo, o perigo abateu o ânimo da população.

C. A Situação Religiosa

Correlacionada aos perigos políticos de fora, estava a decadência ética dentro da nação hebraica. O profeta percebeu que estas eram circunstâncias correlatas. No reinado de Manassés, a verdadeira religião de Jeová fora suprimida e o rei patrocinara uma religião adulterada que incorporava os costumes assírios e seu modo de culto. De acordo com 2 Reis 21.6, Manassés sacrificou seus próprios filhos, erigiu santuários "a todo o exército dos céus" (as deidades astrais dos assírios) na casa do Senhor e reavivou a adivinhação e comunicação com os mortos.

Quando Sofonias entrou em cena, esta influência ainda predominava. O rei Josias começou cedo a servir ao Senhor, mas as reformas atingiram grandes proporções somente em 621 a.C. Portanto, o profeta teria clamado contra a continuação da desgraça espiritual da má influência de Manassés. Para Graham, as declarações de Sofonias são as de "um membro do partido de oposição, um registro das emoções e julgamentos de um puritano, ele próprio de nobre nascimento, que lançara sua sorte junto com os oponentes dos elementos que então dominam a casa do profeta".[3]

D. A Natureza do Livro

"O dia do Senhor" é a expressão característica e a principal tônica do livro. Esta prática não era inédita, pois os profetas a usavam com freqüência. Nos dias de Amós, a idéia do dia do Senhor estava em voga (Am 5.18). A concepção popular dizia que Deus surgiria em futuro próximo e concederia grande vitória ao seu povo. Portanto, a nação desejava e clamava pelo dia do Senhor. Era um tipo de concessão automática de bênção que Amós transformou em dia de significação ética. De acordo com ele, o que seria este dia dependeria da condição moral dos judeus. Seria um dia em que Jeová se manifestaria contra o pecado, quer estivesse em seu povo ou entre as nações estrangeiras. "Amós, neste caso, transformou uma idéia popular; e os profetas usaram a expressão neste sentido transformado para denotar o dia em que Jeová se manifestará em sua plenitude para acabar com o erro, a ilusão e o orgulho humano, e dar a vitória final à justiça e verdade".[4]

É provável que Sofonias se inspire diretamente em Isaías (cf. Is 2.12ss) e conceba o "dia" dominado por um imaginário de guerra e invasão. Esta concepção belicosa deve-se ao fato de as invasões das hordas citas, na Ásia, indicarem ao profeta que o dia estava próximo.

Sofonias faz sua própria modificação no conceito do dia do Senhor. Para os primeiros profetas, tratava-se de uma crise mundial que estava num ponto definido da história. Mas os acontecimentos desse dia são "naturais" e até tumultuosos – depois dos quais a história continua. Sofonias vê isto como um acontecimento final, com a manifestação da intervenção sobrenatural. A interpretação clássica de G. A. Smith é pertinente: "Em suma, com Sofonias, o dia do Senhor tende a se tornar o último dia. Seu livro é o primeiro traço de profecia relacionado com apocalipse: este é o momento em que isto acontece na história da religião de Israel".[5]

Esboço

I. **Título**, 1.1

II. **A Ameaça de Julgamento Mundial**, 1.2—3.7
   A. A Descrição do Julgamento, 1.2-18
   B. O Julgamento das Nações, 2.1—3.7

III. **Uma Palavra para os Fiéis**, 3.8-13
   A. Uma Língua Purificada, 3.8,9a
   B. Uma Adoração Purificada, 3.9b,10
   C. Um Remanescente Protegido, 3.11-13

IV. **Conclusão**, 3.14-20
   A. Hino de Alegria, 3.14,15
   B. Garantia de Fé, 3.16-18
   C. Promessa de Restauração, 3.19,20

Seção I

TÍTULO

Sofonias 1.1

O nome Sofonias quer dizer "Jeová esconde" (ver Introdução; cf. 1 Cr 6.36; Jr 21.1; Zc 6.10,14). Há quem suponha que o profeta nasceu durante o "período de matança de Manassés". Entre os profetas, esta genealogia é a mais detalhada, cujo propósito mais provável era mostrar que ele era de linhagem real.

Sofonias baseava sua autoridade no fato de que falava a **Palavra do SENHOR**. Pode ser que sua descendência natural tenha lhe dado acesso livre aos palácios da realeza, mas a origem sobrenatural da mensagem determinou a urgência, convicção e poder com que foi proclamada.

Seção **II**

A AMEAÇA DE JULGAMENTO MUNDIAL

Sofonias 1.2—3.7

A. A Descrição do Julgamento, 1.2-18

1. *Extensão Universal* (1.2,3)
Esta visitação divina por instrumentalidade humana é de escopo mundial; abrange não só o homem, mas todas as outras criaturas vivas: animais, aves e peixes (cf. Ez 38.19,20).

Este é o anúncio do tema principal, a catástrofe universal, que, em seguida, Sofonias passa a aplicar de forma diversa e para grupos diferentes. O mundo ficou sumamente pecaminoso, bastante parecido com a situação vigente nos dias de Noé, e Deus determinou fazer justiça. Sofonias não sabe o que é misericórdia. "Não há grande esperança em seu livro, quase não existe compaixão e nunca há um vislumbre de beleza. [...] Não existe livro mais explosivo em todo o Antigo Testamento".[1]

Os tropeços com os ímpios (3) é frase difícil que leva certos expositores a considerar que se trata de adição editorial, porque não parece encaixar-se e soa redundante. Mas não existe real motivo para negar que seja da lavra de Sofonias. Como diz Henderson: "A enumeração de pormenores visa aumentar o caráter temeroso e universal do castigo".
[2] Em outras partes da Bíblia, os tropeços são usados para referir-se a ídolos, e é apropriado que as causas do pecado moral sejam removidas junto com os pecadores.

2. *Aplicação para Judá* (1.4-13)

a) *Um povo idólatra* (1.4-6). Nesta passagem, o profeta trata de seu povo, visto que o dia da vingança também os afetará. É condição inevitável, por causa da idolatria intensa que Sofonias vê em toda parte, e descreve em detalhes. O **resto de Baal** (4) serve de argumento para os expositores sustentarem a opinião de que ele profetizou depois de 621 a.C., quando a adoração de Baal fora mutilada pelas reformas de Josias. Mas esta posição deslocaria as outras denúncias a ponto de torná-las impraticáveis.

A Septuaginta traduz a palavra **resto** por "nomes" e muitos entendem que esta é a original.[3] Outros acham que significa "até o último remanescente", ao declarar que a adoração de Baal seria completamente exterminada (cf. NTLH). O baalismo, religião cananéia e fenícia, desempenhou importante papel no colapso religioso do Reino do Norte. Grande parte do Antigo Testamento é ininteligível, sem um conhecimento do conflito entre o baalismo e a adoração do verdadeiro Deus. O baalismo era um culto de fertilidade que promovia práticas imorais em sua adoração e para as quais os israelitas tinham afinidade incomum.[4]

Este **lugar** refere-se a Jerusalém e indica incidentemente que o profeta estava na cidade. Fundamentalmente, temos de ver nesta cidade como o centro da nação tanto em termos políticos como religiosos. Em certo sentido, o que os líderes são, o povo é também. Portanto, um julgamento decisivo da idolatria tem de concentrar-se na cidade.

Os **quemarins** é palavra aramaica que significa "sacerdotes", usada no Antigo Testamento para aludir somente aos sacerdotes idólatras. Talvez se refira aos ministradores de cultos estrangeiros que foram introduzidos em Israel. Estes, junto com os sacerdotes regulares de Jeová que se corromperam, serão liquidados. O texto de 3.4 dá mais pormenores acerca de tais sacerdotes corruptos. Houve quem sugerisse que incentivavam a idolatria pela indiferença ou inconsistência de conduta, ou ambos.

A frase **os que sobre os telhados se curvam ao exército do céu** (5) refere-se ao culto às deidades astrais assírias que entraram em Judá durante o péssimo reinado de Manassés (cf. 2 Rs 21.3). As passagens de Deuteronômio 4.19 e 17.3 proíbem vigorosamente tal prática. Nesta falsa adoração, as pessoas ofereciam incenso e libações nos telhados planos, os quais, em uma casa oriental, são lugares habituais de atividade e naturais para adorar os corpos celestes. Smith-Goodspeed traduz a frase assim: "E os que se prostram nos telhados".

O **exército do céu** abrange todos os corpos celestes – o sol, a lua e as estrelas. Alguns eram objetos especiais de adoração. A passagem de Jó 31.26-28 descreve como se fazia esta adoração. Na visão que Ezequiel teve na Babilônia, ele viu este tipo de adoração ser praticado no Templo pelos sacerdotes (Ez 8.15-18). A prática restringia-se a Judá (não era praticada em Israel), porque era resultado da influência estrangeira e o Reino do Sul era vassalo do Império Assírio.

Os que se inclinam jurando ao SENHOR prestam lealdade a Jeová, mas também **juram por Malcã**, o deus nacional dos amonitas. Trata-se de lealdade dividida, a qual todos os profetas de Jeová censuram. A pronúncia correta é "Milcom" de acordo com a Septuaginta e outras traduções (cf. ARA). Certos estudiosos acham que se refere a Moloque (cf. NVI), o deus fenício cuja adoração desumana (2 Rs 23.10; Jr 7.31) prevalecia nos dias de Sofonias.

Vários tradutores vertem **Malcã**, "seu rei". Embora com a boca prestassem cultos a Jeová, eles honravam Moloque como rei. Jurar por uma deidade significa confessá-la publicamente, ou seja, comprometer-se abertamente a seu serviço. Jesus condenou em termos bem claros esta lealdade e serviço dividido: "Não podeis servir a Deus e a Mamom" (Mt 6.24).

O versículo 6 menciona duas outras classes de pessoas inclusas no julgamento: os desviados e os indiferentes. **Os que deixam de andar em seguimento do SENHOR** eram indivíduos que, evidentemente, tinham seguido a Deus, mas agora se desviaram. **Os que não buscam ao SENHOR** eram pessoas que não se importavam com as coisas de Jeová. **Nem perguntam por ele** significa muito proximamente "cultuar no Templo". É semelhante ao salmo 10.4, que pode ser parafraseado assim: "O ímpio de semblante orgulhoso não vai à igreja".[5]

Temos, então, três tipos de pessoas que estão sob o julgamento do Senhor e correm perigo em "o dia do Senhor": 1) Os indiferentes que levam a vida sem se preocupar com as coisas espirituais; 2) Os desviados que se afastaram de uma experiência anterior; e 3) os divididos que com a boca dizem servir a Deus, mas ao mesmo tempo honram outro deus como rei de suas vidas e não prestam submissão total ao Senhor. Ou Jeová é o Senhor de tudo ou não é o Senhor de nada.

b) *Os membros da corte e da casa do rei são condenados* (1.7,8). **Cala-te** (7) é, literalmente, "silêncio". O mesmo termo é usado em Habacuque 2.20. Em virtude da aproximação do julgamento, o profeta convoca todos a serem reverentes como parte dos preparativos do encontro com Deus. **O dia do SENHOR** é termo técnico (ver introdução) para denotar o julgamento que se aproxima, que é o principal tema de Sofonias. Sua mensagem central pode ser resumida na frase: **O dia do SENHOR está perto**. Este é o dia em que Deus se manifestará como Juiz. Não é mero dia de calamidade, mas trata-se de uma ocasião especial, a manifestação plena e final de Deus.

Este dia é visto sob o simbolismo de um grande **sacrifício**, e os **convidados** se preparam para desempenhar o papel. **Santificou** ou "consagrou" (NVI). Não está absolutamente claro quem são os **convidados**, mas pelo visto é o bando ameaçador do Norte que ao longo do livro permanece indeterminado. Provavelmente são os citas que Sofonias tinha em mente. Talvez as vítimas não sejam todas nomeadas, mas, pelo menos, as classes altas estão inclusas (8). O paralelo do Novo Testamento é Apocalipse 19.17-21, onde os urubus são convidados a participar da "ceia do grande Deus" para comer "a carne dos reis, e a carne dos tribunos, e a carne dos fortes".

Depois da primeira frase do versículo 8, volta a forma de discurso na primeira pessoa e a descrição do julgamento prossegue com a listagem de quem será castigado.

É possível que os **filhos do rei** sejam menção à descendência de Josias. A maioria dos estudiosos entende que é alusão geral à casa do rei, visto que na ocasião os seus filhos deviam ter só uns dez anos ou 12 anos de idade (2 Rs 23.31-36). A Septuaginta faz a leitura "casa" em lugar de **filhos**. São palavras comumente trocadas.[6]

Vestidura estranha é mais bem traduzida por "roupas estrangeiras" (BV; cf. ARA). Esta é outra indicação de que se trata do reinado de Manassés quando costumes assírios, inclusive a roupa, tomaram conta da nação. Para os verdadeiros hebreus, a adoção da moda assíria simbolizava a aceitação da cultura e religião estrangeiras. Por conseguinte, era corretamente condenado como traição da fidelidade a Jeová.

"A roupa que eles usam revela a natureza de seu ideal. Eles não hesitam em entregar suas características nacionais distintivas ao desejo de tornar a si e a nação parte integrante dos povos vizinhos".[7]

Há muitas maneiras de interpretar a frase: **Todos aqueles que saltam sobre o umbral** (9), que pulam por cima do limiar da porta. Certos intérpretes dizem que a chave está em 1 Samuel 5.5, onde fala sobre o hábito que os sacerdotes filisteus tinham de evitar pisar no limiar do Templo, porque o ídolo, Dagom, tinha caído em cima. Tornara-se hábito supersticioso que também mostrava comprometimento com a idolatria filistéia.

Contudo, a maioria dos estudiosos inclina-se a uma interpretação fundamentada mais no próprio texto, que indica ação violenta. Se for ligada ao restante do versículo, a frase dá a entender invasão forçosa da privacidade das casas para roubar e saquear.

c) *Os comerciantes e mercadores são aniquilados* (1.10-13). O versículo 10 amplia o escopo do julgamento em Jerusalém, mostrando que **far-se-á ouvir uma voz de clamor** de todos os bairros da cidade, não só do palácio real. A **Porta do Peixe** ficava na zona norte de Jerusalém. É provável que a significação desta referência seja que é desta direção que virá o ataque. A **Porta do Peixe** é mencionada em Neemias 3.3 e tem este nome porque os homens de Tiro vendiam peixes secos no mercado e entravam na cidade pelo muro norte.[8]

Um uivo desde a segunda parte pressupõe outro lugar. G. A. Smith traduz **segunda** por "mishneh", e observa que significa a segunda cidade ou a cidade nova. Por isso, Smith-Goodspeed traduz por "a cidade nova" (cf. "cidade baixa", ARA; ECA). Pelo visto, é alusão a uma segunda divisão da cidade recentemente aumentada (cf. "novo distrito", NVI). O texto de 2 Crônicas 33.14 informa que Manassés construiu um muro externo que ia até a Porta do Peixe; a "cidade nova" pode ter sido o nome da área que abrangia este muro. A cidade só podia se expandir no lado norte com o preço da vulnerabilidade ao ataque.

Os **outeiros** não se referem a todos os morros próximos a Jerusalém, mas àqueles sobre os quais foi construída a zona norte da cidade. **Grande quebranto** significa "estrondo alto", o barulho do qual ressoa os morros.

Mactés (11) é provavelmente a depressão entre os morros ocidentais e orientais. Literalmente, é "o morteiro", mas em Juízes 15.19 é traduzido por "caverna" (cf. "cavidade", ARA; "buraco", NTLH). Supõe-se que era o local de férias dos comerciantes e sujeito à invasão por inimigos provenientes do norte. Também foi identificado com o "bairro fenício" de Jerusalém (Driver). O termo literal, "o morteiro", quer dizer "lugar de trituração". Talvez haja ligação entre o nome e o destino dos habitantes. É o local onde serão triturados pelo inimigo.

Considerados juntos, estes quatro locais abrangem a vida comercial da cidade. A parte final do versículo 11 é outra indicação a esse respeito: "Todos os que pesam prata" (ARA).

O **povo de Canaã** é tradução literal do hebraico, e assim traduz Smith-Goodspeed. "Comerciantes" (BV) é paráfrase correta, porque os cananeus (fenícios) eram excelentes vendedores na Palestina. Este fato levou o termo a ser usado para denotar "comerciante".[9]

O versículo 12 é um resumo que descreve o Senhor que revista a cidade de Jerusalém para fazer a verdadeira justiça nos responsáveis pela indiferença espiritual da época. Não está claro se Sofonias quis dizer que os invasores seriam o instrumento do Senhor para procurar os transgressores escondidos. Seja como for, as pessoas envolvidas são os indiferentes que não cuidam dos interesses públicos. Nos quadros de Sofonias, os pintores desenham a cena de um santo que leva uma lanterna.[10]

Assentados sobre as suas fezes (12) é metáfora surpreendente. **Assentados** não está corretamente traduzido. Tradução melhor é "engrossados" ou "congelados" (cf. Êx 15.8: "coalharam-se", RC; "congelaram-se", NTLH; "ficou duro como gelo", NVI). A imagem é tirada da produção vinícola. Durante o processo, o vinho era vertido de recipiente em recipiente (ver Jr 48.11,12) e deixado em suas **fezes** ("borra", ARA) o tempo suficiente para dar cor e corpo. A menos que fosse tirado ou decantado, o vinho engrossava e ficava muito doce. Por conseguinte, "engrossar na própria borra" tornou-se provérbio que indica indolência, indiferença e mente confusa.[11]

Judá estava espiritualmente entorpecido pela segurança. Quem deveria ser líder estava acomodado numa existência egoísta e inativa, e nada fazia acerca da situação vigente no país. Era um panorama tão contemporâneo quanto alarmante. Quer para o bem, quer para o mal, achavam que Deus não ia agir. Para eles, a deidade estava ausente ou adormecida – um ateísmo prático. A situação lembra o que disse Ernst Renan: "Na realidade, nunca chegou a ser confirmado pela observação que um ser superior se incomode, para fins morais ou imorais, com as coisas da natureza ou os assuntos do gênero humano".[12] Certo teólogo contemporâneo fez uma declaração incrédula bem parecida: "Não podemos enfrentar nosso tempo se permanecermos ligados a um Deus que há muito não aparece no tempo e no espaço. É precisamente na determinação voluntária da morte de Deus que podemos estar abertos a nosso tempo".[13]

No versículo 12, temos a "apatia criminal das classes prósperas assentadas no bem-estar físico e na indiferença religiosa" que desencadeou o comentário clássico de G. A. Smith: "As grandes causas humanitárias e de Deus não são derrotadas pelos ataques violentos do diabo, mas pela massa lenta, esmagadora e glacial de milhares e milhares de indiferentes joões-ninguém. As causas de Deus nunca são destruídas por seres explosivos mas por seres tirânicos que nada fazem além de permanecerem sentados inertes".[14]

Em seguida, ocorre outra denúncia destes indivíduos apáticos. A expressão: **Edificarão casas, mas não habitarão nelas** (13), indica ruína. As coisas que, em sua comodidade, esperavam desfrutar, lhes seriam arrancadas; não aproveitariam o fruto dos seus trabalhos.

3. Aplicação mais Ampla (1.14-18)

No versículo 7, o profeta apresentou o **dia do SENHOR**. Os versículos 14 a 18 desenvolvem esta figura e pintam os horrores do **grande dia** (14) que está próximo. O detalhe surpreendente foi provavelmente extraído da invasão das hordas citas que surgiram no norte da Ásia. Esta visão parece assumir proporções mais universais que a precedente, a qual foi dirigida especificamente para Jerusalém. O **dia** aqui não é tanto uma medida de tempo como expressão de uma crise extrema.

O **dia** está muito próximo e chega depressa. O mundo natural e a ordem política terão de sofrer perturbações. "O profeta espera um dia em que a ordem internacional corrupta se decomporá no conflito confuso e autodestrutivo de seus vários elementos e será eliminada pelas manifestações calamitosas das forças da Natureza".[15]

Taylor mostrou que uma arrumação simples das letras numa linha do texto massorético muda parte do versículo 14 em uma leitura diferente e mais clara, sem adulterar o texto original. ¹⁶ A frase: **A voz do dia do SENHOR; amargamente clamará ali o homem poderoso**, fica assim: "Mais rápido que um corredor, o dia do Senhor, e mais veloz que um guerreiro" (cf. Moffatt).

A descrição que Sofonias faz sobre o **dia do SENHOR** (15,16) é muito parecida com o texto de Joel 2.2 e Amós 5.20. Mas a narrativa de Sofonias é mais completa e dá maior destaque ao fato de este ser um dia de ira. O original hebraico é um poema que não há como reproduzir adequadamente em tradução. Mas mesmo numa versão percebemos o espírito tumultuoso e a atmosfera aterrorizante que os ouvintes devem sentir. Moffatt traduz assim:

> *Um dia de ira, aquele dia, de dor e aflição,*
> *Um dia de tensão e angústia, escuridão e tristeza,*
> *Um dia de nuvens e relâmpagos,*
> *Um dia de toques de trombeta e brados de guerra,*
> *Contra as torres fortificadas e os baluartes altos.*

A vida das pessoas não terá valor: **O seu sangue se derramará como pó, e a sua carne, como esterco** (17). Os bens materiais não lhes darão proteção: **Nem a sua prata nem o seu ouro os poderá livrar** (18). A frase final do versículo 18 tem esta leitura literal: "Pois um fim, certamente uma destruição terrível [ou súbita] ele fará". Uma devastação universal marcará este dia final, quando Deus "dará fim repentino a todos os que vivem na terra" (NVI).

B. O Julgamento das Nações, 2.1—3.7

1. *A Convocação* (2.1-3)

Este apelo é dirigido a Judá, o povo de Sofonias. As palavras iniciais: **Congrega-te, sim, congrega-te** (1), são difíceis de interpretar. Podemos entendê-las com o significado semelhante a "readquire o domínio de ti mesmo", "reanima-te", "recompõe-te", "controla-te", sentido que Eaton apóia (cf. ARA; NTLH). Porém, a palavra principal é formada pelo termo "restolho" (a palha que fica no campo após a colheita) e usada no sentido de ajuntar. Ao empregar outro possível radical, Ewald oferece esta leitura: "Empalidece", o que se ajusta ao contexto.¹⁷

A profecia diz que Judá é **nação que não** tem **desejo**. Talvez tenha ligação com um radical aramaico que significa "incolor, descolorido, daí "pálido". A nação não "empalidece"; por conseguinte, não se envergonha¹⁸ ("povo sem-vergonha", NTLH; cf. ARA). Esta é uma convocação para Judá conscientizar-se da tragédia que o aguarda e aproveitar-se do tempo que ainda há para arrepender-se antes que chegue a tempestade. **Antes que saia o decreto** (2) refere-se à ordem do julgamento divino. Antes que produza os frutos da destruição, as pessoas são exortadas a buscar **o SENHOR** (3).

A Septuaginta elucida a frase difícil de entender: **Antes** que **o dia passe como a palha** (2), ao traduzi-la por: "Antes que vos torneis como palha suspensa do chão pela ação do vento". De acordo com Davidson, a frase hebraica da última metade do versículo sugere, literalmente: "Antes que o dia fixado por Deus surja subitamente do ventre escuro do futuro". Há um discurso cumulativo e retórico nestas declarações que conduzem ao apelo expresso no versículo 3. Esta convocação é dirigida aos **mansos da terra**. Há esperança que alguns escapem do dia da vingança. Talvez, estes mansos sejam o resto que desempenha importante papel no pensamento de Isaías. Mesmo aqui, não há garantia absoluta de libertação, apenas uma possibilidade: **porventura**. Estes humildes que obedecem aos mandamentos devem buscar ao Senhor, porque o dia da dificuldade aproxima-se velozmente. Smith nota a "ausência total da menção da misericórdia divina como causa de libertação. Sofonias não tem um evangelho desse tipo. As condições de fuga são rigorosamente éticas – mansidão, a conduta da justiça e da retidão". [19]

Em 1.14 a 2.3, vemos o quadro que Sofonias pintou sobre "o grande dia do Senhor". Tem dois lados: 1) A mão pesada da justiça de Deus trará terror, 14; ira, 15; e destruição, 16; por causa do flagrante pecado, 17; e da confiança nas riquezas, 18; 2) A grande esperança na misericórdia de Deus: em sua longanimidade, 2; em dar oportunidade para buscá-lo em mansidão, obediência e retidão, 3 (W. T. Purkiser).

2. Oráculos contra Nações Estrangeiras (2.4-15)

Quatro nações pagãs foram escolhidas como exemplos dos julgamentos iminentes. Duas são pequenas e estão perto de Judá. Os filisteus, mencionados em primeiro lugar, estão na verdade na Palestina. As outras duas são grandes e estão longe. A Assíria, mencionada por último, era a grande ameaça ao povo de Deus nos dias de Sofonias. Esta nação destruíra o Reino do Norte e conduzia o Reino do Sul à ruína. As quatro são inimigas de Israel em direção ocidental, oriental, sul e norte (ver mapa 1).

a) *Os filisteus* (2.4-7). Estavam na mesma posição que os israelitas, porque se situavam no caminho entre as grandes potências militares da Mesopotâmia e do Reino do Nilo. Eram ameaçados constantemente por exércitos adversários que empreendiam viagens de conquista. As quatro cidades mencionadas (ver mapa 2) eram os principais baluartes que restaram dos filisteus. **Asdode... será expelida** (4) "sugere que a expectativa de Sofonias era que o ataque militar seria violento, súbito e fatal". [20] Não há que duvidar que o profeta ainda tem em mente os citas invasores. **Ao meio-dia** é a hora em que os moradores de países tropicais têm o hábito de passar o tempo ociosamente; portanto, ficam desprevenidos.

Os filisteus são os **habitantes da borda do mar** (5), e viveram junto ao mar Mediterrâneo desde aproximadamente 1200 a.C., quando invadiram a região. Migraram das ilhas mediterrâneas, inclusive de Creta, cujo termo **quereteus** está relacionado.

Eaton sugere que **Canaã** é mais que designação do distrito. É, talvez, descrição do comércio ganancioso associado aos cananeus. Ele oferece esta possível tradução: "Uma Canaã (terra de comerciantes ambiciosos) é a terra dos filisteus". [21] A terra será despovoada e despojada de seu esplendor. Suas cidades outrora grandes se tornarão **cabanas para os pastores e currais para os rebanhos** (6).

No versículo 7, Sofonias promete que este país adjacente a Judá será possuído pelo **resto da casa de Judá**. Há duas coisas específicas que Deus fará por esses judeus. Primeiro, os **visitará**. Esta palavra significa, literalmente, "voltar a atenção para" (cf. "atentará para eles", ARA). O mesmo termo é usado em 1.8, onde foi traduzido por "castigarei". O significado é que, quando Deus presta atenção em um povo, os resultados são dependentes da condição espiritual dessa nação. É muito semelhante às reações diversas que o pai causa nos filhos quando volta para casa; cada um reage de acordo com a fidelidade em guardar as ordens paternas. Quando Deus prestou atenção em Jerusalém (1.8) e viu sua maldade, o resultado foi o castigo. Quando o Senhor prestar atenção no **resto** justo, o resultado será a libertação. A segunda coisa que Deus promete para Judá é: Ele **reconduzirá os seus cativos**. Esta não é necessariamente referência ao exílio, embora possa ser predição legítima da volta do cativeiro. Muitos comentaristas interpretam que esta é uma promessa da volta a um estado original do paraíso, à restauração de uma condição feliz anterior. Por isso, Smith-Goodspeed traduz a frase assim: "[Ele] lhes restabelecerá a sorte" (cf. NTLH).

b) *Moabe e Amom* (2.8-11). A profecia anuncia que **Moabe** e **Amom** (8) serão condenados, porque difamaram e insultaram Israel, e **se engrandeceram contra** ele. Esta inimizade é mencionada em Amós 1.13-15 e 2.1-3. Estes povos viviam imediatamente a leste de Canaã (ver mapa 2). Nunca foram particularmente amigáveis, e quando as tribos orientais ficaram fracas, tomaram posse dos territórios de Rúben e Gade. Eles **se engrandeceram contra o seu termo** significa, literalmente: "Eles alargaram [a boca arrogantemente] com relação às suas fronteiras", ou seja, vangloriaram-se de que iam anexar a terra de Israel [22] (cf. NTLH).

Como castigo, seu país seria devastado como **Sodoma** e **Gomorra** (9), exemplos bíblicos de destruição absoluta. A terra ficaria cheia de **urtigas**, planta característica de solos improdutivos e salgados, e de campos sem plantação. O lugar seria transformado em **poços de sal**. "O sal para Jerusalém ainda hoje é obtido em grande parte deste distrito. Eles cavam poços na areia ou no lodo da praia, deixam que as águas do mar Morto os encham e depois esperam até que sequem".[23]

Sofonias deixa claro que Moabe e Amom estão em dificuldade, porque menosprezaram o **povo do SENHOR dos Exércitos** (10). A frase: **Aniquilará** (emagrecerá) **todos os deuses da terra** (11), significa que o Senhor os enfraquecerá a ponto de não poderem defender seus adoradores.

c) *Etiópia* (2.12). Esta breve declaração é difícil de situar. Douglas sugere que é como se o profeta tivesse dito: "Também vós, ó etíopes! Não, não posso me dirigir a *vós*; vós estais mortos e decompostos: são *eles* que foram mortos por minha espada".[24] Certos estudiosos pensam que este versículo se refere ao Egito, que é chamado Etiópia (Cuxe), por causa de sua longa sujeição às dinastias etíopes.[25] Nos dias de Ezequias, muitos que habitavam em Jerusalém puseram a esperança e confiança no rei da Etiópia, que reinava no Egito, para que derrotasse a Assíria.[26]

d) *Assíria* (2.13-15). Esta descrição da destruição de Nínive só é igualada pela eloqüência inflamada de Naum, à qual está estreitamente relacionada. Este é o oráculo culminante e, provavelmente, o principal, visto que no tempo de Sofonias a Assíria era o colosso do mundo antigo e começava a fraquejar (ver Introdução). O cumprimento deste oráculo seria o fim de uma época.

Nínive ficava a 804 quilômetros a nordeste de Judá (ver mapa 1). A profecia anuncia que essa nação viria do Norte, porque o exército atravessaria o rio Eufrates no grande vau de Carquêmis, 483 quilômetros a oeste de Nínive, e, portanto, chegaria à Palestina pelo norte.[27]

O **pelicano** (14) é criatura selvagem que certos intérpretes acham que se trata do mesmo animal mencionado no salmo 102.6. É mencionado na lista de aves imundas em Levítico 11.18 e Deuteronômio 14.17. Também é traduzido por "coruja" (NTLH), "coruja do deserto" (NVI) e "gralha" (Smith-Goodspeed). O **ouriço** também é traduzido por "corvos" (NTLH), "mocho" (NVI) ou "porco-espinho", um animal tímido e solitário, que poderia fazer sua toca entre as ruínas desoladas.

Este é um quadro de desolação e morte. A grande cidade que outrora se deleitava em esplendor, agora é abrigo de animais selvagens. Seu canto fúnebre narra detalhadamente os pecados que a levaram à beira da destruição (15, NVI).

> *Essa é a cidade que exultava, vivendo despreocupada,*
> *E dizia para si mesma: "Eu, e mais ninguém!"*
> *Que ruínas sobraram! Uma toca de animais selvagens!*
> *Todos os que passam por ela zombam e sacodem os punhos.*

Compare esta subdivisão que trata da Assíria com a denúncia de Nínive apresentada em Naum.

3. *Mais uma Palavra para Jerusalém* (3.1-7)

Ao dar atenção às nações estrangeiras, o profeta se volta novamente para sua pátria na proclamação de seus oráculos e fala para sua própria cidade. Jerusalém é uma metrópole **rebelde** e contaminada, porque está cheia de opressão. A palavra traduzida por **manchada** (1) significa marcada de sangue e também ocorre em Isaías 59.3 (cf. NTLH). Em grande parte, são as classes dominantes que estão moralmente podres (3), ou seja, são corruptas e desonestas. Jerusalém não pode ser poupada do julgamento de Deus.

Os versículos 1 e 2 falam que a natureza fundamental do pecado é rebelião contra Deus. Vemos isto especialmente nas palavras: **Não confia no SENHOR** (2). O pecado é auto-idolatria; quem não confia inteiramente no Senhor faz uma negação básica da fé. Repare nesta tradução (NVI):

> *Não ouve a ninguém,*
> *E não aceita correção.*
> *Não confia no Senhor,*
> *Não se aproxima do seu Deus*

Esta é uma paráfrase do versículo 3: "Seus líderes são como leões que rugem, os quais caçam suas vítimas e destróem tudo o que podem. Seus juízes são como lobos famintos a cair da noite, que ao chegar a madrugada, já devoraram até os ossos de suas vítimas" (BV).

Até os líderes espirituais fracassaram em sua função. Os **profetas são levianos e criaturas aleivosas** (4). Como diz Henderson: "Os seus profetas são pessoas vangloriosas e hipócritas".[28] **Levianos** aqui significa orgulhosos e precipitados na afirmação e ação. "Em vez de serem declarantes humildes da vontade de Deus, procuravam verbalizar as próprias idéias"[29] São pessoas **aleivosas** (traiçoeiras [cf. ECA], não confiáveis), porque entregavam suas próprias imaginações como revelações de Deus.

Os **sacerdotes profanaram o santuário**. A palavra **santuário** é tradução incorreta. A versão correta é esta: "Os seus sacerdotes profanam o que é sagrado" (RSV). A função deles era serem "guardiões da santidade para darem condições ao encontro entre Deus e o homem na adoração".[30] Mas, ao invés disso, tinham se tornado mundanos, não faziam distinção entre o santo e o profano e torciam o significado da lei – a Torá (cf. Hc 1.4).

Como Deus pode ser justo e, ao mesmo tempo, deixar passar estas corrupções? O fato de o **SENHOR** (5) que é **justo** estar **no meio** dos seus torna a conduta deles até mais repreensível. Pelo visto, a frase: **Ele não comete iniqüidade** é dirigida especialmente aos sacerdotes imundos, cujas interpretações errôneas da lei negavam este aspecto da natureza de Deus.

A **cada manhã**, a luz do dia testemunha a fidelidade de Deus nas leis da Natureza; e o Senhor é igualmente fiel na administração das leis morais do Universo. Mas parece que nada comove o **perverso** ("o injusto", ECA). As provas claras do governo moral de Deus não estimulam os israelitas insensíveis à ação. Nem mesmo a visitação do julgamento em outras nações (6,7) abala seu descuido e indiferença. O Senhor diz: **Certamente me temerás** (7), mas os resultados foram justamente o oposto. **Eles se levantaram de madrugada** e **corromperam todas as suas obras**. Ou conforme esta versão: "Eles se esforçaram ainda mais para fazer tudo o que é mau" (NTLH).

Em 3.1-7, vemos "a preocupação de Deus pelos negligentes". 1) Uma mensagem para as pessoas que outrora conheceram Deus, 1; 2) A natureza do pecado, 2; 3) A apostasia não faz acepção de pessoas, 3,4; 4) Deus é fiel em avisar, 5,6; 5) O Deus que busca sempre espera que haja arrependimento, 7ab; 6) A pessoa pode persistir no pecado apesar de tudo o que esse amor divino possa fazer, 7c (A. F. Harper).

SEÇÃO III

UMA PALAVRA PARA OS FIÉIS

Sofonias 3.8-13

Este versículo é uma chamada à paciência, até que Deus se levante para julgar as **nações** (8). São palavras introdutórias da promessa contida nos versículos 9 a 13. Quanto a **levantar para o despojo**, a Septuaginta tem esta tradução: "levantar para testemunhar" (cf. NVI). Se estiver correta, significa que Deus é testemunha contra as **nações**. Elas serão reunidas para o dia da **indignação**, quadro repetido muitas vezes nos escritos proféticos (Is 66.16; Jr 25.31,33; Ez 38 e 39; Jl 3.11-16). Trata-se de uma proclamação do castigo universal.

O profeta passa a falar uma palavra mais favorável e vê a conversão das nações. Ainda é o dia do Senhor, mas está em seus aspectos positivos. Em seu quadro total, o dia é primeiramente de julgamento e depois de bênçãos. Vários casos definem especificamente que tais promessas são o derramamento do Espírito Santo.

A. Uma Língua Purificada, 3.8,9a

Porque, então, darei lábios puros aos povos (9a), não especifica claramente a atividade divina para que ocorra o derramamento do Espírito. Esta tradução é mais compreensível: "Naquela época, mudarei a língua dos povos em uma língua purificada" (RSV). O original hebraico diz, literalmente, "lábio", cujo significado natural é entendido por "idioma", discurso ou **linguagem (9)**, visto que os lábios fazem parte do conjunto dos órgãos da fala. A palavra hebraica traduzida por **puros** é, literalmente, "purificados". Mais uma vez a profecia anuncia que a obra divina ocorre através da agência divina. O povo de Deus tem de ser "purificado".

A fala é símbolo da condição interior. No Templo, Isaías clamou: "Eu sou um homem de lábios impuros" (Is 6.5), e Deus respondeu: "A tua iniqüidade foi tirada, e purificado o teu pecado" (Is 6.7). Temos aqui a promessa de um coração purificado que se expressa através de uma língua purificada. Desta forma, o dia do Senhor recebe seu foco característico do Novo Testamento – a vinda do Espírito santificador.

B. UMA ADORAÇÃO PURIFICADA, 3.9b,10

O resultado da língua purificada era uma adoração santificada: **Para que o sirvam com um mesmo espírito** (9; cf. "de comum acordo", ARA), literalmente, "com um ombro". A tradução da Septuaginta é: "sob um jugo". Isto é compreensível em termos do coloquialismo contemporâneo: "ombro a ombro". É muito próximo da oração que Jesus fez para que os discípulos, em conseqüência da santificação, fossem um (Jo 17.21).

Estes adoradores purificados virão dos cantos mais remotos da Terra. Os intérpretes entendem **Etiópia** (10) de diversas maneiras. Talvez a interpretação mais correta seja considerá-la tipo das nações distantes, os limites do mundo conhecido em direção sul.

O restante do versículo é ainda mais difícil de entender: **Os meus zelosos adoradores, a filha da minha dispersão, me trarão sacrifício**. Certa interpretação diz que as nações convertidas devolverão o povo espalhado de Deus, os judeus, como oferta ao Senhor. Assim, os pagãos dão provas práticas de sua conversão, ao libertarem os israelitas que tinham prendido.[1] Este ponto de vista é apoiado por Isaías 66.20.

C. UM REMANESCENTE PROTEGIDO, 3.11-13

A segurança dos judeus que compõe o **remanescente** será garantida pela remoção dos orgulhosos e arrogantes do meio deles. Em contraste com o versículo 5, onde "o perverso não conhece a vergonha" (ver comentário ali), este **remanescente** purificado não precisará se envergonhar. Por quê? Porque o pecado, a fonte da verdadeira vergonha, foi afastado. O povo tem de ser como o seu Senhor, que não peca (cf. 5). Diferentes dos orgulhosos (2) que não confiam em Deus, os humildes **confiarão no nome do SENHOR** (12). "Eles foram colocados em um mundo transfigurado que está fora do alcance da ruína da antiga ordem, e foram tão purificados e aperfeiçoados diante de Deus, que, sem exagero, podem ser chamados novas criaturas".[2]

Há intérpretes que sugerem que Isaías 53.9 estava na mente de Sofonias quando descreveu que o remanescente não tem **língua enganosa** (13). A profecia de Isaías dá a característica do Servo sofredor: "Nem houve engano [logro, fraude] na sua boca". Esta passagem é nitidamente messiânica e, como Isaías, Sofonias deseja comparar o povo com o Messias.

Seção **IV**

CONCLUSÃO

Sofonias 3.14-20

A. Hino de Alegria, 3.14,15

Estes versículos espelham a alegria dos redimidos na presença do Senhor, que promete estar no meio deles. Esta é a libertação final, a era de ouro que é o clímax do dia do Senhor. Os verbos estão no profético perfeito; os acontecimentos, embora estejam no futuro, são apresentados como se já tivessem acontecido.

Há três motivos para alegrar-se:

1) **O SENHOR afastou os teus juízos** (15). Estes **juízos** são os julgamentos sofridos por Israel no decorrer de toda a sua história. Sofonias, junto com Isaías, vê que nesse dia "já a sua servidão é acabada, que a sua iniqüidade está expiada" (Is 40.2).

2) **O SENHOR... exterminou o teu inimigo**. Note que esta promessa e predição estão no singular. O principal inimigo de Israel era a transgressão no procedimento e o pecado no coração. É totalmente possível que Sofonias tenha visto que esta consumação final é também a vitória sobre as dificuldades de Israel, "um coração vagante". O verbo hebraico traduzido por **exterminou** (15) é igual ao termo traduzido por "preparai", em Isaías 40.3, e significa "tirar os entulhos", ou desobstruir o caminho, ao tirar todos os obstáculos. A retirada do pecado prepara o caminho para uma existência completamente vitoriosa.

3) **O SENHOR... está no meio de ti**. Deus está presente para proteger e, portanto, Israel não precisa mais ter medo. De modo inverso, agora o povo está preparado para ter a presença divina em seu meio, porque o pecado foi tirado.

B. Garantia de Fé, 3.16-18

Naquele dia, se dirá... Não temas (16). A presença de Deus dá paz de coração. Por conseguinte, a exortação: **Não se enfraqueçam as tuas mãos**, que significa "desalento" ou "queda". A razão para o encorajamento é que o **SENHOR, teu Deus**, que **está no meio de ti**, é "um guerreiro vitorioso" (17, Smith-Goodspeed).

Os que estão exilados e entristecidos serão reunidos para a **reunião solene** (18). A palavra hebraica assim traduzida significa "lugar ou tempo determinado", e aplica-se às ocasiões sagradas do ano judaico.[1] Douglas sugere que "lugar de encontro" é uma ótima tradução. Os judeus que estavam no exílio achavam-se excluídos das grandes festas, mas serão reunidos novamente. A seguinte tradução do versículo reflete este significado: "Eu reunirei os que estão distantes da assembléia solene; eles estarão contigo para que tu não sejas repreendido por causa deles".

C. Promessa de Restauração, 3.19,20

"Com um quadro geral dos dias messiânicos, mas sem fazer menção especial ao rei messiânico, o profeta encerra sua profecia".[2] A promessa é: "[Eu] os trarei para casa" (20, NVI), com a repetição de 2.7: **Quando** eu **reconduzir os vossos cativos** (20). Acontecerá em seus dias.

O salmo conclusivo de Sofonias exalta o Senhor como "poderoso para salvar", 17. O poder de Deus para salvar é a base para que o seu povo tenha: 1) Alegria, 14; 2) Proteção, 15; 3) Confiança e zelo, 16; 4) Restauração, 18,20; e 5) Realização, 19 (W. T. Purkiser).

Moffatt pôs a promessa em movimento na forma poética:

> *Eu tratarei com todos os vossos opressores,*
> *E reunirei os vossos desterrados, resgatarei os aleijados,*
> *Erguê-los-ei de sua vergonha*
> *Para um louvor e fama mundiais,*
> *Quando eu vos trouxer para casa,*
> *Quando eu vos fizer bem;*
> *Pois eu vos concederei louvor e fama*
> *Entre todas as nações do mundo,*
> *Quando eu virar as vossa sorte*
> *Bem diante de vossos olhos –*
> *Esta é a promessa do Eterno.*

Notas

INTRODUÇÃO

[1] C. L. Taylor, "Zephaniah" (Introduction), *The interpreter's Bible*, editado por George A. Buttrick *et al.*, vol. VI (Nova York: Abingdon Press, 1956), p. 1009.

[2] G. A. Smith, "The Book of the Twelve Prophets", *The Expositor's Bible*, editado por W. Robertson Nicoll, vol. II (Nova York: A. C. Armstrong & Son, 1896), p. 26.

[3] William C. Graham, "Zephaniah", *Abingdon Bible Commentary*, editado por Frederick Carl Eiselen *et al.* (Nova York: Abingdon-Cokesbury Press, 1929), p. 810.

[4] S. R. Driver, "The Minor Prophets", *The New Century Bible*, editado por Walter F. Adeney, vol. II (Nova York: Oxford University Press, 1906), p. 115.

[5] G. A. Smith, *op. cit.*, p. 49.

SEÇÃO II

[1] G. A. Smith, "Zephaniah", *The Expositor's Bible*, editado por W. Robertson Nicoll (Nova York: A. C. Armstrong & Son, 1896), p. 48.

[2] Ebenezer Henderson, *The Book of the Twelve Minor Prophets* (Nova York: Sheldon & Company, 1864), *ad. loc.*

[3] G. A. Smith, *op. cit.*, p. 58.

[4] Consulte verbetes sobre "baalismo" em enciclopédias e dicionários bíblicos.

[5] C. L. Taylor, "Zephaniah" (Introduction and Exegesis), *The interpreter's Bible*, editado por George A. Buttrick *et al.*, vol. VI (Nova York: Abingdon Press, 1956), p. 1015.

[6] A. B. Davidson, "Nahum, Habakkuk and Zephaniah", *The Cambridge Bible for Schools and Colleges*, editor geral A. F. Kirkpatrick (Cambridge: University Press, 1896), p. 114.

[7] S. M. Lehrman, "Zephaniah", *The Twelve Prophets*, editado por A. Cohen (Londres: The Soncino Press, 1948), onde cita Stonehouse, p. 236.

[8] Lehrman, *op. cit.*, p. 237.

[9] Driver, *op. cit.*, p. 117.

[10] Davidson, *op. cit.*, p. 116.

[11] G. A. Smith, *op. cit.*, p. 52.

[12] Citado em Davidson, *op. cit.*, p. 117.

[13] Thomas J. J. Altizer, "Creative Negation in Theology", *Christian Century*, 7 de julho de 1965, p. 866.

[14] G. A. Smith, *op. cit.*, p. 54.

[15] Graham, *op. cit.*, p. 812.

[16] Taylor, *op. cit.*, p. 1.019.

[17] Citado em Davidson, *op. cit.*, p. 120.

[18] Taylor, *op. cit.*, p. 1021.

[19] G. A. Smith, *op. cit.*, p. 59.

[20] Graham, *op. cit.*, p. 813.

[21] Eaton, *op. cit.*, p. 139.
[22] Lehrman, *op. cit.*, p. 243.
[23] Driver, *op. cit.*, p. 126.
[24] Douglas, *The Intermediate Prophets*, p. 147.
[25] G. A. Smith, *op. cit.*, p. 64.
[26] Douglas, *op. cit.*, p. 147.
[27] Driver, *op. cit.*, p. 128.
[28] Henderson, *op. cit.*, *ad. loc.*
[29] Driver, *op. cit.*, p. 132.
[30] J. H. Eaton, *Obadiah, Nahum, Habakkuk and Zephaniah* (Londres: SCM Press, 1961), p. 147.

SEÇÃO III

[1] Lehrman, *op. cit.*, p. 249.
[2] Eaton, *op. cit.*, p. 155.

SEÇÃO IV

[1] Driver, *op. cit.*, p. 139.
[2] Farrar, *op. cit.*, p. 157.

O Livro de
AGEU

H. Ray Dunning

Introdução

Israel passara por um longo período de humilhação e ansiedade espiritual nos 70 anos do exílio antes do ministério de Ageu. A fim de entendermos os problemas enfrentados por este profeta do pós-exílio, precisamos conhecer algo destes anos de provação e os acontecimentos perto do fim, que resultaram na volta dos judeus para Canaã.¹

A. O Cenário Histórico

Pelo decreto de Ciro, o conquistador persa do Império Caldeu, o cativeiro na Babilônia chegou ao fim. Pelo menos os judeus já não estavam proibidos de voltar à pátria. Este rei fez uma declaração positiva, ao dar-lhes a permissão de voltar para reconstruir a nação e restaurar a adoração. Muitos judeus estavam tão bem instalados na Babilônia que não tinham interesse em voltar. Mas houve um grupo de uns 50 mil que, sob a liderança de Zorobabel, voltou com o coração cheio de esperança. "A comitiva seleta que acompanhou Zorobabel deve ter sido formada dos membros mais sérios, religiosos e empreendedores da nação cativa".²

Contudo, devido à oposição que enfrentaram na pátria, principalmente dos vizinhos samaritanos, não puderam concluir os planos de reedificação do Templo e reconstrução da cidade.

Com a subida ao trono persa de Dario Histaspes, o decreto que interrompera os trabalhos foi revisado e revertido. Então, "os profetas Ageu e Zacarias exortaram veementemente seus compatriotas a reiniciarem os trabalhos. [...] O empenho de reconstrução do Templo foi adequadamente retomado".³ Este novo ímpeto ocorreu após um período de uns 17 anos, durante os quais os trabalhos ficaram parados. É neste plano de fundo da situação histórica que devemos ver e entender o ministério de Ageu.

B. O Profeta

Pouco sabemos sobre a vida pessoal de Ageu. O nome significa "festivo" ou, se for abreviação de Hagias (1 Cr 6.30), "festas de Jeová".⁴ Diferente de Sofonias, não há genealogia ligada ao seu nome e, fora do seu livro, é mencionado apenas em Esdras 5.1 e 6.14.

O principal trabalho de Ageu, junto com Zacarias, era promover a retomada da restauração do Templo. "Quase poderíamos dizer: 'Sem Ageu não haveria Templo'".⁵ Os expositores concordam que já era idoso quando profetizou. Esta dedução é extraída de 2.3, a qual indica que ainda se lembrava do Templo de Salomão, que fora destruído havia quase 70 anos.

A tradição talmúdica alista Ageu, Zacarias e Malaquias como fundadores de "A Grande Sinagoga", uma reunião de estudiosos judeus e rabinos que surgiu nos dias de Esdras. Vários salmos na Septuaginta são atribuídos a Ageu. Junto com estes dois profetas, é contado entre os últimos mensageiros dos oráculos divinos. O Talmude declara que com sua morte o Espírito Santo saiu de Israel.⁶

C. O Livro

Esta profecia é composta de quatro mensagens pregadas por Ageu. Os "sermões" são cuidadosamente datados e todos foram entregues no curto período de quatro meses. Cada um era um passo no processo de animar Zorobabel e os fiéis a terminar o Templo, e cada um foi dado num período em que os trabalhos atrasaram. As quatro mensagens formam o esboço natural do livro.

Esboço

I. CHAMADA À AÇÃO, 1.1-15

    A. Título, 1.1
    B. Causa do Atraso, 1.2
    C. Crítica ao Atraso, 1.3-6
    D. Desafio à Ação, 1.7-11
    E. Reação ao Desafio, 1.12-15

II. CHAMADA À MOTIVAÇÃO, 2.1-9

    A. O Atraso nos Trabalhos, 2.1-5
    B. A Profecia, 2.6-9

III. CHAMADA À PACIÊNCIA, 2.10-19

IV. CHAMADA À FÉ, 2.20-23

Seção I

CHAMADA À AÇÃO

Ageu 1.1-15

A. Título, 1.1

Este versículo apresenta os dados básicos para o estabelecimento cronológico e histórico da profecia. Era o **ano segundo do rei Dario**. O ano seria 520 a.C., e Dario era o rei da Pérsia (ver introdução). A palavra do Senhor veio ao profeta **no primeiro dia do mês**, que é o mês de setembro – o **sexto mês** no calendário judaico conhecido por elul. [1]

O **primeiro dia do mês**, lua nova, era feriado religioso e dia de peregrinação religiosa (cf. 2 Rs 4.23; Am 8.5). Por conseguinte, haveria grande multidão para ouvir a mensagem do profeta. Esses judeus seriam mais sensíveis ao fato de não terem reconstruído o Templo.

A mensagem foi especificamente enviada a **Zorobabel, filho de Sealtiel**, e a **Josué, filho de Jozadaque, o sumo sacerdote**. O profeta dirigiu seu discurso aos homens fundamentais da comunidade, na presença dos adoradores reunidos. Proclamou-lhes uma chamada retumbante à ação. O texto de 1 Crônicas 3.19 diz que Zorobabel é filho de Pedaías. O levirato é, talvez, a explicação para essa diferença. Por um lado, **Zorobabel** era filho natural de Pedaías, e por outro, filho legal de **Sealtiel** (cf. CBB, vol. II, p. 524). Zorobabel era judeu, da casa de Davi, descendente direto deste rei, visto que seu avô era filho de Joaquim (Jeconias; 1 Cr 3.16,17). Esta linhagem alimentou a esperança em certos corações de que seria o rei que se assentaria no trono de Davi, para cumprir assim a expectativa messiânica. Claro que tais esperanças eram infundadas, pois Zorobabel não era rei. Seu cargo era governador, tendo sido nomeado pelo rei persa para ser o chefe civil da comunidade.

Josué, o primeiro sumo sacerdote depois da restauração, voltou do exílio com o primeiro contingente de exilados e, assim, tornou-se o chefe religioso da comunidade. Seu nome aparece freqüentemente no livro de Ageu. Seu pai, **Jozadaque** (ou

"Jeozadaque", ECA; NVI), foi o sumo sacerdote levado cativo para a Babilônia (1 Cr 6.15). Seu avô, Seraías, foi o sumo sacerdote que Nabucodonosor matou quando destruiu Jerusalém em 586 a.C. (2 Rs 25.18-21).

B. Causa do Atraso, 1.2

Os judeus esperaram o momento certo para reconstruir o Templo; diziam que ainda não era o momento. Erigiram o altar e fizeram um ritual simples. Sob as circunstâncias vigentes, acharam que isso bastava. Pelo visto, deixaram de terminar a reconstrução do Templo em virtude de uma interpretação meticulosa da menção de Jeremias aos 70 anos (Jr 25.11); julgavam que o período ainda não se completara.[2]

Outra razão sugerida para a interrupção das obras era que o Senhor não os abençoara com boas colheitas. Este fato, segundo eles, indicava que Deus ainda estava irado com eles; portanto, **não veio ainda o tempo**. Deus, conforme este ponto de vista, não tinha criado as condições favoráveis para a reconstrução.

O medo que tinham dos samaritanos era, talvez, mais outra razão para a falta de interesse em renovar o empenho em reconstruir o Templo. Este povo já se opusera à obra sob o pretexto de que os judeus lhes negaram a permissão de participar na reconstrução. Este ressentimento se evidenciou nos esforços bem-sucedidos dos samaritanos em impedir que os judeus conseguissem madeira para a construção. Este impedimento acabou quando as obras construtivas do Templo pararam. Ao mesmo tempo, nenhum samaritano objetou que os judeus construíssem suas casas (ver 1.4). Mas retomar os trabalhos de reconstrução do Templo levariam os samaritanos a indubitavelmente se oporem de novo.[3]

C. Crítica ao Atraso, 1.3-6

Enquanto negligenciavam o Templo pelas razões discutidas acima, os exilados que voltaram tinham achado tempo e condição convenientes para construir as próprias casas. Estava na hora de falar a **palavra do SENHOR** (3). Além disso, os judeus tinham construído suas residências com luxo e extravagância. **Estucadas** (4) significa "apaineladas" (ARA; cf. "casas de fino acabamento", NVI). Fizeram o acabamento das paredes das casas com madeiramento caro. Esta prática era considerada luxuosa até para um rei (Jr 22.14). Contudo, diziam que não tinham recursos para restaurar a casa do Senhor. Houve quem sugerisse que os judeus usaram para suas casas a madeira de cedro reservada para o Templo. Em contraste com suas casas, o Templo jazia em ruínas. Como disse Marcus Dods: "O conforto os condenou. Dispunham-se de recursos, gozavam de lazer e sentiam-se protegidos para mobiliar as casas sozinhos; não seriam as circunstâncias e condições de vida que os impediriam de reedificar a casa de Deus".[4]

Agora o Senhor faz um pedido aos judeus: **Aplicai o vosso coração aos vossos caminhos** (5). Esta é frase característica que ocorre quatro vezes no livro e é tradução literal. Porém a tradução melhor é: "Considerai o vosso passado" (ARA). Quais são os resultados desta negligência trágica? São cinco as conseqüências: "Plantais muito, mas colheis pouco; comeis, mas não o suficiente para matar a fome; bebeis, mas não dá para saciar-vos; vestis-vos, mas ninguém se aquece; e o que recebe salário, recebe-o para pô-lo num saco furado" (6, VBB; cf. ARA). Não há prosperidade na comunidade; todos os empreendimentos fracassam. Ao deixarem de honrar o Senhor e gastarem forças e posses para proveito próprio, operam na lei dos rendimentos decrescentes. Positivamente, Ageu afirma: "Compensa servir a Deus". A figura de linguagem final é expressiva. Quem espera até que as circunstâncias econômicas melhorem para então honrar a Deus com seus bens está fadado à derrota.

Ageu atribui todas essas conseqüências ao desgosto de Jeová pela razão de os judeus não terem reconstruído o Templo.

D. Desafio à Ação, 1.7-11

No versículo 7, temos novamente a declaração retumbante: **Assim diz o SENHOR dos Exércitos**, acompanhada pelo mesmo desafio: **Aplicai o vosso coração aos vossos caminhos**. O significado de versículo 8 é: "Movei-vos desta indolência e indiferença para irdes imediatamente às montanhas ajuntar madeira para a tarefa". As pedras do Templo de Salomão ainda estariam espalhadas pelo local do santuário, mas o madeiramento teria sido queimado. Se os judeus passassem à ação, o favor de Deus para eles e o Templo se manifestaria. Esta é a gloriosa promessa do Senhor. A frase: **E eu serei glorificado** (8), está incompleta, porque omite uma letra do texto hebraico que representa o algarismo cinco. Os judeus viam nisto um mistério e com base nisto argumentavam que, apesar da glória deste segundo Templo, ainda faltavam cinco coisas. Não há perfeito acordo sobre quais são estes objetos, mas esta é a lista habitual: 1) A arca e o propiciatório, 2) o *shequiná* ou a nuvem da glória no lugar santíssimo, 3) o fogo que desceu do céu, 4) o Urim e o Tumim, e 5) o espírito de profecia.

No versículo 9, o profeta repete a mensagem de Deus relativa à causa espiritual da pobreza. Foi a atividade do Senhor em reação à falta dos judeus que lhes trouxera escassez. Ageu sabe que a esperança do povo era grande: **Olhastes para muito** (9). Esta expectativa estava baseada nas promessas encontradas principalmente em Isaías 40 a 66. O profeta destacou também que estas bênçãos ainda não tinham se concretizado, e, por conseguinte, o povo estava desiludido e desanimado. Mas ressalta que o povo é que errara: **Minha casa... está deserta, e cada um de vós corre à sua própria casa**. "É por isso que eu não deixo os céus darem chuva e as suas colheitas são tão fracas. Na verdade, eu já ordenei que venha uma seca sobre a terra, até mesmo sobre as montanhas tão férteis. Uma seca que vai fazer murchar os cereais, as uvas e azeitonas e todas as outras plantações. Uma seca que vai deixar morrer de fome vocês e o gado, que vai destruir tudo aquilo que vocês trabalharam tanto para conseguir" (10,11, BV).

E. Reação ao Desafio, 1.12-15

Os dois líderes, **Zorobabel** e **Josué** (ver comentário em 1.1), e o **resto do povo** (12) obedeceram à **voz do SENHOR**. A maioria dos comentaristas entende que o **resto do povo** é o remanescente junto com os líderes, ou seja, o pequeno grupo de pessoas que voltou do cativeiro em comparação com a população anterior. **Resto** (ou remanescente) tornou-se termo técnico para referir-se à parte da nação que voltou do cativeiro babilônico.

Os judeus "tiveram muito medo do Senhor" (12, VBB) e imediatamente puseram-se a trabalhar na reconstrução do Templo. Assim que os trabalhos reiniciaram, o profeta anunciou uma promessa de Deus: **Eu sou convosco** (13). **O embaixador** ("mensageiro", NVI; "enviado", ARA) **do SENHOR, falou ao povo, conforme a mensagem do SENHOR**. É a obra de Deus; portanto, o Senhor fará mais que ficar por perto como espectador interessado; tornar-se-á participante ativo na tarefa. Esta garantia tinha radicação histórica, pois as palavras fariam o povo lembrar que Deus estivera presente com os antepassados judeus (Gn 28.15; Êx 3.12; Js 1.5). "Esta promessa curta, mas totalmente suficiente, que às vezes se alternava com a expressão correspondente de fé: 'Deus conosco', ou com o registro do seu cumprimento: 'Jeová estava com ele', brilha como estrela radiante em tempos de trevas e necessidade aos santos em particular e à Igreja em geral no Antigo Testamento".[5]

A indiferença foi descontinuada e o desânimo se transformou em intrepidez quando os judeus **vieram e trabalharam na casa do SENHOR dos Exércitos, seu Deus** (14). Três semanas depois da profecia de Ageu, a pedra fundamental foi posta (cf. v. 1 e v. 15). Nesse entretempo, dedicaram-se provavelmente a preparar o terreno e retirar o entulho que se acumulara no local do Templo.

Seção II

CHAMADA À MOTIVAÇÃO

Ageu 2.1-9

A segunda mensagem transmitida pelo profeta ocorreu após um lapso de aproximadamente um mês. Pelo visto, os trabalhos estavam atrasados. A ocasião do discurso se dera, como na primeira vez, numa reunião pública. A data era o último dia da Festa dos Tabernáculos (Lv 23.33-36,39-43). O motivo para a redução da velocidade dos trabalhos era que o santuário tomara forma suficiente para as pessoas o compararem com o Templo de Salomão, ao demonstrar uma diferença desanimadora. Viram que a construção atual era pobre em substituição ao edifício magnífico que estivera anteriormente no monte Sião. Foi para combater tal desânimo que o profeta se manifestou. "A nova palavra de Ageu é de mero incentivo. A consciência dos judeus fora atiçada pelo primeiro discurso, mas agora precisavam de esperança".[1]

A. O Atraso nos Trabalhos, 2.1-5

As palavras do versículo 3 espelham o desânimo do povo e sua causa. Claro que só pequena proporção do povo vira a glória do Templo de Salomão. A maioria dos estudiosos acredita que as palavras deste versículo indicam que Ageu estava entre este grupo. Nesta ocasião, o profeta seria idoso, visto que o Templo fora destruído 70 anos antes.

Pusey faz uma descrição notável da magnificência do Templo de Salomão, que ressalta o contraste com esta casa simples de adoração:

> Além da riqueza das esculturas no primeiro Templo, tudo que lhe era pertinente era revestido de ouro. Salomão revestiu o altar inteiro dentro do oráculo, os dois

querubins, o chão da casa, as portas do Santo dos Santos e seus ornamentos; os entalhes de querubins e palmeiras, cobriu de ouro amoldado na madeira entalhada; o altar de ouro e a mesa de ouro, sobre o qual ficava o pão da proposição; os dez candelabros de puro ouro, com as flores, as lâmpadas e os tenazes de ouro; as taças, os espevitadores, as bacias, as colheres e os incensários de puro ouro, e as dobradiças de puro ouro para todas as portas do Templo. A varanda que ficava em frente da casa, de 20 côvados de largura por 120 de altura, foi revestida de ouro puro por dentro; a casa brilhava com pedras preciosas. [...] Foram empregados 600 talentos de ouro para revestir o Santo dos Santos. As câmaras superiores também eram de ouro, o peso dos pregos era de 50 siclos de ouro.[2]

Claro que a comunidade pobre dos exilados que voltaram não estaria preparada para duplicar semelhante edifício. Contudo, Ageu se dirige a **Zorobabel, Josué** e o **povo** (4), ao conclamá-los a se esforçarem ("sê forte", ARA). Estas palavras estariam cheias de significado especial quando o povo se lembrasse da história registrada no primeiro capítulo de Josué. Naquela ocasião, Deus falara com o que acabara de ser escolhido como sucessor de Moisés e líder de Israel (Js 1.6). Nesta também, diante da grande tarefa à mão, o Senhor dera a mesma exortação para fortalecer e encorajar: **Esforçai-vos** ("sê forte", ARA).

Talvez alguém critique Ageu por incentivar as pessoas a empreender a tarefa segundo as próprias forças. Mas trata-se de interpretação errônea. Há dois lados da mensagem: a) As pessoas têm de se esforçar e trabalhar (4; "sê forte" e "trabalhai", ARA); mas ao fazerem, b) Deus promete: **Eu sou convosco**. Para os israelitas, a garantia mais forte da presença e poder de Jeová em ajudar era que o Senhor é o mesmo Deus que os libertara do **Egito** (5). Ageu, como a maioria dos profetas, lembra ao povo que Jeová fizera um concerto com eles, relação que jamais não quebrará.

"É surpreendente que a presença do Espírito seja usada como equivalente para o cumprimento do concerto da parte de Deus; a idéia impregna o Novo Testamento".[3]

Em 2.1-5, vemos "como enfrentar circunstâncias desanimadoras": 1) Não seja tolo – enfrente os fatos, 3; 2) Seja forte e corajoso, 4; 3) Relembre as promessas de Deus e a ajuda prestada em situações difíceis, 5a; 4) Preste atenção à promessa e reaja ao encorajamento de Deus: **Eu sou convosco, diz o SENHOR dos Exércitos... o meu Espírito** habita **no meio de vós; não temais**, 4,5 (A. F. Harper).

B. A Profecia, 2.6-9

Nesta passagem, temos a profecia que serviu de base de ânimo para as pessoas. **Ainda uma vez, daqui a pouco, e farei tremer os céus, e a terra, e o mar, e a terra seca** (6). Aqui, como ocorre tantas vezes na profecia, o futuro é condensado. Esta é uma visão de "audácia incrível que revela a fé invencível do profeta".[4]

Certos expositores entendem que as palavras: **Ainda uma vez... farei tremer... a terra**, dizem respeito ao grande terremoto ocorrido no monte Sinai, quando Deus iniciou o concerto. De certa forma, o Senhor manifestará sua glória uma vez mais e levará todas as nações a tremer em sua presença.

Muitos pensam que os cataclismos que Ageu prevê são cogitações das revoltas que então ocorriam no mundo persa durante o primeiro reinado de Dario. O profeta vê que estes motins são prelúdios da era messiânica. O quadro profético indicava que a era messiânica seria precedida por "aflições messiânicas".[5]

Neste caso, a era messiânica e sua glória estão associadas com o Templo. Ainda que estes exilados empobrecidos não tenham acesso a riqueza suficiente para igualar o Templo de Salomão, Deus é o possuidor de toda a **prata** (8) e de todo o **ouro**.

Os comentaristas concordam que **o desejado de todas as nações** (7), traduzido no singular, é tradução enganosa, visto que o verbo está no plural e exige o sujeito no plural. J. McIlmoyle expressa a posição conservadora com muita clareza: "Muitas são as pessoas, sobretudo aquelas que encontraram Aquele que é a satisfação de todos os desejos, que gostariam de seguir os antigos expositores judeus e ver aqui uma referência pessoal ao Messias. Porém por mais grandiosa que fosse a verdade assim expressa, a dificuldade em traduzir essas palavras desse jeito afigura-se insuperável".[8]

A Septuaginta traduz assim: "As coisas escolhidas"; ou pode ser traduzido por: "As coisas desejáveis de todas as nações" (cf. ARA). A referência é aos tesouros caros (cf. NVI; NTLH) que serão trazidos para embelezar o Templo (cf. Is 60.5: "As riquezas das nações a ti virão").

O profeta continua sua profecia de encorajamento e faz mais duas predições: **A glória desta última casa** (o Templo em reconstrução) **será maior do que a da primeira** (o Templo de Salomão), e Deus dará **paz** (9).

Talvez o que engrandecerá o Templo sejam as esplêndidas ofertas de ouro e prata trazidas pelas nações. Mas esta idéia é bastante inadequada diante do fato de que o profeta reconhece que a verdadeira glória do Templo é a presença de Deus. Outrossim, o significado textual deste versículo não insinua duas casas, mas uma, em que a última é continuação da primeira. Esta verdade era literalmente concreta, visto que certas paredes que restaram do antigo Templo tornaram-se parte do novo. A tradução literal diz assim: "A última glória desta casa será maior que a primeira".

"Em primeiro lugar", diz Perowne, "a glória aqui prometida é obviamente material: as coisas desejáveis, os presentes preciosos de todas as nações". Mas está indubitavelmente mais próximo da verdade quando acrescenta: "Mas inclui a glória espiritual sem a qual, aos olhos de Deus, o esplendor material é inaceitável e sem valor".[7]

Com a segunda promessa, o povo de Deus recebia a certeza da segurança em meio às convulsões de importância fundamental entre as nações.

Mas estas profecias se cumpriram? Marcus Dods observou que se cumpriram literalmente, visto que os recursos para a construção não faltaram. Mas este não constituiu o maior cumprimento. O tributo das nações envolvia o reconhecimento de que este era o "centro visível do Reino de Deus e o lugar da sua manifestação".[8]

Seção III

CHAMADA À PACIÊNCIA

Ageu 2.10-19

Nesta seção, Ageu faz algumas perguntas aos sacerdotes. A mensagem veio três meses depois do início dos trabalhos e dois após a profecia anterior. Era outro meio de encorajar as pessoas ao trabalho, a fim de mostrar-lhes a necessidade de serem pacientes. O título da mensagem poderia ser "O Poder do Imundo" (G. A. Smith) e baseia-se no julgamento que os sacerdotes fizeram concernente às perguntas de Ageu. O profeta pede que eles "resolvam esta questão" (11, RSV). O original hebraico diz: "Pergunte à Torá". Neste caso, era uma decisão ("resolução", "ordem", "instrução") oral prevista pelo livro de Deuteronômio na eventualidade de não haver instrução escrita (Dt 17.8-13). Estas decisões ("sentenças") eram dadas na forma de interpretação fundamentada na matéria tradicional e ganhou o significado de "texto de normas técnicas". [1]

Ageu fez duas perguntas: A peça de roupa que acondicionou a **carne santa** torna santo o que tocar? **E os sacerdotes, respondendo, diziam: Não** (12). A segunda pergunta era: Aquilo **que se tinha tornado impuro pelo contato com um corpo morto** contamina o que tocar? Os sacerdotes responderam. A coisa **ficará imunda** (13).

O propósito das perguntas é mostrar que é muito mais fácil ficar imundo do que se tornar limpo – a pecaminosidade é mais contagiosa do que a santidade. A suma do argumento é que aquilo que era cerimonialmente santo não podia consagrar o que tocasse. Pelo contrário, o que era cerimonialmente imundo contaminava a pessoa em contato com isto e tudo o que ela tocasse também ficava imundo (Nm 19.11-22).

No versículo 14, Ageu faz a aplicação do ensinamento. **Este povo** refere-se aos judeus. **Tudo o que ali oferecem** indica especificamente o altar que fora erigido. Os judeus pensavam que o ritual ministrado na restauração do altar removia as negligências e faltas cometidas. Mas Ageu prova que as coisas não são assim. As atividades que os judeus fizeram antes da construção do altar os contaminaram até o ponto de tornar imunda as suas ofertas.

É fácil ficar contaminado e difícil tornar-se limpo. Esta é a lição das respostas dos sacerdotes. As pessoas não devem pensar que a mera mudança de direção as livre das conseqüências de seus erros. O pecado pode ser perdoado, mas as conseqüências às vezes sempre estorvam. Por isso que era necessária a exortação à paciência. O povo tinha de lutar contra as dificuldades que o pecado criara. "Se o contato com uma coisa santa tem somente um efeito leve, mas o contato com uma coisa imunda tem um efeito muito maior, então os esforços em reconstruir o Templo têm de ter menos influência boa na condição dos judeus do que a influência má de toda a dedicação anterior voltada para si mesmos e os labores seculares".[2]

Após apresentar os princípios do governo de Deus e aplicá-los às pessoas, Ageu passa a ilustrar a lição. Ele chama atenção aos 17 anos que passaram desde o retorno da Babilônia, com a seqüência de estações com colheitas ruins. Deus ferira a lavoura com **queimadura** (17) e **ferrugem**, duas doenças preditas por Moisés como castigo pela desobediência (Dt 28.22). A **saraiva** também fora destrutiva para a videira.

Desde o dia em que se fundou o Templo do SENHOR (18), ou seja, desde que os judeus começaram a reconstruir, ainda não havia sinal natural de que a situação mudaria. Estendemos que esta situação ainda era conseqüência dos resquícios da impureza, conforme indicam as respostas dos sacerdotes. Mas agora Deus quer mudar as circunstâncias do povo. Esta paráfrase dá uma interpretação clara dos versículos 18 e 19: "Mas agora, prestem atenção nisso: A partir de hoje, o 24º dia do mês [o dia 24 de quisleu, que corresponde a princípios de dezembro], dia em que foram colocados os alicerces do templo, eu os abençoarei. Notem bem que lhes faço esta promessa antes mesmo de vocês começarem a levantar a estrutura do Templo, antes de terem colhido os cereais e antes de as uvas, os figos, as romãs e as azeitonas surgirem. A PARTIR DE HOJE EU OS ABENÇOAREI" (BV).

Seção **IV**

CHAMADA À FÉ

Ageu 2.20-23

A mensagem final de Ageu é dirigida somente a **Zorobabel** (21) e foi entregue no mesmo dia que o sermão precedente. Neste discurso, o profeta entende que este governador é antecessor e tipo do verdadeiro Rei dos judeus. Para Zorobabel e – por meio dele – para a nação que representava, Deus faz uma promessa graciosa de segurança e preferência.[1]

Ageu vê a destruição do **trono dos reinos** (22; as potências mundiais), e repete a profecia de 2.6: **Farei tremer os céus e a terra** (21). Neste rebuliço, a posição de Zorobabel permanecerá segura e Deus firmará seu representante de confiança.

Zorobabel será o **anel de selar** (23) de Deus. Era um anel gravado em alto ou baixo-relevo com o nome do dono, que o guardava com cuidado extremo. Usava-se para imprimir um selo de autenticação, e tornava-se, então, símbolo de autoridade. Às vezes, um monarca oriental o dava para um ministro importante como sinal de confiança e autoridade (cf. Gn 41.42). A liderança de Zorobabel trará a marca característica da autoridade divina.

"As aspirações messiânicas que dantes estavam ligadas ao reino davídico, Ageu as transfere a Zorobabel, que, em virtude desta posição nomeada, torna-se um tipo de Cristo".[2]

Muitas pessoas devem ter alimentado altas esperanças de que Zorobabel era de fato o rei messiânico, pois em nome do Senhor o profeta lhe fala: Eu **te escolhi**. Mas, como observa G. A. Smith, este anel de sinete de Jeová (Zorobabel) não foi reconhecido pelo mundo. Pelo visto, não despertou, sequer, a mínima atenção. Na realidade, o que temos aqui é a reafirmação da esperança messiânica judaica de um libertador divino proveniente da casa de Davi, que se assentaria no trono de Davi. Esta grande esperança atingiu o apogeu com o Filho de Davi – Jesus Cristo. O seu governo se elevará acima dos reinos caídos deste mundo e o seu trono será estabelecido para sempre. Amém.

Notas

INTRODUÇÃO

[1] Para inteirar-se de um relato curto de todo o período, ver W. T. Purkiser *et. al.*, *Exploring the Old Testament* (Kansas City, Missouri: Beacon Hill Press, 1957), pp. 361-369.

[2] Blaikie & Matthews, *A Manual of Bible History* (Nova York: The Ronald Press, 1940), p. 282.

[3] *Ib.*, p. 283.

[4] F. W. Farrar, *The Minor Prophets* (Londres: James Nisbet & Company, s.d.), p. 187.

[5] Eli Cashdan, "Hagai", *The Twelve Prophets*, editado por A. Cohen (Londres: The Soncino Press, 1948), p. 253.

[6] *Ib.*, p. 254.

SEÇÃO I

[1] Cashdan, *op. cit.*, p. 255.

[2] *Ib.*, p. 256.

[3] G. A. Smith, "Haggai", *The Expositor's Bible*, editado por W. Robertson Nicoll (Nova York: A. C. Armstrong & Son, 1896), p. 235.

[4] Marcus Dods, *The Post-Exilian Prophets* (Edimburgo: T. & T. Clark, 1881), *ad. loc.*

[5] T. T. Perowne, "Haggai, Zechariah and Malachi", *The Cambridge Bible for Schools and Colleges*, editor geral J. J. S. Perowne (Cambridge: University Press, 1893), p. 31.

SEÇÃO II

[1] G. A. Smith, *op. cit.*, p. 241.

[2] Citado em Perowne, *op. cit.*, p. 34.

[3] Dods, *op. cit.*, p. 53.

[4] John E. McFadyen, "Haggai", *Abingdon Bible Commentary*, editado por Frederick Carl Eiselen et al. (Nova York: Abingdon-Cokesbury Press, 1929), p. 817.

[5] Millar Burrows, *An Outline of Old Testament Theology* (Filadélfia: The Westminster Press, 1946), pp. 195ss.

[6] J. McIlmoyle, *The New Bible Commentary*, editado por Francis Davidson et al. (Grand Rapids: William B. Eerdmans Publishing Company, 1953), p. 747.

[7] Perowne, *op. cit.*, p. 39.

[8] Dods, *op. cit.*, p. 54.

SEÇÃO III

[1] Driver, *op. cit.*, p. 163.

[2] G. A. Smith, *op. cit.*, p. 249.

SEÇÃO IV

[1] Perowne, *op. cit.*, p. 45.

[2] Driver, *op. cit.*, p. 169.

O Livro de
ZACARIAS

William M. Greathouse

Introdução

A. O Profeta

O nome Zacarias não era incomum em Israel. Significa "Jeová se lembra" ou "Jeová se lembrou" (*i.e.*, de responder as orações dos pais por um filho). O título do livro diz que este profeta é "filho de Berequias" e neto "de Ido" (1.1). Esdras, por outro lado, menciona que é "filho de Ido" (Ed 5.1; 6.14). Esta discrepância é mais aparente que real. É facilmente explicada quando se considera que Berequias morreu antes de Ido e Zacarias sucedeu seu avô na chefia da ordem sacerdotal de Davi.[1] Há vários exemplos no Antigo Testamento em que os homens são chamados filhos de seus avôs (Gn 29.5; cf. Gn 24.47; 1 Rs 19.16; cf. 2 Rs 9.14,20). "Como nestes casos", observa George Adam Smith, "o avô era considerado o fundador da casa, assim, no caso de Zacarias, Ido era o chefe de sua família quando saiu da Babilônia e estabeleceu-se novamente em Jerusalém".[2] O fato de Esdras referir-se a Zacarias como filho de Ido deve ser entendido no sentido geral de descendente.

Em todo caso, este profeta era membro da família sacerdotal de Ido, que voltou da Babilônia para Jerusalém sob as ordens de Ciro (Ne 12.4). O livro de Neemias acrescenta a observação de que no sumo sacerdócio de Joiaquim, filho de Josué, Zacarias foi nomeado chefe da casa de Ido (Ne 12.10,16). Se este é o profeta que intitula este livro, como é razoável supor, então era jovem em 520 a.C. e criança quando foi para Jerusalém numa caravana da Babilônia. O livro de Esdras nos informa que Zacarias compartilhava com Ageu o trabalho de animar Zorobabel e Josué a reconstruírem o Templo (Ed 5.1,2; 6.14).

A carreira profética de Zacarias começou "no oitavo mês do segundo ano de Dario" (1.1), que é em novembro de 520 a.C. A primeira fase de seu ministério durou até o nono mês do quarto ano do reinado do rei, ou seja, até dezembro de 518 a.C. (7.1). Nada sabemos sobre os anos restantes da vida ou ministério do profeta, com exceção da declaração de nosso Senhor de que foi morto "entre o santuário e o altar" (Mt 23.35).

B. O Livro

A unidade do livro é seriamente questionada pelos estudiosos. As duas divisões principais – capítulos 1 a 8 (designados neste comentário por Zacarias I); e os capítulos 9 a 14 (que chamaremos Zacarias II) – são tão dessemelhantes em estilo e ponto de vista histórico que tornou-se comum atribuir a cada uma destas divisões um autor diferente.

Zacarias I é composto de profecias datadas segundo os anos do reinado de Dario I Histaspes, do segundo ao quarto ano (520-518 a.C.). Nesta divisão, Dario ainda reinava quando o exílio terminou (1.12; 7.5). No entanto, muitos judeus estão na Babilônia (2.6); outros se espalharam pelo mundo (8.7). A comunidade em Jerusalém é pequena e fraca, formada principalmente por jovens e pessoas de meia-idade que vieram da Babilônia; há poucas crianças e pessoas idosas (8.4,5). Josué e Zorobabel são os chefes eclesiásticos e políticos da comunidade (3.1-10; 4.6-10; 6.11-15). Os alicerces do Templo estão assentados, mas o término da construção está no futuro (4.6-10). Contudo, à medida que o livro se desenrola, em dezembro de 518 a.C. o santuário fica suficientemente pronto para que os sacerdotes já estejam nele (7.3). Não há mais necessidade de se fazer os jejuns do exílio (7.5-7; 8.18,19). O futuro é alvissareiro com as esperanças messiânicas (8.20-23). Acima de tudo, os árduos reveses com a natureza acabaram e as pessoas têm tempo de erguer os olhos e ver as nações que vêm de longe para adorar em Jerusalém (8.20-23). Estas características não deixam dúvida de que os primeiros oito capítulos do livro são do próprio profeta e do período ao qual ele os data: novembro de 520 a.C. a dezembro de 518 a.C.

Quando passamos para o capítulo 9 percebemos que estamos numa situação histórica completamente diferente, e o ambiente está em nítido contraste com os capítulos 1 a 8. Os israelitas enfrentam um novo conjunto de forças históricas, e as palavras que lhes são dirigidas revelam um espírito diferente. Não há referência à construção do Templo ou sequer uma única reflexão sobre os acontecimentos sob cuja pauta Zacarias I foi escrito. Encontramos nomes de potências pagãs não mencionados na primeira divisão: Damasco, Hadraque, Hamate, Assíria, Egito e Grécia. A paz e a forte afeição pela paz, características tão proeminentes em Zacarias I, estão ausentes. A guerra, se ainda não começou, é iminente. Por estas e outras razões, a atual crítica bíblica, sobretudo a pertinente ao estilo, designa Zacarias II a outro autor.

Em 1683, Joseph Mede promoveu a idéia que se tornou conhecida por teoria do pré-exílio concernente à autoria de Zacarias II. Afetado pelos fatos acima e movido pelo desejo de defender a correção de Mateus ter atribuído a passagem de Zacarias 11.12,13 ao profeta Jeremias (ver Mt 27.9,10), Mede designou Zacarias II a uma data anterior ao exílio. Acreditava, também, que muitas coisas na primeira divisão aplicavam-se melhor ao tempo de Jeremias do que ao de Zacarias.[3] A opinião ganhou ampla aceitação, e, em fins do século XIX, muitos intérpretes reputavam que Zacarias II fosse uma coletânea de profecias referentes ao pré-exílio ligadas acidentalmente à profecia do pós-exílio de Zacarias.

Embora Grotius (1644) e H. Corrodi (1792) se opusessem à teoria do pré-exílio de Mede e apresentassem argumentos a favor de uma data posterior de Zacarias II,[4] foi Bernard Stade quem virou o curso da crítica ao que hoje é conhecido por teoria pós-alexandrina. Em 1881, Stade publicou um artigo no qual demonstrou, através de um estudo de relações literárias e indicações históricas, que estes capítulos não podiam ser anteriores a Ezequiel.[5] Seu ponto de vista era que Zacarias II foi escrito durante as guerras dos diádocos (cada um dos generais que disputaram entre si o controle do império de Alexandre, o Grande, após sua morte), de 323 a.C. a cerca de 278 a.C.[6]

Na atualidade, a erudição bíblica está dividida entre os que defendem a unidade do livro inteiro, ao datar Zacarias II depois de 480 a.C. em vista de 9.13 aludir à ameaça da Grécia,[7] e os que colocam a segunda divisão no período grego ou pós-alexandrino (depois de 330 a.C.). Aqueles que advogam a primeira opinião entendem que Zacarias II é da lavra do profeta em seus anos de velhice. Os defensores da visão pós-alexandrina, embora não concordem em uma teoria única da data da composição (datam Zacarias II diversamente de 333 a.C. a 140 a.C.), têm necessariamente de rejeitar a autoria de Zacarias da segunda divisão do livro.

C. A Unidade de Zacarias

A erudição bíblica conservadora levanta sérias objeções à teoria pós-alexandrina e pós-zacariana de Zacarias, e firma-se nos seguintes fundamentos:

1) O argumento mais forte aduzido a favor da teoria pós-alexandrina é a referência aos filhos da Grécia em 9.13. Na época, pensava-se que os gregos fossem uma ameaça contra Sião e os consideravam potência mundialmente dominante. No entanto, a profecia é de derrota, não de vitória, para os filhos da Grécia. Além disso, a passagem de 9.12,13 não descreve uma batalha, mas *profetiza* um futuro confronto entre Sião e a Grécia, do qual os judeus sairiam triunfantes. Nos dias de Zacarias, as vitórias gregas sobre Xerxes em Salamina, Platéia e Micale (480-479 a.C.) seriam suficientes para colocá-las na atenção de seus contemporâneos. A menos que rejeitemos a possibilidade da predição profética em base dogmática, não há motivo para Zacarias não poder ter escrito estas palavras na década de 470 a.C.[8]

2) O argumento literário também foi abordado. Os críticos afirmam que o estilo de Zacarias II difere de Zacarias I. A frase: "Assim diz o Senhor", tão freqüente nos capítulos 1 a 8, ocorre apenas uma vez na segunda divisão. Por outro lado, a expressão "naquele dia" é usada 18 vezes em Zacarias II contra somente quatro ocorrências em Zacarias I. Ademais, dizem que o estilo da última seção é mais poético. Contudo, os estudiosos conservadores mostram que há características de estilo até mais significativas que são comuns a ambas as seções. É de comum acordo que o estilo de um autor muda com o transcurso dos anos e ao tratar de uma situação histórica diferente. Nos dias em que o profeta convocava os compatriotas judeus a reconstruir o Templo, a frase profética: "Assim diz o Senhor" era necessária para reforçar a autoridade divina da convocação. Por outro lado, a expressão escatológica "naquele dia" é mais apropriada em profecias que olham o futuro mais distante de Israel, o tema de Zacarias II.

Os defensores da unidade da autoria de Zacarias ressaltam a persistência das seguintes características estilísticas:

a) A expressão: "Diz o Senhor", ocorre 27 vezes em Zacarias I e sete vezes em Zacarias II.

b) A frase hebraica traduzida com o sentido de "os olhos do Senhor" ocorre duas vezes em Zacarias I (4.10; 8.6) e uma vez em Zacarias II (9.8; duas vezes se aceitarmos 12.4: "os meus olhos").

c) O título divino: "O Senhor dos Exércitos", é encontrado 46 vezes, ou seja, 38 na primeira divisão e oito na segunda.

d) O verbo hebraico traduzido por "habitar", no sentido especial de "estar habitado", "estar povoado", "estar instalado", acha-se duas vezes em cada divisão e muito raramente em qualquer outro lugar do Antigo Testamento.

e) Há um tipo peculiar de paralelismo hebraico dividido em cinco partes que ocorre escassamente fora de Zacarias, mas que aparece uma vez em Zacarias I (6.13) e três em Zacarias II (9.5,7; 12.4).[9]

No que tange ao idioma, todos os estudiosos concordam que o hebraico em ambas as partes de Zacarias é puro e notavelmente livre de aramaísmo. Pusey observa: "Em ambas as divisões há certa completude de linguagem, produzida pela insistência no mesmo pensamento ou palavra: em ambas as seções, o todo e suas partes são, para dar ênfase, mencionados juntos. Em ambas as partes, como conseqüência desta completude, ocorrem a divisão do versículo em cinco porções, ao contrário da regra habitual do paralelismo hebraico".[10]

3) Por fim, temos de observar que aqueles que rejeitam a autoria de Zacarias dos capítulos 9 a 14 estão em discordância extrema e incorrigível entre si concernente a uma teoria alternativa. As referências nos capítulos 9 a 14 conduzem a diversas datações de suas diversas partes integrantes, variam desde aproximadamente 330 a 140 a.C., e dependem de quais correlações sejam feitas com episódios e personagens ligados com a história helenística.

As dessemelhanças aceitas entre Zacarias I e Zacarias II podem ser tratadas sem comprometer a convicção na unidade da autoria. Collins expressou bem a idéia:

> [...] Nos capítulos 1 a 8, o profeta preocupa-se primariamente com os acontecimentos contemporâneos, particularmente com a reconstrução do Templo; ao passo que nos capítulos 9 a 14, lida com os acontecimentos futuros, como a vinda do Messias e a glória de seu reinado. Por conseguinte, é natural que a primeira divisão seja de estilo histórico, enquanto que a última, de estilo apocalíptico. Outrossim, é provável que a primeira parte da profecia pertença à vida do jovem Zacarias, e a segunda à sua idade avançada. As evidências internas do livro são favoráveis, como mostra tão claramente W. H. Lowe, à origem pós-exílica de ambas as divisões e à unidade de autoria.[11]

Esboço

I. **Oráculos durante a Construção do Templo,** 1.1—8.23

    A. A Chamada ao Arrependimento, 1.1-6
    B. As Visões de Zacarias, 1.7—6.8
    C. A Coroação do Rei, 6.9-15
    D. A Consulta e a Resposta sobre os Dias de Jejum, 7.1—8.23

II. **Oráculos depois da Construção do Templo,** 9.1—14.21

    A. O Peso de Hadraque, 9.1—11.17
    B. O Peso de Israel, 12.1—14.21

Seção I

ORÁCULOS DURANTE A CONSTRUÇÃO DO TEMPLO

Zacarias 1.1—8.23

Os primeiros oito capítulos de Zacarias são profecias datadas de acordo com o reinado de Dario, do segundo ao quarto ano de seu governo.[1] Embora estes textos contenham certas exortações à construção do Templo, a maioria das profecias pressupõe o progresso deste trabalho e busca promovê-lo. O retrospecto histórico e as esperanças inspiradoras dos efeitos messiânicos com a conclusão do Templo são os incentivos para essa promoção. Nestes capítulos, Zacarias demonstra sua verdadeira vocação profética, porque inicia os oráculos chamando o povo ao arrependimento.

A. A Chamada ao Arrependimento, 1.1-6

Em fins de 520 a.C., o Senhor levou Zacarias a convocar os judeus ao arrependimento com a garantia de que, se retornassem, Jeová voltar-se-ia para eles. Não era para imitarem seus pais, que se rebelaram contra os avisos dos profetas do pré-exílio e, desta forma, causaram o julgamento do Senhor. Os pais e os profetas já não existem. Mas o poder eficaz da palavra de Deus permanece, como bem sabe as pessoas a quem Jeová avisa, pois ela as alcança.

O **oitavo mês** no qual a **palavra do Senhor** (1) veio ao profeta, corresponde a outubro-novembro. Antes do exílio, o mês se chamava bul (1 Rs 6.38), mas após o retorno dos judeus passou a ser conhecido por marquesvã. Este nome derivava, provavelmente, de uma palavra hebraica que significava "molhado" ou "chuvoso", e sugere as constantes chuvas que caracterizavam o mês. Não é dado o dia do mês.

Zacarias começou sua carreira profética exatamente dois meses depois de Ageu (Ag 1.1). Sua convocação ao arrependimento era apropriada, mesmo depois das promessas feitas por seu antecessor, visto que tais promessas eram condicionadas ao arrependimento.[2]

O **segundo ano de Dario** mostra a prática em vigor no cativeiro de usar as datas dos reis estrangeiros a quem os israelitas eram súditos. Antes, datavam sua história de acordo com os anos dos reinados de seus reis. Em relação à identidade de **Zacarias, filho de Berequias, filho de Ido**, ver Introdução, "O Profeta". O título **profeta** refere-se a Zacarias, mas Cashdan ressalta que "de acordo com a acentuação massorética, pertence a Ido. [...] Os rabinos eliminam toda dúvida com o comentário: 'Sempre que o nome de um profeta é dado junto com seu pai, é para indicar que ele era profeta e filho de profeta'".[3]

A palavra de Deus para Zacarias é forte: **O SENHOR tem estado em extremo desgostoso com vossos pais** (2), literalmente, "tem estado descontente com desgosto". Dods afirma que a palavra significava originalmente "irromper em indignação há muito controlada".[4] **Vossos pais** é referência à geração anterior ao cativeiro. Os antepassados dos israelitas caíram no desagrado máximo de Deus. "Agora, pela primeira vez nesta nova era da história dos israelitas, Deus lhes envia, como fizera com seus pais de outrora, os servos do Senhor, os profetas, Zacarias e Ageu, com uma convocação ao arrependimento e uma promessa de reconciliação".[5]

Tornai para mim... e eu tornarei para vós, diz o SENHOR dos Exércitos (3). Esta frase é traduzida melhor assim: "Voltai para mim, [...] e eu voltarei para vós" (ECA). O verbo *voltar* indica mudança de conduta. Deus promete mudar de atitude para com seu povo se este concertar seus caminhos. "Houvera um avivamento e o povo voltara à terra da escolha de Deus. Contudo, é óbvio que o povo não tinha voltado ao Senhor Jeová de todo o coração e de modo espiritual".[6] A repetição tripla da expressão **diz o SENHOR dos Exércitos** dá distinção à autoridade da mensagem.

O profeta adverte seus compatriotas a não imitarem seus **pais**, visto que estes não atenderam ao que diziam os **primeiros profetas** (*i.e.*, os do período pré-exílico, 7.7,12) e recusaram concertar seus **caminhos** (4). Se fossem como eles no pecado, também seriam como eles no castigo. Por meio deste oráculo, Deus contrariava o pensamento que naturalmente ocorria aos judeus que voltaram para Judá. Não era para presumirem que eram um novo povo sem as ameaças agourentas que pendiam sobre eles, como tinham incorrido seus pais. A desobediência de seus genitores era mesmo uma forte palavra profética para eles. "Seus pais e os profetas já não existem, mas a comprovação que seus pais deram à verdade sobre o aviso dos profetas permanece. Vocês não têm os mesmos avisos que soam nos ouvidos como seus pais tinham; vocês não têm homens como Jeremias para induzi-los à santidade. Os profetas não vivem para sempre. Mas vocês têm o que seus pais não tiveram; vocês têm a veracidade das palavras divinas de aviso escritas no destino de seus pais".[7]

Contudo, as minhas palavras e os meus estatutos... não alcançaram a vossos pais? (6). A suposta contradição com o versículo 4 é evitada com esta tradução: "Mas as minhas palavras e os meus decretos [...] não surpreenderam vossos pais?" (VBB). O povo rebelde fora forçado a confessar: **Assim como o SENHOR dos exércitos fez tenção de nos tratar... assim ele nos tratou.**

B. As Visões de Zacarias, 1.7—6.8

As visões de Zacarias são um traço característico de sua profecia. Algumas são bastante curtas; outras contêm uma riqueza de imagem. Por meios delas o profeta expressa a mesma mensagem sublime encontrada em outras partes do livro. Entre estas visões ocorre o mais espiritual de todos os seus enunciados: "Não por força, nem por violência, mas pelo meu Espírito, diz o SENHOR dos Exércitos" (4.6). Estas visões expressam a necessidade de perdão divino, enfatizam a realidade do pecado e declaram o poder de Deus em banir o pecado de seu povo. Contêm a promessa de Jerusalém ser a cidade da paz, a única defesa do próprio Deus. Predizem que a destruição dos impérios pagãos é ato de Deus; e em todas as visões há a ausência de distúrbios e a glória da guerra.[8]

As visões não são sonhos, mas "uma série de alegorias conscientes e artísticas – a tradução deliberada em um simbolismo cuidadosamente estruturado das verdades divinas com as quais o profeta foi incumbido por seu Deus".[9]

Todas as visões estão datadas: **Aos vinte e quatro dias do mês undécimo (que é o mês de sebate), no segundo ano de Dario** (7; *i.e.*, janeiro ou fevereiro de 519 a.C.). Há também um impulso divino: **Veio a palavra do SENHOR ao profeta Zacarias, filho de Berequias, filho de Ido.**

1. *Os Quatro Cavaleiros* (1.8-17)

Os 70 anos que Jeremias determinara para a duração do cativeiro babilônico (Jr 25.12) estavam bem perto de terminar. Já fazia quatro meses desde que Ageu assegurara aos judeus que "daqui a pouco" Deus faria tremer os reinos e, por meio desse tremor, traria nova glória ao Templo e à nação (Ag 2.6,7). O povo de Jerusalém estava impaciente com a demora. O mundo *não sofrera* qualquer tremor; não havia movimento político que prometesse restabelecer a glória de Jerusalém. Uma decepção natural começara a se instalar e as pessoas passaram a questionar se a promessa de Deus significava ter algum cumprimento prático. Foi neste estado de coisas que a palavra do Senhor veio a Zacarias.

Na visão, Zacarias vê uma tropa de cavaleiros em um vale estreito, profundo e cheio de murtas, próximo de Jerusalém. O líder vai à frente. O profeta é informado de que estes são batedores de Deus que patrulham a terra e que voltaram com o relatório de que o mundo está em paz. O sentido da visão é mostrar que o tempo está próximo para o Senhor cumprir sua promessa de misericórdia para Jerusalém e de prosperidade para as cidades de Judá. Após a visão, há uma proclamação de restauração e prosperidade.

O profeta vê um **homem montado em um cavalo vermelho** (8). O cavalo estava parado **na profundeza**, ou no fundo do vale, **entre as murtas**. A cena da visão era, provavelmente, um local conhecido que ficava nos arredores de Jerusalém. Pelo visto, era um lugar ao qual Zacarias freqüentemente se retirava para orar e meditar. A princípio, o profeta pensou que via um encontro de batedores da cavalaria persa, o líder destacado à frente e o restante atrás, e tinham chegado naquele instante em **cavalos vermelhos, morenos e brancos** para apresentar os relatórios. É provável que haja certo significado relacionado com as cores dos cavalos, embora não esteja clara qual seja esta significação. A opinião de que as cores têm referência a missões diferentes aos quais os batedores foram enviados não é apoiada pelo contexto; todos apresentaram o mesmo relatório (o caso de Ap 6.2,4,5,8 é, obviamente, diferente). Talvez as cores tivessem certa relação com os quadrantes da terra onde os cavaleiros patrulharam.[10] O problema fica mais complicado com o fato de que a palavra hebraica traduzida por **moreno** não ocorre em outra parte da Bíblia e que não há acordo entre os estudiosos quanto a qual cor o termo se refere.

Zacarias logo fica ciente que estes não são homens, mas anjos; e com mudança de função e figura rápida e dissolvente que caracteriza todas as aparições angelicais, explicam-lhe sua missão. [11] **Senhor meu, quem são estes?**, pergunta o profeta surpreso (9). Estas palavras são dirigidas ao anjo intérprete que estava ao seu lado, identificado ao longo destas visões por: **O anjo que falava comigo** (9; cf. 13,14,19; 2.3; 4.1,4,5; 5.10; 6.4). Quem responde é o **homem** que estava montado no cavalo da frente. Os cavaleiros são batedores de Deus que voltaram do levantamento que fizeram da **terra** inteira. Falam por iniciativa própria e informam ao **anjo do SENHOR** que **toda a terra está tranqüila e em descanso** (11). O que está subentendido é que todas as nações gozam de segurança, ao passo que só Jerusalém e Judá estão em estado de miséria e opressão. Neste momento, o **anjo do SENHOR** vira intercessor: **Ó SENHOR dos Exércitos, até quando não terás compaixão de Jerusalém e das cidades de Judá, contra as quais estiveste irado estes setenta anos?** (12). Os 70 anos preditos por Jeremias chegam ao fim (Jr 25.11,12; cf. Ag 1.2). Está na hora de Deus agir.

Agora o próprio Senhor intervém, responde ao anjo intérprete e dar garantias consoladoras. Não sabemos em que forma apareceu (cf. 7.1-9; 8.1-3; 9.1). Surge em cena abruptamente, da mesma maneira que "o anjo" intérprete, no versículo 9, e "o anjo do SENHOR", no versículo 11. Pelo visto, Zacarias não ouviu a resposta do Senhor; por isso o **anjo** intérprete lhe dá o oráculo divino: **Com grande zelo, estou zelando por Jerusalém e por Sião** (14). "Eu tive e ainda tenho ciúmes" (cf. BV), é a tradução literal do original hebraico. O ciúme de Jeová por seu povo (cf. 8.2) o incita agora a finalmente interpor-se a favor dos judeus (cf. Is 42.13; 59.17; Ez 36.5,6; 38.19). Seu ciúme é o zelo que tem por seu povo. Moffatt traduz assim: "Estou comovido, profundamente comovido em prol de Jerusalém". O Senhor declara que está **irado... com grandíssima ira... contra as nações em descanso** (15), porque causaram mais dano a Jerusalém do que foram incumbidas de causar. Deus levantara os pagãos para castigar o seu povo (Is 10.5,6; Hc 1.5,6); porém fizeram mais do que o Senhor pretendia: "Eu estava apenas um pouco zangado com o meu povo, mas essas nações o maltrataram muito mais do que Eu havia planejado" (15, BV). Foram longe demais na questão, e excedem em muito os limites do propósito divino de usá-las para julgar Israel. Por conseguinte, a ira de Deus contra Judá transformou-se em compaixão. O Templo e a cidade serão reconstruídos, e os judeus gozarão novamente de prosperidade: **Assim diz o SENHOR dos exércitos** (16,17).

O escopo desta primeira visão é claro. Transmite a inconfundível promessa de três acontecimentos futuros: 1) **A minha casa... será edificada** (16). A reconstrução do Templo, no qual o Senhor habitaria como antigamente (cf. 2.10), seria a prova final de que a sua ira estava no fim. O Templo foi concluído quatro anos depois, no sexto ano de Dario (Ed 4.15). 2) **O cordel será estendido sobre Jerusalém** (16), ou seja, a linha de medir (cf. NVI). Esta é uma figura de linguagem para dizer que "a cidade será reconstruída" (cf. BV; NTLH). Alguns anos depois, Neemias cumpriu esta tarefa (Ne 6.15). 3) **As minhas cidades ainda aumentarão e prosperarão** (17). O cumprimento desta palavra ocorreu mais tarde durante o governo dos príncipes asmonianos. Além deste período, a profecia não avança expressamente. Contudo, as palavras finais: **O SENHOR ainda consolará a Sião e ainda escolherá a Jerusalém**, apontam para o reino do Messias.[12]

Nesta primeira visão, encontramos **o anjo do SENHOR** (11,12). Ao longo do Antigo Testamento, sempre aparece, fala e age como o próprio Jeová. Em Êxodo 3.2, por exemplo, lemos que "apareceu [...] o Anjo do SENHOR" a Moisés. Com referência à mesma pessoa, algumas frases mais à frente, a narrativa diz: "E, vendo o SENHOR" (Êx 3.4). É difícil determinar se o Anjo do Senhor é um ser com existência própria ou é um modo de automanifestação de Deus. Pelo que deduzimos, é a Palavra de Deus personificada. Ao agir como porta-voz do Senhor, está tão integrado com Jeová que fala de si pelo *Eu* divino. Robertson Smith declara "que representa Deus ao homem de forma tão direta e completa que, quando fala ou age, sentimos que é o próprio Deus que fala ou age".[13] Por outro lado, na passagem acima (12), representa o homem a Deus. Aqui, é o Anjo Intercessor que apresenta a causa dos homens ao Pai. "O que vemos nestas teofanias", escreve G. A. F. Knight, "é o esforço tateante em descrever em termos pictóricos uma experiência de Deus que não podia ser inteiramente conhecida até que se revelasse em Cristo. Mas, quando se mostrava assim, descobrimos que a revelação do Novo Testamento era incrivelmente parecida com o que vagamente se descobria no, e pelo Antigo Testamento". A realidade expressa nesta passagem, continua Knight, "é que Deus é realmente uma comunhão consigo mesmo, um organismo: a trindade".[14]

Por conseguinte, F. B. Meyer tem razão em insistir que o Anjo do Senhor em Zacarias é "ninguém mais que o Anjo do Concerto, nosso bendito Senhor em Pessoa".[15] Seu comentário sobre os versículos 12 a 14 são totalmente comprobatórios: "Era como se o Pai tivesse ouvido e respondido as súplicas do Filho, e lhe dado uma resposta que é passada para o anjo-guia de Zacarias". Em seguida, pergunta:

> Você, meu leitor, sente-se desconsolado pela pressão de sofrimentos que há muito o afligem? Os castigos de Deus foram tremendamente exagerados por aqueles que promoveram a aflição. Contudo, ânimo! Há Alguém que sempre vive para interceder. Jesus gravou-o nas palmas das mãos dele. Sua triste sorte sempre está na presença dele. Ele ainda falará com você com palavras boas e consoladoras. Suas palavras são: "Convertei-vos, ó filhos rebeldes, diz o SENHOR; porque eu vos desposarei". "Eu sararei a sua perversão, eu voluntariamente os amarei; porque a minha ira se apartou deles". "Portanto, pode também salvar perfeitamente os que por ele se chegam a Deus, vivendo sempre para interceder por eles".[16]

Nos versículos 7-17, temos "a mensagem de Deus para os desanimados". 1) Até quem peca, e desta forma decepciona Deus, têm um Intercessor divino, 12; 2) Deus está profundamente preocupado com seu povo, 13,14; 3) O homem é responsável por seu pecado, mas Deus reconhece o poder das circunstâncias que **auxiliaram no mal**, 15; 4) Deus está pronto para fortalecer e restaurar: **Voltei-me para Jerusalém com misericórdia**, 16b (A. F. Harper).

2. *Os Quatro Chifres e os Quatro Ferreiros* (1.18-21)

Esta visão vem imediatamente após a primeira e a complementa de modo surpreendente. O profeta vê subirem quatro chifres com aparência ameaçadora. O anjo intérprete o informa que representam as potências gentias que espalharam Judá pelo mundo. Logo em seguida aparecem **quatro ferreiros** (20). A função destes seres, conforme lhe diz o Senhor, é aterrorizar e quebrar os chifres das nações. A visão simboliza a destruição dos povos pagãos que oprimiram Judá e Jerusalém e agora ameaçam o cumprimento das promessas feitas na visão anterior (16,17).

E levantei os meus olhos, e olhei, e vi quatro chifres (18). No linguajar de um povo pastoril como os judeus, os **chifres** representavam a ameaça cruel de um rapinante do rebanho. "A fúria indômita do homem contra o povo de Deus é descrita habilmente pela irrupção de um bando de javalis, pela investida de um rinoceronte ou pelo grande alvoroço que uma raposa causa no meio de um rebanho inofensivo e indefeso que não tem poder de resistência, apenas de fuga". [17]

Certos intérpretes associam os quatro chifres com os reinos da visão de Daniel: Caldéia, Pérsia, Grécia e Roma (Dn 2.31-45). [18] Contudo, na época desta visão (519 a.C.) só duas destas potências haviam surgido, levando em conta o que o versículo 19 diz: **Estes são os poderes que** (já) **dispersaram Judá, Israel e Jerusalém**. Orelli comenta: "Caracteristicamente diferente de Daniel, Zacarias tem predileção por pesquisa simultânea, não pela apresentação de uma seqüência". [19] Os quatro chifres sugerem os quatro quadrantes dos céus (cf. 2.6). Em geral, a opinião de Marcus Dods é aceita: "A visão mostrou *quatro* chifres que representam a totalidade dos inimigos de Israel – seus inimigos de todos os cantos".[20] Para onde quer que o povo olhasse – norte, sul, leste ou oeste –, havia inimigos que declararam resistir os esforços judeus em reconstruir o Templo e renovar a vida nacional.

Para destruir os quatro **chifres** surgem quatro **ferreiros** (20). A palavra usada aqui no original hebraico significa "trabalhadores em madeira, pedra ou metal". A maioria das versões traduz por "ferreiros" (cf. "artesãos", NVI). Driver sugere "*ferreiros*, ao imaginar, sem dúvida, que os chifres fossem de ferro (Mq 4.13)".[21] **Vieram para os amedrontarem** (21), responde o Senhor ao profeta. Ao usar a palavra, Zacarias pensa, como no caso de **dispersaram** (19), não nos **chifres** (que não podem ser amedrontados), mas nos povos que os **chifres** representam. Os inimigos de Judá serão lançados em pânico pelos ferreiros divinamente nomeados. Aqui a figura é retomada. Derribarão **os poderes das nações que levantaram o seu poder contra a terra de Judá, para a espalharem** (21).

Não está claro quem sejam os **ferreiros**. Mas o sentido da visão é inconfundível: o Senhor livrará Judá de forma que se cumpram as promessas feitas nos versículos 16 e 17.

Para o leitor dos dias de hoje os quatro **chifres** representam as forças malignas que são formadas contra a Igreja ou contra nós, em nossos esforços de viver para Cristo e servi-lo. Mas há algo mais: **O SENHOR me mostrou quatro ferreiros**. Não temos problema em identificar nossos inimigos, mas precisamos da mão divina para revelar nossa libertação prometida. "E orou Eliseu e disse: SENHOR, peço-te que lhe abras os olhos, para que veja. E o SENHOR abriu os olhos do moço, e viu; e eis que o monte estava cheio de cavalos e carros de fogo, em redor de Eliseu" (2 Rs 6.17). Esta é a palavra de Deus para nós na segunda visão: "Se Deus é por nós, quem será contra nós?" (Rm 8.31-39).

3. O Homem com a Linha de Medir (2.1-13)

Igual à segunda visão, a terceira ocorre imediatamente depois da primeira e torna-se outro complemento ainda mais significativo. A primeira promete a reconstrução de Jerusalém, e agora o profeta vê um jovem (cf. 4) com uma linha de medir para estabelecer os limites da cidade. Levando em conta o que vem a seguir, não há dúvida de que o profeta queria que o ato do jovem simbolizasse a intenção de fazer de Jerusalém a fortaleza que fora outrora. O homem tinha idéias restritas quanto ao tamanho da cidade, porque tencionava defini-la nos limites antigos. O anjo intérprete que conversava com Zacarias foi enviado por outro anjo para correr e dar ao homem uma mensagem. No futuro, Sião será uma cidade sem muros, não só por causa da numerosidade da população, mas também porque o próprio Deus lhe servirá de defesa.

Anexado a esta visão há um epílogo lírico no qual o profeta convida os judeus que ainda estão na Babilônia para voltarem a Judá. Convida Sião para exultar, pois o Senhor está a ponto de reassumir sua habitação em Jerusalém, e muitas nações unir-se-ão para visitarem a cidade santa.

a) *A Jerusalém do futuro* (2.1-5). **Tornei a levantar os meus olhos, e olhei** (1), é repetição das palavras rituais que abriram a segunda visão (1.18). Esta terceira visão: **E vi um homem em cuja mão estava um cordel de medir**, está baseada na promessa da primeira visão: "O cordel será estendido sobre Jerusalém" (1.16). A cidade estava próxima de ser restaurada. Zacarias fez uma pergunta ao homem: **Para onde vais tu?** (2). Ao que ele respondeu: **Medir Jerusalém, para ver qual é a sua largura e qual o seu comprimento**. Pelo desenrolar da revelação, é evidente que este jovem representa o pensamento dos exilados que voltaram, cuja perspectiva do futuro limitava-se à restauração da cidade de Jerusalém à sua condição anterior como fortaleza montanhesa. O passado tinha de ser a medida do futuro. Contudo, este nunca é o método de Deus operar. Não ficamos surpresos quando outro anjo se apresenta para interromper quem fala com Zacarias e envia-o rapidamente para falar **a este jovem**. Ele é orientado a lhe contar duas coisas.

Primeira, o mensageiro angelical o informa que **Jerusalém será habitada como as aldeias sem muros, por causa da multidão, nela, dos homens e dos animais** (4). O jovem precisa saber que sua intenção em marcar os limites e muros de Jerusalém é inútil. A cidade está destinada a exceder as dimensões do passado e ficar tão grande que não haverá muros que a contenha. "Até agora", o jovem diz consigo mesmo. "A cidade nunca cresceu além desta linha fronteiriça. Por mais que cresça, nunca excederá essas linhas divisórias". Mas Deus diz: "A cidade se encherá de bairros, distritos, cidades contíguas e chegará a anexar as cidades limítrofes, de modo a não apresentar aparência de cidade murada, mas de uma região densamente povoada".[22] A predição que **será habitada como as aldeias sem muros** é mais que uma promessa de magnitude e abundância de habitantes; é a garantia divina de proteção contra os inimigos.

Esta é certamente uma palavra de Deus para nós. Temos a propensão a prever o futuro e colocar limites no crescimento da cidade do Senhor. Mas esta nunca foi a intenção de Deus. Não devemos impor limites, ou insistir em nossas limitadas concepções. "Porque os meus pensamentos não são os vossos pensamentos, nem os vossos caminhos, os meus caminhos, diz o SENHOR. Porque, assim como os céus são mais altos do que a terra, assim são os meus caminhos mais altos do que os vossos caminhos, e os meus pensamentos, mais altos do que os vossos pensamentos" (Is 55.8,9).

> *Pois o amor de Deus é mais amplo*
> *Que a medida da mente do homem;*
> *E o coração do Eterno*
> *É maravilhosamente bondoso.* (N. do T.)

É essencial observar que a visão profética envolvia uma Jerusalém além da Sião histórica que seria reconstruída. Esta profecia visiona "a Jerusalém que é de cima, [...] a qual é mãe de todos nós" (Gl 4.26). Insistir em literalismo canhestro na interpretação desta visão é cometer o mesmo erro que ela quer corrigir. Zacarias vê a cidade de Deus que João contemplou de relance na ilha de Patmos. Nela, há "uma multidão, da qual ninguém pode contar, de todas as nações, e tribos, e povos, e línguas" (Ap 7.9).

Em segundo lugar, o anjo é instruído a dar ao jovem com a linha de medir uma palavra de graça e conforto concernente à presença de Deus. **E eu, diz o SENHOR, serei para ela um muro de fogo em redor e eu mesmo serei, no meio dela, a sua glória** (5). Esta imagem foi, provavelmente, copiada das fogueiras de acampamento com as quais os caçadores se cercam para afugentar animais selvagens. Da mesma forma que nenhum animal a esmo pode romper o cordão de chamas, "assim a presença não vista, mas todo-poderosa de Deus, é um baluarte no qual os poderes da terra e do inferno que porventura entrarem serão eliminados".[23] Descansar nesta promessa é exclamar como o salmista: "Mas tu, SENHOR, és um escudo para mim, a minha glória e o que exalta a minha cabeça" (Sl 3.3). F. B. Meyer observa: "Alguns põem as circunstâncias entre si mesmos e Deus; é muito mais sábio colocar o Senhor entre si mesmo e as circunstâncias".[24]

A verdadeira proteção da Igreja é a presença do Senhor no meio dela. O *shequiná* de Deus é a nossa única defesa contra os inimigos que destróem a obra divina. O Espírito Santo é o preservador privativo da verdadeira doutrina, o Protetor exclusivo da espiritualidade e o Guardião particular da lei moral. A segurança de Sião hoje, como se deu nos dias de Zacarias, é a **glória... no meio dela**.

b) *Os pedidos de Zacarias* (2.6-13). Junto com a terceira visão existe um epílogo lírico. Este complemento é formado por dois pedidos: 1) Aos exilados na Babilônia (6-9); 2) Aos habitantes de Sião (10-13).

Ainda havia muitos judeus que moravam na Babilônia; por isso, lhes é feito um convite sério: **Olá! Oh! Fugi, agora, da terra do Norte, diz o SENHOR** (6). "*O país do norte*, embora sua capital e centro fossem a Babilônia, era todo o Império Babilônico chamado 'o Norte', porque suas invasões sempre ocorriam em Israel do lado norte".[25] A palavra de Deus continuou: **Porque vos espalhei como os quatro ventos do céu, diz o SENHOR**. O livro de Ester é testemunha do fato de que 60 anos depois os judeus estavam espalhados em 127 províncias do Império Persa, da Índia à Etiópia (Et 1.1; 3.8,12-14; 8.5,9). O Senhor convoca os judeus da dispersão: **Oh! Sião! Livra-te** (*i.e.*, foge para Sião) **tu que habitas com a filha da Babilônia** (7).

O Senhor prometeu proteger quem voltasse. "Pois assim diz o Senhor dos Exércitos: Depois, glória! Ele me enviou aos gentios que vos saquearam, pois quem toca em vós toca a menina dos seus olhos. Vede, brando minha mão contra eles; serão saqueados por seus servos, e vós sabereis que o Senhor dos Exércitos me enviou" (8,9, VBB). Thomas comenta: "A menina-dos-olhos é ponto sensível e vulnerável; portanto, altamente estimado por seu possuidor. Quem toca em Judá, tão altamente estimado por *Yahweh*, toca-o num ponto sensível".[26] Deus promete ser tão pronto em proteger Judá como a pessoa que ergue o braço quando há risco de machucar o olho. Por outro lado, os judeus são avisados de que a demora em atender o convite os coloca em certo perigo. O Senhor já brande a mão contra a Babilônia como sinal para que as nações – que ela oprimira – se reúnam para destruí-la e dividir os espólios.

O segundo pedido é: **Exulta e alegra-te, ó filha de Sião, porque eis que venho e habitarei no meio de ti, diz o SENHOR** (10).

> Quando o tabernáculo de Deus está com os homens e o Senhor habita com eles, para enxugar todas as lágrimas, não há luto, choro ou dor; mas a boca está cheia de riso, e a língua de cântico. Às vezes, o cristão recebe uma visão desta realidade. Percebe que, visto que Deus entrou no meio da obra dele, já não é sua, mas do Senhor; ele é apenas o agente. [...] Deus consola e ensina o povo; restaura as ruínas; constrói os muros de Jerusalém; faz o bem no seu bom prazer para Sião; atrai as pessoas que se juntam não a uma congregação, a uma igreja ou a um ministro, mas ao Senhor, e se tornam dele. Ele é um muro de fogo em volta, e também a glória no meio.[27]

Há ainda outra razão para exultar: **E, naquele dia, muitas nações se ajuntarão ao SENHOR e serão o meu povo** (11). Os apóstolos de Cristo entenderam que profecias como estas são predições do ajuntamento dos gentios ao Israel da fé, a Igreja cristã (Rm 9.22-26; 1 Pe 2.9,10; cf. Ef 2.11-22).

A profecia passa para uma promessa ainda mais ampla: **Então, o SENHOR possuirá a Judá como sua porção na terra santa e ainda escolherá a Jerusalém** (12). Na insistência de uma aplicação espiritual desta visão, não devemos perder de vista certos aspectos literais da profecia. O profeta contemplava acontecimentos históricos relacionados com a cidade de Jerusalém. E da perspectiva absoluta, estas mensagens são a promessa de Deus de que, de certo modo, além de nossa imaginação, "todo o Israel será salvo" (Rm 11.26; cf. Rm 11.25-32). Deus tem um plano supremo para o seu povo, Israel, e, quando este propósito se cumprir, estas visões serão traduzidas numa realidade que hoje só podemos adivinhar. Não admira que Zacarias finalize esta profecia com uma passagem que, em caráter, se aproxima da doxologia de Paulo em Romanos 11.33-36: **Cale-se, toda a carne, diante do SENHOR, porque ele despertou na sua santa morada** (13).

> *Coisas gloriosas são ditas de ti,*
> *Sião, cidade de nosso Deus;*
> *Aquele cuja palavra não pode ser quebrada*
> *Formou-te para a sua habitação.*
> *Alicerçado na Rocha dos Séculos,*
> *O que pode estremecer teu repouso seguro?*
> *Com os muros da salvação em volta,*
> *Tu podes rir de todos os teus inimigos.* JOHN NEWTON, 1725-1807

4. *Josué e Satanás* (3.1-10)

Deste ponto em diante, as visões passam a lidar com a condição moral do povo de Judá e sua posição diante de Deus. As visões anteriores previram que Deus está a ponto de perturbar o "descanso" das nações e de, finalmente, agir em benefício de Jerusalém

(1.8-17). Os inimigos de Judá serão "derribados" (1.18-21), e Sião novamente se tornará a habitação do Senhor (2.1-13). No entanto, para que estas profecias se cumpram, tem de haver uma transformação moral e espiritual do povo. "Israel é salvo, mas não santificado. Os problemas da nação terminaram, mas falta a retirada da impureza".[28]

a) *A visão* (3.1-5). Na visão precedente, Deus prometera: "[Eu] habitarei no meio de ti". Os judeus perceberam que eles e os sacerdotes tinham pecado. Conscientizaram-se de que a acusação de Ezequiel era justa: "Os seus sacerdotes transgridem a minha lei, e profanam as minhas coisas santas" (Ez 22.26), e preocupam-se, porque o Senhor não estar disposto a aprovar as obras que praticam. A visão toma como ponto de partida este sentimento de culpa e indignidade sutilmente sentido pelos judeus.

Zacarias vê o **sumo sacerdote Josué** "que estava de pé" (NTLH; cf. BV) como representante de Israel **diante do anjo do SENHOR**. Os temores cheios de culpa dos judeus acharam um porta-voz em Satanás, que, pelo visto, acusa Josué. Mas antes da exposição da acusação, o próprio Deus intervém e repreende o acusador. Será que o Senhor, que salvou seu povo como um tição tirado do fogo, deve lançá-lo de volta à fogueira? Não é que os judeus sejam inocentes. O traje sacerdotal de Josué denuncia o pecado e a contaminação do povo. Mas por um ato de absolta graça este impedimento será removido. Ele ordena que o anjo auxilie Josué a tirar as vestes sujas e a vestir trajes finos. Este procedimento tipifica o perdão e purificação do sumo sacerdote e de Israel.

Além disso, por sugestão de Zacarias, colocam **uma mitra limpa** na cabeça do sumo sacerdote. O anjo do Senhor estava ao lado em atitude de aprovação. Ele não se afasta até mostrar a Josué toda a dignidade da função sacerdotal à qual foi restabelecido. Se o permanecer leal a Deus, terá direito de acesso à presença do Senhor em favor de Israel. Mais que isso, ele e seus colegas prenunciam e preparam o caminho para "Aquele que, por ser a principal pedra angular, erigirá o verdadeiro Templo no qual estão os olhos de Jeová; Aquele que por um ato tirará a iniqüidade para sempre e restaurará a prosperidade e alegria festiva aos homens".[29]

O **sumo sacerdote Josué** (1) é chamado Jesua em outros textos (*i.e.*, Ed 2.2; 3.2). Seu avô, Seraías, foi levado cativo depois da destruição do Templo e morto por Nabucodonosor em Ribla (2 Rs 25.18-21). Na mesma época, seu pai, Jozadaque (ou Jeozadaque), foi capturado e levado cativo para a Babilônia (1 Cr 6.15), onde Josué provavelmente nasceu. Nesse entretempo, o Templo ficou em ruínas e o ofício de sumo sacerdote cessou. Agora, depois de um intervalo de 52 anos e com a morte de Jozadaque, o oficio é restabelecido na pessoa de seu filho.

Zacarias vê **Josué** de pé em frente do **anjo do SENHOR** (cf. NTLH), como se estivesse num tribunal. Trata-se de cena judiciária. O sumo sacerdote foi indiciado pelos pecados de Israel. "Os pecados que o mancham são os pecados do povo; e o caso a ser julgado é, se ele, na função de representante e sacerdote do povo, deve ser aceito ou rejeitado".[30] **À sua mão direita**, o lugar ocupado pelo querelante num tribunal de justiça judaico (cf. Sl 109.6), estava **Satanás**, o acusador (cf. Jó 1.6-12; 2.1-6; Ap 12.10). **Satanás**, outrora o grande arcanjo do Senhor, caiu por orgulho e tornou-se o adversário do homem e de Deus. Ele está prestes a argumentar que Jeová não pode receber Josué e seu povo, porque Senhor é santo. "É precisamente esta concepção que certos judeus zelosos e arrependidos faziam do que acontecia na sala de audiências de Jeová".[31]

Antes que Satanás abrisse a boca para acusar, o Advogado divino fala: **O SENHOR te repreende, ó Satanás** (2). Luck comenta: "Estas palavras são incompreensíveis, a menos que haja mais de uma pessoa na deidade".[32] Este é outro prenúncio claro da intercessão sacerdotal de nosso "Advogado para com o Pai, Jesus Cristo, o Justo" (1 Jo 2.1). Satanás é repreendido pelo **SENHOR, que escolheu Jerusalém**. É porque Deus se deleita em Jerusalém e não a rejeitou, que silencia Satanás. "Quem intentará acusação contra os escolhidos de Deus?" (Rm 8.33). Esta é a verdade transmitida pela pergunta: **Não é este um tição tirado do fogo?** (cf. Am 4.11). A mesma mão que tirou do fogo o tição já chamuscado e meio consumido o lançaria de volta às chamas? E Aquele que livrou o seu povo da fornalha ardente do cativeiro babilônico deveria ouvir as acusações de Satanás e entregar os judeus de novo à completa destruição?

Não é que os judeus não tivessem culpa. O próprio traje sacerdotal do sumo sacerdote que os representava testifica contra eles. Em vez de estar trajado com linho puro, encontra-se **vestido de vestes sujas** (3), símbolo da pecaminosidade e contaminação de Israel (cf. Is 4.4; 64.6). Mas o Deus que é santo também é misericordioso e gracioso. Num ato que prefigura a oferta propiciatória de Cristo, o anjo do Senhor ordena a remoção da roupa suja de Josué: **Tirai-lhe estas vestes sujas** (4). Em seguida, volta-se diretamente ao sumo sacerdote e explica a ação: **Eis que tenho feito com que passe de ti a tua iniqüidade e te vestirei de vestes novas** (cf. Lv 16.4). "A palavra hebraica aqui refere-se, literalmente, a *traje de gala* (ou *roupa de festa* [cf NTLH]). Portanto, não só o pecado tem de ser removido, mas o dom da justiça tem de ser dado, representado por este traje fino".[33]

Zacarias faz uma sugestão ao anjo: **Ponham-lhe uma mitra limpa sobre a sua cabeça** (5). A passagem de Êxodo 28.36-38 descreve a **mitra**. Na frente dela, havia uma placa de ouro com a inscrição: "Santidade ao Senhor". O sacerdote a usava para que os serviços do povo tivessem "aceitação perante o SENHOR". **E puseram uma mitra limpa sobre sua cabeça e o vestiram de vestes**. Agora Josué estava plenamente autorizado a oferecer sacrifícios em prol do povo. O **anjo do SENHOR** olhou com satisfação e aprovação.

b) *A advertência do anjo* (3.6-10). O mensageiro de Deus **protestou a Josué** (*i.e.*, lhe fez uma exigência), **dizendo: Assim diz o SENHOR dos Exércitos: Se andares nos meus caminhos e se observares as minhas ordenanças, também tu julgarás a minha casa e também guardarás os meus átrios** (6,7). Na verdade, o anjo definiu os deveres do sumo sacerdote. Ele tem de observar os mandamentos de Deus, ou seja, guardar a lei moral (Dt 8.6; 10.12; Sl 128.1). Deve ser zeloso na manutenção dos serviços ligados ao Templo e na administração da casa do Senhor (Lv 8.35; Ez 44.15,16). A estas injunções solenes, Deus acrescentou uma promessa: **E te darei lugar entre os que estão aqui** (7). Esta tradução é melhor: "E te darei livre acesso entre estes que aqui se encontram" (ARA). Agora Josué teria certeza de que suas orações alcançariam o céu. "Como os anjos que estão a serviço de Deus, o Sumo Sacerdote recebe a promessa de ter o privilégio de comunhão direta com o Senhor. Ele terá o direito de aproximar-se de Deus a qualquer hora na função de intercessor do povo divino".[34]

Em seguida, o anjo fez uma promessa messiânica a Josué e aos sacerdotes-assistentes que se sentavam diante dele para receber instruções (8). O ser celestial declara que

são homens portentosos (8), ou "homens de presságio" (ARA), ou ainda "homens importantes" (VBB). O estudioso judeu, Cashdan, observa: "O sacerdócio restabelecido é um presságio do advento do Messias".[35] Este é claramente o significado da promessa; ela continua: **Eis que eu farei vir o meu servo, o Renovo** (8). Perowne a parafraseia: "Eu predigo para Josué e seus companheiros a vinda do 'meu servo, o Renovo', porque eles, o sacerdócio, em todo o seu ofício e ministério, como também no que há pouco lhes aconteceu na visão na pessoa do seu chefe, são tipos dele".[36]

Meu servo é nome freqüentemente usado em Isaías para referir-se ao Messias (Is 42.1; 49.6; 52.13; 53.11) e é, talvez, o tema messiânico mais característico do Novo Testamento (At 8.30-35; 1 Pe 2.21-25; em At 3.13,26; 4.27,30, a palavra grega traduzida por "Filho" [RC] é corretamente traduzida por "Servo" na maioria das traduções. **O Renovo**, sem o artigo definido, é, literalmente, "rebento" ou "broto". Cashdan declara: "Os intérpretes da atualidade e de antigamente concordam em explicar que *o Rebento* é o esperado Messias. *Rebento* significa aquilo que germina ou brota do solo [...]". "A antiga árvore do Estado judeu estava morta, mas o profeta prenuncia uma nova vida pelo surgimento de um novo broto da casa de Davi (Barnes)".[37]

No próximo versículo, a figura muda para a **pedra que pus diante de Josué** (9). A referência primária e imediata é ao Templo, em cuja reconstrução Josué estava envolvido naquele momento. A **pedra** é difícil de identificar. Certos expositores pensam que é a pedra fundamental do Templo, que já fora empregada como símbolo do Messias (cf. Is 28.16). Outros preferem a pedra de cima ou a de cobertura do Templo (cf. 4.7,9), a qual concluiria a construção. Thomas entende que é a pedra preciosa que seria usada por Josué no peito ou na testa (cf. Êx 28.11,12,36-38).[38] Após considerar várias interpretações, George Adam Smith conclui: "Temos de supor que a pedra é símbolo do Templo terminado".[39] A opinião de T. T. Perowne mostra-se meritória:

> A última referência é àquele que, na função de "o Renovo", deve futuramente construir "o Templo do SENHOR" (6.12), do qual é não só a Pedra Fundamental (Is 28.16; 1 Pe 2.4,5), mas também a principal Pedra Angular (Sl 118.22; Mt 21.42; Ef 2.20). Os dois cumprimentos da profecia estão intimamente relacionados. O primeiro é, no propósito de Deus, a preparação necessária para o segundo.[40]

Sobre esta pedra única estão sete olhos (9). Estes são "olhos do SENHOR, que discorrem por toda a terra" (4.10), e simbolizam a expressão plena de sua providência e cuidado. Deus nunca tira os olhos desta pedra, quer em tipo ou antítipo, até que se cumpra seu propósito concernente a ela.

Há outra promessa: **Eis que eu esculpirei a sua escultura, diz o SENHOR dos Exércitos**. Perowne parafraseia: "Meus olhos, afirmo, estão fixos na pedra. Minha mão gravará nela tudo que for preciso para embelezá-la e ajustá-la para o lugar de honra que deve manter".[41] Mas não é tudo; Deus fala mais: **E tirarei a iniqüidade desta terra, em um dia**. A referência imediata é, provavelmente, à expiação do pecado da nação **em um dia**, o dia anual da Expiação (cf. Lv 16.21,30,34), que seria reinstituído com a conclusão do Templo. Mas o alvo da profecia olha para além deste tipo, para o dia em que Cristo morreu. Naquele grande dia da Expiação, Jesus, uma vez por todas na consumação dos séculos, aniquilou o pecado pelo sacrifício de si mesmo (Hb 9.26).

A profecia recebe um toque final: **Naquele dia, diz o SENHOR dos exércitos, cada um de vós convidará o seu companheiro para debaixo da videira e para debaixo da figueira** (10). Na era messiânica que se aproxima, as pessoas, como nos dias gloriosos de Salomão (1 Rs 4.25), entreterão os amigos em paz e segurança debaixo da videira e debaixo da figueira (cf. Mq 4.4).[42] Esta vitória final do reino messiânico ainda está no futuro.

5. *O Candelabro de Ouro e as Duas Oliveiras* (4.1-14)

Como a quarta visão revelou a dignidade e significação do sumo sacerdote, a quinta prometeu a glória conjunta de Josué e Zorobabel, o chefe civil da comunidade judaica. Acoplado a esta visão existe um oráculo exclusivamente para este governador.

O profeta vê um candelabro de ouro com sete ramificações e uma provisão inesgotável de óleo. Em cima do candelabro há um vaso, e à direita e à esquerda duas oliveiras. Estas árvores enchem o vaso por meio de dois tubos de ouro, e o vaso abastece de azeite de oliva o candelabro mediante sete canudos de ouro. O candelabro é símbolo da comunidade judaica restaurada, na qual o próprio Deus está presente. As duas oliveiras que abastecem as lâmpadas representam Zorobabel e Josué como canais da graça divina.

Muitos intérpretes consideram que os versículos 6b a 10a, que começam com **esta é a palavra do SENHOR** e termina com **na mão de Zorobabel**, estão fora de lugar. Em nosso texto, temos a impressão que esse trecho foi inserido no meio da visão, porque interrompe a conexão entre os versículos 6a e 10b. Esta mensagem de incentivo para Zorobabel se encaixa bem depois de 4.1-6a,10b-14, e os comentários sobre estes versículos serão feitos nessa ordem.

a) *A visão e seu significado* (4.1-6a,10c-14). Depois da última visão, deduzimos que Zacarias entrou num devaneio, numa meditação sobre o que lhe fora mostrado. **E tornou o anjo que falava comigo, e me despertou, como a um homem que é despertado do seu sono** (1). O profeta foi despertado pelo anjo intérprete para que entendesse a significação da nova visão. Atento, viu **um castiçal todo de ouro** (2), um candelabro com sete braços semelhante ao do Tabernáculo (cf. Êx 37.17-24). Mas o azeite para este candelabro não era suprido por mãos humanas. Um vaso em cima dele o abastecia de azeite por meio de **sete canudos**. E havia, **por cima dele, duas oliveiras, uma à direita do vaso de azeite, e outra à sua esquerda** (3). A fonte da provisão de azeite não vinha do vaso, mas das duas árvores vivas; era, portanto, perene e inexaurível.

Mistificado pela visão, o profeta perguntou ao anjo intérprete: **Senhor meu, que é isto?** (4). O anjo ficou surpreso por Zacarias não entender, mas não hesitou em dar a resposta: **São os sete olhos do SENHOR, que discorrem por toda a terra** (10b). O candelabro representava a comunidade de Israel, mas num sentido ainda mais profundo era símbolo da presença divina no meio da comunidade. "O Templo tão próximo da conclusão por si só não revelará Deus: que os judeus não ponham a confiança no Templo, mas na vida que há por trás dele".[43] As sete lâmpadas são símbolos dos olhos de Jeová.

Mas, **que são as duas oliveiras à direita do castiçal e à sua esquerda?** (11), pergunta Zacarias. No versículo 12, repete a pergunta, ampliando-a: "Que são aqueles dois raminhos de oliveira que estão junto aos dois tubos de ouro, que vertem de si azeite dourado?" (ARA). De novo, o anjo fica surpreso com a ignorância do profeta: **Não sabes** o que é isto? Zacarias responde: **Não, Senhor meu** (13). Então falou claramente para o profeta: **Estes são os dois ungidos, que estão diante do Senhor de toda a terra** (14). Embora não sejam identificados por nome, só podem ser Josué e Zorobabel, respectivamente, o líder religioso e o civil da comunidade judaica. As duas oliveiras que fornecem provisão inesgotável de azeite para as lâmpadas são as duas cabeças ungidas de Israel. "O seu dever igual e co-ordenado [é] sustentar o Templo, figurado pelo candelabro, e garantir o brilho da revelação sétuplo. [...] Em outras palavras, o Templo não é nada sem a monarquia e o sacerdócio em seu apoio; e estes estavam na presença imediata de Deus".[44] Josué e Zorobabel são meramente os canais da graça divina; a fonte é o próprio Deus.

b) *A palavra para Zorobabel* (4.6b-10b). **Esta é a palavra do SENHOR a Zorobabel, dizendo: Não por força, nem por violência, mas pelo meu Espírito, diz o SENHOR dos exércitos** (6b). Este é um dos grandes textos da Bíblia. É mais que uma palavra para Zorobabel; é uma mensagem a todo aquele que se engaja na obra do Senhor. O sucesso espiritual só é possível quando estamos cheios do Espírito e limpos pelo Espírito. Marcus Dods fez um bonito comentário sobre este versículo:

> Você toma providências, sente sua fraqueza em enfrentar as circunstâncias, está dolorosamente ciente de sua inaptidão em brilhar e dissipar a escuridão circundante; mas tem de entender que é o Espírito do Senhor que é a fonte de toda ação brilhante e iluminadora que reflete a glória de Deus. Você não precisa criar um espírito santo em você. A santidade para a satisfação da necessidade de todas as criaturas existe em Deus. E há no Senhor vida bastante para sustentar em vida todas as criaturas. Assim, há nele santidade suficiente para toda coisa boa que precisa ser feita. Você nunca ficará cara a cara com um dever para cujo cumprimento não haja graça o bastante. Em você, pode haver muito pouco, mas em Deus está a fonte viva.[45]

Quem és tu, ó monte grande? Diante de Zorobabel, serás uma campina; porque ele trará a primeira pedra com aclamações: Graça, graça a ela (7). Todos os obstáculos que surgiram diante de Zorobabel e que seu medo os aumentou em um **monte grande**, seriam vencidos no poder do Espírito que nele repousa. A **primeira pedra** do Templo seria finalmente tirada do galpão do construtor com brados de triunfo e com súplica fervorosa para que Deus desse graça à obra concluída e por muito tempo mantivesse essa pedra no lugar. **E a palavra do SENHOR veio de novo a mim, dizendo: As mãos de Zorobabel têm fundado esta casa, também as suas mãos a acabarão** (8,9). A frase final do versículo 9 significa: "Com o cumprimento destas promessas, Zorobabel e a nação inteira perceberão que foi a palavra divina que falou pelo profeta".[46]

Porque quem despreza o dia das coisas pequenas? (10). Todo aquele que ridicularizou o insignificante começo do Templo e expressou dúvidas sobre sua conclusão, agora se **alegrará** quando vir o **prumo na mão de Zorobabel** para ajustar o assentamento da última pedra de acabamento. Nunca está nos planos de Deus deixar um trabalho por terminar. Quando estamos inteiramente comprometidos com o Senhor e cheios de seu Espírito, podemos dizer junto com Paulo: "Tendo por certo isto mesmo: que aquele que em [nós] começou a boa obra a aperfeiçoará até ao Dia de Jesus Cristo" (Fp 1.6).

6. O Rolo que Voava (5.1-4)

Este capítulo registra duas visões para motivar o povo de Deus a esperar que a terra seja purgada dos malfeitores e da maldade. A visão dos rolos voadores mostra que Deus julga os pecadores individualmente; a visão da mulher em um cesto simboliza a determinação de Deus em banir de Israel o verdadeiro princípio do pecado.

A primeira visão diz respeito à retirada da maldição trazida sobre a terra por seus criminosos, especialmente ladrões e perjuros. O roubo e o falso testemunho são duas formas de crime, próprias numa comunidade primitiva como aquela em Judá formada por ex-exilados.[47] O profeta vê um rolo gigantesco, inscrito com maldições contra pecados de todo o tipo, que voava pelo ar. O rolo entra na casa de todo ladrão e perjuro do país, e a destrói como uma praga.

Zacarias estava totalmente consciente quando esta visão começou. Ele virou a cabeça, ergueu os olhos e viu **um rolo voante** (1). Usa a palavra hebraica comum que significa pele ou pergaminho no qual se escrevia. O rolo estava desenrolado como uma folha gigante e voava em perseguição veloz de seu objetivo, semelhante a uma ave de rapina. Pelo que deduzimos, veio do céu (4), o que indicava que era um julgamento procedente do trono de Deus.

As dimensões do rolo – **vinte côvados de comprido** por **dez côvados de largo** (2; "nove metros de comprimento por quatro e meio de largura", NVI) – são "indício do número de maldições nele inscrito".[48] Certos intérpretes, porém, ressaltam que as medidas correspondem ao tamanho do Lugar Santo no Tabernáculo, e acham que este fato é mais que coincidência. C. H. H. Wright observa: "Os homens, no que tange ao pecado, não serão julgados por medida que estabelecerem ou pesados por suas próprias falsas balanças – é pela *medida do santuário* que as ações dos homens serão pesadas (1 Sm 2.3)".[49]

O anjo intérprete explica a Zacarias a significação do rolo: **Esta é a maldição que sairá pela face de toda a terra** (3). **Terra** não é uma tradução muito correta; a palavra hebraica deveria ser traduzida por "nação", visto que é Israel que é julgado. Só os que têm a lei serão julgados pela lei; os que estão sem lei serão julgados pela lei da Natureza (Rm 2.12-15). O anjo afirma que todo ladrão e perjuro serão desarraigados (3), literalmente, "retirados", "afastados" ou "despejados". É comum a palavra hebraica receber um significado figurativo: "afastar da culpa, manter livre de culpa, ficar sem castigo". Smith-Goodspeed traduz adequadamente a passagem: "Quanto tempo faz que todos os ladrões estão impunes? E por quanto tempo esses perjuros ficarão sem punição?" Até agora os crimes eram praticados e ficavam sem o devido castigo; agora não será mais assim.[50]

Existem dois pecados específicos inscritos **de um lado** (3) e **do outro lado** do rolo (*i.e.*, em lados opostos; cf. NTLH). Roubo e perjúrio correspondem ao oitavo e terceiro mandamentos. Estas são as ordenanças que ficam no meio da segunda e da primeira tábua do Decálogo, respectivamente, e estas posições talvez representem a totalidade da lei. Os dois lados do rolo simbolizariam as duas tábuas da lei, onde a primeira tem a ver com a relação do homem com Deus, e a segunda com a comunhão do homem com o próximo.[51] Esta idéia nos lembra as palavras de Tiago no Novo Testamento: "Porque qualquer que guardar toda a lei e tropeçar em um só ponto tornou-se culpado de todos" (Tg 2.10).

O Senhor, então, fala: **Eu a trarei... e a farei entrar na casa do ladrão e na casa do que jurar falsamente pelo meu nome; e pernoitará no meio da sua casa e a consumirá com a sua madeira e com as suas pedras** (4). Smend oferece esta possível explicação: "Pelo que se deduz, antigamente as maldições eram escritas em pedaços de papel e lançadas ao vento nas casas" dos destinatários das maldições.[52] A ameaça divina é que o rolo permanecerá **no meio** da **casa** até que efetue seu julgamento mortal na casa inteira. Trata-se de uma advertência solene.

> Como foi terrível o cumprimento dessas palavras no caso de pessoas e famílias que conhecemos! Parecia que havia uma praga na casa. A fortuna acumulada com tamanha labuta esfarelou-se; as crianças tornaram-se fonte de sofrimento, de cortar o coração; a reputação do pai ficou irremediavelmente manchada. "A praga na casa se tem estendido, lepra roedora há na casa; imunda está" [Lv 14.44]. Não há quem possa suportar esta maldição. Ela o enfrenta em todos os lugares. Toca seus bens mais básicos e essenciais, os quais, como mobília devorada por cupins, viram pó.[53]

Esta é a verdade terrível desta visão. Deus tem duas maneiras de lidar com o pecado. A primeira, é pela graça e misericórdia. "Deixe o ímpio o seu caminho, e o homem maligno, os seus pensamentos e se converta ao SENHOR, que se compadecerá dele; torne para o nosso Deus, porque grandioso é em perdoar" (Is 55.7), Mas se os pecadores persistem em suas maldades e se recusam a receber a graça de Deus, então o método divino de lidar com o pecado é de julgamento. "O pecado tem de ser eliminado, a iniqüidade tem de ser aniquilada da cidade de Deus; e quando o pecador está tão apegado ao seu pecado que não se separa mais dele, então se torna objeto da maldição de Deus e deve purgado da terra".[54]

7. A Mulher no Cesto (5.5-11)

Esta visão é muito mais rigorosa que a precedente, "pois não é tanto o pecador como o princípio do pecado que tem de ser erradicado".[55]

O profeta viu um *efa*, um cesto em forma de barril pequeno com uma tampa redonda e de chumbo, a qual foi erguida e dentro dele Zacarias viu a forma de uma mulher. Conforme explicou o anjo intérprete, era a personificação da maldade. Pelo visto, tentou fugir, mas foi empurrada de volta ao cesto. Num instante, fecharam a tampa e surgiram duas figuras femininas, com asas semelhantes às da cegonha, que levaram o *efa* para Babilônia, onde seria erigido um santuário para a adoração dele.

Durante o intervalo entre esta visão e a prévia, enquanto Zacarias estava absorto em meditação, o anjo intérprete fica em segundo plano. Agora, reaparece e convida o profeta a considerar o que está prestes a ver: **um efa** que emerge da escuridão circundante (5,6). O **efa** era o maior vaso de medição usado pelos judeus. Tinha a capacidade de mais de 26 litros e a forma semelhante ao barril.

Que é isto? (6), pergunta Zacarias ao anjo. A resposta é difícil de entender: **Esta é a semelhança deles em toda a terra** (6). Talvez signifique: "Esta é a semelhança [do mal] em toda a terra". Quando se faz pequena mudança no hebraico, a palavra **semelhança** se torna "iniqüidade". Assim, temos esta tradução: "Isto é a iniqüidade em toda a terra" (ARA). "País" é melhor que **terra**, porquanto esta visão diz respeito apenas à Terra Santa (cf. NTLH; NVI). O **talento de chumbo** (7) é traduzido melhor por "disco de chumbo" (Moffatt), "cobertura de chumbo" (VBB) ou "tampa de chumbo" (ARA). O termo hebraico *kakkar* significa "círculo" como também "talento". Esta tampa foi levantada e o profeta vê **uma mulher** sentada **no meio do efa** (*i.e.*, "dentro do efa", ARA). O anjo explica que **esta é a impiedade** (8; "maldade", NTLH; BV). A palavra deveria estar com inicial maiúscula (cf. NVI: "Perversidade"), visto que a mulher é a personificação do pecado. Em hebraico, **impiedade** é palavra feminina, detalhe que indica o poder sedutor da tentação. Nesta profecia, o pecado é personificado com o intento adicional de fazer diferença entre o *princípio* do pecado e os *atos* nos quais se expressa; é, portanto, erradicável. [58]

A mulher tentou fugir, mas o anjo a jogou de volta ao **efa** (8) e fechou com firmeza a pesada tampa de chumbo que havia na **boca** dele. Logo após, duas **mulheres** (9) saíram da escuridão circundante, **agitando o ar com as suas asas** (ou "havia vento em suas asas", ARA) poderosas como as da cegonha; **levantaram o efa entre a terra e o céu** e partiram a toda pressa. **Para onde levam estas o efa?** (10), Zacarias pergunta, e o anjo responde: **Para lhe edificarem uma casa na terra de Sinar** (11), ou Babilônia (Gn 11.2; Is 11.11). Babilônia tem a significação geral de ser a contraparte da Terra Santa. É o epítome da maldade e lugar apropriado para despejar o pecado concentrado de Judá. Mais que isto, ali construirão um templo para o *efa*, que será posto **em seu próprio lugar** (11), ou seja, "numa base" (NTLH) como uma imagem. "Assim, o pecado não só acha sua morada natural na Babilônia, mas tem de ser cultuado!" [57]

Não deixemos que a cena curiosa desta visão nos impeça de ver seu profundo ensino espiritual. Zacarias não está satisfeito com o mero ritual da expiação do pecado (3.1-10), nem mesmo com a punição divina da transgressão (5.1-4). George Adam Smith observa: "O poder vivo do pecado tem de ser banido de Israel; e este banimento não pode ser feito por esforços humanos, mas somente pela ação de Deus, que é completa e eficaz". Em seguida, mostra o significado desta visão para o Evangelho de Cristo: "Tomemos seriamente em consideração a doutrina da validade eterna: O pecado não é uma maldição formal, não se expressa apenas em certos crimes sociais, nem se exaure com o castigo de tais crimes; mas, como poder de atração e tentação a todos os homens, *deve ser banido do coração, sendo que só Deus pode bani-lo*". [58]

Nesta imagem oriental está a sublime promessa do Novo Testamento de destruir a transgressão pela atividade santificadora do Espírito Santo. Esta visão nos lembra que a supressão do pecado é necessária, mas, apenas como preludio para seu banimento do coração pelo poder de Deus! O que no Antigo Testamento é promessa, no Novo Testamento torna-se experiência. "A lei do Espírito de vida, em Cristo Jesus, me livrou da lei do pecado e da morte", atesta Paulo com alegria. "Porquanto, o que era impossível à lei, visto como estava enferma pela carne, Deus, enviando o seu Filho em semelhança da carne do pecado, pelo pecado condenou o pecado na carne, para que a justiça da lei se cumprisse em nós, que não andamos segundo a carne, mas segundo o Espírito" (Rm 8.2-4).

8. *Os Quatro Carros* (6.1-8)

Nesta oitava e última visão, o profeta vê quatro carros de guerra puxados por cavalos de cores diversas que saem dentre duas montanhas de bronze. Deus os encarrega de julgar as diferentes regiões da terra. Os carros que vão para o país do norte – para a Babilônia – têm a tarefa especial de executar a ira divina no maior inimigo de Jerusalém.

A série de visões começou com uma representação da providência universal de Deus e finaliza com outra imagem da mesma natureza. A primeira visão adiara a destruição divina das nações até o tempo certo de Deus. Após as visões intervenientes atenderem as necessidades religiosas e morais de Israel, e com a eliminação de todo obstáculo à ação libertadora de Deus, esta visão final promete o julgamento divino sobre as nações da terra, em particular, a Babilônia.

O profeta vê **quatro carros** que saem **dentre dois montes... de metal** (1; "de bronze", ARA). São carros de guerra, uns dos antigos armamentos bélicos mais formidáveis (1 Rs 10.28,29). Eram também usados em grandes solenidades e tornaram-se símbolos de autoridade e poder invencível (cf. Sl 68.17; Is 66.15; Hc 3.8; Ag 2.22). Os dois **montes de metal** são, possivelmente, o Sião e o das Oliveiras, que eram considerados a fonte dos julgamentos divinos no mundo. **Metal** é símbolo de poder.

Os carros eram puxados por cavalos de diferentes cores: o **primeiro carro**, por **cavalos vermelhos**, o **segundo carro, cavalos pretos** (2), o **terceiro carro, cavalos brancos** e o **quarto carro, cavalos grisalhos e fortes** (3; "cavalos de cor cinza mesclado", RSV; a conjunção **e** não aparece no hebraico). Como na primeira visão, as cores são discutíveis e de significação incerta. A palavra hebraica traduzida por **fortes** no versículo 3 é a mesma que aparece no versículo 7, onde foi traduzida por "cavalos de batalha" (RSV). É improvável que as cores tivessem propósitos simbólicos.

O anjo intérprete informa ao profeta que **estes são os quatro ventos do céu, saindo donde estavam perante o Senhor de toda a terra** (5). A tradução: "Estes vão para os quatro ventos do céu" (RSV; cf. 2.6) é inadequada, pois a preposição *para* não ocorre no texto hebraico. Os **quatro ventos** ("espíritos", NVI; BV) são os servos de Deus que "faz dos ventos seus mensageiros, dos seus ministros, um fogo abrasador" (Sl 104.4; Hb 1.7). Eles são enviados a regiões diferentes do mundo. "O profeta", observa acertadamente George Adam Smith, "não foi admitido à presença divina e não sabe exatamente o que eles foram comissionados a fazer; em outras palavras, Zacarias é desconhecedor dos processos políticos vigentes pelos quais as nações serão destruídas e Israel glorificado diante delas".[59] A libertação se dará por ação divina.

O destino das quatro carros de guerra não é uniformemente compreendido. Está claro que os **cavalos pretos** são enviados **para a terra do Norte** (6), ou seja, a Babilônia. A frase: **E os brancos saem atrás deles**, segue de perto o texto original hebraico. Pelo que deduzimos, significa que dois carros são enviados para julgar a Babilônia. Para compor quatro carros, os **grisalhos** (6) são separados dos **fortes** (7), e os primeiros enviados **para a terra do Sul** (6), ou Egito, e os últimos, por toda a amplitude e extensão da **terra** (7). O original hebraico nada menciona acerca do envio dos cavalos vermelhos. Como dissemos acima, não existe a conjunção hebraica **e** no versículo 3b, fato que torna injustificável dividir os **grisalhos** dos **fortes** para formar duas parelhas distintas. Certos estudiosos "suspeitam que há um erro de escrita, e que no versículo 7 deveríamos ler 'vermelhos' no lugar de 'fortes'"[60] (cf. BV).

Outros intérpretes[61] apóiam esta tradução do versículo 6b: "Os brancos vão para a terra do oeste". Uma leve modificação do texto hebraico torna esta tradução possível. Wellhausen sugere outra leitura variante do versículo 6, que levaria os cavalos brancos serem enviados "para a terra do leste";[62] ele acha que o termo "o oeste" foi provavelmente suprimido depois de "ir por diante" no versículo 7. De acordo com esta construção, os carros são enviados para o norte, leste, sul e oeste. George Adam Smith leva em conta a teoria de Wellhausen, mas apresenta argumentos a favor da interpretação sugerida pela tradução: "Os brancos vão para a terra do oeste". Nenhum carro é enviado para o leste, pois não há poder que oprime ou ameace Jerusalém procedente daquela direção. Mas no norte havia a Babilônia; ao sul, o Egito ainda era possível força dominante mundial; e a oeste havia novas forças européias que em menos de uma geração constituiriam uma ameaça para os países do Oriente Próximo. Portanto, poderíamos traduzir a primeira parte do versículo 7 assim: "Quando os cavalos de batalha saíram, estavam impacientes para patrulhar a terra". Isto pode ser referência aos cavalos do quarto carro ou aos eqüinos vermelhos (cf. BV). Ou talvez seja declaração geral referente a todos os quatro pares e carros (cf. NVI).

O centro do poder mundial naqueles dias estava **na terra do Norte** (8), assim denominado porque as invasões da Babilônia sempre vinham do norte (cf. 2.6). Os cavalos foram enviados para essa direção com a incumbência explícita de **repousar** o **Espírito** de Deus (8). Aqui, "Espírito" significa "ira" (cf. Pv 16.32; portanto, *Espírito* deve ser grafado com "e" minúsculo [cf. NVI, nota de rodapé]). A "ira" ou "furor" de Deus é seu extremo desprazer no pecado (cf. Rm 1.18-32). Sua ira ficará "em repouso" quando a Babilônia for julgada. Esta é reconhecidamente uma maneira humana de falar sobre Deus, mas que outra forma existe para falar sobre o Senhor? O que Deus é em si mesmo, o homem finito jamais poderá perscrutar; por isso, lhe atribuímos maneiras humanas de sentir e agir. No desdobramento da revelação divina fica absolutamente comprovado que a ira do Senhor não é uma emoção petulante. É o recuo do amor santo de Deus, a antipatia da natureza divina ao pecado do homem.

Ao considerarmos que Deus é santo, seu furor contra o pecado é inevitável. *Em* Cristo, disse Lutero, "Deus é amor"; *fora de* Cristo, "nosso Deus é um fogo consumidor". A Bíblia e a experiência confirmam a justiça desta declaração. Também não é negação do amor de Deus; o oposto do amor não é ira, mas ódio. Em outro lugar, Martinho Lutero disse que a ira de Deus é "o lado inferior de seu amor". Suavizar o paradoxo entre amor e julgamento na natureza do Senhor é destruir a revelação bíblica da deidade. Os carros bélicos de Deus saem para julgar divinamente a Babilônia pelos danos causados ao povo judeu.

Observemos mais uma vez a estreita ligação entre esta última visão e a primeira concedida a Zacarias (1.7-17). No começo desta noite inesquecível (1.8), o profeta viu cavaleiros angelicais, chefiados pelo anjo de Jeová, que se apresentam para prestar relatórios ao Senhor depois de "andarem pela terra". O relato mostrou que as nações ímpias descansavam enquanto o povo de Deus passava por grande sofrimento. Esta situação desagradou imensamente Jeová. "Agora, nesta visão mostrada a Zacarias logo antes do amanhecer, o profeta vê os anjos serem enviados, não para explorar como antes, mas julgar divinamente as nações".[63] Esta visão revela o controle de Deus sobre todas as forças destrutivas usadas pelo Senhor na punição dos povos merecedores da sua ira. É, portanto, similar ao quadro detalhado dos julgamentos de Deus narrado minuciosamente em Apocalipse 6 a 18. As visões de Zacarias podem ser adequadamente chamadas "o Apocalipse do Antigo Testamento".

C. A Coroação do Rei, 6.9-15

Com a destruição das nações pagãs, agora Sião está livre para ter seu próprio rei novamente. Zacarias recebe a ordem – acabaram as visões noturnas – de visitar uma delegação de judeus recentemente chegados do cativeiro na **Babilônia**. São eles **Heldai** (chamado **Helém** no v. 14), **Tobias** e **Jedaías**, os quais estão na **casa de Josias, filho de Sofonias** (10). Entre os presentes que trouxeram para o Templo, o profeta deve escolher **prata e ouro** para fazer pequenas argolas e formar uma coroa a ser usada na cerimônia de coroação do **sumo sacerdote** (11). Nenhum dos homens nomeados é identificado em outro lugar do Antigo Testamento.

Surge um problema na interpretação. O texto hebraico desta passagem apresenta o Senhor que instrui Zacarias a coroar **Josué, filho de Jozadaque, sumo sacerdote** (11), e não Zorobabel. Este ato tornaria o sumo sacerdote o rei de Israel. Esta é possibilidade interessante, sobretudo quando se leva em conta o quadro de Cristo revelado no Novo Testamento, qual seja, o nosso grande Sacerdote-Rei. Há certos problemas textuais que não podemos ignorar. Aconselhamos o estudante a ler com cuidado e reflexão a passagem em várias versões bíblicas. As evidências advindas por estudo rigoroso indicam uma primitiva corrupção textual a qual as traduções seguiram.

Primeiramente, Zacarias recebe a ordem de fazer **coroas** (11), mas no versículo 14 o verbo hebraico está no singular, ao passo que na Septuaginta o sujeito e o verbo estão no singular. Este não é um problema insuperável, visto que o versículo 11 pode ter o sentido de "pequenas argolas para uma coroa". Zacarias foi instruído a fazer uma ou duas coroas? Certos expositores sugerem que os nomes de Josué e Zorobabel estavam originalmente no versículo 11, mas então por que o **lhe** está no singular no versículo 12 e o original hebraico usa o singular no versículo 14?

Em segundo lugar, o versículo 13 deve ser traduzido por: "Haverá um sacerdote *junto* ao seu trono", em vez de: **Será sacerdote no seu trono**. Caso contrário, qual é o significado da frase que vem em seguida: **E conselho de paz haverá entre ambos**? Obviamente há a promessa de concórdia entre o rei que será coroado e o sacerdote que fica ao lado do trono, ou seja, entre Josué e Zorobabel.

Mal podemos deixar de concluir que, no versículo 11, um antigo copista cometeu um erro e substituiu o nome de Zorobabel pelo de **Josué**. Se no lugar de **Josué** colocarmos o nome de Zorobabel, acaba toda a dificuldade de interpretação e recebemos uma palavra profética significativa. Talvez esta seja a melhor solução ao problema.[64]

A palavra de Deus a Zacarias é uma profecia messiânica. Zorobabel é o **Renovo** (12), ou melhor, "o Rebento", sobre quem já se fez menção (3.8). De Zorobabel brotará aquele que será "o Rei dos reis e o Senhor dos senhores", que construirá o verdadeiro Templo do Senhor, "a principal pedra da esquina; no qual [os crentes em seu nome] [...] [são] edificados para morada de Deus no Espírito" (Ef 2.20-22; cf. 1 Pe 2.4,5).

De comum acordo entre os intérpretes, esta profecia tem dupla referência. É primariamente a promessa de que o Templo que na época estava em construção seria concluído pelas mãos de Zorobabel e a garantia a Zacarias que na Jerusalém reabilitada tanto Zorobabel, o príncipe, como Josué, o sumo sacerdote, trabalhariam juntos em harmonia e paz. É ainda uma palavra que diz respeito aos então futuros dias do Messias, em cujo reino e Templo as funções de rei e sacerdote terão cumprimento glorioso naquele que os uniria em sua majestosa pessoa e ministério. Naqueles dias são os que vivemos; "e ainda não é manifesto o que havemos de ser. Mas sabemos que, quando ele se manifestar, seremos semelhantes a ele; porque assim como é o veremos" (1 Jo 3.2).

A coroa que Zacarias é instruído a colocar **no templo do SENHOR** (14) servirá de **memorial** e penhor do cumprimento desta profecia. **Edificarão no templo do SENHOR** (15) quer dizer "ajudarão a edificar o templo" (ECA). "A chegada da delegação com dádivas pressagia a vinda de reforços adicionais de judeus procedentes de longe – e, quem sabe, também de gentios (cf. 8.22; Ag 2.7) –, que darão ótimo rendimento nos trabalhos construtivos do Templo".[65] **Vós sabereis que o SENHOR dos exércitos me tem enviado a vós** significa que a conclusão do Templo comprovará a autoridade divina da palavra do profeta. Contudo, repare na natureza condicional da promessa: **E isso acontecerá, se ouvirdes mui atentos a voz do SENHOR, vosso Deus.**

D. A Consulta e a Resposta sobre os Dias de Jejum, 7.1—8.23

Após um intervalo de cerca de dois anos, Zacarias foi chamado a profetizar novamente. A ocasião foi a chegada a Jerusalém de uma delegação, provavelmente de Betel, enviada para perguntar se os judeus deveriam observar o jejum nacional instituído no tempo do cativeiro (7.1-3). A resposta de Deus dada pelo profeta é dividida em quatro partes, cada uma iniciada pela mesma fórmula (7.4,8; 8.1,18). Na última, o retorno à pergunta da qual as respostas surgiram (8.19) mostra que a profecia é realmente uma coisa só.

Primeiramente, o Senhor diz que esse jejum não era mandamento divino. Estava, portanto, destituído de significação espiritual, conforme o ensinamento dado pelos profetas antes do exílio (7.4-7).

Na segunda parte, Zacarias relembra quais eram os mandamentos do Senhor quando a terra estava habitada e gozava de prosperidade. Não eram mandamentos cerimoniais, mas éticos; requeriam justiça, misericórdia e compaixão pelos pobres. O profeta liga o descumprimento destas obrigações éticas com as calamidades do cativeiro e exílio (7.8-14).

O tom muda na terceira parte. O profeta apresenta uma promessa concernente aos dias ditosos de santidade e prosperidade que estão reservados para Sião, em contrapartida com a anterior condição de sofrimento. Em virtude desta promessa, Zacarias exorta o povo à obediência santa (8.1-17).

Por fim, há a predição de que o jejum do povo dará lugar ao banquete festivo, ao qual se aglomerarão grandes multidões de pessoas provenientes de todas as partes da terra. Até as nações pagãs se juntarão na celebração, e considerarão um privilégio estarem associados com os judeus (8.18-23).

1. *A Consulta* (7.1-3)

No ano quarto do rei Dario (1; *i.e.*, em 518 a.C.) seria uns dois anos depois que Zacarias teve as visões (1.7) e mais ou menos a mesma extensão de tempo para a conclusão do Templo (cf. Ed 6.15). **Quisleu** era o nome babilônico do mês que corresponde a novembro-dezembro. **A palavra do SENHOR veio a Zacarias** na ocasião em que chegou uma delegação de judeus a Jerusalém. Foram, primeiramente, **suplicar o favor do Senhor** (2), e, em segundo lugar, perguntar se deveriam observar o jejum **no quinto**

mês (3), como tinham feito durante o período do exílio. O fato de irem ao Templo indica que pelo menos alguns serviços voltaram a funcionar.[66]

A delegação veio de **Betel** (2) com a missão de consultar os **sacerdotes** e os **profetas** (3) do Templo, entre os quais estavam Ageu e Zacarias. O assunto dizia respeito à continuação do jejum do quinto mês, o qual relembrava o incêndio de Jerusalém e do Templo (2 Rs 25.8,9). **Chorarei?**, perguntou o porta-voz. "O pronome *eu* [oculto] representa toda a comunidade do exílio. O 'chorar' simboliza todas as práticas que compunham o dia de jejum e humilhação: derramar lágrimas de contrição, jejuar, rasgar as roupas, vestir pano de saco e jogar terra na cabeça". [67] A pergunta era natural. Agora que o Templo estava em construção e a vida nacional em restauração na Terra Santa, soava incompatível prosseguir com os jejuns que comemoravam a destruição da cidade e do santuário.

2. *A Resposta de Zacarias (7.4—8.23)*

A delegação só indagara acerca do jejum do quinto mês; "mas com uma amplitude de visão que revela mais o profeta que o sacerdote, no capítulo seguinte Zacarias fala sobre os jejuns pelos quais Israel, durante 70 anos, lamentara sua ruína e exílio". [68] A resposta, que objetivava alcançar os ouvidos de **todo o povo** (5), é de significação especial quando lembramos que o profeta tinha profundo amor pelo Templo. Mostra que Zacarias era um verdadeiro homem de Deus, pois estava infinitamente mais preocupado com a justiça do que com o ritual.

a) *Inutilidade do jejum* (7.4-7). Com ousadia e vocabulário do profeta Amós, Zacarias pergunta aos judeus se os jejuns foram mesmo feitos a Deus. O profeta tem em mente dois jejuns: o do **quinto** mês e o do **sétimo mês** (5), que comemorava o assassinato do governador judeu Gedalias, nomeado para administrar o povo que Nabucodonosor deixou na terra (cf. 2 Rs 25.25; Jr 41.1-10). O Senhor não ordenara estes jejuns. Quando o povo jejuava, fazia-o para si mesmo, da mesma forma que quando comia e bebia, banqueteava-se para si mesmo (5,6). Os judeus deveriam ter atendido as palavras **dos profetas precedentes, quando Jerusalém estava habitada e quieta** (7). Jejuns ou banquetes não são do interesse de Deus, a menos que causem um efeito positivo na vida diária. Os profetas anteriores ao exílio anunciaram a palavra à qual o povo deveria ter ouvido. Pregaram que Deus é indiferente a rituais, e o que o Senhor exige é uma vida moral que se manifesta em amor fraterno e justiça social. Era a esse antigo ensinamento que o povo tinha de atentar e obedecer. A mensagem fora proferida em tempos de prosperidade nacional. Ao não levá-la em conta, a prosperidade acabou. Só após voltarem a esse ensinamento é que a prosperidade retornaria. **O Sul e a campina**, ou seja, "o Neguebe [o deserto ao sul do país, ainda hoje chamado assim]" e a Sefelá [os contrafortes a sudoeste de Jerusalém, hoje parte da região de Gaza]" (VBB; cf. NVI). Com o superpovoamento do país, estas regiões desérticas da Palestina seriam habitadas; caso contrário, ficariam desertas.

b) *Lição do passado* (7.8-14). Zacarias passa a fazer um resumo dos ensinamentos dos profetas do pré-exílio (9,10). Depois desta sinopse da mensagem profética, faz uma narrativa gráfica da desobediência e conseqüente punição de Israel (11.14).

A exigência de Deus, expressada pelos antigos profetas, era executar **juízo verdadeiro** (9; "justiça verdadeira", ECA), ou a justiça social (a mensagem de Amós; cf. Am

5.24), mostrar **misericórdia** ou amor e lealdade ao concerto (a mensagem de Oséias; cf. Os 6.6), e compaixão pelos pobres e indefesos (10; a mensagem de Miquéias, cf. Mq 3.1-3). **Nem intente o mal** seria "nem maquine o mal" (Moffatt; cf. BV; NTLH; NVI). Em Isaías e Jeremias, todos estes temas estão combinados e plenamente desenvolvidos.

A descrição que Zacarias fez da rebelião dos judeus contra a mensagem profética é pictórica e impressionante. Primeiramente, **não quiseram escutar** (11); assumiram uma atitude completamente negativa. Em seguida, **deram o ombro rebelde**, para mostrar desrespeito infantil e cheio de rancor aos mensageiros de Deus. Depois, **ensurdeceram os seus ouvidos, para que não ouvissem**, para tornar fútil todo esforço do Senhor em instruí-los. Por fim, **fizeram o seu coração duro como diamante, para que não ouvissem** (12). Não houve jeito que Deus conseguisse impressionar seus corações. Visto que o Senhor enviara esta mensagem **pelo seu Espírito, mediante os profetas precedentes**, o ato de Israel rejeitá-la era, na verdade, resistência ao Espírito Santo (cf. At 7.51).

Por causa desta apostasia deliberada a **grande ira do SENHOR dos exércitos** veio sobre os israelitas. Seus clamores egoístas foram ignorados pelo Todo-poderoso, que com uma **tempestade** os espalhou **entre todas as nações que não conheceram** (14). Além disso, grande desolação se derramou pela **terra desejada** de Judá.

Em 8-14, temos grandiosa lição sobre "a maldade e tragédia da apostasia": 1) Desobediência, 11,12c; 2) Destruição, 12d,13; 3) Desolação, 14 (cf. Mt 23.34-38).

c) *Promessas preciosas para Sião* (8.1-17). **Depois, veio a mim a palavra do SENHOR dos Exércitos** (1): Zacarias responde à delegação (cf. comentários em 7.1-3). Contudo, a tônica da resposta passa a ser de esperança para o futuro. Mas à medida que as promessas se desdobram, obtemos um vislumbre das condições desesperadoras do povo e do país. Viam-se poucas pessoas idosas e crianças em Jerusalém (4,5). Muitos judeus ainda estavam no exílio (7), e os que voltaram estavam apáticos e desanimados (9,13). O desemprego era geral, os povos vizinhos eram hostis e a cidade estava dilacerada pelas discórdias (10). A seca arruinara as colheitas (12; cf. Ag 1.11), e o seu nome era um apelido pejorativo entre os pagãos (13). A situação era tão desesperadora que só um milagre podia curá-la (6).

O Senhor faz sete grandes promessas. "A cada palavra e frase, em que, por sua grandiosidade quase incrível, coisas boas são prometidas, o profeta promete: 'Assim diz o SENHOR dos Exércitos', como se dissesse: 'Não penseis que o que vos prometo parte de mim, e não me rejeiteis como homem sem crédito. O que revelo são as promessas de Deus'" (Jerônimo).[69]

1) Deus tem **grande zelo** em sua determinação de restaurar **Sião** (2). Por um lado, expressa seu amor por Sião e, por outro, sua indignação contra os inimigos.

2) O Senhor está a ponto de voltar para Sião após um período de 70 anos. Então, **Jerusalém chamar-se-á a cidade de verdade, e o monte do SENHOR dos Exércitos, monte de santidade** (3).

3) Jerusalém se tornará cena dos antigos tempos de serenidade e meninice alegre (4,5). Os velhos se sentarão e verão meninos e meninas que felizes brincarão nas ruas. Houve cumprimento parcial desta promessa conforme registro dos dias de Simão Macabeu: "E todo o país de Judá esteve sossegado por todo o tempo que Simão governou. [...] Os velhos estavam todos assentados pelas praças, e se entretinham na abundância dos bens

da terra; e os moços se enfeitavam com vestidos magníficos e com hábitos de guerra. Ele firmou a paz nos seus estados, e Israel se regozijou com grande alegria. E cada um se punha assentado debaixo da sua parreira e debaixo da sua figueira, e não havia quem lhes fizesse o menor medo" (1 Mac 14.4,9,11,12*).[70]

4) Nada é difícil demais para o Senhor (6). Será que só por milagre Sião será transformada? "Muito bem", diz Zacarias, "Deus é igual ao milagre, pois para o Senhor, isso não é milagre".[71] Reparem nesta paráfrase: "Isso parece incrível para vocês – um resto de povo, pequeno e sem ânimo – mas para mim é algo muito simples".

5) Deus reunirá o seu povo – os judeus – na Terra Santa (7,8). O Senhor os trará **da terra do Oriente e da terra do Ocidente** (7) e **habitarão no meio de Jerusalém** (8). Jeová será o **Deus** deles e **eles serão** o seu povo **em verdade e em justiça**.

6) Os tempos angustiosos acabarão com a restauração do Templo (9-13). **Esforcem-se as mãos de todos vós** (9), exorta o Senhor aos habitantes de Sião. "Tenham ânimo e perseverem na reconstrução do Templo", parafraseia Rashi, "e não temam o povo da terra que 'debilitava as mãos do povo de Judá e inquietava-os no edificar' (Ed 4.4)".[72] Aqueles eram tempos desesperadores (10), **mas, agora** (11) despontava um novo estado de coisas. **A semente prosperará, a vide dará o seu fruto, e a terra dará a sua novidade, e os céus darão o seu orvalho** (12). A **maldição** que repousava na terra será removida, pois com a construção do Templo amanheceu um novo dia (13).

7) Deus fará **bem a Jerusalém,** se fizer o que for justo e for misericordiosa (14-17). Como Deus punira os israelitas pelos seus pecados quando lhe provocaram a ira, assim mostrará misericórdia e favor para com a nação (14,15). Em vista destes propósitos beneficentes, o Senhor prescreve de novo os mandamentos morais que estipulara pelos antigos profetas (cf. 7.9,10). **Falai a verdade cada um com o seu companheiro; executai juízo de verdade e de paz nas vossas portas; e nenhum de vós pense** (trame; cf. NTLH; NVI) **mal no seu coração contra o seu companheiro, nem ame o juramento falso; porque todas estas coisas eu aborreço, diz o SENHOR** (16,17). Estas são palavras do autêntico profeta da justiça, e não estão limitadas pelo tempo em suas exigências da consciência humana. "Não cuideis que vim destruir a lei ou os profetas; não vim abrogar, mas cumprir" (Mt 5.17). A ética cristã está solidamente baseada na profética do Antigo Testamento.

d) *Jejuns se transformam em banquetes de alegria* (8.18-23). Agora, Zacarias atinge o ápice da sua resposta à delegação (ver comentários em 7.2,3). Cesse o povo de jejuar – os dois jejuns já mencionados e os outros dois do exílio –, e os transforme em festas alegres. Os dias felizes de Jerusalém seriam tão atraentes que pessoas de muitas nações iriam junto com os judeus que voltassem para Sião, onde se uniriam na adoração de Deus Jeová. O **SENHOR dos exércitos** (18, *passim*) é um título comum entre os profetas para referir-se a Deus. Representa o poder e soberania do Senhor.

O texto de 7.3 ou 5 não menciona o jejum do **quarto mês** nem do **décimo** (19). Foi no **quarto mês** (mês de tamuz) que os babilônios fizeram uma brecha nos muros de Jerusalém e entraram na cidade (2 Rs 25.3,4; Jr 39.2). Ainda hoje este jejum é observado

*A Bíblia Sagrada, traduzida em português segundo a Vulgata Latina pelo padre Antônio Ferreira de Figueiredo (Rio de Janeiro: Editora Guarabu Ltda., 1960). N. do T.

pelos judeus no décimo sétimo dia desse mês. [73] O **décimo** mês (mês de tebete) marca o início do cerco babilônico de Jerusalém (2 Rs 25.1). Zacarias anuncia que doravante os quatro jejuns do exílio serão **para a casa de Judá gozo, e alegria, e festividades solenes**. Em seguida, passa a falar sobre as condições para o cumprimento de todas estas promessas: **Amai, pois, a verdade e a paz**. Em suma, o profeta afirma: Parem de jejuar e pratiquem as virtudes morais, pois foi a falta de tais práticas que tornaram necessários os jejuns.

No fim, Zacarias acrescenta a promessa da coroação: **Os habitantes de uma cidade irão a outra, dizendo: Vamos depressa suplicar o favor do SENHOR e buscar o SENHOR dos Exércitos... Assim, virão muitos povos e poderosas nações buscar, em Jerusalém, o SENHOR dos Exércitos e... naquele dia.. pegarão dez homens... na orla da veste de um judeu, dizendo: Iremos convosco, porque temos ouvido que Deus está convosco** (21-23). Pegar **na orla da veste** ou "da capa" de alguém é expressão que significa procurar identificar-se com essa pessoa e buscar proteção nela.

Estas profecias se cumpriram? Em parte, sim. Os habitantes da terra *têm* subido a Jerusalém para adorar a Deus. Os judeus são mundialmente reconhecidos como mestres da religião. Seus Escritos Sagrados tornaram-se a própria Palavra de Deus para multidões de pessoas de todas as raças, línguas e nações. Devemos a eles o Novo como também o Antigo Testamento. Seus legisladores, profetas, salmistas, apóstolos e santos nos deram a concepção de Deus e a vida que o Senhor exige e concede. Imediatamente antes da era cristã, as sinagogas judaicas eram luzes que brilhavam em um mundo de trevas pagãs. Estas assembléias tornaram-se pontes pelas quais o conhecimento de Deus e de Cristo passou para os gentios. Da nação judaica veio o Salvador da humanidade e os primeiros apóstolos da fé cristã. Em Jerusalém, Jesus de Nazaré se apresentou como o Messias prometido. Em Jerusalém, este mesmo Jesus se ofereceu como o único e perfeito sacrifício pelos pecados da humanidade. Em Jerusalém, Cristo ressuscitou, ascendeu ao Pai e inaugurou o Reino de Deus na terra. Em Jerusalém, o Espírito Santo desceu num dia festivo dos judeus e iniciou seu grandioso trabalho de convencer o mundo do pecado, da justiça e do juízo. Não há que duvidar que "a Jerusalém que é de cima [...] é mãe de todos nós" (Gl 4.26).

Há também um tempo futuro, que possivelmente está bem perto, em que "todo o Israel será salvo" (Rm 11.26) e estas profecias terão um cumprimento ainda mais literal. Certos expositores vêem no movimento sionista e na restauração do Estado de Israel sinais de que o cumprimento último da profecia de Zacarias está muito próximo.

E nunca nos esqueçamos de que foi o cativeiro que purificou Israel da idolatria e libertou sua fé para tornar-se uma religião universal.

> Eles entraram [no cativeiro] impregnados pelo politeísmo e saíram com o monoteísmo mais ferrenho que o mundo jamais viu. Seus sofrimentos geraram suas mais nobres escrituras e consolidaram tenazmente sua posição no cânon sagrado. Expulsos pelos homens, refugiaram-se no seio de Deus. Separados dos ritos externos do Templo, foram impulsionados a agarrarem-se às realidades espirituais, das quais as instituições levitas eram meros tipos transitórios. Israel deve toda a influência que tem exercido no mundo ao sofrimento que culminou na conflagração do Templo; e, se fosse sábia, manteria para sempre essas antigas lembranças de desalento como dias festivos de sua ascendência.[74]

Seção II

ORÁCULOS DEPOIS DA CONSTRUÇÃO DO TEMPLO

Zacarias 9.1—14.21

Ao iniciarmos a segunda seção da profecia de Zacarias percebemos imediatamente que estamos em outra situação histórica e profética. Abruptamente e sem aviso, cessam as promessas preciosas de um futuro glorioso para Sião e lemos anúncios tristes e desastrosos para nações e cidades que aparecem pela primeira vez na narrativa deste profeta. Há mudança significativa na fraseologia. A fórmula introdutória já não é "a palavra do SENHOR", mas o **peso da palavra do SENHOR**. Esta expressão ritual é anteposta a dois grupos de profecias compostos de três capítulos cada (9.1; 12.1).

Zacarias está agora bem avançado em idade, e estes pesos exercem grande pressão em seu espírito. Mas à medida que são anunciados, despontam as glórias do Messias e do seu reinado universal. As visões da primeira seção estavam relacionadas primariamente com acontecimentos contemporâneos, sobretudo a reconstrução do Templo; a segunda seção é primariamente *futurista*. Mostra o caminho para a vinda de Cristo e descreve assuntos em Israel e no mundo quando o reino de Cristo estiver instaurado e a "santidade ao SENHOR" for o lema da terra inteira.

A. O Peso de Hadraque, 9.1—11.17

Este é o primeiro de dois "pesos" que compõem o teor da segunda seção de Zacarias. A palavra hebraica significa "oráculo" como também **peso** (1). É provavelmente derivada de um radical que tem o sentido de "levantar", ou seja, levantar a voz, sobretudo quando o anúncio é de caráter ameaçador ou "difícil de carregar ou transmitir". [1]

1. Os Preparativos para o Messias (9.1-8)

Os problemas iniciais que o resto que voltara do exílio enfrentou com a reconstrução da cidade e do Templo agora estão quase todos resolvidos. Contudo, Jerusalém se encontra cercada e pressionada, ao norte, pela Síria e Tiro, e ao sul, por Asquelom, Gaza e Ecrom (ver mapa 2). É para animar os judeus que Zacarias prediz a proximidade de uma invasão na qual estes vizinhos fortes e hostis serão destruídos. Esta é uma paráfrase do versículo 1: "Esta mensagem fala sobre a maldição que Deus lançou contra as terras de Hadraque e Damasco porque o Senhor vigia de perto todos os homens, do mesmo modo que observa Israel" (BV). O oráculo declara que as cidades da Síria estavam sob o juízo de Deus, e destaca especialmente três cidades: **Hadraque**, **Damasco** (1) e **Hamate** (2), que ficava 160 quilômetros ao norte de **Damasco**; e **Hadraque** situava-se provavelmente na mesma região, embora seu local exato não seja conhecido. A segunda parte do versículo 1 não está clara. Talvez signifique que os olhos **do homem** (ou quem sabe seja melhor de "Arã" ou "Síria", NTLH) e **de todas as tribos de Israel** se voltarão **para o SENHOR** em reverente contemplação de seus julgamentos justos.

As próximas a cair seriam **Tiro** e **Sidom**, as principais cidades da Fenícia, apesar do fato de, em certo sentido mundano, serem muito sábias (2). O profeta declara que, embora **Tiro edificou para si fortalezas e amontoou prata como o pó e ouro fino como a lama das ruas... o Senhor a despojará e ferirá no mar a sua força, e ela será consumida pelo fogo** (3,4). A cidade de Tiro estava situada em uma ilha distante uns 800 metros do continente e totalmente cercada por muros maciços. Mas ainda que se considerasse inconquistável, as calamidades preditas por Zacarias verdadeiramente se abateram sobre ela. Alexandre, o Grande, construiu um dique artificial do continente à ilha e, depois de um assédio de sete meses, destruiu completamente a cidade orgulhosa e matou milhares de seus habitantes.

A Filístia ficava ao sul de Tiro, e a queda desta naturalmente amedrontaria as cidades menos fortalecidas que ficavam no caminho de Alexandre. **Asquelom o verá e temerá, também Gaza e terá grande dor; igualmente Ecrom, porque a sua esperança** (que Tiro pudesse socorrer) **será iludida** (5). O **rei de Gaza** morreria e **Asquelom** ficaria despovoada. Um povo mestiço (em vez de **bastardo**, 6; cf. NTLH) moraria em **Asdode**, e a **soberba dos filisteus** seria totalmente esmagada. O profeta prediz que, depois de abandonar a prática pagã de comer sangue, o **resto** da Filístia ficaria **para o nosso Deus** (7). Isto significa que os filisteus se converteriam à fé de Israel. **Será como príncipe em Judá** significa "que os filisteus [...] assumirão seu lugar, governo e povo como uma das divisões da nação judaica".[2] **Ecrom** será **como um jebuseu** significa que esta cidade filistéia se tornaria como Jebus (Jerusalém). Josefo declara que ocorreu mesmo essa incorporação de filisteus aos judeus. O versículo 8 é uma promessa de proteção para Judá, enquanto seus vizinhos estiverem nas garras do invasor: **E me acamparei ao redor da minha casa, contra o exército, para que ninguém passe e... volte**.

O profeta prevê a carreira promissora de Alexandre, o Grande (336-323 a.C.). Não é por acaso que esta passagem precede a predição do rei messiânico. Na opinião de Zacarias, o grande guerreiro preparava o caminho para Cristo. "Nesta previsão, o profeta leu o futuro com mais nitidez do que poderia ter percebido naqueles dias", observa acertadamente J. E. McFadyen, "pois, pela expansão do idioma grego que adveio de suas conquistas, Alexandre nem sonhava que preparava o caminho para a LXX

[Septuaginta] e o Novo Testamento, nos quais a história de nosso Deus foi contada para todo o mundo. De certo modo jamais suposto por ele ou por Zacarias, Alexandre foi um dos preparadores do caminho para a vinda do Senhor".[3] Esta interpretação da predição de Zacarias está em perfeita harmonia com o parecer de Pedro sobre a profecia do Antigo Testamento (ver 1 Pe 1.10,11).

2. *A Apresentação do Messias* (9.9-12)

Por estar o caminho pronto para o advento, agora vem o rei messiânico (9). Os intérpretes tanto cristãos como judeus, tanto liberais como conservadores, vêem aqui indubitável predição messiânica. Dentan comenta: "O profeta encara o exército de Alexandre somente como uma ferramenta na mão de Deus. Cavalgam invisivelmente com ele o Deus de Israel e o há muito esperado Príncipe da paz, que está a ponto de entrar em Jerusalém e restabelecer [...] as glórias espirituais do antigo reino de Davi".[4] Collins afirma: "A referência a Cristo é direta e imediata".[5] O intérprete judeu Eli Cashdan cita Rashi com o mesmo sentido: "Esta só pode ser referência ao rei Messias de quem é dito: *E o seu domínio se estenderá de um mar a outro mar*, visto que não encontramos outro rei com domínio tão vasto durante os dias do segundo Templo".[6] E com exatidão, T. T. Perowne analisa: "Não há acontecimento na história judaica que corresponda sequer tipicamente com esta predição".[7] Quando Jesus de Nazaré entrou em Jerusalém no domingo que antecedeu sua morte, cumpria conscientemente esta grande profecia e apresentava-se para a cidade como o rei messiânico há tanto tempo esperado.

Zacarias anuncia que a entrada do rei será ocasião de grande alegria em Jerusalém. Ver Lucas 19.37-40 para comprovar o cumprimento desta predição.

O profeta descreve o caráter do Messias: Ele é **justo e Salvador** (9; "ele vem triunfante e vitorioso", NVI). Em hebraico, **Salvador** é um particípio passivo e deveria ser traduzido, literalmente, por "sendo salvo" (no sentido de ser divinamente defendido).[8] Ao ressuscitar Jesus, Deus ratificou as declarações messiânicas de nosso Senhor e o defendeu diante de seus algozes. No dia do Pentecostes, Pedro declarou: "A esse Jesus, a quem vós crucificastes, Deus o fez Senhor e Cristo" (At 2.36). Este também é o sentido da afirmação de Paulo de que Jesus foi "declarado Filho de Deus em poder, segundo o Espírito de santificação, *pela ressurreição dos mortos*" (Rm 1.4; grifos meus). Quando entrou em Jerusalém montado em um jumentinho, Jesus não apenas se proclamou o Messias registrado por Zacarias; também se entregou aos inimigos e a Deus – na certeza de que com sua morte iminente o Pai o defenderia, ao ressuscitá-lo dos mortos (cf. Mc 10.32-34). Portanto, sua entrada *era* "triunfante e vitoriosa", como o profeta predissera.

Pobre e montado sobre um jumento (9), pois é o prometido Príncipe da paz. Zacarias anuncia que o Messias não será um conquistador montado em um cavalo de guerra, mas será um rei humilde que cavalga em um despretensioso animal de carga, usado para fins pacíficos. "Até hoje no Oriente os jumentos são usados, conforme descrição no cântico de Débora, por altos funcionários, mas somente quando estão em missão civil e não em incumbência militar".[9] Seu reinado se assemelhará ao seu caráter: **E destruirei os carros de Efraim e os cavalos de Jerusalém, e o arco de guerra será destruído; e ele anunciará paz às nações; e o seu domínio se estenderá de um mar a outro mar e desde o rio até às extremidades da terra** (10). O Príncipe da paz acabará com todo tipo de equipamento militar quando seu reino estiver completamente estabelecido (cf. Is 2.4). **Efraim** (Israel) e **Jerusalém** desfrutarão a prometida bênção de paz na era messiânica. Os mares mencionados por Zacarias são indubitavelmente o Mediterrâneo e o Morto, ao passo que o **rio** se refere ao Eufrates. A linguagem significa que o reino messiânico se estenderá até às fronteiras extremas da terra. Compare a profecia de Isaías acerca de Cristo: "Porque toda bota com que anda o guerreiro no tumulto da batalha e toda veste revolvida em sangue serão queimadas como lenha no fogo. Porque um Menino nos nasceu, um Filho nos foi dado, e o governo estará sobre os seus ombros; e o seu nome será Maravilhoso, Conselheiro, Deus Poderoso, Pai Eterno, Príncipe da Paz. Não haverá fim ao aumento do [seu] governo ou à paz no trono de Davi e no seu reino, que está firmemente estabelecido e firmado na justiça e na retidão desde agora e para sempre. O zelo do Senhor dos exércitos fará isso" (Is 9.5-7, VBB).

Ao falar para a **filha de Sião**, Zacarias compara seu estado cativo com os **presos** em uma **cova em que não** há **água** (11). Tais cativos encaram a morte inevitável e horrível. Esse seria o destino de Israel, se não fosse **por causa do sangue do teu concerto** (cf. Êx 24.5-7). Devido a este concerto, os israelitas são chamados **presos de esperança** e exortados a voltar **à fortaleza** (12).

3. *O Programa do Messias* (9.13—10.12)

a) *A prometida vitória de Sião sobre a Grécia* (9.13-17). "Este oráculo está singularmente fora de compasso com o espírito do último, que anunciou a chegada da paz messiânica", admite George Adam Smith. Mas cita a observação de Stade sobre os capítulos 9 a 14: É freqüente "um resultado ser primeiramente declarado para depois o oráculo descrever o processo pelo qual foi alcançado". [10] Ao estudarmos estes capítulos, devemos manter em mente esta informação.

A maioria dos comentaristas concorda que o versículo 13 inicia um novo tópico, como destaca Smith. Nos versículos 13 a 17, Deus faz uma promessa de vitória e liberdade para Judá. A bênção, não deixemos de notar, tem de ser de Deus. O Senhor meramente usa seu povo como armas: **Judá** como **arco**, **Efraim** como flechas e **Sião** como **espada** (13). O ataque de Sião tem de ser contra a **Grécia**. Nos dias de Zacarias, os gregos já chamavam a atenção do Oriente Próximo. Os judeus que voltaram do cativeiro já teriam ouvido falar do incêndio de Sardes (em 499 a.C.) e da batalha de Maratona (em 490 a.C.). Mais recentemente, as vitórias dos gregos sobre Xerxes em Salamina, Platéia e Micale (em 480-479 a.C.) chamaram a atenção de Neemias e seus contemporâneos. A palavra **Grécia** (hb. *Javan*) deve ser entendida em seu significado mais amplo, aplicável a todos os helenistas na região mediterrânea.

"Na ótica dos comentaristas judeus, o versículo prediz as guerras empreendidas com sucesso pelos heróis macabeus contra os regentes gregos da Síria. Rashi faz a seguinte paráfrase: 'No fim, os gregos tomarão o reino das mãos dos reis da Pérsia; eles vos maltratarão, mas curvarei Judá para mim como um arco de guerra, e os judeus farão guerra contra Antíoco nos dias dos asmonianos". [11]

Os versículos 14 e 15 destacam a verdade de que é Deus quem dará vitória ao seu povo. O versículo 14 significa, provavelmente, que usará os poderes da Natureza para cumprir seus propósitos. No versículo 15, o profeta descreve a perfeição da vitória: "Defenderá o seu povo e eles dominarão seus inimigos, pisando-os com os pés. Sentirão o gosto da vitória e gritarão em triunfo. Vão arrasar os seus inimigos e deixarão atrás de si um terrível massacre" (BV). O versículo 16 apresenta a preciosidade do povo de Deus: Eles são seu **rebanho** e **pedras** ("jóias", NVI) **de uma coroa**. No versículo 17, Zacarias tem um vislumbre da terra restabelecida de Judá: "Como será bom e belo esse país!" (NTLH).

b) *Prospectos encorajadores* (10.1-5). A promessa de prosperidade temporal que finalizou o capítulo precedente continua e é ampliada em 10.1,2. O povo tem de olhar para Deus em busca da **chuva serôdia** (1), a qual caia na primavera e amadurecia os cereais e vinhedos. O termo **relâmpagos** é mais bem traduzido por "nuvens tempestuosas", pois estas acompanham a **chuva serôdia**.

A ordem: **Pedi ao SENHOR chuva** é endossada pela lembrança da **vaidade** de olhar para os "ídolos" (2, ECA; **terafins**, *i.e.*, "ídolos do lar", ARA). No passado, os judeus iam **como ovelhas** (no sentido de vaguear, estar perdido, cf. BV; NVI) e estavam **aflitos**, pois **não** havia **pastor** para cuidar deles; seus regentes eram falsos. A **ira** de Deus **se acendeu** contra os **pastores** e os **bodes** (3; cf. Ez 34.17). Nesse grande apuro dos judeus, o próprio Deus se tornou Pastor e fez deles "esplêndidos corcéis na sua campanha militar" (3, Moffatt; cf. NVI). "Nesta passagem", observa Collins, "é usado o perfeito profético, o equivalente do futuro. Na fixidez do propósito divino, a transformação prometida era tão boa quanto efetivada.[12] O versículo 4 amplia a promessa, ao anunciar que de Judá virão os conquistadores. Smith-Goodspeed torna a imagem clara: "Dele virá a pedra de esquina, dele a estaca da tenda, dele o arco para a guerra e dele todos os chefes" (cf. ARA).

E entram na peleja, esmagando os inimigos; porque o SENHOR estará com eles (5). Estes grandes guerreiros e líderes surgiram de Judá durante o período dos macabeus. Contudo, a referência última pode ser ao "Leão da tribo de Judá", por cujo poder grandioso o Reino de Deus, no fim dos tempos, triunfará sobre todos os que lhe opuserem. "Porque convém que reine até que haja posto a todos os inimigos debaixo de seus pés" (1 Co 15.25).

c) *A restauração da nação* (10.6-12). Veja como Moffatt traduz o versículo 6:

> *Eu fortalecerei a casa de Judá*
> *E salvarei a casa de José;*
> *Em minha compaixão os levarei para o seu país*
> *Até que sejam como se eu nunca os tivera expelido.*

Ao assobiar (8; cf. Is 5.26) como o apicultor chama as abelhas (cf. Is 7.18) ou o pastor o rebanho, Deus promete trazer de volta à **terra de Gileade e do Líbano** (10) o seu povo que está "espalhado" (9, BV) **em lugares remotos** (9), sobretudo no **Egito** e na **Assíria** (10). Nos dias de Zacarias havia o problema da baixa densidade populacional em Judá. O Senhor promete um retorno maciço de judeus até que **não se** ache **lugar para eles**. Nada deterá Deus, mas, como antigamente, seu povo "atravessará o mar do Egito" (11, RSV; cf. NTLH; Is 11.15,16). E a força virá do próprio Jeová. **E eu os fortalecerei no SENHOR, e andarão no seu nome, diz o SENHOR.** (12).

4. Os Dois Pastores (11.1-17)

a) *A destruição de Jerusalém* (11.1-3). Neste capítulo, temos uma imagem que combina com o quadro pintado no capítulo 10. Ali, brilha com a vinda do Messias, as vitórias que obteria e as bênçãos que daria. Aqui, é lúgubre com sua rejeição e conseqüências trágicas. O capítulo começa com uma descrição destas conseqüências (1-3), cuja vivacidade Moffatt traduziu assim:

> Abre as tuas portas, ó Líbano,
> Para que o fogo queime os teus cedros!
> Geme, ó cipreste,
> Pois os cedros caíram
> [as árvores gloriosas foram espoliadas].
> Gemei, ó carvalhos de Basã,
> Pois a densa floresta foi derrubada!
> Ouvi os pastores lamentando,
> Pois seus pastos gloriosos foram arruinados!
> Ouvi os leõezinhos rugindo,
> Pois a selva do Jordão foi destruída!

"O flagelo devastador, procedente do norte, arruína o orgulho do Líbano e Basã. Em seguida, devasta em direção sul até chegar ao vale do Jordão, e estabelece-se sobre os pastores de Israel".[13] Os **cedros** do **Líbano**, os **carvalhos de Basã** e outras frases semelhantes significam os governantes e líderes das nações condenadas. A Bíblia sempre compara a Assíria e o Egito com o cedro imponente (cf. Is 10.33,34; Ez 31.3-15).

Como veremos no texto à frente, o profeta prediz a destruição de Jerusalém feita pelos exércitos romanos.[14]

b) *A rejeição do Bom Pastor* (11.4-14). Esta subdivisão trata das causas do julgamento descrito acima. S. R. Driver considera esta passagem "a mais enigmática do Antigo Testamento". Contudo, a idéia básica afigura-se nitidamente clara. A catástrofe ocorrida em Jerusalém emanou da conduta imprópria, persistente e duradoura do povo e seus pastores (ou regentes). Atingiu o ápice quando rejeitaram o Bom Pastor, que Deus enviara para alimentar o rebanho.

O próprio Zacarias foi chamado para desempenhar o papel do bom pastor numa alegoria que relembra os quadros em Jeremias e Ezequiel, da destruição dos falsos líderes e da designação do verdadeiro condutor (cf. Jr 23.1-8; Ez 34; 37.24-28). "Assim diz o Senhor, meu Deus: Apascenta o rebanho destinado para a matança, cujos donos o matarão e dirão que não são culpados; enquanto os que os vendem dizem: 'Bendito seja o Senhor, fiquei rico!' Os pastores não poupam o rebanho" (4,5, VBB; cf. NVI). Os chefes civis e religiosos tinham tão pouco patriotismo e espiritualidade que careciam de senso de responsabilidade ao povo confiado aos seus cuidados. Por não terem tido piedade das pessoas, Deus disse: **Não terei mais piedade dos moradores desta terra... mas eis que entregarei os homens cada um na mão do seu companheiro e na mão do seu rei; eles ferirão a terra** (6).

O profeta fez como lhe fora mandado e assumiu a função de pastor de Israel. "Assim me tornei pastor do rebanho destinado à matança" (7, NVI). E "tomei para mim duas varas: a uma chamei Graça [que simboliza o favor divino prometido ao povo de Deus], e à outra chamei União [que significa a unidade que deveria existir entre Judá e Israel], e apascentei as ovelhas" (7, ECA; cf. NVI). **Num mês,** acabou com os **três pastores** (8). Este ponto não está claro, mas no parecer de Calvino significa que Deus "cuidou muito bem do seu rebanho, porque o amava e nada omitiu que fosse necessário para defendê-lo". Certos estudiosos pensam que a frase é uma glosa de escriba.

Apesar de todo o cuidado prestado ao rebanho, os serviços pastoris não foram considerados. "Então eu disse: 'Não serei vosso pastor; a que estiver para morrer, que morra, a que estiver perdida, que fique perdida, e as sobreviventes que devorem umas às outras" (9, Moffatt). O profeta apanhou a "vara chamada Graça" (ARA) e a quebrou, e desta forma anulou o concerto de graça com Israel. O ato significava que a nação se tornaria presa dos inimigos. As pessoas que viram este fato dramático sabiam que **era a palavra do SENHOR** (11).

Em seguida, Zacarias cobrou seus salários pelos serviços prestados, caso se sentissem dispostos a pagá-lo. Deixou que o povo resolvesse quanto valiam os serviços para eles. **E pesaram o meu salário, trinta moedas de prata** (12), o preço de um escravo ferido (cf. Êx 21.32).

Até este ponto, o profeta falou como representante do Senhor. Agora é Deus mesmo quem toma a palavra: **Arroja isso ao oleiro,**[15] na **Casa do SENHOR** (13). Zacarias é irônico ao chamar o salário de **belo preço.** ("preço 'fabuloso'", BV). A quantia mostra o quanto o desprezavam e os seus serviços. O fato de a prata ter sido lançada **na casa do SENHOR** significa que foi ao próprio Deus que pagaram a soma miserável.

> É impossível ler a resposta insultante dada pelo povo ao Bom Pastor sem sentir como é profética esta passagem. Israel não tivera muitos bons condutores no transcurso da sua história (cf. Ez 34); mas quando veio o maior pastor de todos, pronto para entregar a vida pelas ovelhas (cf. Jo 10.15), foi menosprezado, rejeitado, vendido por preço de escravo (Mt 26.15) e pregado numa cruz. "Os culpados sacrificam o inocente, mas nesta ação executam a própria destruição. Este é um resumo da história de Israel" (G. A. Smith).[16]

Mateus 27.9,10 demonstra especificamente que este incidente simbólico do pastor cumpriu-se na traição de Judas. Jesus foi vendido por "trinta moedas de prata", e esta quantia foi, mais tarde, lançada no Templo pelo traidor e usada para comprar um "campo do oleiro". O texto de Mateus 27.9 diz que esta profecia é de Jeremias. Uma possível explicação para isso é que um escriba confundiu "Zacarias" com este profeta, ao copiar o texto. A probabilidade é que Mateus citava a profecia de um grupo de passagens do Antigo Testamento que tratavam deste tema, e colocou-a na "lista de Jeremias".[17]

Depois deste incidente, o profeta quebrou "a segunda vara, chamada União" (ARA), "como sinal de que estava desfeita a união de irmãos que havia entre Judá e Israel" (14, NTLH).

c) *O pastor imprestável* (11.15-17). Após desempenhar o papel do bom condutor, agora o profeta é chamado a representar um **pastor insensato** (15, "imprestável", Moffatt;

cf. NTLH). **Porque eis que levantarei um pastor na terra, que não visitará as que estão perecendo, não buscará a desgarrada e não sarará a doente, nem apascentará a sã; mas comerá a carne da gorda e lhe despedaçará as unhas** (16). "Por pastor infiel, nesta passagem, devemos entender o opressor romano que destruiu o estado judaico e molestou impiedosamente os judeus após terem rejeitado Cristo".[18] Este "pastor imprestável" tem de assumir a responsabilidade por suas próprias ações e ser adequadamente punido (17), como mostra claramente a tradução de Moffatt:

> *Que a espada fira o seu braço*
> *E o seu olho direito!*
> *Que o seu braço se seque*
> *E que o seu olho direito fique cego!*

B. O Peso de Israel, 12.1—14.21

Como no peso anterior (9.1), esta subdivisão inicia com o título geral: **Peso da palavra do SENHOR sobre Israel** (1); e, como antes, este título pertence ao grupo de profecias que se seguem, e, desta feita, estende-se até o final do livro. Aqui, porém, o **peso** não é "em" ou "contra" (hb., *bh*) Israel, mas **sobre** ou "concernente" (hb., *al*) a Judá (cf. NTLH). O Senhor punirá severamente os inimigos de seu povo, pois maltrataram-no cruelmente.[19]

As predições desta seção final de Zacarias estão unidas pela expressão **naquele dia**, a qual ocorre 16 vezes nestes três capítulos.[20] Este fato significa, sem dúvida, que o cumprimento máximo deste oráculo para Israel acontecerá no "dia do SENHOR" (14.1). Esse é o momento escatológico que começará com a segunda vinda de Cristo, quando estiverem "os seus pés sobre o monte das Oliveiras" (14.4), do qual ascendera depois da ressurreição (At 1.11,12).

1. *As Vitórias Finais de Israel* (12.1—13.6)

a) *A libertação de Jerusalém* (12.1-9). Há uma solenidade incomum ligada às palavras iniciais deste oráculo. Para acabar com toda a dúvida sobre sua capacidade de livrar o povo, Deus prefacia a predição deste acontecimento glorioso e invoca o seu poder criativo e sustentador. Fala na função de Criador **que estende o céu, e que funda a terra, e que forma o espírito do homem dentro dele** (1). Seu desejo é que não duvidemos "da promessa de Deus por incredulidade", mas que estejamos certíssimos "de que o que" prometeu "também é "poderoso para o fazer" (Rm 4.21).

"A visão em si", F. B. Meyer nos lembra, "refere-se a um tempo ainda futuro, embora, talvez, não distante, em que o povo judeu terá voltado à sua terra, mas ainda em incredulidade".[21] As nações da terra entrarão em aliança contra Jerusalém, mas o destino desta confederação será a derrota extrema e final. **Eis que porei Jerusalém como um copo de tremor para todos os povos em redor e também para Judá, quando do cerco contra Jerusalém** (2). Jerusalém é um grande **copo** ou "taça" (NTLH) em torno da qual as nações se reúnem, ávidas por beber o conteúdo atraente, mas que é "taça que causa atordoamento" (VBB; cf. ECA); faz com que cambaleiem e caiam (cf. Is 51.22). No versículo 3, a figura alegórica muda: **Naquele dia... farei de Jerusalém uma pedra pesada para todos os povos; todos os que carregarem com ela certamente serão despedaçados**. Na Antiguidade, mover pedras pesadas era ocasião freqüente de acidentes trágicos e perda de vida. George Adam Smith julga que a referência seja ao empenho dos trabalhadores em desalojar da terra gigantescos matacães (blocos de rocha compacta arredondados pela erosão). As mãos ficavam dilaceradas pelas pedras no esforço estrênuo de arrancá-las do lugar ou de transportá-las.[22] Jerônimo era de opinião de que a figura foi tirada da competição de levantamento de peso como vira na Palestina. O levantamento era demais para os concorrentes, que, depois de pegar a pedra e tentar mantê-la, derrubavam-na, e cortavam-se e feriam-se com a desistência.

Sobre a casa de Judá abrirei os meus olhos (4) é metáfora que denota atitude favorável. Os inimigos ficariam confusos, quando Deus ferisse com "pânico" (RSV) **todos os cavalos** e com **loucura os que montam neles**. As palavras **todos os cavalos dos povos** aludem aos "cavalos dos inimigos" (NTLH) de Israel. Ao verem a confusão dos atacantes, **os chefes de Judá dirão no seu coração: A minha força são os habitantes de Jerusalém e o SENHOR dos exércitos, seu Deus** (5).

Os príncipes de Judá tomarão parte no triunfo de Jerusalém. Em relação a isso, a profecia emprega dois símiles interessantes. "Naquele dia farei das famílias de Judá um pequeno fogo que queima uma grande floresta – como uma pequena tocha entre os feixes" (6, BV). O resultado desta conflagração entre os inimigos de Jerusalém será a sobrevivência da cidade **no seu próprio lugar** (6).

Nesta libertação, as **tendas de Judá** são salvas em primeiro lugar para que os **habitantes de Jerusalém não sejam** exaltados **acima de Judá** (7). Em nota de rodapé, a Versão Bíblica de Berkeley observa que o Messias viria de Belém da Judéia e não de Jerusalém. A glória não pertencerá nem a Judá, nem a Jerusalém, mas ao Senhor. Com seu amparo, **o que dentre eles tropeçar** ("o mais fraco dentre eles", ARA) **será como Davi, e a casa de Davi será como Deus, como o anjo do SENHOR diante deles** (8). Wardlaw escreve a respeito desta promessa: "O significado geral é que o Senhor Deus fortalecerá os mais fracos, dará mais sublimidade, honra e influência aos mais ilustres, e aumentará divinamente o poder dos mais poderosos. Ele fará isso para que jamais haja força adversária que permaneça diante deles, como quando o divino anjo do concerto foi comissionado a ser o guia e guardião de quem Jeová disse: O MEU NOME ESTÁ NELE".[23]

b) *O arrependimento de Israel* (12.10-14). Em seguida ao livramento dos inimigos, Deus derramará **sobre a casa de Davi e sobre os habitantes de Jerusalém... o Espírito de graça e de súplicas** (10). Aqui, a palavra **graça** denota os dons e influência do Espírito.[24] A palavra profética continua: **Olharão para mim, a quem traspassaram; e o prantearão** (10). T. T. Perowne observa com acerto: "O orador é o Deus Todo-poderoso. Os judeus o traspassaram metaforicamente quando, ao longo da história, foram rebeldes e ingratos. Eles o traspassaram literalmente e como ato de coroação da sua contumácia, na pessoa de seu Filho na cruz do Calvário (Jo 19.39)".[25] O cumprimento desta profecia no pranto daqueles que o traspassaram ainda está no futuro, pois espera o retorno do Messias que há muito foi rejeitado. Esta profecia é apoiada pela mensagem de João na ilha de Patmos: "Eis que vem com as nuvens, e todo olho o verá, até os mesmos que o traspassaram; e todas as tribos da terra se lamentarão sobre ele. Sim! Amém!" (Ap 1.7).

O pranto por Cristo será como o choro pela "perda de um filho único" (NVI), **como se chora amargamente pelo primogênito** (10) e **como o pranto de Hadade-Rimom** (11), ou seja, o luto nacional pela morte do rei Josias. Acredita-se que **Hadade-Rimom** era uma cidade que ficava **no vale de Megido**, onde este monarca fora morto. Embora só **Jerusalém** seja mencionada a prantear, os versículos que se seguem deixam claro que a cidade representa a totalidade de Israel.

Vários intérpretes consideram que as famílias mencionadas especificamente nos versículos 12 e 13 sejam representantes das principais camadas sociais da nação: **a linhagem** ("família", ARA) **da casa de Davi** representa a família real; **a linhagem da casa de Natã**, a linhagem profética (12); **a linhagem da casa de Levi**, o sacerdócio; **a linhagem da casa de Simei**, os escribas e mestres de Israel (13). O pranto será universal e solitário: **Cada linhagem** ("família", ARA), **à parte, e suas mulheres, à parte** (14). Pecamos sozinhos; nos arrependemos sozinhos. "A menção de as esposas prantearem **à parte** está ligada à prática de homens e mulheres se sentarem e adorarem separadamente" [26] (cf. BV; NTLH).

O pranto por Cristo começou na hora da crucificação (Lc 23.48). O número de pranteadores aumentou grandemente no dia de Pentecostes (At 2.36-41). Ao considerar que pelos seus pecados todas as pessoas foram envolvidas no traspassamento de Cristo, o choro de todo aquele que se arrepende é cumprimento parcial desta palavra profética. Mas o cumprimento final ocorrerá quando Cristo voltar pela segunda vez. Então, "uma nação nascerá em um dia", pois, relacionado com a volta do Messias em glória, "todo o Israel será salvo" (Rm 11.26; cf. comentários em 14.16-19).

c) *A conversão e santificação de Israel* (13.1-6). **Naquele dia, haverá uma fonte aberta para a casa de Davi e para os habitantes de Jerusalém, contra o pecado e contra a impureza** (1). O **dia** é o mesmo assinalado em 12.11. O traspassamento do Messias rejeitado foi, na realidade, a abertura da **fonte**. Mas as providências disponibilizadas no Calvário não efetivarão a salvação *nacional* de Israel até que Cristo volte nas nuvens dos céus (Ap 1.7).[27]

Henderson declara que o versículo 1 "mostra as duas principais doutrinas do Evangelho – a justificação e a santificação".[28] A morte de Cristo abriu uma **fonte** 1) **contra o pecado** e 2) **contra a impureza**. A justificação é pelo sangue da expiação (Rm 3.21-26); a santificação é pelo "Espírito de graça" (12.10; 2 Ts 2.13; 1 Pe 1.2). Justificação significa o aniquilamento de nosso pecado, a retificação de uma relação errada com Deus, de forma que pela fé somos restaurados ao favor de um Deus santo e justo. No sentido mais amplo, santificação significa a total renovação moral de nossa natureza caída, que começa com a "lavagem da regeneração e da renovação do Espírito Santo" (Tt 3.5) e se aperfeiçoa pelo batismo com o Espírito Santo (Mt 3.11; At 1.4,5; 15.8,9).

No dia de Pentecostes, Pedro mostrou a fonte purificadora: "Arrependei-vos, e cada um de vós seja batizado em nome de Jesus Cristo para perdão dos pecados, e recebereis o dom do Espírito Santo" (At 2.38).

Com eloqüência maravilhosa, John Bunyan extraiu a força destas palavras: "cada um de vós":

> "Mas eu o feri na cabeça com a vara: Há esperança para mim?" *Cada um de vós*, diz o apóstolo. "Mas eu lhe dei um tapa no rosto: Há perdão para mim?" Sim, é

a resposta, para *cada um de vós*. "Mas eu preguei os cravos nas mãos e nos pés, que o fixaram na cruz: Há purificação para mim?" Sim, clama Pedro, para *cada um de vós*. "Mas eu perfurei o seu lado, embora nunca me tivesse feito mal; foi um ato cruel e desumano, e me arrependo profundamente por tê-lo feito: Esse pecado pode ser lavado?" *Cada um de vós*, é a resposta constante.

Como foi no começo desta era, assim será no seu fim – com uma diferença: enquanto que no começo poucos milhares de pessoas entraram na fonte, "naquele dia" a grande maioria de Israel se lavará nela e ficará limpo. Então, as palavras do apóstolo Pedro, ditas no despontar desta era, se cumprirão. Quando Israel se arrepender e se converter, virão "os tempos do refrigério pela presença do Senhor". Então, enviará "a Jesus Cristo, que já dantes vos foi pregado, o qual convém que o céu contenha até aos tempos da restauração de tudo, dos quais Deus falou pela boca de todos os seus santos profetas, desde o princípio" (At 3.19-21).

Desde o início da era cristã, a verdadeira fonte aberta contra o pecado e a impureza tem servido a milhões de arrependidos que a buscam na pessoa de Jesus Cristo. Mas Perowne vê mais: "Além disso, em outra era a predição se cumprirá em sua inteireza, com a perfeição em todos os pormenores e com a exatidão de detalhes nunca antes obtida".[29]

Naquele dia, diz o SENHOR dos Exércitos... tirarei da terra os nomes dos ídolos (2), ou seja, Deus acabará até com a lembrança das divindades. Expulsará os falsos **profetas e o espírito da impureza** que os incita. Será tão grande o zelo pela religião pura que os pais de algum falso profeta que restar o matarão, porque falou mentiras **em nome do SENHOR** (3). Semelhante descrédito será lançado ao falso profeta **naquele dia** que ficará envergonhado pelas coisas das quais outrora se orgulhava. Não usará mais **manto de pêlos** (4) para mentir, a fim de que as pessoas o julgassem profeta; mas dirá: **Não sou profeta, sou lavrador da terra; porque tenho sido servo desde a minha mocidade** (5). E se alguém ainda tiver dúvidas por causa das **feridas** nas suas **mãos** (6), explicará: **São as feridas com que fui ferido em casa dos meus amigos**. Estas **feridas** referem-se às "incisões que os falsos profetas faziam em si mesmos" (1 Rs 18.28).

Este último versículo é geralmente associado com as marcas dos cravos nas mãos de Cristo. Contudo, este não é o significado natural da declaração e em nenhum lugar encontramos essa aplicação no Novo Testamento. A passagem é traduzida com mais precisão assim: "Que feridas são estas entre as tuas mãos?" (VBB). A nota de rodapé na Versão Bíblica de Berkeley sobre o versículo em pauta explica: "Em hebraico, 'entre as tuas mãos', significa 'no peito' (cf. NTLH) ou 'nas costas' (cf. BV), o mesmo que 'entre os teus braços'". A nota de rodapé em A Bíblia Viva traz este comentário acerca do versículo: "O contexto deixa claro que esta passagem não se refere a Jesus Cristo. Este é um falso profeta que mente sobre a razão das feridas".

2. *As Vitórias Finais do Pastor-Rei* (13.7—14.21).

a) *A ferida do Pastor* (13.7-9). O começo desta subdivisão é tão abrupto que muitos críticos modernos colocam estes versículos no fim do capítulo 11, logo após o relato do pastor imprestável. Esta passagem é continuação do tema do Bom Pastor (cf. 11.1-17), mas se ajusta bem aqui como seqüência das precedentes profecias de libertação, arrependimento, conversão e santificação de Israel. "Além do mais, não era porque afirmava ser profeta, ou porque estavam nervosos com declarações semelhantes, [...] mas era "porque se fez Filho de Deus" (Jo 19.7) que os judeus tomaram parte em ferir o Pastor".[30]

Podemos explicar a transição aparentemente brusca pelo fato de que esta subdivisão é paralela à passagem precedente, em vez de ser seqüencial. Ao descrever a futura conversão e transformação de Israel, o profeta retrocede a um ponto com o qual iniciara a subdivisão anterior. Mais uma vez, inicia com uma nova visão da perspectiva, e parte com a ferida do Pastor até chegar à meta da verdadeira santificação, já anteriormente alcançada.[31]

Ó espada, ergue-te contra o meu Pastor... diz o SENHOR dos exércitos; fere o Pastor (7). Esta é inconfundivelmente uma profecia de Cristo, que é o pastor de Jeová incumbido de cuidar do rebanho. "Em sua pessoa, Jesus é exclusivamente adequado para a tarefa, por ser homem e, ao mesmo tempo, companheiro de Jeová (7). A palavra hebraica *gebher*, traduzida por **varão** ("homem", ARA), é enfática e indica que o pastor é, acima de tudo, homem; ao passo que a palavra hebraica *kamith*, quer dizer **companheiro**, e contém a idéia de companheirismo em condições iguais. O ato de ferir um mero regente judeu [...] não podia ser considerado como cumprimento último e verdadeiro desta profecia".[32] Ao mesmo tempo em que as Escrituras afirmam que Cristo foi crucificado "pelas mãos de injustos", também declaram que "foi entregue pelo determinado conselho e presciência de Deus" (At 2.23).

A profecia apresenta o efeito imediato de ferir o pastor: **Espalhar-se-ão as ovelhas**. Cristo não dá margem à dúvida quanto ao significado destas palavras, quando disse: "Todos vós esta noite vos escandalizareis em mim, porque está escrito: Ferirei o pastor, e as ovelhas do rebanho se dispersarão" (Mt 26.31). Mas o rebanho não ia ser abandonado nesta condição de espalhamento, pois a profecia continua: **Volverei a minha mão para os pequenos**. Tradução literal desta passagem é: "Retrocederei a minha mão sobre os humildes" (cf. BV), no sentido gracioso de Isaías 1.25. "A mão e o poder de Deus que estavam no pastor *ressurreto* que voltou da morte são virados sobre eles e os reúne" (Stier). Espalhados pela crucificação de Jesus, os discípulos dispersos foram reunidos pela sua ressurreição (Mt 26.32).

Os versículos 8 e 9 são a base para a doutrina do Novo Testamento de "um resto, segundo a eleição da graça" (Rm 11.5). Não é necessário interpretarmos literalmente as **duas partes** (8) e uma **terceira parte** (9). A verdade desta profecia é simples. Houve uma matança generalizada de judeus depois da crucificação de Cristo (no cerco de Jerusalém por Tito, em 70 d.C., e em subseqüentes ataques aos judeus). Mas também, houve um resto de Israel que creu ser Jesus o Cristo e que se tornou o núcleo da Igreja que evangelizou o mundo greco-romano. **Direi: É meu povo; e ela dirá: O SENHOR é meu Deus** (9).

b) *O dia do Senhor* (14.1-15). **Eis que vem o dia do SENHOR** (1). É impossível considerar que esta profecia misteriosa e sublime já tenha se cumprido. Também nada acontece na captura de Jerusalém sob o comando dos macabeus ou em sua destruição subseqüente pelos exércitos romanos que adequadamente satisfaçam as condições das palavras de Zacarias. Quando foi que **todas as nações** se reuniram **para a peleja**

contra Jerusalém (2)? Quando foi que o **monte das Oliveiras** foi **fendido pelo meio** (4)? Que dia já nasceu no oriente conforme descrevem os versículos 6 e 7?

> Claro que é possível encaixar interpretações metafóricas e espiritualizadas em todos estes detalhes. Mas fazê-lo é prejudicar a força e o valor da escritura profética. Se as predições da vinda de nosso Senhor nos dias da sua humilhação se cumpriram de forma tão literal, por que suporíamos que as predições da segunda vinda em grande glória devessem ser tratadas metaforicamente?[33]

Este capítulo volta ao quadro profético do cerco de Jerusalém descrito no capítulo 12. A nação ainda está em incredulidade. A profecia inicia com um novo relato do grande cerco, mas passa a revelar a libertação maravilhosa que Deus dará para Jerusalém. O quadro é tão real quanto se o profeta descrevesse um fato histórico verdadeiro que testemunhara.

Em 1919, David Baron escreveu sobre esta predição:

> Inicialmente, temos de supor que os judeus serão restaurados primeiramente na condição de incrédulos. Portanto, não será uma restauração completa de toda a nação, pois este fato não ocorrerá até que se convertam. Será, então, uma restauração de um resto representativo e influente. Pelo que entendemos, as Escrituras revelam que em relação a Israel e à sua terra haverá uma restauração antes da segunda vinda de nosso Senhor – uma restauração ao mesmo estado de coisas existentes na época da primeira vinda, quando a linha do procedimento de Deus para com eles foi nacionalmente descontinuada para não ser retomada "até que os tempos dos gentios se completem" (Lc 21.25).[34]

A criação do Estado de Israel em 1948 pressagia a proximidade do cumprimento da profecia de Zacarias. "Aprendei, pois, esta parábola da figueira", disse Jesus: "Quando já os seus ramos se tornam tenros e brotam folhas, sabeis que está próximo o verão. Igualmente, quando virdes todas essas coisas, sabei que ele está próximo, às portas" (Mt 24.32,33).

O dia do SENHOR era expressão escatológica que há muito era usada pelos profetas (cf. Am 5.18-20; Is 2.12). Esta predição é sobre o "grande e terrível dia do SENHOR", quando Jesus voltará para executar o juízo final da história. De acordo com a visão bíblica, a humanidade se encaminha para um fim. **O dia do SENHOR** tem tido muitos cumprimentos *interno-históricos* em tempos de crise, quando Deus julga a história e promove uma vitória parcial do seu reino. O mais significativo destes cumprimentos foi a morte e ressurreição de Jesus, quando o reino de Cristo foi inaugurado.[35] Ainda tem de haver um cumprimento *supra-histórico* da história, quando Jesus voltar para consolidar seu reino. O cumprimento interno-histórico era precedente deste futuro cumprimento supra-histórico. Quando **o dia do SENHOR,** predito aqui por Zacarias *se completar*, então já não haverá mais demora (Ap 10.5). "Depois, virá o fim", quando Deus será "tudo em todos" (cf. 1 Co 15.24-28).

Este **dia do SENHOR** começará com a reunião das nações da Terra contra Jerusalém, quando **a cidade será tomada** (2). O cerco terá êxito no início. Há descrição de cenas de horror e brutalidade, comuns quando uma cidade cai nas mãos de um inimigo cruel. A **metade da cidade sairá para o cativeiro**, declara o profeta, **mas o resto do povo não será expulso da cidade** (2). Jerusalém será preservada para o grande acontecimento que é anunciado a seguir: Então, **o SENHOR sairá e pelejará contra estas nações** (3). O apóstolo João fala sobre o mesmo acontecimento: "Eis que vem com as nuvens, e todo olho o verá, até os mesmos que o traspassaram; e todas as tribos da terra se lamentarão sobre ele. Sim! Amém!" (Ap 1.7).

Zacarias prediz uma aparição literal do Salvador rejeitado. Os pés de Jesus pisarão onde Cristo muitas vezes palmilhou quando esteve aqui nos dias de sua existência material. **Estarão os seus pés sobre o monte das Oliveiras, que está defronte de Jerusalém para o oriente... então, virá o SENHOR, meu Deus, e todos os santos contigo, ó Senhor** (4,5; cf. Mt 25.31; Cl 3.4; 1 Ts 4.14; Jd 14). Isto só pode significar que haverá um cumprimento glorioso das palavras dos dois homens que se puseram junto aos apóstolos no monte das Oliveiras: "Varões galileus, por que estais olhando para o céu? Esse Jesus, que dentre vós foi recebido em cima no céu, há de vir assim como para o céu o vistes ir" (At 1.11). F. B. Meyer observa com discernimento espiritual:

> Foi precisamente quando seus irmãos estavam na maior dificuldade que José se revelou a eles. Do mesmo modo, será quando os judeus estiverem no limite extremo do pavor que clamarão em voz alta e pedirão ajuda e libertação àquele a quem rejeitaram. Essa cena memorável na antiga terra das pirâmides será reproduzida em toda a sua ternura e compaixão, quando o irmão, há tanto tempo rejeitado, disser aos judeus: "Eu sou Jesus, vosso Irmão, a quem vendestes para Pilatos; agora, pois, não vos entristeçais, nem vos pese aos vossos olhos por me haverdes entregado para ser crucificado; porque Deus me enviou diante da vossa face para conservação de um remanescente na terra e para guardar-vos em vida por um grande livramento" (ver Gn 45.1-15).[36]

Quando o povo escolhido tiver reconhecido seu grande Libertador, este começará a libertá-lo. "Pode ser que os judeus o reconheçam no ato da libertação. O monte dividido fornecerá um rota de escape, como antigamente concedeu o mar dividido"[37] Estas são as dores de parto do fim dos tempos. **E acontecerá, naquele dia, que não haverá preciosa luz, nem espessa escuridão. Mas será um dia conhecido do SENHOR; nem dia nem noite será** (6,7). Será um dia especial só entendido pelo Senhor. Com a diminuição da luz natural, este dia particular não será nem dia nem noite como os entendemos. Não há que duvidar que os sentidos literal e figurativo estão misturados na próxima predição: **E acontecerá que, no tempo da tarde, haverá luz** (7).

Naquele dia, também acontecerá que correrão de Jerusalém águas vivas, metade delas para o mar Morto, **e metade delas até ao mar** Mediterrâneo (8; cf. NTLH). **Águas vivas** fluirão de **Jerusalém** "para curar as nações" (cf. Ap 22.2, NTLH).[38] O fluxo destas águas não diminuirá nem **no estio** ("verão", ARA) nem **no inverno**, ou seja, as estações do ano não afetarão o volume das águas.

E o SENHOR será rei sobre toda a terra (9). João, na ilha de Patmos, também viu por um momento este dia e escreveu: "Os reinos do mundo vieram a ser de nosso Senhor e do seu Cristo, e ele reinará para todo o sempre" (Ap 11.15). Visto que Deus é o Senhor soberano da criação e da história, esta vitória é certa. O dia do Senhor *virá*. **Naquele dia**, continua o profeta, **um será o SENHOR, e um será o seu nome**. Este será o cumprimento último do *shema* do Antigo Testamento (Dt 6.4,5). A unidade da natureza de Deus tem de significar o reconhecimento final do seu nome soberano. O Novo Testamento deixa claro que o Senhor exercerá esta soberania em "nome de Jesus" (Fp 2.9-11).

Embora esta passagem prediga a volta literal de Cristo, expõe também muitos detalhes figurativos; em cada caso, é impossível separar o aspecto literal do metafórico. Fala: 1) da divisão do monte das Oliveiras (4,5); 2) da irrupção do próprio dia de Deus (6,7); 3) da emanação de águas vivas (8); 4) do abaulamento do solo que forma uma **planície, desde Geba até Rimom, ao sul de Jerusalém** (10, as extremidades Norte e Sul do país de Judá, cf. BV; NTLH), e ocasiona a elevação (**exalçada**) da cidade; e 5) da remoção da maldição do pecado (11). Estas são estrelas no céu da profecia de Deus.

Ao chegarmos ao versículo 12, parece que voltamos a pisar um terreno mais literal. Desde o surgimento da ficção nuclear entendemos algo do horror da carne de homens **consumida, estando eles de pé** (12). A confusão que Deus enviará aos exércitos dos inimigos de Jerusalém relembra muitas narrativas bélicas no Antigo Testamento (13). Além disso, as descrições nos versículos 14 e 15 são bastante fáceis de entender. Este é o linguajar do apocalipse judaico, e descreve uma cena que João apresenta com eloqüência rica e ardente no Apocalipse cristão (cf. Ap 19.11-18).

c) *O reinado milenar de Cristo* (14.16-21). O olho perspicaz do profeta agora tem a visão da vitória futura do reino de Deus na terra. **E acontecerá que todos os que restarem de todas as nações que vieram contra Jerusalém subirão de ano em ano para adorarem o Rei, o SENHOR dos Exércitos, e para celebrarem a Festa das Cabanas** (16). A visão límpida e maravilhosa que enchia o horizonte para os grandes profetas hebreus sempre mostrou Jerusalém exaltada como a metrópole religiosa do mundo. Espiritualmente, todas as tendências do pensamento religioso do mundo estão voltadas para a cidade onde o cristianismo nasceu e foi criado (cf. comentários em 8.21-23). Mas uma profecia como esta não pode ser completamente espiritualizada. A exegese honesta requer que entendamos que a predição diz que a cidade literal de Jerusalém se tornará a capital religiosa do mundo durante o reinado milenar de Cristo.[39]

É imperativo que tenhamos o cuidado de não deixar de reconhecer esses elementos metafóricos que certamente fazem parte da profecia. Não é necessário que entendamos que o versículo 16 seja uma predição da restauração das festas literais do antigo concerto.[40] É, antes, a garantia "de que a alegria, a tranqüilidade e a pompa festiva que outrora permeavam a cidade naquela época do ano, caracterizarão a vida religiosa do mundo, cujo foco será 'a cidade amada'".[41]

E acontecerá que, se alguma das famílias da terra não subir a Jerusalém, para adorar o Rei, o SENHOR dos exércitos, não virá sobre ela a chuva (17). Este e os próximos dois versículos nos dizem que, mesmo no grande dia em que a glória do Senhor terá tomado conta de toda a terra, como as águas cobrem o mar, haverá pessoas impenitentes. O **Egito** (18,19) aqui, como tão freqüentemente no Antigo Testamento, simboliza a rebelião desafiante contra o verdadeiro Deus. "A verdadeira concepção do Milênio não insinua que todas as pessoas serão regeneradas; mas proclama que a influência preponderante do mundo será a favor de coisas que são justas, puras, amáveis e de boa fama".[42]

Naquele dia, se gravará sobre as campainhas dos cavalos: SANTIDADE AO SENHOR; e as panelas na casa do SENHOR serão como as bacias diante do altar. E todas as panelas em Jerusalém e Judá serão consagradas ao SENHOR dos Exércitos (20,21). Quando a vitória de Cristo estiver completa, as palavras sagradas que estavam inscritas na mitra do sumo sacerdote: "SANTIDADE AO SENHOR", serão inscritas nos "sininhos das rédeas dos cavalos" (NTLH) e nas vasilhas comuns de uso doméstico. Isto simboliza o cancelamento da distinção entre o sacro e o secular. Na lei do Antigo Testamento, os dias, lugares e artigos especiais eram postos à parte e dedicados a Deus como santos. Não era possível Deus ensinar aos homens o que significava santidade, exceto por este processo de proibição e separação. Mas quando a lição foi plenamente entendida, o código levítico foi abolido. Antigamente, os cavalos eram mercadoria proibida para o povo de Deus, mas **naquele dia** serão tão sagrados como os recipientes do Templo de Jeová. Cristo santifica o todo da vida, e quando estiver estabelecido totalmente sobre os assuntos deste mundo, tudo lhe será consagrado.

"Santidade ao Senhor" é nosso lema e canção,
"Santidade ao Senhor", enquanto marchamos avante.
Cantemos, brademos, bem alto e por longo tempo.
"Santidade ao Senhor", hoje e para sempre! SR.ª C. H. MORRIS

Notas

INTRODUÇÃO

[1] G. N. M. Collins, "Zechariah", *The New Bible Commentary*, editado por Francis Davidson *et al.* (Grand Rapids: William B. Eerdmans Publishing Company, 1953), p. 748.

[2] George Adam Smith, "The Book of the Twelve Prophets", *The Expositor's Bible*, editado por W. Robertson Nicoll, vol. II (Nova York: George H. Doran Company, s.d.), pp. 264, 265.

[3] Mateus 27 não cita exclusivamente Zacarias 11. O cumprimento ao qual Mateus se refere pertence à compra do campo de um oleiro, o que aponta para Jeremias 32.6-9 (cf. Jr 18.2; 19.2,11). Sob a luz destas passagens de Jeremias, entendemos que o fato de Zacarias lançar o dinheiro ao oleiro é uma renovação do antigo símbolo feito por Jeremias. Ao considerar que Mateus combina Jeremias e Zacarias, só Jeremias, por ser profeta mais antigo, foi mencionado. Ver Gleason L. Archer Junior, *A Survey of Old Testament Introduction* (Chicago: Moody Press, 1964), p. 411.

[4] Edward J. Young, *An Introduction to the Old Testament* (Grand Rapids: William B. Eerdmans Publishing Company, 1953), p. 270.

[5] Robert C. Dentan, "Zachariah", *The Interpreter's Bible* (Nova York e Nashville: Abingdon Press, 1956), p. 1.090.

[6] Young, *op. cit.*, p. 271; Dentan, *ib*.

[7] Archer, *op. cit.*, p. 410.

[8] Archer, *op. cit.*, p. 413; Young, *op. cit.*, p. 272.

[9] Archer, *op. cit.*, pp. 414, 415.

[10] Citado por Young, *op. cit.*, p. 273.

[11] Collins, *op. cit.*, p. 748.

SEÇÃO I

[1] Ver Introdução, "O Livro".

[2] Marcus Dods, *The Post-Exilian Prophets* (Edimburgo: T. & T. Clark, 1881), p. 67.

[3] Eli Cashdan, "Zechariah", *The Twelve Prophets*, editado por A. Cohen (Londres: The Soncino Press, 1948), p. 271.

[4] *Loc. cit.*

[5] T. T. Perowne, "Haggai, Zechariah and Malachi", *The Cambridge Bible for Schools and Colleges*, editor geral J. J. S. Perowne (Cambridge: University Press, 1893), "Zachariah", p. 5.

[6] G. Coleman Luck, *Zechariah* (Chicago: Moody Press, s.d.), p. 15. Quanto ao forte destaque que Zacarias dá à ética, cf. 1.4; 7.1-10; 8.16,17,19.

[7] Dods, *op. cit.*, p. 68.

[8] George Adam Smith, *The Book of the Twelve Prophets*, vol. II (Nova York: Harper & Brothers, 1940), p. 273.

[9] *Ib*.

[10] S. R. Driver, "The Minor Prophets", *The New Century Bible*, editado por Walter F. Adeney, vol. II (Nova York: Oxford University Press, 1906), p. 185.

[11] Cf. Collins, *op. cit.*, p. 749.

[12] Perowne, *op. cit.*, p. 72.

[13] Citado por Smith, *op. cit.*, p. 311.

[14] George A. F. Knight, "A Biblical Approach to the Doctrine of the Trinity", *Scottish Journal of Theology*, Edição Ocasional n.º 1, editores gerais T. F. Torrance e J. K. S. Reid (Edimburgo: Oliver & Boyd, Limited, 1953), pp. 27, 28.

[15] F. B. Meyer, *The Prophet of Hope* (Londres: Morgan & Scott, s.d.), p. 16.

[16] *Ib.*, pp. 17, 19. As citações bíblicas que Meyer fez encontram-se em Jeremias 3.14; Oséias 14.4 e Hebreus 7.25.

[17] *Ib.*, p. 21.

[18] Cashdan, *op. cit.*, p. 276; Meyer, *op. cit.*, p. 21; Luck, *op. cit.*, p. 25.

[19] Citado por Smith, *op. cit.*, p. 287.

[20] Dods, *op. cit.*, p. 71.

[21] Driver, *op. cit.*, p. 189.

[22] Dods, *op. cit.*, p. 73.

[23] F. B. Meyer, *op. cit.*, p. 29.

[24] *Ib.*, p. 30.

[25] Pusey; citado por Perowne, *op. cit.*, p. 77.

[26] D. Winton Thomas, "Zechariah" (Exegesis), *The Interpreter's Bible*, editado por George A. Buttrick *et al.*, vol. VI (Nova York: Abingdon Press, 1956), p. 1066.

[27] Meyer, *op. cit.*, p. 32.

[28] Smith, *op. cit.*, p. 293.

[29] Perowne, *op. cit.*, p. 79.

[30] Dods, *op. cit.*, p. 76.

[31] *Ib.*

[32] Luck, *op. cit.*, p. 37.

[33] *Ib.*, p. 39.

[34] Cashdan, *op. cit.*, p. 281.

[35] *Ib.*, p. 282.

[36] Perowne, *op. cit.*, p. 82.

[37] Cashdan, *op. cit.*, p. 282.

[38] Thomas, IB, vol. VI, p. 1071.

[39] Smith, *op. cit.*, p. 297.

[40] Perowne, *op. cit.*, p. 83.

[41] *Ib.*

[42] Thomas, IB, vol. VI, p. 1071.

[43] Smith, *op. cit.*, p. 298.

[44] *Ib.*

[45] Dods, *op. cit.*, pp. 80, 81.

[46] Cashdan, *op. cit.*, p. 285.

[47] Smith, *op. cit.*, p. 301.

[48] Driver, *op. cit.*, p. 205; cf. Dods, *op. cit.*, p. 83.

[49] Citado por Luck, *op. cit.*, pp. 52, 53; cf. Cashdan, *op. cit.*, p. 287.

[50] Driver, *op. cit.*, p. 206.

[51] Luck, op. cit., p. 53; Driver, *ib.*

[52] Citado por Smith, *op. cit.*, p. 300.

[53] Meyer, *op. cit.*, pp. 51, 52.

[54] Baron; citado por Luck, *op. cit.*, pp. 51, 52 (cf. Jo 12.31; 16.7-11).

[55] J. E. McFadyen, "Zechariah", *Abingdon Bible Commentary*, editado por David D. Downey (Nova York: Abingdon Press, 1929), p. 823.

[56] Dods, *op. cit.*, p. 84. Dods escreve: "Este símbolo revela que a maldade é adulta, sedutora, tramadora e prolífera; mostra que é separável da vida e conduta das pessoas, cujo envolvimento julgava-se ser indissolúvel".

[57] Thomas, IB, vol. VI, p. 1077.

[58] Smith, *op. cit.*, pp. 304, 305.

[59] *Ib.*, pp. 305, 306.

[60] Dods, *op. cit.*, p. 87.

[61] Smith, *op. cit.*, p. 306; Thomas, IB, vol. VI, p. 1078; Cashdan, *op. cit.*, p. 291.

[62] Cf. Driver, *op. cit.*, p. 210.

[63] Luck, *op. cit.*, pp. 60, 61.

[64] Esta reconstrução do texto de modo nenhum invalida a inspiração profética de Zacarias. O mandamento do Novo Testamento que estipula: "Maneja bem a palavra da verdade", impõe sobre nós a responsabilidade de envidarmos todos os esforços em determinar o que essa palavra verdadeiramente é. Tal reconstrução também harmoniza o texto de 6.12b,13a com 4.9: "As mãos de Zorobabel têm fundado esta casa, também as suas mãos a acabarão".

[65] Cashdan, *op. cit.*, p. 294.

[66] Cf. 7.3: "Os sacerdotes do templo do SENHOR" (NTLH; NVI).

[67] Cashdan, *op. cit.*, p. 295.

[68] Smith, *op. cit.*, p. 321.

[69] Citado por Perowne, *op. cit.*, p. 102.

[70] Citado por Cashdan, *op. cit.*, p. 298.

[71] McFadyen, *op. cit.*, p. 824.

[72] Citado por Cashdan, *op. cit.*, p. 298.

[73] *Ib.*, p. 301.

[74] Meyer, *op. cit.*, p. 70.

SEÇÃO II

[1] Collins, *op. cit.*, p. 755.

[2] Perowne, *op. cit.*, p. 111.

[3] McFadyen, *op. cit.*, pp. 826, 827.

[4] Dentan, *op. cit.*, pp. 1095, 1096.

[5] Collins, *op. cit.*, p. 756.

[6] Cashdan, *op. cit.*, p. 305.

[7] Perowne, *op. cit.*, p. 113.

[8] Cashdan faz um comentário sobre esta frase: "A palavra hebraica *tsaddik*, normalmente traduzida por 'justo', 'íntegro', 'probo', aqui provavelmente significa: mostrado estar no direito, defendido em face da oposição, por conseguinte *triunfante*. A palavra hebraica *jasha* (**Salvador**) é um particípio passivo e deveria ter sido traduzido estritamente por 'o recebedor de salvação'" (Cashdan, *op. cit.*, p. 306).

[9] Smith, *op. cit.*, p. 467.

[10] Smith, *op. cit.*, pp. 467, 468.

[11] Cashdan, *op. cit.*, p. 307.

[12] Collins, *op. cit.*, p. 757.

[13] Perowne, *op. cit.*, p. 122.

[14] Collins, *op. cit.*, p. 758.

[15] A NTLH traduz **oleiro** por "tesouro" ("caixa de coletas", BV), porque segue a Versão Siríaca que traz a palavra *otsar*, "tesouro", em vez de *yotser*, "oleiro".

[16] Citado de McFadyen, *op. cit.*, p. 829.

[17] Ver Introdução, "O Livro".

[18] Collins, *op. cit.*, p. 759.

[19] Ib.

[20] A frase **naquele dia** ocorre em 12.3,4,6,8,9,11; 13.1,2,4; 14.4,6,8,9,13,20,21.

[21] Meyer, *op. cit.*, p. 100.

[22] Smith, *op. cit.*, p. 479.

[23] Citado de Collins, *op. cit.*, p. 760.

[24] Ver João 1.36; 1 Coríntios 15.10; e quanto à expressão "o Espírito de graça", ver Hebreus 10.29.

[25] Perowne, *op. cit.*, p. 133.

[26] Collins, *op. cit.*, p. 760.

[27] Embora o Israel da carne tenha, como um todo, rejeitado Cristo (Rm 10.1-3,18-21), "também agora neste tempo ficou um resto, segundo a eleição da graça" (Rm 11.5). Está escrito que durante "os tempos dos gentios" (Lc 21.24) Israel será rejeitado (Rm 11.2; cf. Rm 11.7-22). Mas quando tiver entrado "a plenitude dos gentios", então "todo o Israel será salvo" (Rm 11.25; cf. Rm 11.23-32). Zacarias 12–14 em bloco elucida esta última predição feita por Paulo.

[28] Citado por Collins, *op. cit.*, p. 760.

[29] Perowne, *op. cit.*, p. 136.

[30] Perowne, *op. cit.*, p. 138.

[31] Cf. a série paralela de selos, trombetas e taças no livro de Apocalipse.

[32] Collins, *op. cit.*, p. 761.

[33] Meyer, *op. cit.*, p. 109.

[34] Citado por Luck, *op. cit.*, p. 117.

[35] Ver João 12.31-33; 16.11; Marcos 9.1; Atos 1.3.

[36] Meyer, *op. cit.*, p. 111.

[37] *Ib.*

[38] Cf. Ezequiel 47.2-12; Jl 3.18; Apocalipse 22.1,2.

[39] A palavra *milênio* é derivada de um termo grego que significa "mil"; a única referência bíblica específica a mil anos ocorre em Apocalipse 20.1-7.

[40] Assim como o v. 21 não é uma predição da restauração de sacrifício de animais.

[41] Meyer, *op. cit.*, p. 116.

[42] *Ib.*, p. 117.

O Livro de
MALAQUIAS

William M. Greathouse

Introdução

A. O Profeta

Sob o aspecto histórico, nada sabemos sobre a vida do profeta Malaquias. Tudo o que entendemos é o que deduzimos de suas declarações. Não há como ter certeza de que Malaquias, que significa "meu mensageiro",[1] é o nome do profeta ou apenas seu título. Josefo, que menciona Ageu e Zacarias, não faz referência a este nome. O Targum[2] parafraseia 1.1 assim: "Como pela mão do meu mensageiro, cujo nome se chama Esdras, o escriba".[3] A Septuaginta[4] também traduz "meu mensageiro", mas intitula o livro "Malaquias". Archer observa: "Todos os outros livros proféticos do Antigo Testamento trazem o nome do autor. Seria estranho se unicamente este fosse anônimo".[5] Visto que a questão permanece sem solução, nos referimos ao profeta como Malaquias.

Embora não tenhamos certeza quanto ao nome do profeta, não temos dificuldade em formar uma concepção clara e precisa sobre a personalidade de Malaquias. O pequeno livro de sua autoria apresenta um pregador impetuoso e vigoroso que buscava sinceridade na adoração e santidade de vida. Possuía intenso amor por Israel e pelos serviços do Templo. É verdade que deu mais destaque à adoração do que à espiritualidade. Contudo, "para ele o ritual não era um fim em si mesmo, mas uma expressão da fé do povo no Senhor".[6]

B. A Situação

Os judeus tinham voltado do cativeiro extremamente esperançosos. Ao interpretar que as bonitas promessas de Ezequiel e Zacarias tinham um cumprimento imediato, muitos devotos criam que a era messiânica estava bem perto. A expectativa era que a nação encontrava-se a ponto de recuperar a glória perdida do reino de Davi. O solo ficaria milagrosamente fértil e as cidades, populosas. Logo surgiria o rei ideal, e todas as nações iriam a Jerusalém para servir ao Senhor.

Mas, com a passagem dos anos, a desilusão se instalou. A prosperidade e bênção esperadas não se materializaram. A vida era dura. As colheitas eram fracas, os parasitas acabavam com as plantas e os frutos eram insatisfatórios. Visto que estas condições persistiram ano após ano, e os sonhos maravilhosos dos velhos tempos não se concretizaram, um espírito de pesada depressão se alojou na comunidade. Os sacerdotes relaxaram no desempenho dos deveres e negligenciaram a instrução religiosa concernente ao cargo. Os judeus passaram a reclamar que Deus não os amava ou não se importava com eles. Um espírito de cinismo se espalhou pela população e, até os que permaneceram fiéis a Deus, começaram a perguntar: "Por quê?" Muitos retiveram os dízimos e ofertas. A injustiça social tornou-se comum. O casamento com os pagãos vizinhos era praticado livremente. O divórcio virou a ordem do dia enquanto o povo se esqueceu do concerto com Deus. Todo o mundo estava disposto a questionar a autoridade e os caminhos do Senhor.

Este é o pano de fundo no qual devemos estudar as profecias de Malaquias. Era uma situação que exigia um profeta destemido, um homem de Deus para enfrentar a situação difícil e crítica. Seu livro poderia ter o subtítulo "uma mensagem para tempos de desânimo".[7] É, portanto, pertinente aos nossos dias e a todo período de depressão espiritual.

C. A Data

As condições descritas acima apontam para o período imediatamente precedente ao ministério de Esdras e Neemias. Os abusos são precisamente os descritos neste primeiro livro[8] e os que ocupavam a atenção do segundo.[9] Esdras voltou da Babilônia em 458-457 a.C. Neemias tornou-se governador em 444 a.C. e sua segunda administração começou em 433 a.C. Foi durante seu segundo governo que ele tratou do problema de casamentos mistos, mas seria muito duvidoso determinar a localização de Malaquias entre estas duas administrações. Ao considerar que o profeta não faz referência a Neemias, as profecias têm de ser datadas poucos anos antes do início do primeiro período em que este judeu foi governador. Uma data entre 460 e 450 a.C. é geralmente aceita.

D. O Livro

O livro de Malaquias traz evidências de ter sido "elaborado para tomar a verdadeira forma de disciplina de debate público".[10] Difere grandemente dos outros escritos bíblicos. Este profeta não apresenta seus sermões ou os endereça de modo formal como fazem os outros mensageiros, mas se lança em argumentação com os ouvintes. O diálogo de pergunta e resposta reflete a situação vigente, na qual Malaquias se encontrava, e os freqüentes conflitos verbais em que se envolvia com seus contemporâneos. Nestas perguntas e respostas o vemos defender publicamente a honra e a justiça de Deus contra os ataques dos oponentes céticos. O exímio argumentador toma cada objeção e a responde antes de passar para a seguinte. "Ao longo de todo o diálogo, descreve o amor divino, revela a incredulidade e ingratidão do povo, exige arrependimento genuíno, responde aos céticos, desafia a irreligiosidade em vigor e faz promessas gloriosas aos fiéis".[11] Já não era possível um profeta de Deus obter atenção do povo apenas com a afirmação: "Assim diz o Senhor". Eram tempos de racionalismo e até os judeus exigiam um argumento lógico e racional. Queriam que as afirmações fossem justificadas e as objeções satisfeitas.[12]

Ao empregar o artifício do diálogo, Malaquias condenou os pecados dos israelitas e os chamou ao arrependimento. Porém, a salvação última não estaria neste ato, mas na ação de Deus. O grande dia do Senhor amanheceria e nele Deus purificaria os justos e aniquilaria os ímpios. Esse momento seria anunciado pela vinda de Elias.[13]

Com o profeta Malaquias, cessam as profecias do Antigo Testamento até a vinda de João Batista. No entanto, nos versículos finais do livro temos uma mensagem esplendorosa acerca da nova era de Deus. "Malaquias é como o fim da tarde que encerra um dia longo, entretanto, é, ao mesmo tempo, o crepúsculo da manhã que traz em seu cerne um dia cheio de glória".[14]

Esboço

I. **Título**, 1.1

II. **O Amor de Deus por Israel**, 1.2-5

III. **Os Pecados do Sacerdócio**, 1.6—2.9
    A. A Acusação de Deus, 1.6-14
    B. O Julgamento de Deus, 2.1-9

IV. **Divórcio e Casamento com Estrangeiras**, 2.10-16
    A. Casamento com Mulheres Pagãs, 2.10-12
    B. Divórcio de Esposas Judias, 2.13-16

V. **Onde está o Deus do Juízo?**, 2.17—3.5
    A. A Reclamação do Povo, 2.17
    B. A Resposta do Senhor, 3.1-5

VI. **Dízimo, o Caminho da Bênção**, 3.6-12
    A. A Acusação, 3.6-9
    B. O Desafio, 3.10abcd
    C. A Promessa, 3.10e-12

VII. **O Triunfo Final dos Justos**, 3.13—4.3
    A. O Ceticismo, 3.13-15
    B. As Pessoas que Crêem em Deus, 3.16-18
    C. O Dia das Respostas, 4.1-3

VIII. **Conclusão**, 4.4-6

Seção I

TÍTULO

Malaquias 1.1

Malaquias descreve sua mensagem como **peso da palavra do SENHOR contra Israel** (1). O termo **peso** é derivado de uma palavra hebraica que significa "erguer" (*i.e.*, a voz). Por extensão natural, passou a referir-se às palavras que a voz proferia, à mensagem do orador ou ao oráculo do profeta. A última acepção pode ser adequadamente chamada **peso**, visto que é literalmente "aquilo que é erguido".[1] Jerônimo comenta: "A palavra do Senhor é pesada, porque é chamada peso; contudo possui certa consolação, já que não é 'contra', mas *para Israel*"[2] (cf. BV; ECA; NTLH).

Quanto ao significado de **pelo ministério de Malaquias**, ver Introdução, "O Profeta".

Seção II

O AMOR DE DEUS POR ISRAEL

Malaquias 1.2-5

O oráculo começa quase abruptamente com uma palavra carinhosa e queixosa do Senhor para Israel: **Eu vos amei** (2). Este é o verdadeiro peso da profecia de Malaquias; tudo o mais deve ser visto sob a luz desta alegação fundamental.¹ Mas os israelitas são céticos: **Em que nos amaste?** Não vêem prova do amor de Deus. Por serem muito pobres e sofrerem demais, consideravam-se povo desanimado e desiludido. O pensamento está nublado pela dúvida. Tudo o que o profeta diz é desafiado: **Mas vós dizeis**.² Malaquias tem de argumentar suas afirmações com uma gente que, no mínimo, é crítica e, em parte, hostil. O profeta faz uma defesa do amor de Deus que rememora Deuteronômio 7.8 (cf. Os 11.1). A assertiva declara que o Senhor escolheu **Jacó**, porque o amara.

A prova do amor de Deus por Jacó revela-se na rejeição divina de **Esaú** (3). Nesta profecia, os filhos de Isaque são as nações de **Edom** (4) e **Israel** (5). O amor de Deus por Israel comprova-se no fato de ter castigado Edom. Esta nação não só deixara de ajudar Jerusalém quando a cidade fora sitiada pelos babilônios em 586 a.C., mas se alegrara com a sua queda (Lm 4.21,22; Sl 137.7). Por conta disso, durante o período do pós-exílio, Edom tornou-se símbolo vivo de crueldade e traição, pronto para a destruição (Ez 25.12; Ob 21). Quando os árabes nabateus expulsaram os edomitas do antigo território que detinham no monte Seir, o fato foi considerado ato de vingança divina, por se conduzirem de forma desumana e indigna de irmão (3). Não sabemos a data deste acontecimento. Pelo visto, era bastante recente na época da escrita, pois ainda estava nítida na memória dos judeus.

Os edomitas viam a calamidade que lhes ocorrera como mero revés temporário e esperavam restabelecer-se no território original. Mas Malaquias declara que a ruína deles é permanente: **Eles edificarão, e eu destruirei, e lhes chamarão Termo-de-Impiedade e Povo-Contra-Quem-O-SENHOR-Está-Irado-Para-Sempre** (4). O profeta afirma que o fato de não voltarem ao território será prova incontestável para as gerações futuras da maldade de Edom e do julgamento de Deus. Edom foi chamado **Termo-de-Impiedade** ("A Terra Criminosa", Moffatt). Por outro lado, proporcionará a Israel evidência indisputável do cuidado soberano de Deus. Provará, também, que o Senhor não é uma deidade nacional insignificante; permitirá que Israel diga: "Grande é o SENHOR, até mesmo além das fronteiras de Israel!" (5, NVI). "A profecia de Malaquias revelou-se correta", destaca Dentan, "pois Edom nunca mais voltou às suas terras. Os edomitas (idumeus) permaneceram instalados no sul da Palestina. [...] Por curiosa ironia da história foi deste mesmo povo que veio a família de Herodes".[3]

Seção III

OS PECADOS DO SACERDÓCIO

Malaquias 1.6—2.9

Do amor de Deus por Israel, o profeta passa para a afronta da nação e chega à majestade divina. O indiciamento é especificamente contra a corporação sacerdotal. Os sacerdotes foram ordenados para dar instrução e orientação espiritual (2.6,7). Tivessem eles vivido à altura da chamada sublime e dado ao laicato exemplo espiritual e ensino apropriado, a nação não teria entrado na apatia e ceticismo espiritual. Por terem fracassado e estabelecido exemplo vicioso de hipocrisia e profissionalismo vazio, os sacerdotes tornaram Deus rejeitado aos olhos do povo e fizeram a si mesmos desprezíveis (2.8,9).

Esta seção alongada divide-se em duas partes. Em primeiro lugar, Deus acusa um sacerdócio desleixado (1.6-14) e, em seguida, pronuncia uma maldição sobre seus integrantes (2.1-9).

A. A ACUSAÇÃO DE DEUS, 1.6-14

1. *O Caráter de Deus* (1.6a-6e)
O profeta inicia fazendo uma declaração de princípio geral no qual havia acordo comum. Para isso, emprega duas imagens características da relação de Deus com Israel: sua paternidade e seu senhorio. **O filho honrará o pai, e o servo, ao seu senhor; e, se eu sou Pai, onde está a minha honra? E, se eu sou Senhor, onde está o meu temor? diz o SENHOR dos Exércitos a vós, ó sacerdotes, que desprezais o meu nome** (6).

"Estamos acostumados a associar com a paternidade divina idéias de amor e piedade. O uso da relação para ilustrar, não amor, mas majestade e seu cenário em paralelo com a realeza divina, pode nos soar estranho".¹ Mas para os israelitas isso era muito natural. No mundo semita, a honra vinha antes do amor na prioridade dos deveres: "Honra a teu pai e a tua mãe", ordena o quinto mandamento. Quando Deus se apresenta aos israelitas como Pai, é para acentuar sua autoridade sobre eles e aumentar-lhes a reverência, e não para garantir que lhe dediquem amor e lhe prestem devoção piedosa. A tônica está em que o Senhor cria a nação para que ela seja seu filho obediente (Êx 4.22,23). A idéia central é que Deus é o Pai da *nação*: seu Criador (2.10; Is 64.8; Jr 31.9), seu Redentor (Dt 32.6; Is 63.16), seu Guia e Guardião (Jr 3.4; Os 11.1-4).

Sem dúvida, a idéia de amor divino está presente nestes conceitos, mas na frente está o pensamento da majestade divina. Até no livro de Salmos, onde há a mais profunda relação pessoal do cristão com Deus, encontramos somente uma passagem na qual seu amor é comparado ao de um pai humano (Sl 103.13). Esta tendência ao que poderíamos chamar visão austera da paternidade de Deus pode ter sido necessária para proteger a religião de Israel das idéias sensuais da paternidade divina prevalecentes entre os vizinhos cananeus. Mas qualquer que seja a razão, a severidade da idéia do Antigo Testamento da paternidade divina autoriza Malaquias a empregar a imagem como prova da majestade e santidade de Deus.²

Em seguida, o profeta emprega uma segunda imagem: Deus é o **senhor** e Israel, o **servo**. Paulo torna esta uma das figuras dominantes pela qual descreveu a relação do cristão com Cristo (1 Co 7.22; Gl 5.13; Cl 3.24). O pensamento é de propriedade divina e o direito de Deus exigir obediência absoluta.

A majestade e santidade de Deus foram prejudicadas pelos sacerdotes de Israel. **E, se eu sou Pai, onde está a minha honra? E, se eu sou Senhor, onde está o meu temor** ("reverência", VBB)**?** Pensar em Deus como Pai é honrá-lo como Criador, Redentor e Sustentador. Considerá-lo como Senhor é reverenciá-lo e obedecer-lhe como *Yahweh*. "Pelo temor do SENHOR, os homens se desviam do mal" (Pv 16.6).

2. O Menosprezo do Nome de Deus (1.6f-10)

Ao fazer este indiciamento, Malaquias acusa os sacerdotes de menosprezar o nome de Deus. Com vozes lamuriantes, levantam a questão: **Em que desprezamos nós o teu nome?** (6). O profeta responde: **Ofereceis sobre o meu altar pão imundo** (7). Este **pão** (*lechem*) não é o da proposição (que não era oferecido no altar), mas a carne das vítimas sacrificadas (cf. Lv 3.11,16; 21.6; 22.25). Este objeto de oferta estava **profanado**, como explica o versículo 8, por não ter sido oferecido de acordo com as estipulações da lei cerimonial. Ao desconsiderar o claro mandamento de Deus, de se levar somente animais sem defeito, eles afirmavam: **A mesa do SENHOR é desprezível**. O tempo do verbo: **dizeis**, aqui, tem o sentido de "dizeis para si mesmos" ou "dizeis pelas ações". Por **mesa do SENHOR**, querem dizer o altar do sacrifício (cf. BV; NTLH).

O versículo 8 especifica as acusações. Os sacerdotes dedicavam a Deus **animal cego, coxo** e **enfermo**. Tratava-se de acintosa violação da lei, que dizia: "Porém, havendo nele algum defeito, se for coxo, ou cego, ou tiver qualquer defeito, não sacrificarás ao SENHOR, teu Deus" (Dt 15.21). Em sua forma mais pura, sacrificar significava ofertar a Deus algo tão valioso quanto possível como símbolo de autoconsagração voluntária. Quando os sacerdotes ofereciam animais doentes e aleijados, na verdade zombavam da instituição do sacrifício.

Pelo visto, os sacerdotes anunciavam: "Sem defeito!" Ao considerar que o sacrifício é apenas um símbolo, pode ser que racionalizassem que um tipo de oferta era tão boa quanto outra. Mas Deus pergunta (8, Smith-Goodspeed):

> *E quando trazeis o cego para sacrificar, não tem defeito?*
> *E quando trazeis o coxo e o doente, não tem defeito?*

Não tem defeito? "Ora, apresenta-o ao teu governador!", sugere Malaquias. "Terá ele agrado em ti, e te será favorável?" (8, ECA). Esta alusão a "governador" (**príncipe**) prova que Malaquias escrevia durante o período persa, quando Judá era governado por pessoas nomeadas pelo imperador. A palavra hebraica é a mesma usada para referir-se ao exercício governamental de Zorobabel (Ag 1.1) e de Neemias (Ne 5.14).

W. J. Deane parafraseou o nono versículo: "Agora vão pedir o favor de Deus com esses sacrifícios impuros; intercedam, como é o seu dever, pelo povo. Ele os aceitará? Ele será gracioso com o povo por causa de vocês?"[3] **Isto veio da vossa mão** é frase desajeitada. Compare com esta tradução plausível do versículo 9b: "Com tal oferta da vossa mão, mostrará ele favor a vós?" (VBB). Melhor que cessassem os sacrifícios do que fizessem ofertas com tal espírito! Veja como Moffatt esclarece a primeira parte do versículo 10: "Será que ninguém fechará as portas do Templo para impedir que vós acendeis fogos inúteis no meu altar?"

3. *Deus é Honrado entre os Gentios* (1.11,12)

O versículo 11 apresenta uma grande declaração e muito debatida: **Mas, desde o nascente do sol até ao poente, será grande entre as nações o meu nome; e, em todo lugar, se oferecerá ao meu nome incenso e uma oblação pura; porque o meu nome será grande entre as nações, diz o SENHOR dos exércitos.** Desde os dias dos pais da Igreja este versículo tem sido interpretado como profecia da era messiânica e da adoração universal da igreja cristã.[4] Deane escreve: "A linha do pensamento é esta: Deus não precisa da adoração dos judeus e de seus sacerdotes incrédulos; o Senhor não precisa de sacrifícios mutilados; a majestade divina será reconhecida pelo mundo inteiro, e toda nação debaixo do céu lhe oferecerá adoração pura".[5] Esta interpretação requer que a referência ao ritual judaico seja entendida metaforicamente: "A oblação pura é símbolo do sacrifício cristão de louvor e ação de graças; e o profeta, ao colocar-se acima das discriminações judaicas, anuncia que esta oração e sacrifício não estarão mais limitados especificamente a um país preferido, mas serão universais".[6] Muitos vão mais além e vêem no versículo a profecia sobre a Ceia do Senhor, a "oferta pura" em memória do sacrifício de Cristo, que é oferecido onde quer que o nome de Jesus seja cultuado.

A interpretação acima se baseia no verbo **será** que ocorre duas vezes no versículo, uma delas em itálico (isto indica que o termo não se encontra no original). A construção hebraica admite o verbo no tempo futuro, mas é naturalmente compreendida pelo tempo presente. Pusey comenta: "Trata-se de um presente vívido, conforme se usa muitas vezes para descrever o futuro. Mas as coisas de que se fala mostram que o verbo está no futuro".[7] A Septuaginta traduz assim: "O meu nome *tem sido* e *é* glorificado" (a ARA traz "é" no lugar de "será"). Se não houvesse problema teológico, seria fácil interpretar que o versículo se aplica à cena contemporânea no mundo de Malaquias. W. H. Lowe propôs o problema para o intérprete cristão:

> Se considerarmos que as palavras se referem ao presente, surge a insuperável dificuldade de que em nenhum sentido, na época de Malaquias, o nome do Senhor podia ser grande em toda a extensão da terra, ou que sacrifícios puros lhe fossem oferecidos em todo lugar. Nem podemos [...] supor que os ritos pagãos mencionados aqui fossem oferecidos, sem saber, ao único Deus verdadeiro. [...] Somos forçados a aceitar que as palavras são anúncio profético da rejeição futura de Israel e da chamada dos gentios. [8]

Contudo, comentários conservadores adotam o ponto de vista de que Malaquias descreve a situação contemporânea. "Nos dias do profeta, os próprios gentios faziam cultos que eram mais sinceros que os feitos em Jerusalém". [9] Se esta for interpretação possível, Malaquias é um liberal em sua declaração; faz algo semelhante ao que disse Paulo no Areópago: "Esse, pois, que vós honrais não o conhecendo é o que eu vos anuncio" (At 17.23). Sob este ponto de vista, todas as formas de culto pagão são apalpadelas ignorantes em busca do Deus vivo e verdadeiro e, portanto, atestam o grande nome do Senhor. Todos os homens cultuam porque Deus é, e toda religião testifica de Jeová *neste sentido*.

Temos a nítida impressão de que Malaquias afirma que a própria sinceridade de certos cultos pagãos é uma repreensão vergonhosa à hipocrisia infame dos sacerdotes judeus. Se os gentios louvam calorosamente o nome de Deus, os sacerdotes de Jerusalém profanam-no com o desprezo pela **mesa do SENHOR** (12). "Claro que o propósito do profeta não é elogiar os pagãos, mas envergonhar os judeus. Os gentios honram Deus pelo cuidado e munificência, ao passo os judeus desonram-no pela indiferença".[10]

4. Maldição na Religião Insincera (1.13,14)

Ao menosprezar o altar e cumprir seus deveres sem sinceridade ou fé, os sacerdotes consideravam suas funções um fardo intolerável. **Eis aqui, que canseira!** (13), lamentam-se. **E o lançastes ao desprezo** (ou "e torcestes o nariz" para o altar, VBB). Muitos intérpretes pensam que a leitura deveria ser: "E torcestes o nariz *para mim*". Esta opção se baseia na suposição de que os escribas corrigiram o versículo para ter a leitura **o**, a fim de evitar o surgimento de irreverência (cf. ARA; NTLH). Quanto a **roubado**, a Versão Bíblica de Berkeley segue a Septuaginta e traduz por "tomado por violência", ou seja, animais roubados. Este versículo visa primariamente os sacerdotes que, como funcionários corruptos, permitem que esta prática continue. O versículo a seguir condena os que levam tais ofertas.

A congregação foi corrompida pelo sacerdócio. Neste caso, era "tal sacerdote, tal povo" (o contrário de Os 4.9). Ao seguirem o exemplo dos sacerdotes, os adoradores eram mesquinhos e fraudulentos. **Pois maldito seja o enganador, que, tendo animal no seu rebanho, promete e oferece ao SENHOR uma coisa vil** (14). Em tempos de doença ou aflição, o indivíduo orava a Deus e prometia um animal perfeito do rebanho. Mas quando se recuperava e chegava a hora de cumprir o voto, a mesquinhez assumia o comando e então resolvia oferecer um animal ferido ou doente (cf. Lv 3.1,6). A maldição de Deus está em semelhante irreverência e falta de firmeza. Revela maior religiosidade ignorar o Senhor completamente do que não levá-lo a sério, porque é o **grande Rei** e o seu **nome será tremendo entre as nações**.

B. O Julgamento de Deus, 2.1-9

No nome do Senhor, o profeta passa a julgar o sacerdócio: **E, agora, ó sacerdotes, este mandamento vos toca a vós** (1). "Como Deus outrora disse: Com a obediência, *eu ordenarei minhas bênçãos sobre vós*, assim agora o Senhor ordenaria [...] uma maldição".
[11] **Se o não ouvirdes e se não propuserdes no vosso coração** minhas repreensões para **dar honra ao meu nome**, então eu **enviarei a maldição contra vós** (2). No entanto, como todas as mensagens proféticas de destruição, esta palavra é condicional: "Se continuardes em vossa hipocrisia e indiferença cruel, enviarei minha maldição sobre vós". Está nítido que Deus deseja o arrependimento para que a maldição seja suspensa.
[12] **Amaldiçoarei as vossas bênçãos**, diz Deus. Estas **bênçãos** não são as sacerdotais que pronunciavam sobre o povo, mas os benefícios que desfrutavam como ministros do Templo (cf. Nm 18.8-19). Deus retirará estes benefícios. A parte final do versículo dá a entender que a maldição já se manifestara e começara a se instalar neles a partir do momento que passaram a menosprezar o nome do Senhor.

O versículo 3 mostra a natureza da maldição: **Corromperei** ("repreenderei", NVI, nota de rodapé) **a semente**, ou "a vossa descendência" (VBB), **e espalharei esterco sobre o vosso rosto, o esterco das vossas festas** ou "das vossas ofertas" (RSV). Aqui, "esterco" não significa o excremento dos animais, mas o conteúdo dos intestinos das vítimas mortas. Pelo visto, a última frase: **E com ele sereis tirados**, significa que os sacerdotes serão retirados da cidade junto com o esterco dos sacrifícios (cf. Lv 4.12). Assim, os sacerdotes ficarão totalmente degradados. Como Deus disse a Eli: "Aos que me honram honrarei, porém os que me desprezam serão envilecidos" (1 Sm 2.30).

A execução da maldição de Deus sobre os sacerdotes tinha um propósito duplo: servir de prova da justiça divina e de aviso a quem se atrevesse a desprezá-lo (4). Pusey observa: "Deus quis punir aqueles que então se rebelaram contra o Senhor para que pudesse poupar os que os substituiriam".[13] Age assim porque é o Deus do concerto (cf. Dt 7.9-11).

O **concerto** de Deus **com Levi** (4) não é mencionado explicitamente no Antigo Testamento. Neste texto, a idéia do pacto não é necessariamente técnica, e a passagem de Deuteronômio 33.8-11 está nitidamente por trás desta afirmação de Malaquias. O concerto de Deus tinha o propósito de ser bênção para Levi e seus descendentes, como indica o versículo 5: "Meu concerto com ele foi concerto de vida e paz, e eu lhe dei ambas para que me reverenciasse; e me reverenciou e considerou o meu nome com respeito" (VBB). Ao longo desta subdivisão, devemos entender que **Levi** é personificação da ordem sacerdotal e não pensar no patriarca hebreu. Este uso é característico do Antigo Testamento. O que Malaquias quer dizer é que o sacerdócio cumpriu seu ministério original com sinceridade e fidelidade.

Os versículos 6 e 7 descrevem a natureza do verdadeiro serviço sacerdotal em linguagem magistral. Ao mantermos em mente que Levi personifica o sacerdócio ideal, lemos: **A lei da verdade esteve na sua boca, e a iniqüidade não se achou nos seus lábios; andou comigo em paz e em retidão e apartou a muitos da iniqüidade** (6). O sacerdote em Israel era mais que um perito no sacrifício ritual; seu dever era dar instrução sobre a **lei** (*torah*) **da verdade**. Ele tinha de ser homem de **paz** e **retidão** (probidade), cujo ensino converteria muitos do pecado. "Porque os lábios do sacerdote devem guardar o conhecimento, e da sua boca devem os homens procurar a instrução [a lei, VBB]" (7, ARA). Que ideal supremo! G. A. Smith exclama: "Em toda a gama de profecias não há declaração que esteja mais em harmonia com o ideal profético. [...] Todo sacerdote de Deus é um sacerdote da verdade". [14] É assim porque o sacerdote é o **anjo** ("mensageiro", ARA) **do SENHOR dos exércitos**. A palavra hebraica traduzida aqui por **anjo** é a palavra aplicada ao próprio profeta (1.1, **Malaquias**) e à personagem que prenunciaria o dia do Senhor (3.1, **anjo**). Ao longo do Antigo Testamento esta palavra hebraica é comumente traduzida por "anjo".

Como é patético verificar que os sacerdotes do tempo de Malaquias ficaram abaixo do padrão divino! Em vez de andarem humildemente com o Senhor, desviaram-se **do caminho** (8). Em lugar de converterem o pecador da sua maldade, com seus maus procedimentos fizeram com que **muitos** tropeçassem **na lei**. Como os mestres religiosos nos dias de Jesus, eram apenas líderes cegos (Mt 15.14). Por meio disso corromperam o **concerto de Levi**. Ao considerar que um concerto tem de ser observado por ambas as partes, o concerto que deveria ter trazido bênçãos sobre eles (5) fora anulado e Deus os fizera **desprezíveis e indignos diante de todo o povo** (9) que buscava instrução de seus lábios. A frase final: **Mas fizestes acepção de pessoas na lei**, significa que os sacerdotes tinham sido parciais ao aplicarem a lei nas pessoas da classe alta rica.

Seção **IV**

DIVÓRCIO E CASAMENTO COM ESTRANGEIRAS

Malaquias 2.10-16

Esta passagem é considerada "a seção mais difícil do livro de Malaquias".[1] Não obstante, o significado geral mostra-se bastante claro. Embora todos fossem filhos de um Pai celestial, os judeus tratavam uns aos outros deslealmente e profanavam o concerto que fora feito com seus pais, ao divorciar-se de esposas judias e contrair casamentos profanos com mulheres pagãs. Por causa desta abominação, Deus resolve destruir os transgressores e sua descendência. Declara que odeia o divórcio e adverte o povo a dar atenção à vida espiritual.

A. Casamento com Mulheres Pagãs, 2.10-12

Malaquias faz a acusação repentinamente. Serve-se da forma de pergunta para apresentar um princípio geral o qual passa imediatamente a aplicar: **Não temos nós todos um mesmo Pai? Não nos criou um mesmo Deus?** (10). Embora Calvino e outros tenham sugerido que **um mesmo pai** seja menção a Abraão, o paralelismo do versículo prova que é o **um mesmo Deus** que **criou** os israelitas. "Criou-os não apenas como fez com todo o gênero humano", declara Pusey, "mas pela relação espiritual consigo mesmo, na qual o Senhor os trouxe".[2] Isaías diz: "Mas, agora, assim diz o SENHOR que te criou, ó Jacó, e que te formou, ó Israel: Não temas, porque eu te remi; chamei-te pelo teu nome; tu és meu. A todos os que são chamados pelo meu nome, e os que criei para minha glória; eu os formei, sim, eu os fiz. Esse povo que formei para mim, para que me desse louvor" (Is 43.1,7,21). Malaquias afirma que quando Deus os criou como povo, deu-lhes uma nova existência, uma nova relação uns com os outros. Pecar uns contra os outros significava violar a relação que tinham com Deus, pois fora o Senhor que, como Pai comum, lhes dera esta unidade. Este versículo é citado freqüentemente como admoestação sublime à humanidade concernente à paternidade de Deus e à fraternidade do homem, mas o contexto limita o significado pleno do conceito à paternidade daqueles que são reunidos por laço comum de redenção como povo do Senhor. A mesma verdade diz respeito à paternidade de Deus no Novo Testamento.

A acusação de Malaquias de que os ofensores **profanavam o concerto de seus pais** (10) comprova que este versículo está relacionado internamente com os versículos 11 e 12, os quais, certos intérpretes,[3] consideram uma interpolação. O casamento com pagãos, prática condenada nos versículos 11 e 12, era "uma ameaça à fé distintiva que constituía a base do concerto de Deus com Israel".[4] A lei advertia: "Não darás tuas filhas a seus filhos e não tomarás suas filhas para teus filhos; pois elas fariam desviar teus filhos de mim, para que servissem a outros deuses" (Dt 7.3,4). Malaquias continua: **Judá foi desleal, e abominação se cometeu em Israel e em Jerusalém; porque Judá profanou a santidade do SENHOR, a qual ele ama, e se casou com a filha de deus estranho** (11). A condição se tornava mais agravante pelo fato de serem os sacerdotes os líderes deste pecado (Ed 9.1,2). O profeta chama a situação de **abominação**. O termo é usado predominantemente para referir-se a coisas ou atos que são detestáveis ao Senhor, como idolatria, impureza, irregularidades de rito e violações da lei moral.[5] Malaquias também a considera profanação da **santidade do SENHOR**. O hebraico permite a tradução "santuário do SENHOR" (ARA), que é apoiada pela proibição de pagãos entrarem nos recintos sagrados do Templo. Porém, a maioria dos comentaristas favorece a tradução **santidade do SENHOR**. O próprio Israel era "santidade para o SENHOR" (Jr 2.3). "O sentido geral é que os judeus menosprezaram a posição privilegiada que Deus lhes designara – a posição de serem 'santos' ou 'separados' (Lv 20.24) para Jeová – e se uniram a mulheres estrangeiras e (por intermédio delas) aos deuses estrangeiros" (cf. 1 Rs 9.4)".[6]

O SENHOR extirpará das tendas de Jacó o homem que fizer isso, o que vela, e o que responde (12). A última frase é um quebra-cabeça para os exegetas; significa literalmente "o despertado e o despertador". O Peshita[7] e o Targum parafraseiam: "o seu filho e o filho do seu filho". Marcus Dods concorda com quem acha que a frase significa "todos os que estão vivos".[8] O sentido geral é claro: O Senhor exterminará os homens da casa do homem que profanar a santidade do Senhor, casando-se com uma mulher estrangeira. A casa desse homem não terá nenhum homem para exercer o dever de sacrificar (12b).

B. Divórcio de Esposas Judias, 2.13-16

Ainda fazeis isto (13) significa, literalmente, "e isto, uma segunda coisa, vós fazeis". Rashi elabora a repreensão do profeta: "Este é o primeiro crime pelo qual eu vos censuro: é bastante ruim que vós vos caseis não com alguém do vosso povo, mas com uma mulher estrangeira; mas é imperdoável que vós já tenhais uma esposa judia e leveis para casa uma mulher estrangeira como esposa principal".[9] Contudo, os versículos seguintes indicam fortemente que nessa época os judeus praticavam a monogamia. O erro era divorciar-se da esposa judia para casar-se com uma mulher pagã mais jovem e mais bonita.

Cobris o altar do SENHOR de lágrimas, de choros e de gemidos refere-se provavelmente a todas as práticas que compõem um dia de jejum e humilhação. Estas práticas desacompanhadas por uma emenda de vida eram repugnantes ao Senhor. "*Yahweh* se recusa a aceitar as ofertas dos judeus por causa dos seus pecados. Por isso, redobram os esforços para propiciá-lo, mas não abandonam os pecados".[10] O verdadeiro choro envolve abandonar todos os caminhos maus. Somente este tipo de lamento é aceitável ao Senhor.

E dizeis: Por quê? (14), ou seja: "Por que o Senhor não aceita as nossas ofertas?" O profeta responde esta objeção francamente: **Porque o SENHOR foi testemunha entre ti e a mulher da tua mocidade, com a qual tu foste desleal, sendo ela a tua companheira e a mulher do teu concerto.** A menção especial da **mulher da tua mocidade** mostra que as esposas judias idosas eram desconsideradas para que os maridos pudessem se casar com mulheres jovens e belas das nações vizinhas.[11] A frase **mulher do teu concerto** e a referência de Deus ser **testemunha** do concerto indicam a elevada consideração do casamento como pacto sagrado feito na presença de Jeová. Douglas Rawlinson Jones observa: "Malaquias foi claro em considerar o casamento testemunhado por *Yahweh*, sem dúvida nos votos formais diante do sacerdote, como concerto que não deve ser quebrado. Marido e mulher são 'aqueles a quem o Senhor uniu'".[12] Se ou não os casamentos do Antigo Testamento eram formalizados numa promessa de fidelidade diante do sacerdote, há outras referências que apontam para a verdade de que o casamento é uma relação de concerto à qual o Senhor testemunha (cf. Gn 31.50; Pv 2.16,17). Malaquias fala graciosamente que a **mulher da tua mocidade** é a **tua companheira** (cf. Gn 2.18-24).

O versículo 15 é um dos mais difíceis da Bíblia. Um exame dos comentários tradicionais revela que praticamente não há acordo quanto ao seu significado. É a opinião deste escritor que esta tradução apresenta provavelmente o sentido correto: "O único Deus não nos fez e sustentou o espírito de vida? E o que o Senhor deseja? Descendência piedosa. Portanto, tende cuidado de vós mesmos e que ninguém seja infiel para com a mulher da sua mocidade" (RSV). Uma versão desse tipo se ajusta ao argumento do profeta. O propósito do casamento hebreu era assegurar "descendência piedosa". As divorciar-se das esposas judias para casar-se com mulheres estrangeiras os pecadores de Judá destruíam o propósito divino do casamento, qual seja, criar filhos que se mantivessem firmes à fé de Israel.

Esta situação levou o profeta a anunciar uma verdade que não é encontrada em outra parte do Antigo Testamento. "'Eu odeio o divórcio', diz o SENHOR, o Deus de Israel" (16, NVI; cf. ECA). Este é um afastamento do texto hebraico, que diz: "Ele odeia" (cf. ARA; BV; RC). "Embora permitido e regulamentado pela Torá (Dt 24.1ss), o divórcio é odioso a Deus", diz Cashdan. Em seguida, cita o Talmude: "Odioso é aquele que abandona a sua primeira esposa; até o altar derrama lágrimas por causa disso".[13] A referência a **encobre a violência com a sua veste** está baseada no antigo costume de reivindicar uma mulher como esposa e lança a roupa sobre ela (cf. Dt 22.30; Rt 3.9; Ez 16.8). J. M. Powis Smith oferece outra possível tradução deste versículo, mas não deixa de preservar a idéia central: "Pois quem odeia e divorcia', diz o Senhor Deus de Israel, 'cobre a roupa com violência.' [...] Portanto, tende cuidado de vossa vida espiritual e não sejais incrédulos".[14] Tal homem faz injustiça à esposa que está tão perto dele como sua roupa.

Seção V

ONDE ESTÁ O DEUS DO JUÍZO?

Malaquias 2.17—3.5

Depois de tratar dos pecados do povo, nesta seção, Malaquias passa a lidar com os que cansam Deus com a queixa de que a transgressão tem êxito. Eles expressam a queixa assim: "Todos os que fazem o mal são bons aos olhos do SENHOR, e Todo-poderoso se agrada deles"; e concluem: "Onde está o Deus da justiça?" (NVI). O fato é que perderam a fé no Senhor. Por isso, o Todo-poderoso enviará o seu anjo ou mensageiro para preparar o futuro dia do julgamento. Naquele dia, a ordem sacerdotal será purificada e os pecadores de todo tipo serão totalmente expostos e condenados. Porque o Senhor é inalteravelmente antagônico ao pecado, e os pecadores de Judá têm de perecer. Não há como determinar se esta parte vai até o versículo 5 ou 6, pois o versículo 6 combina bem com esta seção ou a seguinte. Seguiremos a Versão Bíblica de Berkeley e Moffatt, encerrando-a com o versículo 5.

A. A Reclamação do Povo, 2.17

Enfadais ao SENHOR com vossas palavras (17), acusa o profeta. Esta idéia não é nova. Em Isaías, o Senhor reclama: "As vossas festas da lua nova, e as vossas solenidades aborrecem a minha alma; já me são pesadas; já estou cansado de as sofrer" (Is 1.14). E novamente: "E me cansaste com as tuas maldades" (Is 43.24). Da mesma maneira, Paulo diz: "E não entristeçais o Espírito Santo de Deus" (Ef 4.30). **E ainda dizeis: Em que o enfadamos?** O profeta responde: **Nisto, que dizeis: Qualquer que faz o mal passa por bom aos olhos do SENHOR, e desses é que ele se agrada; ou onde está o Deus do juízo?** (17). Jerônimo comenta com propriedade:

Quando os judeus voltaram da Babilônia, viram que todas as nações e até os próprios babilônios serviam aos ídolos e tinham muitas riquezas, excelente saúde física e tudo que é considerado bom neste mundo; ao passo que eles, possuidores do conhecimento de Deus, eram vencidos pelo desejo, fome e servidão. Escandalizados, diziam: "Não há orientação divina nos assuntos humanos; todas as coisas acontecem por mero acaso e não são governadas pelo julgamento de Deus; não somente isto, mas até as coisas más o agradam e as coisas boas o desagradam; ou se Deus faz mesmo distinção entre todas as coisas, onde está seu julgamento eqüitativo e justo?"[1]

B. A Resposta do Senhor, 3.1-5

A última pergunta: "Onde está o Deus do juízo?", dá o impulso para um pronunciamento divino: **Eis que eu envio o meu anjo, que preparará o caminho diante de mim; e, de repente, virá ao seu templo o Senhor, a quem vós buscais, o anjo do concerto, a quem vós desejais; eis que vem, diz o SENHOR dos Exércitos** (1). "Por mais que a situação esteja ruim, em breve Deus virá para corrigir as injustiças". [2]

Dois eventos são preditos aqui: 1) A vinda do mensageiro do Senhor **que preparará o caminho** para Deus; 2) A vinda do próprio Senhor, chamado particularmente **o anjo** (mensageiro) **do concerto**.

1. *A Vinda do Precursor* (3.1a)

O pensamento aqui é o exarado em Isaías 40.3-5; 52.7; 57.14. O segundo Evangelho cita a primeira destas profecias de Isaías junto com esta passagem sob estudo, para afirmar que João Batista as cumpriu (Mc 1.2,3).

Douglas Rawlinson Jones deu a interpretação cristã desta profecia: "O ensino aqui é que, embora os sacerdotes contemporâneos sejam bajuladores, o Senhor enviará um verdadeiro mensageiro que preparará sua vinda para julgar. Logo entendemos que este personagem era um profeta, um autêntico Elias (4.5). Assim que verificamos que Jesus visitou punitivamente o Templo, então, sob todos os aspectos, reconhecemos que João Batista é aquele que cumpriu a promessa do arauto". [3]

2. *A Vinda do Senhor* (3.1b-5)

De repente, virá ao seu templo o Senhor, a quem vós buscais. Esta profecia nos ensina que o julgamento começa na casa do Senhor (Ez 9.6; 1 Pe 4.17). **O Senhor** não é o nome sagrado *Yahweh*, nem é *Adonai*, a palavra usada pelos judeus para substituir *Yahweh* na leitura. [4] O termo empregado aqui é raro: *ha-Adon* (o equivalente literal de "o Senhor"), que é anteposta ocasionalmente a *Yahweh*, como em Êxodo 23.17; Isaías 1.24. No dia de Pentecostes, Simão Pedro declarou: "A esse Jesus, a quem vós crucificastes, Deus o fez Senhor e Cristo" (At 2.36). A confissão cristã mais primitiva era as palavras: "Jesus é o Senhor" (cf. 1 Co 12.3; Fp 2.11). A crença cristã afirma que Jesus é Deus, não Deus Pai, mas Deus Filho: "Deus estava em Cristo" (2 Co 5.19). Jesus Cristo não era mero homem entre os homens, nem era um anjo mascarado de homem, nem era uma divindade secundária criada na eternidade, mas era o Deus Todo-poderoso, o único Deus que é, que veio a nós como Jesus de Nazaré. "Deus nunca foi visto por alguém. O Filho unigênito, que está no seio do Pai, este o fez conhecer" (Jo 1.18). Este, em quem cremos, é a pessoa que Malaquias anuncia.

O anjo ("mensageiro", ECA) **do concerto**.[5] J. M. Powis Smith observa: "Este 'anjo' dificilmente pode ser idêntico ao precursor, a saber, 'o meu anjo', mencionado no começo [do] versículo. Aqui, sua vinda é apresentada simultaneamente à manifestação de 'o Senhor', que só pode ser o próprio *Yahweh*, e a profecia anuncia explicitamente que a vinda de 'o meu anjo' precede a revelação de *Yahweh*". T. T. Perowne fez uma análise definitiva sobre este título de nosso Senhor.

> A idéia de *o anjo* que permeia esta profecia atinge o ponto culminante no Messias (como ocorre com as idéias do profeta, do sacerdote e do rei no Antigo Testamento), pois, no mais alto sentido, ele é o Anjo de Deus para os homens. O Anjo, ou Mensageiro, cuja presença desde o início foi reconhecida na Igreja (At 7.38; Êx 23.20,21; Is 63.9), acabou com estes "prelúdios da encarnação" quando "se fez carne e habitou entre nós". Em cumprimento de promessa e profecia (Is 42.6, 55.3), como Mensageiro e Mediador (Hb 12.24) do concerto (feito antes da lei, Gl 3.17, embora fosse, em virtude de sua posterior instauração, "um concerto novo", Jr 31.31-34; Hb 8.7-13), o Senhor veio para inaugurá-lo e ratificá-lo com seu sangue (Mt 26.28; Hb 13.20). Ao mesmo tempo, defendeu sua afirmação de ser "o Deus do juízo", a quem desejavam, pela obra de justiça perspicaz que executa (2-5).[6]

a) *O Senhor purificará* (3.2-4). Há um objetivo duplo na vinda do Senhor: 1) Purificar o sacerdócio e 2) julgar os pecadores (3.5). Ao apresentar esta verdade, Malaquias dá a impressão de misturar a primeira e a segunda vindas de Cristo. A primeira, também foi ocasião de exame e separação, de acordo com a reação daqueles a quem o Senhor veio, ao recebê-lo ou rejeitá-lo. "Eu vim a este mundo para juízo, a fim de que os que não vêem vejam e os que vêem sejam cegos" (Jo 9.39). Lemos ainda no quarto Evangelho: "Quem crê nele não é condenado; mas quem não crê já está condenado" (Jo 3.18). Todo indivíduo está em estado de graça ou fora dela, sob o favor de Deus ou debaixo de sua ira, e "cada um será depurado com fogo" (Mc 9.49), de modo idêntico o fogo do batismo com o Espírito Santo ou a labareda da geena. Por isso, lemos aqui: **Mas quem suportará o dia da sua vinda? E quem subsistirá, quando ele aparecer? Porque ele será como o fogo do ourives e como o sabão dos lavandeiros** (2).

João Batista reproduziu Malaquias quando declarou: "Ele vos batizará com o Espírito Santo e com fogo. Em sua mão tem a pá, e limpará a sua eira, e recolherá no celeiro o seu trigo, e queimará a palha com fogo que nunca se apagará" (Mt 3.11,12). "O poder do fogo, sabemos, é duplo", comentou João Calvino, "pois queima e purifica; queima o que está corrupto, mas purifica o ouro e a prata, para retirar deles a escória. Não há que duvidar que o profeta queria incluir ambos os aspectos".[7] É necessário considerar que "Deus é um fogo consumidor" (Hb 12.29) que tem de queimar a escória, ou, por sua graça, consome o pecado dentro de nós, ou nos destrói com o pecado no inferno.

Deus também é **como o sabão dos lavandeiros**. O lavandeiro era a pessoa que alvejava tecidos. "Nos evangelhos anglo-saxões, João Batista é chamado 'o lavandeiro'".[8] Esta idéia é paralela à do ourives.

E assentar-se-á, afinando e purificando a prata; e purificará os filhos de Levi e os afinará como ouro e como prata; então, ao SENHOR trarão ofertas em justiça (3). Depois do derramamento do Espírito Santo no dia de Pentecostes, lemos em Atos que "grande parte dos sacerdotes obedecia à fé" (At 6.7). "Mas de modo mais amplo e básico", ressalta Pusey, "como Sião e Jerusalém são títulos para a Igreja, e o Israel que cria era o verdadeiro Israel, assim 'os filhos de Levi' são os verdadeiros levitas, os apóstolos e seus sucessores no sacerdócio cristão".[9] O propósito desta purificação é tornar possível que os israelitas levem ao Senhor **ofertas em justiça**. Pedro declara acerca dos crentes: "Vós também [...] sois edificados [...] sacerdócio santo, para oferecerdes sacrifícios espirituais, agradáveis a Deus, por Jesus Cristo" (1 Pe 2.5). O autor de Hebreus diz na mesma linha de pensamento: "Temos um altar. [...] Portanto, ofereçamos sempre, por ele, a Deus sacrifício de louvor, isto é, o fruto dos lábios que confessam o seu nome" (Hb 13.10,15). O sacrifício mais valioso que podemos oferecer ao Senhor somos nós mesmos (Rm 12.1).

Malaquias prossegue: **E a oferta de Judá e de Jerusalém será suave ao SENHOR, como nos dias antigos e como nos primeiros anos** (4). Estes **dias antigos** são os antes da decadência de Israel (cf. Is 1.25-27; Jr 7.21-26; Os 2.15; 11.1).

Nos versículos 1 a 3, temos "Como Malaquias viu o Messias": 1) A profecia proclamada, 1 (cumprida em João Batista, Mt 3.1-10; e em Jesus, o Messias, Mt 3.11,12; Jo 1.35,36); 2) A pureza prometida, 2; 3) A purificação feita, 3 (G. B. Williamson).

b) *O Senhor julgará* (3.5). Lemos no versículo 5: "Chegar-me-ei a vós outros para juízo; serei testemunha veloz contra os feiticeiros, e contra os adúlteros, e contra os que juram falsamente, e contra os que defraudam o salário do jornaleiro, e oprimem a viúva e o órfão, e torcem o direito do estrangeiro, e não me temem, diz o SENHOR dos Exércitos" (ARA). Esta é a resposta à pergunta: "Onde está o Deus do juízo?" (2.17). Depois de o Templo estar limpo e a casa de Deus preparada para o Mestre, Deus virá e corrigirá as injustiças que fazem os homens duvidar da bondade divina. Os **feiticeiros** serão julgados por Deus. Este é o único "pecado religioso" condenado. Os outros são transgressões sociais – adultério, falso juramento, injustiça e desumanidade. Como os grandes profetas, Malaquias entende que os pecados contra a ordem social são os delitos com os quais Deus está particularmente preocupado. O profeta destaca especialmente a maldade das pessoas que exploram os fracos e os desamparados, que **defraudam o jornaleiro, e pervertem o direito da viúva, e do órfão, e do estrangeiro** (5). Malaquias estava tão profundamente preocupado com a moralidade das pessoas como estava com a adoração que prestavam.

Seção VI

DÍZIMO, O CAMINHO DA BÊNÇÃO

Malaquias 3.6-12

Agora, o profeta passa a lidar com outro obstáculo no caminho do livre derramamento das bênçãos de Deus em Israel. A nação não estivera disposta a pagar o preço do favor divino. As "janelas do céu" se fecharam, porque o povo retivera "os dízimos e as ofertas". Assim que os levasse ao Templo, as "chuvas de bênçãos" cairiam na terra.

Antes de acusarmos Malaquias de espírito legalista, não nos esqueçamos de que a recusa de Israel em dizimar era "sinal externo de ter se afastado de Deus".[1] A negligência neste ponto era sintoma de incredulidade e desobediência, e o arrependimento não podia ser mostrado de modo mais prático que pelo pagamento dos dízimos.

A. A Acusação, 3.6-9

Malaquias inicia o assunto e faz um contraste entre a constância do Senhor e a inconstância e facilidade do povo em errar: **Eu, o SENHOR, não mudo; por isso, vós, ó filhos de Jacó, não sois consumidos** (6). Por um lado, Deus afirma: "Eu sou *Yahweh*, o 'EU SOU O QUE SOU' (Êx 3.14); vós ainda sois 'filhos de Jacó', enganadores e trapaceiros". Por outro lado, afirma: "Eu sou o Deus de amor imutável, **por isso, vós... não sois consumidos**". Martinho Lutero exclamou: "Se eu fosse Deus, partiria o mundo em pedaços!" É porque o Senhor é Deus, não somos destruídos. Pusey parafraseia belamente este versículo: "Deus podia ter rejeitado com justiça a eles e a nós; mas não muda. Ele é fiel ao concerto que fez com os pais deles; não os consumiu; mas com esse seu amor inalterável, esperava arrependimento da parte deles. Nossa esperança não está em nós mesmos, mas em Deus".[2]

No versículo 7, Deus insiste na acusação: **Desde os dias de vossos pais, vos desviastes dos meus estatutos e não os guardastes**. Deus é fiel, mas o povo, como seus pais, é incrédulo. A queixa é que Deus os abandonou, mas o Senhor põe a culpa no lugar certo – neles. Pusey faz a ligação entre os versículos 7 e 6: "Eu não mudo; vós é que não vos converteis do mal. Eu sou de santidade inalterável; vós é que sois de perversidade inalterável". [3] Por **meus estatutos**, Deus quer dizer toda expressão de sua vontade revelada na Torá (os primeiros cinco livros do Antigo Testamento, mas comumente ampliada com o sentido de "a lei" – a revelação de Deus para Israel).

Tornai vós para mim, e eu tornarei para vós, diz o SENHOR dos Exércitos. Os desobedientes e inconstantes têm de voltar ao caminho do qual se desviaram. "A idéia não é meramente tomar certa direção específica, mas voltar pelo mesmo caminho, retroceder os passos dados".[4] Esta é a idéia que o Antigo Testamento apresenta sobre arrependimento e conversão (cf. Is 55.7). Arrependimento é, basicamente, mudança de atitude e propósito (conceito incluso na palavra grega *metanoia*, utilizada no Novo Testamento), mas tal transformação tem de necessariamente manifestar-se em ação (cf. Mt 3.8: "Produzi, pois, frutos dignos de arrependimento"). Mas que ação? Como nos exemplos anteriores (1.6; 2.17), as pessoas a quem o profeta se dirigia exigiram que Malaquias fosse mais específico: **Em que havemos de tornar?**

O profeta responde com uma pergunta que já é a resposta: **Roubará o homem a Deus?** (8). O tom é de incredulidade. Será que o homem que é fraco e humano consegue roubar o Criador? **Todavia, vós me roubais**. O verbo hebraico traduzido por **roubais** ocorre somente aqui e em Provérbios 22.23. É possível que o texto original tivesse o verbo "trapacear", visto que há apenas uma pequena diferença entre os dois textos hebraicos. **Em que te roubamos?** O profeta responde: **Nos dízimos e nas ofertas**. Pela lei, 1) o dízimo (décima parte) de todo o produto, bem como dos rebanhos e do gado, pertencia ao Senhor e devia ser-lhe oferecido (Lv 27.30,32); e 2) esta porção era entregue aos levitas pelos serviços que prestavam (Nm 18.21,24). Neemias teve de lidar mais de uma vez com este erro reprovado aqui (cf. Ne 9.38; 10.32-39; 13.10-14).

Com maldição sois amaldiçoados, porque me roubais a mim, vós, toda a nação (9). A palavra hebraica traduzida por **nação** (*goy*) significa normalmente nação *pagã*. Não há meio de traduzir adequadamente a palavra, mas Barnes sugere: "Ó vós totalmente gentios".[5] Os sacerdotes e o povo estão sob acusação. O versículo seguinte mostra que a maldição é colheitas ruins e os conseqüentes sofrimentos.

B. O Desafio, 3.10abcd

O profeta lhes mostra como voltar ao Senhor: **Trazei todos os dízimos à casa do tesouro** (10). Pelo visto, não tinham deixado de dizimar de todo, mas não entregavam tudo. É possível que o povo como um todo retivesse uma parte, porque julgavam que precisavam mais que os sacerdotes. Mais provavelmente, grande parte do povo deixara de dizimar completamente, ao passo que os fiéis piedosos passavam necessidade para cumprirem com suas obrigações religiosas de modo total.[6] Talvez, este relaxamento fosse motivado e desculpado pela pobreza em que viviam. Mas Malaquias encara como símbolo de afastamento e de um profundo desprezo a Deus. Por isso, o profeta ordena que o povo leve **todos os dízimos à casa do tesouro**. Este lugar era indubitavelmente a grande câmara que rodeava três lados do Templo. Mais ou menos nessa época, Tobias a desviou de seu propósito original, que era servir de depósito dos dízimos e ofertas alçadas do povo, e designou-a ao sumo sacerdote. Mas Neemias a restabeleceu à sua finalidade apropriada (Ne 10.38; 13.5-9,12,13). T. T. Perowne escreveu com competência: "Não é improvável que as 'câmaras', que eram contíguas à altura de três andares nas paredes do Templo de Salomão, tivessem sido projetadas para servir de depósito (1 Rs 6.5,6). Na grande reforma feita por Ezequias, foram 'preparadas', ou construídas ou restauradas, em alguma parte da área do Templo para receber o enorme afluxo de dízimos e ofertas (2 Cr 31.11,12)".[7]

O desígnio de Deus em exigir que o povo levasse todos os dízimos ao depósito era **para que** houvesse **mantimento na minha casa**. Antes da reforma de Neemias, "os levitas e os cantores [...] tinham fugido cada um para a sua terra", porque "o quinhão dos levitas se lhes não dava". Com a insistência de Neemias, ajudado talvez pelas determinações de Malaquias, "os dízimos do grão, e do mosto, e do azeite" foram levados "aos celeiros" (Ne 13.10-12). "Assim ordenou também o Senhor aos que anunciam o evangelho [de Cristo], que vivam do evangelho" (1 Co 9.14). Embora por razões particulares Paulo não tenha exercido este privilégio, considerou-o tão inteiramente justificado quanto a prática vigente no Antigo Testamento (1 Co 9.9-14). Se o dízimo era a porcentagem de doação para os judeus sob o antigo concerto, os crentes do Novo Testamento darão menos? (cf. Hb 7.8). A Igreja de Jesus Cristo não achou melhor meio de prover suas necessidades senão pela reverberação do comando de Malaquias. A congregação que dizima é uma comunidade apta a enfrentar toda situação, boa ou ruim, que surgir. O cristão que não dizima tem grande dificuldade em defender sua mesquinhez. Será que consegue fugir da acusação de que seu relaxo também é sinal de seu desprezo a Deus?

C. A Promessa, 3.10e-12

Deus anexa uma promessa gloriosa à sua ordem de dizimar: **E depois fazei prova de mim, diz o SENHOR dos Exércitos, se eu não vos abrir as janelas do céu e não derramar sobre vós uma bênção tal, que dela vos advenha a maior abastança** (10). Esta é, literalmente, uma promessa de chuva (cf. Gn 7.11; 8.2; 2 Rs 7.2,19). A frase sugere que os judeus passavam por seca e colheitas ruins. Mesmo assim, o sinal de chuva era símbolo de bênçãos (ver Zc 10.1; 14.17). **Que dela vos advenha a maior abastança** é mais habilmente traduzido por "uma bênção mais do que suficiente" (VBB; cf. ARA). **E repreenderei o devorador**, ou seja, "o gafanhoto *ou* a seca *ou* o crestamento *ou* o mofo *ou* o granizo, o que quer que naquele tempo fosse o devorador".[8] A promessa continua: **Para que não vos consuma o fruto da terra; e a vide no campo não vos será estéril, diz o SENHOR dos exércitos** (11).

"Como em Ageu e Zacarias e, na verdade, no Antigo Testamento em geral (Ag 2.19; Zc 8.9-13), a idéia de bênçãos não é um estado nobre e espiritual, mas uma perfeição e saúde da vida social total, cujo sinal é a fertilidade. Na terra que é abençoada, tudo e todos são férteis para cumprir a função pela qual foram criados".[9] O profeta prevê que **todas as nações vos chamarão bem-aventurados; porque vós sereis uma terra**

deleitosa, diz o SENHOR dos exércitos (12). "Quando as nações circunvizinhas virem a prosperidade que virá depois da liberalidade do povo para com Deus, elas concluirão acertadamente que foi a ação do Senhor que abençoou o povo".[10]

É lógico que temos de acrescentar uma nota aos versículos 10 a 12. A prosperidade material e a saúde física não acompanham invariavelmente a fidelidade a Deus. Mas a saúde e a prosperidade espirituais sim. Quando chega a adversidade, o cristão cujos dízimos estão todos pagos acha-se em posição de orar e ser ouvido. No Novo Testamento temos uma fórmula superior à de Malaquias. O ancião João escreveu a um cristão chamado Gaio: "Amado, desejo que te vá bem em todas as coisas e que tenhas saúde, assim como bem vai a tua alma" (3 Jo 2). As maiores riquezas da fé acham-se em passagens como Romanos 8.28-39, que nos asseguram que Deus trabalha em cada detalhe da vida daquele que o ama e que nada no universo criado pode separar tal indivíduo do amor do Pai que está em Cristo Jesus.

Esta exposição dos versículos 6 a 12 segue o esboço desta seção que tem o título: "Dízimo, o caminho da bênção": 1) A acusação, 6-9; 2) O desafio, 10abcd; 3) A promessa, 10e-12.

Outra análise que sugerimos traz o título: "A chamada de Deus para dizimar": 1) O reconhecimento da propriedade de Deus, 8; 2) O critério da mordomia cristã total, 9; 3) A expressão da adoração sincera, 10; 4) A confissão de fé na promessa de Deus, 10b; e em sua providência, 11,12 (G. B. Williamson).

Seção VII

O TRIUNFO FINAL DOS JUSTOS

Malaquias 3.13—4.3

Anteriormente, o profeta fizera uma análise perspicaz sobre as pessoas que não fizeram distinção entre o bem e o mal (2.17). Nesta seção, Malaquias volta ao mesmo tema. Antes, disse: "Vocês têm cansado o SENHOR com as suas palavras. [...] Quando afirmam: 'Todos os que fazem o mal são bons aos olhos do SENHOR, e Deus se agrada deles'" (NVI). Agora, repete o assunto e estabelece mais detalhes.

A. O Ceticismo, 3.13-15

As vossas palavras foram agressivas para mim, diz o SENHOR (13). A atitude dos judeus fora de ceticismo crescente. Agora, a crítica que fazem é vocal. Afirmam: **Que temos falado contra ti?** Esta não é uma pergunta de boa-fé. Implica em negação da acusação de Malaquias e desafia-o a apresentar mais provas (cf. 1.2,6; 2.14; 3.7,8). **Falado** significa falar em conjunto. "Quando foi que falamos assim entre nós?", é o sentido. Pelo visto, tinham o hábito de conversar e comparar as promessas de Deus com o estado miserável em que estavam. Mesmo assim, confessaram que não sabiam em que tinham criticado Deus.

O profeta apresenta a acusação: **Vós dizeis: Inútil é servir a Deus; que nos aproveitou termos cuidado em guardar os seus preceitos e em andar de luto diante do SENHOR dos Exércitos?** (14). Ao lembrar que os pagãos orgulhosos e prósperos da Babilônia e reparar que as nações ao redor tinham abundância de todas as coisas, ao passo que sofriam na pobreza e na miséria, diziam: "Em que nos beneficia adorarmos o único Deus verdadeiro, detestarmos os ídolos e, atormentados pela consciência de pecados, andarmos penitentemente diante de Deus?"

Quem são estes céticos e críticos? Na ótica de Perowne, essas palavras são "a blasfêmia franca de quem 'se assenta na roda dos escarnecedores'".[1] Mas segundo J. M. Powis Smith, são palavras de "seguidores de *Yahweh* que perdem a fé e correm o risco de se desviar de *Yahweh*".[2] Ao menos exteriormente serviam a Deus e guardavam os **seus preceitos**. A tendência a considerar a mera observância externa como a verdadeira religião tem laivos do farisaísmo que vigorava nos dias do Novo Testamento. A frase **andar de luto** traz a mesma conotação. Ainda que não exclua uma dor interna genuína, a frase hebraica alude primariamente às roupas que estas pessoas usavam como sinal de humilhação e contrição. Isto recorda o aviso de Jesus registrado em Mateus 6.16-18.

O versículo 15 resume o caso do povo contra Deus. Jones fez uma tradução livre das bem-aventuranças dessa gente:

> *Bem-aventurados os arrogantes e irreligiosos;*
> *Bem-aventurados os malfeitores, porque prosperam;*
> *Bem-aventurados os que colocam Deus à prova,*
>   *porque escapam de todo castigo.*[3]

Palavras audazes! Talvez seja este o significado da pergunta que fizeram anteriormente: "Onde está o Deus do juízo?" (2.17). Com amargura, foram coagidos a colocar a maldade nas alturas, ao mesmo tempo em que o próprio Senhor permitia que ela ficasse impune.

B. As Pessoas que Crêem em Deus, 3.16-18

Então, aqueles que temem ao SENHOR falam cada um com o seu companheiro (16). Certos intérpretes, ao seguirem a Septuaginta, a Versão Siríaca e o Targum, optam por esta leitura: "Assim (ou tais coisas) falavam uns aos outros os que temiam ao Senhor".[4] Mas a maioria dos intérpretes considera que as pessoas no versículo 16 são outro grupo de judeus. Jones escreve: "Em contraste com os céticos arrogantes estão aqueles que, apesar dos problemas, 'temem ao Senhor'. São estes os que detêm o espírito de reverência e respeito humildes. É possível que 'aqueles que [...] falam cada um com o seu companheiro' se refira à discussão levantada entre os fiéis em virtude da análise franca que o profeta fez da situação. Neste caso, Malaquias lhes dá a garantia divina de que precisam".[5] Se esta for a interpretação correta, da mesma forma que os irreligiosos em Israel conversavam em conjunto (13,14), assim faziam os religiosos. Porém, as conversas de ambos os grupos diferiam grandemente. O texto profético não registra o que o remanescente piedoso dizia, embora a declaração **os que se lembram do seu nome** indique o tópico das conversas. Falavam entre si que o Senhor fora bom com eles mesmo em meio aos sofrimentos. Em todo caso, a profecia nos informa que **o SENHOR atenta e ouve; e há um memorial escrito diante dele, para os que temem ao SENHOR**. Aqueles que temem ao Senhor sabem que seus nomes estão registrados indelevelmente na escritura divina. "Trata-se de uma estabilidade que, associada com a fé do Antigo Testamento no Deus vivo, conduz à autêntica crença bíblica na bênção da vida futura"[6]

E eles serão meus, diz o SENHOR dos Exércitos, naquele dia que farei, serão para mim particular tesouro (17). A palavra hebraica traduzida por **particular tesouro** (*segullah*) é a mesma usada em Êxodo 19.5 ("propriedade peculiar", e é traduzida melhor por "tesouro peculiar"). O *segullah* era a parte da propriedade que a pessoa reivindicava para si como seu tesouro especial e particular. "É isto que Israel representa para Deus em relação ao mundo; é o que aqueles que o temem são em relação a Israel".[7] No Novo Testamento, a Igreja é um povo de propriedade exclusiva de Deus (1 Pe 2.9,10). **Poupá-los-ei como um homem poupa a seu filho que o serve**. A palavra *poupar* é digna de nota. Ensina-nos que aqueles que para Deus são um *tesouro peculiar*, não o são por méritos próprios, mas pela grande misericórdia divina. Pusey expressa este pensamento em uma paráfrase ampliada: "Eu os pouparei, embora sejam ex-pecadores; eu os pouparei, pois se arrependeram e me servem com um culto de confissão piedosa, 'como um homem poupa a seu filho que o serve'. Sobre o filho que se recusou a trabalhar no vinhedo do Pai, mas depois se arrependeu e foi, o Senhor disse que 'fez a vontade do pai'".[8] Esta é a doutrina de Malaquias da salvação pela graça.

Então, vereis outra vez a diferença entre o justo e o ímpio; entre o que serve a Deus e o que não o serve (18). No dia do juízo, as pessoas poderão distinguir as ovelhas das cabras, o trigo do joio. A decisão concludente de Deus é a única solução cabal ao problema levantado nesta seção (cf. Dn 12.2; Mt 25.32-46).

C. O Dia das Respostas, 4.1-3

Porque eis que aquele dia vem ardendo como forno; todos os soberbos e todos os que cometem impiedade serão como palha; e o dia que está para vir os abrasará, diz o SENHOR dos exércitos, de sorte que lhes não deixará nem raiz nem ramo (1). O **forno** é figura de calor intenso (cf. Os 7.4-7). Ainda hoje na Palestina a palavra é usada para referir-se ao local em que se assa pão. Eles cavam um buraco grande na terra, revestem os lados de emplastro e fazem um fogo bem forte no fundo com galhos finos e espinhos (**palha**). Depois de retirar as cinzas quentes, grudam o pão nos lados emplastrados e num instante o pão fica assado.[9]

Os **soberbos** são todos aqueles a quem os murmuradores dizem que são "bem-aventurados" (3.15), e **todos** os que conseqüentemente deveriam ser como eles. Malaquias insiste na universalidade do julgamento; "todos os arrogantes e todos os malfeitores" (NVI) **serão como palha** (cf. Is 5.24; Ob 18; Sf 1.18). Basear a doutrina da aniquilação final dos ímpios nesta figura é ultrapassar os limites da metáfora, além de contradizer o ensino específico de Jesus (Mt 25.46; Lc 16.23-28; cf. Ap 20.10,14,15). Pusey cita uma antiga autoridade que entendeu o que Malaquias queria realmente dizer: "Os orgulhosos e poderosos, que nesta vida eram fortes como ferro e bronze, de forma que ninguém ousava enfrentá-los, e que se atreviam a lutar contra Deus, estes, no dia do Juízo, serão extremamente fracos, como a palha que não resiste ao fogo, em uma morte de eterna existência".[10]

A declaração adicional que diz que este fogo **lhes não deixará nem raiz nem ramo** significa que não terão esperança de brotar outra vez à vida – a existência que é prometida aos justos. "Porque há esperança para a árvore, que, se for cortada, ainda se renovará, e não cessarão os seus renovos" (Jó 14.7), mas não há esperança para aqueles que estão condenados no dia de Juízo.

Mas para vós que temeis o meu nome, diz Deus, **nascerá o sol da justiça e salvação trará debaixo das suas asas** (2). A esplêndida imagem que Malaquias usa aqui é inigualável no Antigo Testamento, embora seja muito parecida com a idéia vista em Isaías 60.1-5. Os pais da Igreja e os primeiros comentaristas entendiam que Cristo era **o sol da justiça**. Tinham razão na medida em que o profeta anunciava o período da vinda de Jesus. A Versão Bíblica de Berkeley acopla uma nota de rodapé à expressão **o sol da justiça**: "Não há cumprimento desta profecia em qualquer pessoa ou acontecimento de forma tão completa e satisfatória como na vinda de Jesus Cristo, que nos é 'a justiça de Deus'". Moffatt traduz assim: "Mas para vós, meus adoradores, o sol salvador se levantará com cura em seus raios". E **crescereis** ("saltareis", ARA) **como os bezerros do cevadouro**. O quadro é de uma existência feliz e despreocupada. A glória de Deus em Cristo dispersa as trevas do pecado e da tristeza e alegra o povo de Deus. Pusey afirma que o título "o sol da justiça" pertence às duas vindas de Cristo. "Na primeira, o Messias difundiu os raios da justiça, por meio dos quais justificou e diariamente justifica todo e qualquer pecador que olha para Jesus, ou seja, crê nele e lhe obedece, como o sol dá luz, alegria e vida a todos que se voltam em direção dele". [11] Depois acrescenta: "Na segunda, a justiça que Cristo deu, Jesus possuirá e exibirá, absolvido de todo juízo errôneo do mundo, diante dos homens e dos anjos". [12]

Acerca do versículo 3, Jones faz a observação pertinente: "O Antigo Testamento é o registro da preparação paciente e divina do povo de Deus para o Novo Testamento. Temos de esperar atender sentimentos que precisam da correção de nosso Senhor". [13] Para esta correção, leia Mateus 5.38-48. Como cristãos, temos de ler sempre o Antigo Testamento pelos olhos de Cristo, porque é a revelação progressiva e preparatória que tem seu cumprimento em Jesus (ver Hb 1.1,2).

Em 3.13 a 4.3, identificamos razões para a exortação "mantenha a fé em Deus": 1) Quando a fé falha, 3.13-15; 2) Como fortalecer a fé, 3.16-18; 3) A última palavra de Deus, 4.1-3 (A. F. Harper).

Seção VIII

CONCLUSÃO

Malaquias 4.4-6

Lembrai-vos da Lei de Moisés, meu servo, a qual lhe mandei em Horebe para todo o Israel, a qual são os estatutos e juízos (4). Estas palavras nos lembram o final do livro de Eclesiastes: "De tudo o que se tem ouvido, o fim é: Teme a Deus e guarda os seus mandamentos" (Ec 12.13).

A nota final do Antigo Testamento é profética: **Eis que eu vos envio o profeta Elias, antes que venha o dia grande e terrível do SENHOR** (5). Em certo sentido, esta profecia dizia respeito a João Batista que iria "adiante dele [do Senhor] *no espírito e virtude* de Elias" (Lc 1.17; grifos meus). É significativo que esta passagem de Lucas na verdade cite o versículo 6. **E converterá o coração dos pais aos filhos**. Esta é uma profecia do trabalho preparatório de João – converter os israelitas para que recebam Cristo. Neste sentido, Jesus poderia dizer de João: "É este o Elias que havia de vir" (Mt 11.14).

Notas

INTRODUÇÃO

[1] Cf. 3.1, onde a ARA traduz a palavra hebraica por "meu mensageiro" (**meu anjo**).

[2] Paráfrase aramaica de uma porção do AT.

[3] Citado por Gleason L. Archer Jr., *A Survey of Old Testament Introduction* (Chicago: Moody Press, 1964), p. 416.

[4] Versão grega do AT.

[5] *Loc. cit.*

[6] J. T. H. Adamson, "Malachi", *The New Bible Commentary*, editado por Francis Davidson *et al.* (Grand Rapids: William B. Eerdmans Publishing Company, 1956), p. 764.

[7] Robert C. Dentan, "Malachi" (Exegesis), *The Interpreter's Bible*, editado por George A. Buttrick *et at.*, vol. VI (Nova York e Nashville: Abingdon Press, 1956), p. 764.

[8] Ver Ed 5.3; 9.1,2; 10.17.

[9] Ver Ne 13.1-29.

[10] Dentan, *op. cit.*, p. 1.119.

[11] Kyle M. Yates, *Preaching from the Prophets* (Nova York: Harper & Brothers, 1942), p. 217.

[12] Dentan, *op. cit.*, p. 1.119.

[13] Adamson, *loc. cit.*

[14] Negelsbach; citado por W. H. Lowe, "Minor Prophets", *Layman's Handy Commentary on the Bible*, editado por Charles John Ellicott, vol. III (Grand Rapids, Michigan: Zondervan Publishing House, 1961), p. 105.

SEÇÃO I

[1] Dentan, *op. cit.*, p. 1.122.

[2] Citado por E. B. Pusey, *The Minor Prophets*, vol. II (Grand Rapids: Baker Book House, 1950), p. 465.

SEÇÃO II

[1] G. Campbell Morgan, *An Exposition of the Whole Bible* (Westwood, Nova Jersey: Fleming H. Revell Company, 1959), p. 414.

[2] J. E. McFadyen, "Malachi", *Abingdon Bible Commentary*, editado por David D. Downey (Nova York: Abingdon Press, 1929), p. 833.

[3] Dentan, *op. cit.*, p. 1.124.

SEÇÃO III

[1] George Adam Smith, "The Book of the Twelve Prophets", *The Expositor's Bible*, editado por W. Robertson Nicoll, vol. II (Nova York: George H. Doran Company, s.d.), p. 353.

[2] *Ib.*, pp. 352-354.

[3] W. J. Deane, "Malachi", *The Pulpit Commentary*, editado por H. D. M. Spence e Joseph S. Exell, vol. XIV (Grand Rapids: William B. Eerdmans Publishing Company, 1950), p. 3.

⁴Pusey, *op. cit.*, faz um resumo completo sobre este ponto de vista, pp. 471-474.

⁵Deane, *op. cit.*, pp. 3, 4.

⁶*Ib.*

⁷Pusey, *op. cit.*, p. 471.

⁸Lowe, *op. cit.*, p. 110.

⁹Adamson, *op. cit.*, p. 766.

¹⁰Dentan, *op. cit.*, p. 1.129.

¹¹Pusey, *op. cit.*, p. 476.

¹²Cf. a profecia de Jonas contra Nínive, Jn 3.1-4.

¹³Pusey, *op. cit.*, p. 477.

¹⁴Smith, *op. cit.*, p. 361.

SEÇÃO IV

¹ J. M. Powis Smith, "Malachi", *The International Critical Commentary* (Nova York: Charles Scribner's Sons, 1912), p. 47.

²Pusey, *op. cit.*, p. 481.

³Raymond Calkins, *The Modern Message of the Minor Prophets* (Nova York: Harper & Brothers, 1947), p. 131; G. A. Smith, *op. cit.*, pp. 363, 365.

⁴Eli Cashdan, "Malachi", *The Twelve Prophets*, editado por A. Cohen (Londres: The Soncino Press, 1948), p. 354.

⁵Powis Smith, *op. cit.*, p. 48.

⁶W. Emery Barnes, "Malachi", *Cambridge Bible for Schools and Colleges*, editado por F. S. Marsh (Cambridge: The University Press, 1934), p. 122.

⁷A Versão Siríaca.

⁸Marcus Dods, *The Post-Exilian Prophets* (Edimburgo: T. & T. Clark, 1881), p. 143.

⁹Citado por Cashdan, *op. cit.*, p. 346.

¹⁰Powis Smith, *op. cit.*, p. 51.

¹¹Dentan, *op. cit.*, p. 1.135.

¹²Douglas Rawlinson Jones, "Malachi", *Torch Bible Commentaries*, editado por John Marsh e Alan Richardson (Londres: SCM Press, Limited, 1962), p. 196.

¹³Cashdan, *op. cit.*, p. 348.

¹⁴*The Bible: An American Translation*, *loc. cit.*

SEÇÃO V

¹Citado por Pusey, *op. cit.*, p. 485.

²Dentan, *op. cit.*, p. 1.137.

³Jones, *op. cit.*, p. 199.

⁴O nome "Jeová" é uma palavra mista, nunca usada pelos judeus, composta pelas consoantes de *Yahweh* (YHWH) e as vogais de *Adonai*.

⁵Powis Smith, *op. cit.*, p. 63.

⁶T. T. Perowne, "Haggai, Zechariah and Malachi", *The Cambridge Bible for Schools and Colleges*, editores J. J. S. Perowne e A. F. Kirkpatrick (Cambridge: University Press, 1902), p. 29.

⁷John Calvin, "Minor Prophets", *Calvin's Commentaries*, vol. V (Grand Rapids: William B. Eerdmans Publishing Company, 1950), p. 572.

⁸Adamson, *op. cit.*, p. 767.

⁹Pusey, *op. cit.*, p. 488.

SEÇÃO VI

¹Jones, *op. cit.*, p. 200.

²Pusey, *op. cit.*, p. 491.

³*Ib.*

⁴Dentan, *op. cit.*, p. 1.139.

⁵Barnes, *op. cit.*, p. 129.

⁶Powis Smith, *op. cit.*, pp. 70, 71.

⁷Perowne, *op. cit.*, p. 52.

⁸Barnes, *op. cit.*, p. 130.

⁹Jones, *op. cit.*, p. 202.

¹⁰Adamson, *op. cit.*, p. 767.

SEÇÃO VII

¹Perowne , *op. cit.*, p. 33.

²Powis Smith, *op. cit.*, p. 76.

³Jones, *op. cit.*, p. 203.

⁴Cf. G. A. Smith, Powis Smith, Dentan.

⁵Jones, *op. cit.*, p. 204.

⁶*Ib.*; cf. Êx 32.32; Ne 13.14; Sl 56.8; 69.28; Dn 12.2; Ap 20.12.

⁷*Ib.*

⁸Pusey, *op. cit.*, p. 496.

⁹Bames, *op. cit.*, p. 133.

¹⁰Pusey, *op. cit.*, p. 496.

¹¹Citação de Lap, conforme citou Pusey, *op. cit.*, p. 497.

¹²*Ib.*

¹³Jones, *op. cit.*, p. 205.

Bibliografia

I. COMENTÁRIOS

ADAMSON, J. T. H. "Malachi." *The New Bible Commentary*. Editado por Francis Davidson *et al.* Grand Rapids: William B. Eerdmans Publishing Company, 1956.

BARNES, W. Emery. "Malachi." *Cambridge Bible for Schools and Colleges*. Editado por F. S. Marsh. Cambridge: The University Press, 1934.

CALVIN, John. "Minor Prophets." *Calvin's Commentaries*. Vol. V. Grand Rapids: William B. Eerdmans Publishing Company, 1950 (reimpressão).

CASHDAN, Eli. "Zechariah." *The Twelve Prophets*. Editado por A. Cohen. Londres: The Soncino Press, 1948.

_____. "Malachi." *The Twelve Prophets*. Editado por A. Cohen. Londres: The Soncino Press, 1948.

CHADWICK, Samuel. "Micah." *The Expositor's Dictionary of Texts*. Vol. I. Editado por W. Robertson Nicoll, Jane T. Stoddard e James Moffatt. Nova York: George H. Doran Company, s.d.

CLARKE, Adam. *The Holy Bible with a Commentary and Critical Notes*. Vol. IV. Nova York: Abingdon-Cokesbury Press, s.d.

CLARKE, W. K. Lowther. *Concise Bible Commentary*. Nova York: Macmillan Company, 1954.

COLLINS, G. N. M. "Zechariah." *The New Bible Commentary*. Editado por Francis Davidson *et al.* Grand Rapids: William B. Eerdmans Publishing Company, 1956.

DAVIDSON, A. B. "Nahum, Habakkuk and Zephaniah." *The Cambridge Bible for Schools and Colleges*. Editado por J. J. S. Perowne. Cambridge: University Press, 1896.

DEANE, W. J. "Hosea" (Exposition). *The Pulpit Commentary: Amos to Micah*. Editado por H. D. M. Spence e Joseph S. Exell. Nova York: Funk & Wagnalls Company, s.d.

_____. "Amos to Micah" (Exposition). *The Pulpit Commentary: Amos to Micah*. Editado por H. D. M. Spence e Joseph S. Exell. Nova York: Funk & Wagnalls Company, s.d.

_____. "Malachi." *The Pulpit Commentary*, Vol. XIV. Editado por H. D. M. Spence e Joseph S. Exell. Grand Rapids: William B. Eerdmans Publishing Company, 1950 (reimpressão).

DENTAN, Robert C. "Malachi" (Exegesis). *The Interpreter's Bible*. Vol. VI. Editado por George A. Buttrick *et at*. Nova York: Abingdon Press, 1956.

DRIVER, S. R. "The Minor Prophets." *The New Century Bible*. 2 Volumes. Editado por Walter F. Adeney. Nova York: Oxford University Press, 1906.

EATON, J. H. *Obadiah, Nahum, Habakkuk and Zephaniah*. Londres: SCM Press, 1961.

ELLIOTT, Charles. "Hosea." *A Commentary on the Holy Scriptures: Critical, Doctrinal and Homiletical*. Vol. XIV. Editado por J. P. Lange. Grand Rapids: William B. Eerdmans Publishing Company, 1874 (reimpressão).

EXELL, Joseph S. (editor). "Hosea." *The Biblical Illustrator: The Minor Prophets*. Vol. I. Nova York: Fleming H. Revell Company, s.d.

FAUSSET, A. R. *A Commentary on the Old and New Testaments*. Vol. IV. Grand Rapids: William B. Eerdmans Publishing Company, 1948 (reimpressão).

FOSBROKE, Hughell E. W. "Amos" (Exegesis). *The Interpreter's Bible*. Vol. VI. Editado por George A. Buttrick *et al.* Nova York: Abingdon Press, 1956.

Fraser, A. e Stephens-Hodge, L. E. H. "Micah." *The New Bible Commentary*. Editado por Francis Davidson *et al*. Grand Rapids: William B. Eerdmans Publishing Company, 1953.

Frederick, P. W. H. "The Book of Amos." *Old Testament Commentary*. Editado por Herbert C. Alleman e Elmer E. Flack. Filadélfia: The Muhlenberg Press, 1948.

Given, J. J. "The Book of Hosea" (Exposition and Homiletics). *The Pulpit Commentary*. Editado por H. D. M. Spence e Joseph S. Exell. Nova York: Funk & Wagnalls, s.d.

Graham, William C. "Nahum." *Abingdon Bible Commentary*. Editado por Frederick Carl Eiselen *et al*. Nova York: Abingdon-Cokesbury Press, 1929.

_____. "Zephaniah." *Abingdon Bible Commentary*. Editado por Frederick Carl Eiselen *et al*. Nova York: Abingdon-Cokesbury Press, 1929.

Haldor, Alfred. *Studies in the Book of Nahum*. Uppsala: A. B. Lundequistreka Bokhandein, 1946.

Haupt, Paul. *The Book of Nahum*. Baltimore: Johns Hopkins Press, 1907.

Henderson, Ebenezer. *The Book of the Twelve Minor Prophets*. Nova York: Sheldon & Company, 1864.

Henry, Matthew. *Commentary on the Whole Bible*. 6 Volumes. Nova York: Fleming H. Revell Company, s.d.

Hicks, R. Lansing. "The Twelve Minor Prophets". *The Oxford Annotated Bible: RSV*. Editado por Herbert G. May e Bruce M. Metzger. Nova York: Oxford University Press, 1962.

Horine, John W. "The Book of Hosea." *Old Testament Commentary*. Editado por Herbert C. Alleman e Elmer E. Flack. Filadélfia: The Muhlenberg Press, 1948.

Hubbard, David A. "Habakkuk." *The Biblical Expositor*. Vol. II. Editado por Carl F. H. Henry. Filadélfia: A. J. Holman Company, 1960.

Jamieson, Robert, Fausset, A. R., Brown, David. *A Commentary: Critical, Experimental and Practical*. Vol. I. Hartford: The S. S. Scranton Company, s.d.

Jones, Douglas Rawlinson. "Malachi". *Torch Bible Commentaries*. Editado por John Marsh e Alan Richardson. Londres: SCM Press, Limited, 1962.

Keil, C. F., e Delitzsch, Franz. "The Twelve Minor Prophets". *Biblical Commentary on the Old Testament*. Grand Rapids: William B. Eerdmans Publishing Company, 1954 (reimpressão).

Knight, George A. F. "Hosea." *Torch Bible Commentaries*. Editado por John Marsh e Alan Richardson. Londres: SCM Press, Limited, 1960.

Langford, Norman F. "Hosea" (Exegesis). *The Interpreter's Bible*. Vol. VI. Editado por George A. Buttrick *et al*. Nova York: Abingdon Press, 1956.

Lehrman, S. M. "Nahum." *The Twelve Prophets*. Editado por A. Cohen. Londres: The Soncino Press, 1948.

_____. "Zephaniah". *The Twelve Prophets*. Editado por A. Cohen. Londres: The Soncino Press, 1948.

Logsden, S. Franklin. *Hosea*. Chicago: Moody Press, 1959.

Lowe, W. H. "Minor Prophets". *Layman's Handy Commentary on the Bible*. Vol. III. Editado por Charles John Ellicott. Grand Rapids, Michigan: Zondervan Publishing House, 1961.

Luck, G. Coleman. *Zechariah*. Chicago: Moody Press, s.d.

Maclaren, Alexander. *Expositions of Scripture*. Vol. VI. Grand Rapids: William B. Eerdmans Publishing Company, 1944 (reimpressão).

Maier, Walter A. *The Book of Nahum*. St. Louis: Concordia Publishing House, 1959.

McFadyen, John E. "Habakkuk." *Abingdon Bible Commentary*. Editado por Frederick Carl Eiselen et al. Nova York: Abingdon-Cokesbury Press, 1929.

_____. "Zechariah". *Abingdon Bible Commentary*. Editado por David D. Downey. Nova York: Abingdon Press, 1929.

_____. "Malachi". *Abingdon Bible Commentary*. Editado por David D. Downey. Nova York: Abingdon Press, 1929.

Meyer, F. B. *The Prophet of Hope*. Londres: Morgan & Scott, s.d.

Morgan, G. Campbell. *Hosea*. Londres: Marshall, Morgan & Scott, Limited, 1948.

_____. "Jonah". *Biblical Illustrator*. Editado por J. S. Exell. Nova York: Fleming H. Revell, s.d.

Perowne, T. T. "Haggai, Zechariah and Malachi." *The Cambridge Bible for Schools and Colleges*. Editor geral J. J. S. Perowne. Cambridge: University Press, 1893.

Pusey, E. B. *The Minor Prophets*. Nova York: Funk & Wagnalls, 1886.

Reynolds, H. R. "Hosea." *Commentary on the Whole Bible*. Vol. V. Editado por Charles John Ellicott. Londres: Cassell & Company, 1897.

Robinson, D. W. B. "Jonah." *The New Bible Commentary*. Editado por Francis Davidson et al. Grand Rapids: William B. Eerdmans Publishing Company, 1963.

Smith, George Adam. "The Book of the Twelve Prophets". *The Expositor's Bible*. 2 Volumes. Editado por W. Robertson Nicoll. Nova York: George H. Doran Company, s.d.

_____. "The Book of the Twelve Prophets". *The Expositor's Bible*. 2 Volumes. Editado por W. Robertson Nicoll. Nova York: A. C. Armstrong & Son, 1896.

_____. *The Book of the Twelve Prophets*. Nova York: Harper & Brothers, 1928.

Smith, J. M. Powis. "Malachi". *The International Critical Commentary*. Nova York: Charles Scribner's Sons, 1912.

Snyder, Edgar E. "The Book of Joel". *Old Testament Commentary*. Editado por Herbert C. Alleman & Elmer E. Flack. Filadélfia: The Muhlenberg Press, 1948.

Taylor, Charles L. Jr. "Habakkuk" (Exegesis). *The Interpreter's Bible*. Vol. VI. Editado por George A. Buttrick et al. Nova York: Abingdon Press, 1956.

_____. "Zephaniah" (Introduction and Exegesis). *The Interpreter's Bible*. Vol. VI. Editado por George A. Buttrick et al. Nova York: Abingdon Press, 1956.

Thomas, D. Winton. "Zechariah" (Exegesis). *The Interpreter's Bible*. Vol. VI. Editado por George A. Buttrick et al. Nova York: Abingdon Press, 1956.

Thompson, John A. "Joel" (Exegesis). *The Interpreter's Bible*. Vol. VI. Editado por George A. Buttrick et at. Nova York: Abingdon Press, 1956.

Wolfe, Rolland E. "Micah" (Exegesis). *The Interpreter's Bible*. Vol. VI. Editado por George A. Buttrick et al. Nova York: Abingdon Press, 1956.

Wolfendale, James. "Minor Prophets". *The Preacher's Homiletical Commentary*. Nova York: Funk & Wagnalls, 1892.

II. OUTROS LIVROS

Anderson, Bernard W. *Understanding the Old Testament*. Englewood, Nova Jersey: Prentice-Hall, Incorporated, 1957.

Archer, Gleason L. Jr. *A Survey of Old Testament Introduction*. Chicago: Moody Press, 1964.

Baab, Otto J. *The Theology of the Old Testament*. Nova York: Abingdon-Cokesbury Press, 1949.

"Biblical Approach to the Doctrine of the Trinity, A". *Scottish Journal of Theology*. Edição Ocasional n.º 1. Editores gerais T. F. Torrance e J. K. S. Reid. Edimburgo: Oliver & Boyd, Limited, 1953.

BREWER, Julius A. *The Literature of the Old Testament*. Nova York: Columbia University Press, 1962.

BUBER, Martin. *The Prophetic Faith*. Nova York: The Macmillan Company, 1949.

CALKINS, Raymond. *The Modern Message of the Minor Prophets*. Nova York: Harper & Brothers, 1947.

CARTLEDGE, Samuel A. *A Conservative Introduction to the Old Testament*. Grand Rapids, Michigan: Zondervan Publishing House, 1943.

DAVIS, Leon J. *Bible Knowledge*. Editado por Henry Jacobsen. Wheaton, Illinois: Scripture Press, 1956.

DODS, Marcus. *The Post-Exilian Prophets*. Edimburgo: T. & T. Clark, 1881.

DRIVER, S. R. *An Introduction to the Literature of the Old Testament*. Nova York: Charles Scribner's Sons, 1891.

EISELEN, Frederick Carl. *Prophecy and the Prophets*. Nova York: The Methodist Book Concern, 1909.

FARRAR, F. W. *The Minor Prophets*. Nova York: Fleming H. Revell Company, s.d.

GADD, C. J. *The Fall of Nineveh*. Londres: Department of Egyptian and Assyrian Antiquities, British Museum, 1923.

GAEBELEIN, A. C. *The Prophet Joel*. Nova York: Publication Office, *Our Hope*, 1909.

HENSHAW, T. *The Latter Prophets*. Londres: George Alien & Unwin, Limited, s.d.

KIRKPATRICK, A. F. *The Doctrine of the Prophets*. Nova York: Macmillan Company, 1897.

KNIGHT, George A. F. *A Christian Theology of the Old Testament*. Richmond, Virgínia: John Knox Press, 1959.

KNUDSON, Albert C. *The Beacon Lights of Prophecy*. Nova York: The Methodist Book Concern, 1914.

MORGAN, G. Campbell. *The Analyzed Bible*. Nova York: Fleming H. Revell Company, 1908.

_____. *An Exposition of the Whole Bible*. Westwood, Nova Jersey: Fleming H. Revell Company, 1959.

NYGREN, Anders. *Agape and Eros*. Traduzido para o inglês por Phillip S. Watson. Filadélfia: The Westminster Press, 1953.

OEHLER, Gustave F. *Theology of the Old Testament*. Traduzido para o inglês por George E. Day. Grand Rapids: Zondervan Publishing House, s.d.

PATERSON, John. *The Goodly Fellowship of the Prophets*. Nova York: Charles Scribner's Sons, 1948.

PURKISER, W. T. et al. *Exploring the Old Testament*. Kansas City, Missouri: Beacon Hill Press, 1957.

_____. "Jonah". *Aldersgate Biblical Series*. Editado por Donald Joy. Winona Lake, Indiana: Light & Life Press, 1963.

ROBINSON, George L. *The Twelve Minor Prophets*. Nova York: George H. Doran & Company, 1926.

ROSENBERG, Stuart E. *More Loves than One: The Bible Confronts Psychiatry*. Nova York: Thomas Nelson & Sons, 1963.

ROWLEY, H. H. *The Relevance of Apocalyptic*. Segunda Edição. Londres: Lutterworth Press, 1947.

Sampey, John A. *The Heart of the Old Testament*. Nashville: Broadman Press, 1922.

Schultz, S. J. *The Old Testament Speaks*. Nova York: Harper & Brothers, 1960.

Sloan, W. W. *A Survey of the Old Testament*. Nova York: Abingdon Press, 1957.

Snaith, Norman H. *The Distinctive Ideas of the Old Testament*. Filadélfia: Westminster Press, 1946.

Vriezen, M. C. *An Outline of Old Testament Theology*. Boston: Charles T. Bradford Company, 1958.

Watts, John D. W. *Vision and Prophecy in Amos*. Grand Rapids: William B. Eerdmans Publishing Company, 1958.

Welch, Adam C. *Kings and Prophets of Israel*. Londres: Lutterworth Press, 1952.

Yates, Kyle M. *Preaching from the Prophets*. Nova York: Harper & Brothers, 1942.

Yoder, S. C. *He Gave Some Prophets*. Scottsdale, Pensilvânia: Herald Press, 1964.

III. ARTIGOS

Davidson, A. B. "Hosea". *Dictionary of the Bible*. Vol. II. Editado por James Hastings *et al*. Nova York: Charles Scribner & Sons, 1909.

Gillett, A. L. "Jonah". *New Standard Bible Dictionary*. Editado por M. W. Jacobus, E. C. Lane, A. C. Zenos e E. J. Cook. Nova York: Funk & Wagnalls Company, 1936.

Neil, William. "Joel". *The Interpreter's Dictionary of the Bible*. Editado por George A. Buttrick *et al*. Nova York: Abingdon Press, 1962.

Quell, Gottfried e STAUFFER, Ethelbert. "Love". *Bible Keys Words*. Editado por Gerhard Kittel; Traduzido para o inglês e editado por J. R. Coates. Nova York: Harper & Brothers, 1951.

Smart, J. D. "Hosea". *The Interpreter's Dictionary of the Bible*. Editado por George A. Buttrick *et al*. Nova York: Abingdon Press, 1962.

Wilson, J. A. "Jonah." *Princeton Theological Review*, XXV (1927), p. 636.

Young, Edward J. "Jonah." *Christianity Today*, vol. III, n.º 25 (28 de setembro de 1959), pp. 11, 12.

Mapa 1

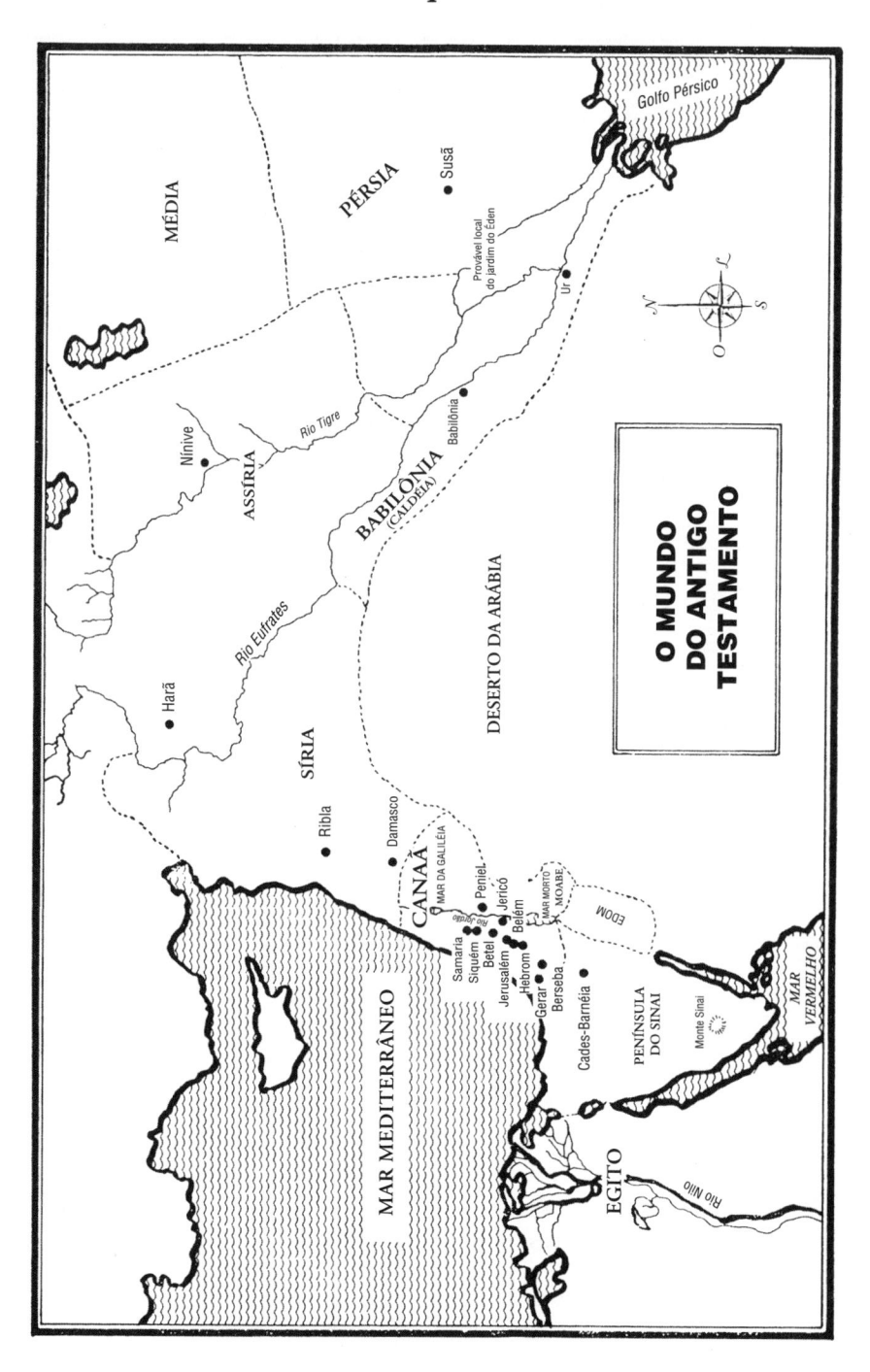

Mapa 2

Quadro A
QUADRO DO PERÍODO DA MONARQUIA DE 1010 A 586 a.C.

DAVI (1010-971)
SALOMÃO (971-931)
DIVISÃO (931)

ISRAEL (Reino do Norte)   **JUDÁ** (Reino do Sul)

Regentes	Co-regências	Regentes	Co-regências
JEROBOÃO 931-910		ROBOÃO 931-913	
NADABE 910-909		ABIAS 913-911	
BAASA 909-886		ASA 911-870	
ELA 886-885			
ZINRI 885			
TIBNI 885-880	885-880		
ONRI 885-874	885-880		
ACABE 874-853		JOSAFÁ 870-848	873-870
ACAZIAS 853-852			
JEORÃO 852-841		JORÃO 848-841	853-848
JEÚ 841-814		ACAZIAS 841	
JEOACAZ 814-798		ATÁLIA 841-835	
		JOÁS 835-796	
JEOÁS 798-782		AMAZIAS 796-767	
JEROBOÃO II ... 782-753	793-782	AZARIAS (Uzias) 767-740	791-767
ZACARIAS 753-752			
SALUM 752			
MANAÉM 752-742			
PECAÍAS 742-740			
PECA 740-732		JOTÃO 740-732	750-740
OSÉIAS 732-733, 722		ACAZ 732-716	
		EZEQUIAS 716-687	729-716
		MANASSÉS 687-642	696-687
		AMOM 642-640	
		JOSIAS 640-608	
		JOACAZ 608	
		JEOAQUIM 608-597	
		JOAQUIM 597	
		ZEDEQUIAS 597-586	

Quadro B

Reconstrução do Templo de Salomão (de Stevens-Wright):

Planta Baixa do Templo (*adaptada de Watzinger*)

Quadro C
O EXÍLIO E O RETORNO

Período do Exílio: O Cativeiro (606-536 a.C.)

605-561	Nabucodonosor na Babilônia
608-597	Jeoaquim, Rei de Judá (2 Reis 23.34—24.6)
	Vassalo do Egito
	Vassalo da Babilônia
606	Primeiro Cativeiro - Daniel (2 Reis 24.1; Daniel 1.1—2.6)
600	Rebelião contra a Babilônia
597	Joaquim, Rei de Judá (2 Reis 24.8-17)
	Jerusalém Sitiada
	Segundo Cativeiro 10.000
	Incluindo Joaquim e Ezequiel
597-586	Zedequias, Rei de Judá (2 Reis 24.18—25.21)
592-570	Profecias de Ezequiel
588	Revolta contra a Babilônia
586	Jerusalém é Destruída
	Terceiro Cativeiro
585	Profecias de Obadias
555	Gedalias é Assassinado (Jeremias 40—44)
	Jeremias vai para o Egito (Jeremias 42—44)
550-535	Profecias de Daniel
538	Queda da Babilônia (Daniel 5)

Período Pós-Exílio: O Retorno (536-400 a.C.)

539-530	Ciro da Pérsia (Is 44.26; 45:1; 2 Cr 36.22; Esdras 1.1)
537	Decreto do Retorno (Esdras 1.1-4)
536	Primeiro Retorno - Zorobabel (Esdras 1.4—2.67)
	O início da reconstrução (Esdras 2.68—3.13)
	Os impecilhos dos samaritanos (Esdras 4.1-24)
522-486	Dario da Pérsia (Esdras 4.24; 6.1; Ageu 1.1; Zacarias 1.1)
520	Ageu e Zacarias (Esdras 5; Ageu; Zacarias)
516	Reconstrução e Dedicação do Templo (Esdras 6)
485-465	Assuero (Xerxes da Pérsia) (Ester 1.1)
	Ester e Mardoqueu (Livro de Ester)
458	Segundo Retorno - Esdras (Esdras 7-8)
	Reformas de Jerusalém (Esdras 9-10)
450-430	Profecias de Malaquias
444	Terceiro Retorno - Neemias (Neemias 1.1—2.8)
	Reconstrução do Muro (Neemias 2.9—6.19)
	Instrução na Lei (Neemias 8-10)
432	Neemias Volta a Jerusalém (Neemias 13)
	A medida de reforma
	Período Intertestamentário

Autores deste volume

CHESTER O. MULDER
Professor de Religião, Northwest Nazarene College, Nampa, Idaho. A.B., M.A., Pasadena College; B.D., Th.M., Berkeley Baptist Divinity School; doutorado pela Berkeley Baptist Divinity School e pela Pacific School of Religion.

R. CLYDE RIDALL
Professor-assistente de Teologia e Literatura Bíblica pela Olivet Nazarene College, Kankakee, Illinois. Th.B., God's Bible School; B.S. em Educação, University of Cincinnati; B.D., Asbury Theological Seminary; S.T.M., The Biblical Seminary em New York (N.Y.U.); M.A., Fordham University; Th.D., Concordia Theological Seminary. Graduado pelo Westminster Theological Seminary.

W. T. PURKISER
Editor de Herald of Holiness, Igreja do Nazareno e Professor associado de Bíblia Inglesa (part-time), Nazarene Theological Seminary, Kansas City, Missouri, A.B., D.D., Pasadena College; M.A., Ph.D., University of Southern Califórnia.

HARVEY E. FINLEY
Professor de Antigo Testamento no Nazarene Theological Seminary, Kansas City, Missouri. A.B., Oberlin College; B.D., McCormick Theological Seminary; Ph.D., The Johns Hopkins University. Estudos residents na The American School of Oriental Research em Jerusalém, Israel.

ROBERT L. SAWYER
Presidente da Divisão de Religião e Filosofia, Mid-America Nazarene College, Olathe, Kansas. A.B., Th.B., Eastern Nazarene College; Th.M., Th.D., Central Baptist Seminary, Kansas City, Kansas.

C. E. DEMARAY
Presidente, Divisão de Línguas e Literatura, Chefe do Departamento de Línguas Clássicas e Literatura Bíblica, Olivet Nazarene College, Kankakee, Illinois. A.B., M.A., Ph.D., University of Michigan.

COMENTÁRIO BÍBLICO BEACON

Em Dez Volumes

Volume I. Gênesis; Êxodo; Levítico; Números; Deuteronômio

Volume II. Josué; Juízes; Rute; 1 e 2 Samuel; 1 e 2 Reis; 1 e 2 Crônicas; Esdras; Neemias; Ester

Volume III. Jó; Salmos; Provérbios; Eclesiastes; Cantares de Salomão

Volume IV. Isaías; Jeremias; Lamentações de Jeremias; Ezequiel; Daniel

Volume V. Oséias; Joel; Amós; Obadias; Jonas; Miquéias; Naum; Habacuque; Sofonias; Ageu; Zacarias; Malaquias

Volume VI. Mateus; Marcos; Lucas

Volume VII. João; Atos

Volume VIII. Romanos; 1 e 2 Coríntios

Volume IX. Gálatas; Efésios; Filipenses; Colossenses; 1 e 2 Tessalonicenses; 1 e 2 Timóteo; Tito; Filemom

Volume X. Hebreus; Tiago; 1 e 2 Pedro; 1, 2 e 3 João; Judas; Apocalipse